«Μία εκπληκτική πολεμική περιπέτεια ... γραμμένη με εκείνη την προσωπική σεμνότητα που χαρακτηρίζει τους πιο γενναίους άνδρες»
Robert Kee, *Observer*

«Πολλοί γενναίοι άνδρες προέρχονται απ' τη Νέα Ζηλανδία, αλλά λίγοι μπορούν να γράψουν όπως ο Τόμας... μια ιστορία που δεν έχασε καθόλου την υπεροχή της, επειδή αποτυπώθηκε σεμνά και χωρίς αναληθείς ηρωισμούς οποιουδήποτε είδους«
Αντιστράτηγος Sir Brian Horrocks, *Sunday Times*

«Πρόκειται για ένα βιβλίο-μαρτυρία μιας μεγαλειώδους προσωπικής γενναιότητας και επινοητικότητας, μια περιπετειώδης ιστορία υψηλού επιπέδου», *Edinburgh Evening News*

«Εκπληκτικό, σε απορροφά. Μία διασκεδαστική ιστορία περιπέτειας. Ένα εντυπωσιακό βιβλίο»,
Sir Terry McLean

«Το βιβλίο αυτό με είχε καθηλωμένο απ' την αρχή ως το τέλος»,
Sir Noël Coward, *Middle East Diary*

"Το βιβλίο του, μετριόφρον και ευχάριστο, είναι ενδιαφέρον όχι μόνο σαν καταγραφή μιας αυθεντικής απόδρασης, αλλά και σαν μία... ζωντανή γραπτή περιγραφή του ελληνικού τοπίου»,
TLS

Επίσης του Σάντυ Τόμας:
Pathways to Adventure, Dryden Press
Mask of Evil and the Black Trees, Dryden Press
A Glimpse of Utopia, Dryden Press

Το 1939 ο 'Σάντυ' Τόμας ήταν ένας νεαρός τραπεζικός υπάλληλος στη Νέα Ζηλανδία. Η επόμενη χρονιά τον βρήκε στην Αγγλία, Ανθυπολοχαγό του 23ου Τάγματος της Νέας Ζηλανδίας. Μέχρι σήμερα, κατέχει ένα από τα πιο διακεκριμένα στρατιωτικά ιστορικά. Τον Ιούλιο του 1945, ο Αντιπτέραρχος Σερ Μπέρναρντ Σ. Φράιμπεργκ, VC (αργότερα Λόρδος Φράιμπεργκ), ο οποίος είχε διοικήσει τις Συμμαχικές Δυνάμεις στην Κρήτη, έγραψε:

«...τον παρακολούθησα να αναρριχάται σ' όλες τις βαθμίδες μέχρι το τελευταίο έτος του πολέμου, από πολύ νεαρό Ανθυπολοχαγό που εξελίχθηκε σ' έναν από τους πιο τολμηρούς και έμπειρους Διοικητές Πεζικού, της 2ης Μεραρχίας της Νέας Ζηλανδίας».

Έφτασε να γίνει ο Υποστράτηγος W.B. «Sandy» Thomas, CB, DSO, MC and Bar, ED, Silver Star (USA), Στρατιωτικός Διοικητής των Χερσαίων Δυνάμεων της Άπω Ανατολής.

2nd Lt W. B. 'Sandy' Thomas   CAPT W. B. THOMAS

W.B. 'Sandy' Thomas

ΚΥΝΗΓΩΝΤΑΣ ΤΗΝ ΕΛΕΥΘΕΡΙΑ

Μία από τις συναρπαστικότερες αληθινές ιστορίες
του Β΄ Παγκοσμίου Πολέμου

Πρόλογος - Ιστορική Έρευνα - Απόδοση
Γιώργος Γ. Σπανός

Τίτλος πρωτοτύπου:
Dare to be Free
One of the greatest true stories of World War II

Εκδόθηκε για πρώτη φορά το 1951,
Allan Wingate (Publishing) Limited.

Επανεκδόσεις: Νοέμβριος 1951, Φεβρουάριος 1952, Μάιος 1952,
Σεπτέμβριος 1953

Ειδική εκπαιδευτική έκδοση για το Πανεπιστήμιο του Κέιμπριτζ, Σεπτέμβριος 1953
Έκδοση απ' την Ένωση Αναγνωστών, 1953
Ινδική έκδοση, Αύγουστος 1952
Νορβηγική έκδοση, 1952

Πρώτη έκδοση σαν χαρτόδετο βιβλίο, 1954
Pan Books Limited, London.
Συνολικά έξι εκδόσεις από 1954-1974 με τις οποίες ξεπέρασε τις 300.000 πωλήσεις

Πρώτη έκδοση σκληρού εξωφύλλου, 2001
Dryden Press, Νέα Ζηλανδία.

Έκδοση σκληρού εξωφύλλου, 2005
Cassell Lilitary Paperbacks

Πρώτη ηλεκτρονική έκδοση στ' Αγγλικά, 2014
Orion Books, Ltd.

Συνολικά έχει ξεπεράσει τα 500.000 πωληθέντα αντίτυπα παγκοσμίως.

ISBN (Πρωτοτύπου) 978 1876344641
Copyright © Πρωτοτύπου 2014 W.B. 'Sandy' Thomas
All rights reserved.

ISBN Εθνικής Βιβλιοθήκης: 978-618-81290-2-3
ISBN Int'l: 978-0-9912653-5-0
Copyright © George G. Spanos – Athos Press, NY (www.athospress.com)

Γλωσσική Επιμέλεια	Φωτογραφίες	Επιμέλεια Εξωφύλλου
Παναγιώτης Μακρής	Εθν. Μουσείο	Μιχάλης Καλούδης
	Νέας Ζηλανδίας	

Θερμές ευχαριστίες στην Ντία Παπαδοπούλου (Νίκαια) και τον Χρήστο Καραστέργιο
(Ιερισσό) για τις πολύτιμες ιστορικές πληροφορίες που παρείχαν στην έρευνα τού
κ. Γιώργου Σπανού.

Στις κόρες μου

Γκαμπριέλλα, Σήλια, & Τζοάννα

Περιεχόμενα

Μην τολμήσεις,

να μην τολμήσεις...

C. S. Lewis

Γερμανοί αλεξιπτωτιστές, Κρήτη - Μάιος 1941   ATL DA-12638

Ο ουρανός του Μάλεμε γεμάτος από Γερμανούς Αλεξιπτωτιστές, 1941
ATL DA-12639

Πρόλογος

Για τους δεκάδες χιλιάδες άνδρες που έφτασαν από τη Νέα Ζηλανδία για να πολεμήσουν με τους συμμάχους, κατά των Ναζί, ο 'Σάντυ' Τόμας (W.B. «Sandy» Thomas, D.S.O., M.O. and Bar, Silver Star USA), υπήρξε ένας ξεχωριστός χαρακτήρας που παραμένει μέχρι και σήμερα ένας ζωντανός θρύλος.

Μεγάλωσε στη μικρή αγροτική πόλη Ριγουάκα, στη Νότια Νήσο της Νέας Ζηλανδίας. Ο Προπάππους του, ήταν συνταγματάρχης στον Ινδικό Στρατό, γεγονός που ενέπνευσε τον Τόμας να κάνει αίτηση στο Βασιλικό Στρατιωτικό Κολλέγιο του Ντάντρουν στην Αυστραλία. Απερρίφθη, όμως, μόνο και μόνο διότι στο λύκειο δεν είχε δηλώσει την ενδεδειγμένη κατεύθυνση σπουδών. Παρόλο που ο νεαρός Σάντυ, αναγκάστηκε να εργαστεί από νωρίς ως τραπεζικός υπάλληλος, στο μέλλον, κατά ειρωνεία της τύχης, το ίδιο Στρατιωτικό Κολλέγιο που τον είχε απορρίψει, θα τον προσκαλούσε συχνά να δίνει διαλέξεις ως πρότυπο Στρατηγού.

Ο Τόμας κατάφερε να διοριστεί στην Εθνοφρουρά πριν το ξέσπασμα του Β' Παγκοσμίου Πολέμου. Το 1940, απέπλευσε με το μεγάλο κομβόι των οπλιταγωγών που προορίζονταν για τη Μέση Ανατολή, αλλά τελικά στάλθηκαν επειγόντως στη Μεγάλη Βρετανία για να βοηθήσουν στην αντιμετώπιση μίας ενδεχόμενης γερμανικής εισβολής, αφού οι Ναζί είχαν μόλις πατήσει πόδι στη Δουνκέρκη. Από την Αγγλία έφτασε μέσω Αιγύπτου στην ηπειρωτική Ελλάδα και την Αττική, απ' όπου και κατέληξε να πολεμά στην Κρήτη. Εκεί, ο Τόμας, αφέθηκε βαριά πληγωμένος κι αιχμαλωτίστηκε στη μάχη του Γαλατά, μετά την άτακτη υποχώρηση των Συμμαχικών Δυνάμεων.

Η ιστορία του Σάντυ Τόμας, μία από τις συγκλονιστικότερες αληθινές ιστορίες του Β' Παγκοσμίου Πολέμου, βλέπει για πρώτη φορά το φως της δημοσιότητας στην Ελλάδα, επτά δεκαετίες μετά.

Δεν προβάλλει τον ηρωισμό ενός μόνο στρατιώτη, όσο κι αν ήρθε απ' την άλλη άκρη της Γης για να πολεμήσει στην Ελλάδα τους Γερμανούς. Μας περιγράφει και μας υπενθυμίζει τον ηρωισμό των απλών Ελλήνων και των Αγιορειτών Μοναχών, που ως αφανείς ήρωες έθεταν σε κίνδυνο τη ζωή τους για να υποθάλπουν και να φυγαδεύουν κατατρεγμένους μαχητές που αγωνίζονταν να ξεφύγουν από τους Ναζί, ώστε να επανενωθούν με τις δυνάμεις τους.

Ο 97χρονος, σήμερα, Νεοζηλανδός δραπέτης που αψήφησε επιδεικτικά τους Ναζί, εξελίχθηκε σ' έναν αξιοθαύμαστο Στρατιωτικό που δεν σταμάτησε ποτέ να επισκέπτεται και να ευχαριστεί την Ελλάδα. Μετά από 500χιλ. εξαντλημένα αντίτυπα, ένα εκ των οποίων, φαίνεται πως έψαχνε τρόπο να πέσει στα φιλόξενα χέρια μου, η ελληνική έκδοση αυτής της αξιοθαύμαστης περιπέτειας μπορεί να άργησε, αλλά αποτελεί και την ιδανικότερη ολοκλήρωση της· η ιστορία αυτή εξακολουθεί να παραμένει και σήμερα, τόσο συναρπαστική, όσο κι επίκαιρη.

Είμαστε ιδιαίτερα ευτυχείς που το έργο αυτό ήρθε εις πέρας στη σημερινή συγκυρία, προβάλλοντας όχι μόνο στοιχεία που επιβεβαιώνουν την πορεία του ήρωα, αλλά και την πραγματική συνεισφορά του Αγίου Όρους, μέσα στον ελληνικό χωρόχρονο του Β' Παγκοσμίου Πολέμου. Απόδειξη όλων αυτών, τα μοναδικά ντοκουμέντα που παραθέτουμε ως επίμετρο στο τέλος του βιβλίου.

Γ. Γ. Σ.

ΚΡΗΤΗ 1941

«Χριστέ μου!» φώναξε ο Λοχίας Τέμπλετον, σκοντάφτοντας πάνω στο τενεκεδένιο πιάτο του καθώς έκανε ένα βήμα πίσω για να δει καλύτερα, «Χριστέ μου, δεν μπορεί να 'ναι αληθινοί στρατιώτες αυτοί! Πρέπει να 'ναι κούκλες! Το θέαμα των αλεξιπτωτιστών, φαινόταν κάτι το εξωπραγματικό για μας και δεν μπορούσαμε ν' αντιληφθούμε εύκολα τις επικίνδυνες συνέπειες που θ' ακολουθούσαν. Η πρωινιάτικη εμφάνιση τους μέσα στο βαθύ γαλάζιο του κρητικού ουρανού, έτσι όπως τους παρατηρούσαμε μέσα απ' τα γκριζοπράσινα κλαδιά των ελιών, τούς έκανε να μοιάζουν με μαριονέτες των οποίων τα κυματιστά πράσινα, κίτρινα, κόκκινα και λευκά ρούχα ανέμιζαν αναποδογυρισμένα, λες και είχαν μπλεχτεί με τα σύρματα που τις κατεύθυναν. Στεκόμουν δίπλα στον Λοχία Τέμπλετον και πάλευα να κατανοήσω τι είδους επιπτώσεις θα μας επέφερε όλη εκείνη η έγχρωμη πανδαισία. Τελικά συνειδητοποίησα, ότι αυτές οι πολύχρωμες κούκλες που έπεφταν από τον ουρανό, θα γινόντουσαν η αιτία να επαναληφθούν όλες οι φρικαλεότητες που είχαμε γνωρίσει λίγο καιρό πριν, στην ηπειρωτική Ελλάδα. Η γερμανική εισβολή τής Κρήτης είχε αρχίσει.

«Λοχία, είναι αλεξιπτωτιστές», φώναξα, έχοντας άξαφνα θυμηθεί ότι κάτι περίμεναν από μένα οι άνδρες μου, «να ετοιμαστούν όλοι για δράση αμέσως! Οι Ούννοι θα πέσουν καμιά πεντακοσαριά μέτρα από εδώ, αλλά η επόμενη παρτίδα μπορεί να έρθει κατευθείαν πάνω μας. Κοιτάξτε εκείνα τα αεροπλάνα!»

Μας περικύκλωναν αργά-αργά, οκτώ με εννέα σειρές αποκρουστικών Τζάνκερς 52 που μετέφεραν στρατιώτες, και καθώς έπαιρναν στροφές μάς έδειχναν ξεκάθαρα τους μαύρους τους σταυρούς. Εντός ολίγων λεπτών, ο ουρανός είχε γεμίσει από σχηματισμούς μαχητικών, αθόρυβων ανεμόπτερων κι άλλων χοντροκομμένων μεταγωγικών.

Εκείνο το ξημέρωμα, βρισκόμασταν όπως πάντα σε δίωρη επιφυλακή, ενώ καταριόμασταν, μέσα απ' τα πενιχρά καταφύγια των ελαιόδεντρων, την ώρα και τη στιγμή που εγκαταλείψαμε στις άλλες μάχες τις κουβέρτες και τα παλτά.

Γερμανικά αεροσκάφη προσγειωμένα στο αεροδρόμιο του Μάλεμε
ATL DA-02059

Οι βομβαρδισμοί του αεροδρομίου στο Μάλεμε είχαν αρχίσει με πιο φρενήρεις ρυθμούς απ' ότι τα άλλα πρωινά.

Το αεροδρόμιο βρισκόταν κατά μήκος του παραλιακού δρόμου, σε απόσταση λιγότερο των δύο χιλιομέτρων από τη θέση μας, η οποία είχε ήδη λάβει το μερίδιο βομβών που της αναλογούσε απ' τα αεροπλάνα που περνούσαν καθ' οδόν για το αεροδρόμιο, καθώς επίσης είχαμε δεχθεί και κάμποσες ανησυχητικές ριπές απ' τα πολυβόλα των Στούκας που πετούσαν χαμηλά. Μετά από ένα δεκαπενθήμερο στην Κρήτη, βέβαια, είχαμε συνηθίσει σε αυτού του είδους τη «μεταχείριση». Όταν ο βρυχηθμός των μαχητικών κόπασε λίγο, αφήσαμε τις θέσεις μας για να ψάξουμε να φάμε κάτι για πρωινό. Υποθέταμε ότι οι υπόλοιποι θόρυβοι από κινητήρες προέρχονταν απ' όσα αναγνωριστικά αεροσκάφη είχαν απομείνει, και συνέχιζαν να στροβιλίζονται απρόκλητα και με αυθάδεια πάνω απ' τα κεφάλια μας.

Η πρώτη υποψία ότι αυτή η μέρα θα ήταν πολύ πιο διαφορετική απ' όλες τις άλλες, προήλθε λίγο πριν την εμφάνιση των μεταγωγικών, όταν ένα ανεμόπτερο πέρασε ξυστά πάνω από τον ελαιώνα μας, στην πορεία του προς το Μάλεμε.

Ο θόρυβος εξελισσόταν τώρα σε ένα τρομερό κρεσέντο. Βόμβες σφύριζαν κι έσκαγαν στο βάθος, τουφέκια οπλίζονταν μέσα απ' τις ελιές, στρατεύματα ανέπτυσσαν πλήρη δράση, πολυβόλα τραύλιζαν καθώς προσπαθούσαν να χτυπήσουν οτιδήποτε αιωρούταν στον ουρανό, φωνές φόβου και πόνου έβγαιναν από άνδρες που ήταν πεσμένοι στο έδαφος ή από αλεξιπτωτιστές που τρώγανε σφαίρες πριν καν προσγειωθούν.

Τα λίγα εναπομείναντα αντιαεροπορικά πολυβόλα Μπόφορ, εντάχθηκαν κι αυτά στη δράση, σταθεροποιημένα στο έδαφος με τα αιχμηρά ποδαρικά τους, ενώ εκεί κοντά ένα ολμοβόλο τριών ιντσών γούφαρε συνεχώς, φτύνοντας τις βόμβες του ψηλά στον αέρα.

Πάνω απ' όλα, όμως, επικρατούσε μία αδιάκοπη, αυξομειούμενη, βαθιά και μπάσα ένταση· ήταν ο βόμβος των αεροκινητήρων που τονιζόταν από το σφύριγμα των βομβών και τις βουτιές των αλεξιπτωτιστών. Το πεδίο της μάχης είχε πάρει τη μορφή πραγματικού φρενοκομείου.

Χτυπημένο Στούκας από συμμαχικά αντιαεροπορικά, Κρήτη 1941
DVA NZ GOV

Η Διμοιρία μου, λίγο τρομαγμένη ίσως, αλλά έτοιμη για τα πάντα, αυτό-οργανώθηκε σε τμήματα, αθόρυβα κι αποτελεσματικά. Τους έριξα μια περήφανη ματιά στα γρήγορα, γιατί διατηρούσαν αυτούσια τη στρατιωτική τους εμφάνιση, παρά τις άσχημες εμπειρίες και τις απώλειές που είχαν βιώσει μέχρι τότε στην Ελλάδα. Την ώρα που τους κουνούσα το χέρι μου για να καλυφθούν μέσα στις σχισμές των χαρακωμάτων ώσπου να έρθουν οι εντολές μας, θαύμασα την άμεση αντίδραση τους και θυμήθηκα το πόσο υπέροχη παρέα ήταν όλοι τους κατά το παρελθόν έτος. Δεν είχε περάσει, στην πραγματικότητα, πάνω από ένας χρόνος από τότε που εγώ προσωπικά, ένας ακατέργαστος εικοσάχρονος ανθυπολοχαγός, τούς είχα καλωσορίσει στο στρατόπεδο επιστράτευσης του Μπέρναμ, στη Νέα Ζηλανδία, όταν ήταν ακόμη όλοι με πολιτικά ρούχα κι έδιναν την εντύπωση μίας πολύ πρόχειρης Σειράς. Οι περισσότεροι απ' αυτούς κατάγονταν απ' τα μέρη μου, και ήταν ανθρακωρύχοι, Βουσμάνοι ιθαγενείς και αγρότες. Υπήρχαν επίσης κι άλλοι, όπως εγώ, που ήταν υπάλληλοι τράπεζας ή διαφόρων επιχειρήσεων. Περάσαμε τέσσερις πολύ σκληρούς, αλλά χαρούμενους μήνες εκπαίδευσης στη Νέα Ζηλανδία, και στη συνέχεια σαλπάραμε για να ολοκληρώσουμε την εκπαίδευσή μας στην Αγγλία.

Ήταν τραγικό το γεγονός, ότι μετά από τόσο ενθουσιώδης πολεμικές ασκήσεις και μελέτες, έπρεπε να μας στείλουν, μέσω Αιγύπτου, σε μια κατάσταση πανωλεθρίας, έτσι όπως αντιλαμβανόμασταν μέχρι τότε την Ελλάδα. Κι ενώ οι άνθρωποι αυτοί πολέμησαν γενναία ενάντια σε τόσο τρομακτικά αντίξοες συνθήκες, η απόσυρση των Συμμάχων, είχε αρχίσει να φαίνεται αναπόφευκτη.

Ο Ταγματάρχης Τόμασον, βετεράνος Διοικητής του Λόχου, φάνηκε να πλησιάζει ελικοειδώς, μέσα από τους ελαιώνες, με το διακριτικό κουτσό βάδισμα του

Ο "Σάντυ" Τόμας

ζητώντας να μου μιλήσει. Χαμογελώντας, κι ατάραχος απ' τη σύγχυση που επικρατούσε γύρω μας, μου είπε: «Λοιπόν, νεαρέ Τόμας, ο πόλεμος ήρθε κατευθείαν στην εξώπορτα σας.

Τώρα άκουσε με προσεκτικά. Αυτοί οι Ούννοι που είδαμε να πέφτουν, είναι μέρος ενός ολόκληρου Τάγματος που έχει πέσει κοντά στο δικό μας 22° που βρίσκεται ψηλότερα από εμάς προς το αεροδρόμιο. Ο συνταγματάρχης πιστεύει ότι κάποιοι από δαύτους έχουν πέσει πολύ μακριά από τον στόχο τους, κι αυτή τη στιγμή οργανώνονται γύρω απ' τις θέσεις του 23ου, αλλά και στην περιοχή του 22ου. Μπορεί να δημιουργήσουν σοβαρές απειλές εκεί και να παίξουν αποτρεπτικό ρόλο στις αντεπιθέσεις μας». Σταμάτησε και με κοίταξε μες στα μάτια με αρχηγικό και θυμωμένο ύφος. «Πάρτε τη διμοιρία σας και καθαρίστε τους».

Δούλεψα το σάλιο μου για μερικές στιγμές μένοντας άφωνος. Αισθανόμουν λίγο έξω απ' τα νερά μου. Συνειδητοποίησα τότε, πως αυτή εδώ ήταν η αληθινή κατάσταση σε σχέση με όλα τα θεωρητικά που διάβαζα για το πώς δίνονται οι εντολές σε μια μάχη. Τινάχθηκα σε δράση φωνάζοντας στη διμοιρία ποιο ήταν πλέον το καθήκον μας, και ξεκίνησα να συγκεντρώνω τα τμήματα σε αποστάσεις των είκοσι μέτρων. Περάσαμε μέσα από τους στρατιώτες της πρώτης γραμμής, που ήταν όλοι σε επιφυλακή χωμένοι στα χαντάκια τους και στη συνέχεια κινηθήκαμε μέσα στον ελαιώνα, κατευθυνόμενοι προς την περιοχή όπου είχαμε δει τους αλεξιπτωτιστές να πέφτουν.

Έξω απ' την περίμετρο του Τάγματός μας τα πράγματα φαίνονταν, σε πρώτη φάση, αφύσικα ήρεμα και η πανσπερμία των θορύβων της μάχης καθώς κατεβαίναμε μία-μία τις πεζούλες της πλαγιάς έμενε κλεισμένη έξω απ' την κοιλάδα. Θεώρησα ότι ο εχθρός ήταν ακόμα σε ασφαλή απόσταση κι έτσι προχώρησα πιο μπροστά απ' την υπόλοιπη διμοιρία.

Ξαφνικά, το μυαλό μου καθάρισε και ήρθε σε εγρήγορση. Μόνο ένας άνθρωπος σε εμπόλεμη κατάσταση μπορεί να βιώσει εκείνη τη διαύγεια που, κατά την ώρα ενός απροσδόκητου κινδύνου, εξαλείφει όλες τις περιττές ανησυχίες και αποκρυσταλλώνει τον εγκέφαλο για να μπορέσει ν' ανταπεξέλθει στο πιο θανατηφόρο χόμπι -την καταδίωξη ενός συνανθρώπου. Πλησίασα στο χαμηλότερο σημείο της μικρής κοιλάδας και σύντομα βρέθηκα ακριβώς πριν απ' την πρώτη ξερολιθιά της άλλης πλαγιάς. Αμέσως μόλις ξεκίνησα την αναρρίχηση πιάνοντας με το ένα μου χέρι την πέτρα του περβαζιού και έχοντας σηκώσει το πόδι μου για να πατήσει σε μία εσοχή, κάτι απρόσμενο, με σταμάτησε. Ένα ψυχρό προαίσθημα με κατέλαβε και με έκανε να σκύψω. Δεν είχα ακούσει τίποτα το ανησυχητικό και δεν περίμενα να συναντήσω κάποια εχθρική παρουσία, μέχρι την κορυφογραμμή της μικρής πλαγιάς. Ακόμη κι αν το είχα μελετήσει πολύ πιο προσεκτικά πριν σκαρφαλώσω, δεν θα έβρισκα κανένα λόγο να μην κινηθώ προς τα εμπρός βιαστικά. Το ένστικτο μου, όμως, μου είπε «πρόσεχε», και το υπάκουσα.

Κοιτάζοντας πίσω μου, ανησύχησα όταν διαπίστωσα ότι οι άνδρες μου είχαν μείνει καμιά πενηνταριά μέτρα μακριά και προχωρούσαν με αρκετή προσοχή. Τους έκανα σινιάλο να σπεύσουν γρήγορα προς τα εμπρός, ανυπομονώντας για την καθυστέρηση.

Στις τσέπες μου είχα αρκετές χειροβομβίδες που ήταν βαριές και άβολες. Έπιασα μία απ' την αριστερή τσέπη του στρατιωτικού παντελονιού μου και, περισσότερο για να απαλλαγώ από δαύτη και όχι από φόβο, πριν αναρριχηθώ στην ψηλή ξερολιθιά, απέσυρα τον πίρο και την πέταξα προς τα μπρος. «Τρία, τέσσερα, πέντε, έξι», μέτρησα κρατώντας την αναπνοή μου, έσκυψα σε επιφυλακή, και τη στιγμή που έσκασε, στο έβδομο δευτερόλεπτο, πήδηξα πάνω στην πεζούλα.

Πριν καλά-καλά βρω την ισορροπία μου, πρόσεξα ένα σκουροπράσινο μεταλλικό κράνος, σχεδόν όλο κρυμμένο πίσω από τον κορμό μιας παχιάς ελιάς, και είδα ένα περίστροφο ν' ανασηκώνεται από το έδαφος και να με στοχεύει. Τράβηξα τη σκανδάλη του όπλου μου και είδα τον ώμο του αλεξιπτωτιστή ν' αναπηδά. Με διαπέρασε ξαφνικά ρίγος όταν κατάλαβα ότι πυροβολώντας ενστικτωδώς από το ύψος του μηρού μου, όπου κράταγα το τουφέκι μου, είχα σκοτώσει παρά τη θέλησή μου τον πρώτο Γερμανό.

Δεν είχα διαθέσιμο χρόνο είτε για ανακούφιση, είτε για αποστροφή -στο επόμενο κλάσμα του δευτερολέπτου ανακάλυψα, σχεδόν κάτω απ' τα πόδια μου, να με πλησιάζει έρποντας ανάσκελα ένας δεύτερος στρατιώτης, με μία άρρωστη πρασινοκίτρινη φάτσα. Κρατούσε ένα περίστροφο που το κυμάτιζε με το δεξί του χέρι τρεμάμενο. Τον χτύπησα με τον υποκόπανο του τουφεκιού μου στο κεφάλι και καθώς επανόπλιζα του φώναξα να ρίξει το όπλο του. Εκείνος συνέχισε να το κουνά άσκοπα. Μπορούσα να δω από το σάλιο που έσταζε κι απ' τις δύο πλευρές του στόματός του, αλλά και απ' τις ασυναρτησίες που έβγαζε, ότι δεν είχε άλλη δύναμη μέσα του. Στάθηκα πάνω από το σώμα του, και του κλώτσησα το περίστροφο απ' την παλάμη. Κοίταξα γύρω μου γρήγορα. Ακριβώς μπροστά μου, ανάμεσα στις ελιές, δεν διέκρινα καμία περαιτέρω κίνηση. Πίσω μου, η διμοιρία θορυβημένη από τον πυροβολισμό μου, μόλις είχε πλησιάσει την πεζούλα στην οποία στεκόμουν.

Τι να έκανε κάποιος μ' έναν και μόνο κρατούμενο; Κανείς δεν μου είχε πει κάτι σχετικό, αλλά και δεν είχα σκεφτεί ότι θα συλλάμβανα ποτέ κάποιον. Δεν μπορούσαμε να τον πάρουμε μαζί μας διότι θα περιέπλεκε αφάνταστα την εκκαθάριση του εχθρικού θύλακα, που φανταζόμουν ότι θα ήταν πιο μακριά από 'κει που ήμασταν, και σίγουρα θα ήταν λάθος να σπαταλήσουμε έναν στρατιώτη για να τον πάει πίσω στο Αρχηγείο μας -αν έπιανα καθ' οδόν είκοσι κρατούμενους και τους έστελνα όλους πίσω, δε θα μου έμενε κανένας στρατιώτης διαθέσιμος. Προφανώς, έπρεπε είτε να τους βάλω να τον δέσουν ή με κάποιο τρόπο ν' απαλλαχθώ από δαύτον, μέχρι να τον παραλαμβάναμε στην επιστροφή μας.

Όσο ανάλγητο κι αν φαίνεται, αποφάσισα να αφήσω αναίσθητο τον πρώτο κρατούμενο της ζωής μου, και του έδωσα ένα ελαφρύ κτυπηματάκι στο κεφάλι, αρκετά βαρύ όμως για να τον κρατήσει ήσυχο μέχρι να τον πάρουμε όταν θα επιστρέφαμε. Το σιδερένιο κράνος του είχε πέσει λίγα μέτρα πιο πέρα και γι 'αυτό έσκυφα να χαϊδέψω το κεφάλι του ενδεικτικά για το τι έπρεπε να κάνω. Οι ξέφρενες ασυναρτησίες του αυξήθηκαν, αλλά πάνω απ' όλα είχα μια δουλειά να τελειώσω και, στο κάτω-κάτω, γιατί θα έπρεπε να αφήσω έναν Γερμανό πίσω απ' τις πλάτες μας να θέτει σε κίνδυνο τις ζωές μας;

Τότε έκανα ένα πολύ ανόητο πράγμα: Γύρισα το τουφέκι μου ανάποδα κι έσφιξα τη ζεστή κάνη του στα χέρια μου για να του δώσω ένα ελαφρύ χτύπημα. Ακριβώς όπως σήκωσα το τουφέκι μου ένα μέτρο πάνω από το κεφάλι του, άκουσα μία ριπή ενός αυτόματου όπλου και κάμποσα παρακλάδια ελιάς έπεσαν πάνω μου από το δέντρο που υψωνόταν πίσω μου. Κοιτώντας γρήγορα και φοβισμένα, είδα έναν τεράστιο Γερμανό να τρέχει προς το μέρος μου μέσα απ' τα ελαιόδεντρα έχοντας στραμμένο το οπλοπολυβόλο του καταπάνω μου.

Στο επόμενο κλάσμα του δευτερολέπτου, το μυαλό μου έκανε την ανόητη σκέψη ότι αυτός ο άνθρωπος δεν ήξερε ότι τα αυτόματα οπλοπολυβόλα εκτινάσσονται προς τα πάνω όταν ρίχνουν μαζικά. Στη συνέχεια, πανικοβλήθηκα εξαιτίας του κινδύνου στον οποίο με εξέθετε η θέση μου. Η πρώτη μου αντίδραση ήταν να ολοκληρώσω την καθοδική κίνηση του τουφεκιού μου. Μόλις το έκανα, κατάλαβα ότι ο πανικός μου με είχε κάνει να χτυπήσω τον Γερμανό από κάτω μου, πολύ πιο δυνατά απ' όσο ήθελα. Η πίσω άκρη του τουφεκιού μου τσάκισε την πλευρά του κεφαλιού του, σαν να χτυπούσε κόντρα πλακέ.

Έπεσα στο έδαφος πίσω του κι άρπαξα το περίστροφο που τού είχα κλωτσήσει λίγο πριν. Το έστρεφα προς τη θυμωμένη φιγούρα και τράβηξα τη σκανδάλη. Δεν έγινε τίποτα - είχε μπλοκάρει.

Ο μεγαλόσωμος Γερμανός σταμάτησε περίπου τρία βήματα μακριά μου κι εγώ μαζεύτηκα πιο κοντά στο πτώμα του ξαπλωμένου Γερμανού, που έκανε ακόμα συσπάσεις. Στερέωσε το οπλοπολυβόλο στον ώμο του και σιγά-σιγά, απολαυστικά και ψυχρά, με στόχευσε. Πρόσεξα το δεξί του μάτι να βιδώνει καθώς εστίαζε στο σκόπευτρο. Η σφαίρα κλείδωσε.

Παρέμενα παγωμένος και χωρίς να μπορώ να κουνηθώ. Με μία λάμψη τέλειωσαν όλα.

Καθώς τραβούσε τη σκανδάλη είδα τον ώμο του να εκτινάζεται κι ένα κόκκινο πασάλειμμα εμφανίστηκε στο μέτωπό του. Είδα τον Γερμανό να πέφτει στο έδαφος και το πρόσωπό του να είναι καλυμμένο από αίμα. Η δική του σφαίρα βρήκε το πτώμα που ήταν δίπλα μου.

Ο Δεκανέας Ρέι Τόμσον, του οποίου το τουφέκι κάπνιζε,

με κοίταζε με ανοιχτό το στόμα απ' την άκρη του πρεβαζιού. «Παρά τρίχα, κύριε», μού είπε χαμογελώντας, καθώς ολοκλήρωνε το σκαρφάλωμα για να πιάσει την τσάντα που είχε πετάξει πρώτα επάνω. «Αν δεν σας πειράζει που σας το λέω κύριε, πιστεύω πως δεν είναι ανάγκη να προχωράτε πολύ πιο μπροστά από εμάς, κύριε!» «Πίστεψε με, Δεκανέα», επανήλθα με όσο πιο κανονική φωνή μπορούσα, «η συμβουλή σου είναι αυτονόητη. Στο εξής θα σας δίνω εντολές απ' τα μετόπισθεν!»

Προχωρούσαμε επιφυλακτικά, εξετάζοντας με προσοχή κάθε θάμνο και φυλλωσιά που μπορεί να έκρυβε αλεξίπτωτο οποιουδήποτε χρώματος. Ανακαλύψαμε ότι τα κίτρινα αλεξίπτωτα υποδήλωναν πακέτα προμηθειών και βρήκαμε τον καλύτερο τρόπο να καταστήσουμε άχρηστα τα όπλα και τα πυρομαχικά που βρίσκαμε εντός τους. Σύντομα, κάθε άντρας της διμοιρίας έφερε κι από ένα περίστροφο Λούγκερ κι ένα ζευγάρι κιάλια Ζέις, τα οποία επιδείκνυε με εξαιρετικά ακμαίο το ηθικό.

Η περίπολος μας συνέχισε την ίδια τακτική όλη την υπόλοιπη 20η μέρα τού Μάη, του 1941. Όταν διαπιστώσαμε ότι η περιοχή που μας είχε ανατεθεί από τον Συνταγματάρχη ήταν καθαρή από τον εχθρό, επιστρέψαμε στην περίμετρο του Τάγματος μας. Απόδειξη της επιτυχίας μας, ήταν η επίδειξη των μεταλλικών ταυτοτήτων είκοσι εννιά νεκρών Γερμανών και τριών αιχμαλώτων, καθώς και μια συλλογή από όπλα και γεμιστήρες που είχαν ιδιαίτερη αξία, δεδομένου ότι αντικατέστησαν μέρος του χρησιμοποιημένου εξοπλισμού μας. Δυστυχώς, κι η διμοιρία μου είχε χάσει δύο καλούς άνδρες.

Φωνάζοντας για να προαναγγείλουμε την προσέγγισή μας, εισήλθαμε στην περίμετρο του Τάγματος και διαπιστώσαμε ότι τα κατορθώματά μας ήταν λίγα σε σύγκριση με την έξαψη που είχε επικρατήσει στο λόχο μας, απ' την ώρα που είχαμε φύγει. Ένα ολόκληρο Τάγμα αλεξιπτωτιστών είχε προσγειωθεί ακριβώς στα ισχυρά σημεία του Τάγματος μας, γεγονός που προκάλεσε μια σκέτη σφαγή στους Γερμανούς αλεξιπτωτιστές που σχεδόν αβοήθητοι, προσπαθούσαν να προσγειωθούν και να ελευθερωθούν από τον εξοπλισμό τους. Όλη η περιοχή είχε μεταβληθεί σ' ένα αξέχαστο θέαμα, γεμάτη με αλεξίπτωτα όλων των χρωμάτων που είχαν στολίσει σχεδόν όλα τα δέντρα.

Κάποια απ' τα αλεξίπτωτα είχαν ακόμα προσδεδεμένους στρατιώτες, οι οποίοι κρέμονταν στα λουριά τους αιωρούμενοι πέρα δώθε απ' τα κλαδιά των δέντρων.

Ο Συνταγματάρχης, ο Επιμελητής της Βάσης, ο Υπασπιστής κι ο Δεκανέας Υγειονομικού, διεκδικούσαν όλοι τους κι από ένα θύμα και επικρατούσε μια έξαρση συγχαρητηρίων ανάμεσα σε όλες τις πλευρές. Ακόμα κι αν είχαμε χάσει πολλά απ' τα οχήματα και τους όλμους μας, το Τάγμα πίστευε ότι μπορούσαμε ακόμα να κάνουμε τους Γερμαναράδες να κάτσουν να τις φάνε. Οι άνδρες παρέμεναν έτοιμοι για οτιδήποτε.

Περιμέναμε όλη εκείνη την ημέρα, κι όλο το επόμενο βράδυ, τις αναμενόμενες εντολές εκτέλεσης για τον ρόλου που θα έπρεπε να αναλάβουμε, στην αντεπίθεση στο αεροδρόμιο του Μάλεμε. Ξέραμε ότι το 22ο Τάγμα διέτρεχε σοβαρό κίνδυνο επειδή το κύριο βάρος της γερμανικής επίθεσης είχε πέσει πάνω τους.

Νεκρός Γερμανός αλεξιπτωτιστής, Κρήτη 1941

Αλλά ακόμα και όταν δύο ολόκληροι λόχοι στάλθηκαν για ενισχύσεις, εξαιτίας των αντικρουόμενων εντολών που είχαν λάβει, έδιναν συγκεχυμένες αναφορές για τις θέσεις του εχθρού. Νωρίς το επόμενο πρωί, μόλις είδα τους άνδρες του 22^{ου} Τάγματος να συρρέουν προς τις δικές μας γραμμές, κατάλαβα ότι η εντολή δεν θα δινόταν ποτέ.

Ωστόσο, η πρωτοβουλία εκείνη την ώρα ανήκε αναμφίβολα σε μας αν θέλαμε να εκμαιεύσουμε τις διαταγές από τους ανωτέρους μας. Από τη στιγμή που η παλίρροια της μάχης άρχισε να ταλαντεύεται υπέρ των επιτιθεμένων, που συγκέντρωναν ολοένα και περισσότερες δυνάμεις και είχαν τέτοια εναέρια υπεροχή που όμοια της δεν είχε υπάρξει ποτέ μέχρι τότε, άρχισα να αντιλαμβάνομαι ότι η Μάχη της Κρήτης θα απέβαινε μάλλον εις βάρος μας. Με κατέλαβε μεγάλη πικρία.

Εν τω μεταξύ, η θέση που είχαμε καταλάβει μέχρι να μας διατάξουν ν' αποσυρθούμε, δεν απεδείχθη ποτέ τόσο επικίνδυνη, όσο κάποιες που κατείχαμε σε άλλες μάχες, απ' τις οποίες είχαμε βγει κερδισμένοι. Στο αρχικό στάδιο του πολέμου, πάντως, υπήρξε μια απροθυμία, στο να μελετηθούν τα αδύνατα σημεία και οι φόβοι του εχθρού, από πλευράς των συμμαχικών δυνάμεων, καθώς και μια τάση να υιοθετείται μια ψεύτικη εικόνα από τις ζωντανές διηγήσεις ανδρών, αμέσως μετά τις πρώτες τους επιχειρήσεις.

Νεοζηλανδοί στρατιώτες ξεκουράζονται ανάμεσα σε μάχες

Οι χειρότερες αναφορές δε, προέρχονταν από κάτι γουρλομάτηδες στρατιώτες που κατέφταναν στ' αρχηγεία ως «οι μοναδικοί επιζώντες του «Χ Λόχου» ή ως αυτόκλητοι δρομείς, και μετέφεραν την άποψη ότι ο εχθρός παρελαύνει κατά «χιλιάδες» στο μέτωπο του Λόχου τους, ενώ στην πραγματικότητα οι τριγύρω περιοχές ήταν ασφαλείς.

Οι Γερμανοί, απ' την άλλη, πίστευαν ότι ο ελαιώνας στον οποίο βρισκόταν ολόκληρο το Τάγμα μας, ήταν καθαρός από συμμαχικά στρατεύματα και αυτός ήταν ο λόγος που έριξαν ένα ολόκληρο υποστηρικτικό σύνταγμα κατευθείαν πάνω μας. Το γεγονός αυτό, απέδειξε την αξία της συγκάλυψης και της παραλλαγής, που αποτελούσε και το ιδιαίτερο φετίχ του Συνταγματάρχη μας. Επέμενε πιεστικά, όταν ακουγόταν ο ήχος γερμανικού αεροπλάνου στην περιοχή μας, να μην εμφανίζεται κανείς ανάμεσα στα δέντρα, να μην δημιουργείται οποιοδήποτε σημάδι καπνού και να μην αφήνουμε να φαίνεται ούτε ένα κομμάτι πορτοκαλόφλουδας. Δεν υπήρχε καμία αμφιβολία ότι αυτή η διορατικότητα του, απέδωσε εκπληκτικά οφέλη· οι λίγοι αλεξιπτωτιστές που πήραμε μαζί μας ζωντανούς, εξέφραζαν την κατάπληξη τους για την παρουσία μας. Μας ομολογούσαν ότι πίστευαν πως θα προσγειωθούν ανενόχλητοι, με σκοπό να συγκροτηθούν και να προχωρήσουν ως μονάδα προς το αεροδρόμιο. Ήταν τόσο βέβαιοι ότι, τουλάχιστον αρχικά, δεν θα υπήρχε ανάγκη να δώσουν καμία μάχη, που έριξαν ακόμα και τον Επιμελητή του Στρατώνα μαζί με όλο το πολιτικό προσωπικό.

Ακόμα κι αργότερα όμως, όταν η έλλειψη πρωτοβουλίας από πλευράς μας, εξαφάνισε αυτό το τεράστιο πλεονέκτημα που είχαμε, υπήρχαν πολλά να κερδίσει κανείς απ' την εξαπάτηση του εχθρού. Η δύναμη αέρος των Γερμανών, δεν ήταν βέβαιη για τη θέση που βρισκόταν ο τομέας μας - γνώριζε ότι είχε πέσει ένα σύνταγμα εκεί και γι' αυτό παρέμενε σε επιφυλακή αιωρούμενη από πάνω, για να ενισχύσει μία ενδεχόμενη επίθεση στο συγκεκριμένο σημείο. Όταν ανακαλύψαμε πάνω στα πτώματα μεγάλες κόκκινες σβάστικες και μεταξωτές ρίγες, τις απλώσαμε επίτηδες παντού γύρω, και προκαλέσαμε μετά από λίγο, μία βροχή από δοχεία, όλμους, τουφέκια, πυρομαχικά και τρόφιμα, όλα να αιωρούνται ανάμεσά μας έτοιμα προς αξιοποίηση.

Το πρωί της τρίτης μέρας της μάχης, η αντεπίθεση του Τάγματος των Μαορί και του 20ου, αν και καθυστέρησε για διάφορους λόγους επί πολλές ώρες, επιτέλους ξεκίνησε. Αν η μέρα φαίνεται από το πρωί, κι αν τέτοιου είδους καθυστερήσεις πριν τις μάχες αποτελούν κακό οιωνό, στην Κρήτη αποδείχθηκαν καθοριστικές. Αντί να εκμεταλλευτούν το σκοτάδι και τις πρώτες πρωινές ώρες, οι στρατιώτες αναγκάστηκαν να ξεχυθούν μέρα μεσημέρι σε ανοιχτό σχηματισμό κάτω απ' τα μάτια της καθολικής εναέριας υπεροχής του εχθρού. Πολέμησαν υπέροχα, αλλά αυτή τη φορά όλες οι διάσπαρτες μικρές ομάδες αλεξιπτωτιστών, που είχαν βρει το στόχο τους, είχαν ενισχυθεί εγκαίρως από επίγειες μονάδες και βαρέα όπλα που είχαν καταφτάσει με μεταγωγικό αεροπλάνο ή είχαν ριχτεί με πολύ-αλεξίπτωτα.

Οι Ναζί, θα μπορούσαν να είχαν ηττηθεί ακόμα μια φορά από τους πολεμιστές μας, αν αυτή η μάχη είχε εξελιχθεί στο σκοτάδι - που τόσο μισούσαν - χωρίς να έχουν εκείνα τα εκατοντάδες αεροπλάνα στη διάθεση τους. Η επίθεση αυτή, όμως, υπό το φως της ημέρας, όσο και αν τους τρόμαξε και παραλίγο να φτάσει, όντως, σε μία επιτυχή έκβαση, τους παρείχε και την ευκαιρία να λάβουν μια γρήγορη απόφαση σχετικά με το νησί. Οι Γερμανοί θ' αγωνίζονταν με αυτοπεποίθηση. Από τις μετόπισθεν θέσεις του 23ου Τάγματος, παρακολουθούσαμε την αρχική επιτυχία που κατέγραφαν τα προωθημένα στρατεύματα μαζί με τα ελαφριά τανκς του Υπολοχαγού Ρόι Φάρραν. Πάνω που είχαμε αρχίσει να τρέφουμε ελπίδες ότι η μάχη αυτή θα μπορούσε να κερδηθεί, άρχισε να καταφθάνει ένα κύμα τραυματισμένων Μαορί, και μαζί με αυτούς κάτι χειρότερο· οι περιγραφές τους για την αποφασιστική αντίσταση των Γερμανών. Πριν η μέρα προχωρήσει και πολύ, φαινόταν ξεκάθαρα ότι η επίθεση μας δεν θα είχε την επιτυχημένη έκβαση που ελπίζαμε.

Το τρίτο βράδυ εκείνης της μάχης, η πίεση ήταν συνεχής και έντονη. Λαμβάναμε κλήσεις βοηθείας απ' όλους τους Λόχους που δέχονταν επίθεση. Η δική μου μικρή δύναμη, συρρικνωμένη καθώς ήταν απ' τις απώλειες, χρησιμοποιήθηκε τώρα για να πλαγιοκοπεί τις γερμανικές πλευρές που έπασχαν αισθητά, πότε απ' τη μια και πότε απ' την άλλη, μέχρι που έφτασαν τα μεσάνυχτα και τα πράγματα ηρέμησαν.

Στη μία το πρωί, ο Συνταγματάρχης κάλεσε το Τάγμα μας για σύσκεψη στο Αρχηγείο. Αφού ο Ταγματάρχης Τόμασον ήταν τώρα δεύτερος στην ιεραρχία της μονάδας, παρευρέθηκα κι εγώ ως Υπαξιωματικός του Λόχου. Το θέμα της σύσκεψης ήταν, προς δυσάρεστη έκπληξη μου, να λάβουμε τις διαταγές για την πλήρη αποχώρηση όλων των βρετανικών δυνάμεων απ' την περιοχή του Μάλεμε. Φάνηκε ότι το Τάγμα μας ήταν το μόνο άθικτο σε αυτό το μέτωπο, κι ότι έπρεπε να αποχωρήσουμε προς τον Πλατανιά για να σχηματίσουμε νέες γραμμές εκεί. Ο 3ος Λόχος, υπό τις διαταγές μου, θα πολεμούσε ως οπισθοφυλακή των δυνάμεων και θα έπρεπε να κρατήσει τις θέσεις του, μέχρις ότου οι άλλοι Λόχοι τουφεκιών, να καταφέρουν ν' απαγκιστρωθούν απ' τις θέσεις τους και να προωθηθούν κι εκείνοι προς τον Πλατανιά.

Έτσι, κατά τις τέσσερις το πρωί, άρχισαν να περνούν οι Λόχοι ανάμεσα μας στο σκοτάδι, αθόρυβα αλλά ενοχλημένα, χωρίς να υπάρξει καμία παρέμβαση του εχθρού.

Ο Δεκανέας Ρέι Τόμσον, ένας κατηφής αλλά ατρόμητος Τμηματάρχης, στεκόταν δίπλα μου κι αγριοκοίταζε το σκοτάδι, κρατώντας το τουφέκι του με ιδιαίτερη ένταση.

«Γιατί στο καλό αποσυρόμαστε κύριε;» ψιθύρισε έντονα, «γιατί δεν μπορούμε να επιτεθούμε τη νύχτα και να ρίξουμε αυτά τα καθάρματα μέσα στη θάλασσα;»

«Δεν ξέρω, Ρέι», του απάντησα βαριεστημένα, «ίσως για να δώσουμε στο Πολεμικό Ναυτικό την ευκαιρία να βομβαρδίσει το αεροδρόμιο κι όλη την περιοχή απ' τη θάλασσα». Όσο δυσκολόπιστο κι αν ακουγόταν κάτι τέτοιο, ήταν μία απ' τις φήμες που κυκλοφορούσαν. «Σε κάθε περίπτωση, θα έχουμε πάρει την εκδίκηση που θέλεις, όταν οι Ούννοι ξυπνήσουν το πρωί και καταλάβουν ότι οι Λόχοι μας θα έχουν μετακινηθεί!»

Ο Δεκανέας Τόμσον γρύλλισε και έφυγε μακριά για να ελέγξει το τμήμα του. Ήξερα ότι θα άκουγε από τους άντρες του τις ίδιες ερωτήσεις. Όλοι αισθανόντουσαν το ίδιο.

Έχοντας δει τόσους πολλούς εχθρούς να πεθαίνουν, το ηθικό τους είχε παραμείνει ακέραιο, παρόλες τις τρομακτικές αεροπορικές επιθέσεις κατά τη διάρκεια της προηγούμενης μέρας. Ένας προς ένας, όλοι θεωρούσαν ότι μπορούσαν να τσακίσουν τον Γερμανό, παρά τον ανώτερο πολεμικό εξοπλισμό του. Οι πατεράδες τους, είχαν βγάλει όνομα στον πρώτο παγκόσμιο πόλεμο για τις αμείλικτες και επιτυχείς νυκτερινές επιθέσεις τους, και γι' αυτό όλοι εκείνοι οι πρώην αγρότες, πρώην μεταλλωρύχοι, πρώην τραπεζικοί που είχαν έρθει από τόσο μακριά για να φέρουν εις πέρας αυτή τη δουλειά, ήταν ενοχλημένοι κι επικριτικοί απέναντι στους ανωτέρους τους λόγω της απόσυρσης.

Το Τάγμα μας υποχωρούσε, τώρα, πέρα από τους χαμηλούς λόφους στα μετόπισθεν των θέσεών μας, και ήξερα ότι θα μας έβρισκε το ξημέρωμα μέχρι να απομακρυνθούμε με ασφάλεια. Πριν απ' την αυγή, λοιπόν, έψαξα τον Συνταγματάρχη Λέκι που ετοιμαζόταν να ακολουθήσει τους Λόχους και ζήτησα την άδεια του να επιλέξω μόνος μου τη διαδρομή της απόσυρσης μας επειδή υπήρχε σοβαρός κίνδυνος ν' αποκαλυφθούν οι άντρες μου στους γύρω εκτεθειμένους λόφους, απ' τα αεροσκάφη που θα πέταγαν με το πρώτο φως του ήλιου.

Προτιμούσα τις πεδιάδες, καθώς ήταν σωστά καλλιεργημένες και διάστικτες από απλωμένους ελαιώνες κατά μήκος της βόρειας πλευράς του νησιού, παράλληλα με τη θάλασσα. Ο Συνταγματάρχης είχε στην αρχή δίλημμα γιατί υπήρχαν αναφορές για εχθρική παρουσία σε πλεονεκτικά σημεία των πεδιάδων, και δεν θα του ήταν δυνατό να στείλει εγκαίρως οχήματα υποστήριξης σ' εκείνα τα μέρη. Ωστόσο, του εξήγησα πως είχα μάθει καλά την περιοχή και ότι θεωρούσα πως ο εχθρός θα εγκατέλειπε τις διάσπαρτες θέσεις του μέσα στη νύχτα. Ο Συνταγματάρχης συμφώνησε να φύγω στις οκτώ το πρωί και να επιλέξω μόνος μου τη διαδρομή για τον γυρισμό, ανάλογα με τις περιστάσεις. Ήμασταν, φυσικά, προετοιμασμένοι να πολεμήσουμε για να επανενταχτούμε στο Τάγμα μας.

Λίγα λεπτά πριν τις οκτώ και με τα πυρά να αυξάνονται σταθερά απ' την κατεύθυνση του αεροδρομίου, οι διμοιρίες συγκεντρώθηκαν στην καμουφλαρισμένη εσοχή που βρισκόταν το Αρχηγείο των Λόχων.

Όταν οι Λοχίες σιγουρεύτηκαν ότι ήμασταν όλοι παρόντες, κινηθήκαμε αθόρυβα πίσω απ' τα ελαιόδεντρα, περνώντας πάνω απ' τις πρησμένες σωρούς των νεκρών που κείτονταν χύμα στον δρόμο. Πίσω μας, την ώρα που περνούσαμε το μικρό παραθαλάσσιο εκκλησάκι παράπλευρα του Τάγματος, ακούγαμε τους ήχους της εντεινόμενης μάχης και τις εκρήξεις των όλμων στην περιοχή που είχαμε μόλις αφήσει πίσω. Το σχεδιάσαμε αποτελεσματικά. Διασχίσαμε τον ποταμό Πλατανιά και περνώντας μέσα από διάφορα χωράφια, συναντήσαμε κάποιους στρατιώτες που ήταν σ' επιφυλακή γύρω από το χωριό, το οποίο βρισκόταν επιβλητικά σκαρφαλωμένο πάνω σε έναν απότομο βράχο. Ήρθα σε επαφή με το Τάγμα μου και μου είπαν να κρατήσω μία γραμμή απ' τη θάλασσα μέχρι τον Πλατανιά. Στην πραγματικότητα, ανακάλυψα ότι υπήρχε ήδη μια διμοιρία στην κοιλάδα κάτω απ' την βουνοκορφή. Επρόκειτο για την 3η Διμοιρία του Λόχου, με διοικητή τον Ρεξ Κινγκ, που είχε αποχωρήσει νωρίτερα λόγω ασυνεννοησίας. Σε συνδυασμό με άλλους τρεις υπαξιωματικούς, όλοι τους διοικητές λόχων - τον Τζιμ Ένσορ, τον Τεντ Τόμσον και τον Μπριτζ Γκρέι - ασφαλίσαμε την άμυνα του χωριού. Από κάτω μας και προς την κατεύθυνση του αεροδρομίου, παρατηρούσαμε τις μακρές σειρές των εχθρικών στρατευμάτων που ερχόντουσαν προς το μέρος μας. Η αγανάκτηση τού να βλέπεις τέτοιους στόχους σερβιρισμένους στο πιάτο, χωρίς να έχεις ούτε αεροσκάφη αλλά ούτε και τα στοιχειώδη όπλα για να εμπλακείς σε μάχη μαζί τους, ήταν τεράστια και είχε καταλάβει όλες μας τις σκέψεις, μέχρι που έπεσε πάνω μας όλο το βάρος της επίθεσης. Ένα αιωρούμενο Χένκελ αντελήφθη τις θέσεις μας. Σύντομα, είχαμε το ένα Στούκας μετά το άλλο να αφήνουν διαδοχικά τις βόμβες τους εντός του χωριού και να τις ακολουθούν οι όλμοι του επερχόμενου πεζικού, αρχίζοντας να δημιουργούν θανάσιμες πυρκαγιές. Οι απώλειές μας ήταν τόσο βαριές και σοβαρές, που νιώθαμε ανήμποροι να τις αντιμετωπίσουμε. Μεγάλα τραύματα στο κεφάλι, ακρωτηριασμοί και επώδυνες πληγές στο σώμα. Δέναμε τους τραυματίες όσο καλύτερα μπορούσαμε, αλλά δεν υπήρχε τρόπος να πάμε κάτω στο γιατρό όσο βρισκόταν σε εξέλιξη η αιφνιδιαστική επίθεση. Φτιάξαμε φορεία από σκαλοπάτια και απ' την ξυλεία των τέμπλων της εκκλησίας, η οποία είχε μετατραπεί, χωρίς δεύτερη σκέψη, σε αρχηγείο και σημείο παροχής πρώτων βοηθειών. Όταν ξεμείναμε από επιδέσμους, αναγκαστήκαμε να χρησιμοποιήσουμε κάτι μαύρες ρόμπες που βρήκαμε κρεμασμένες μέσα στο ιερό. Υπήρχαν δεκαοκτώ τραυματίες στην εκκλησία, όταν ο ναός μεταβλήθηκε σε στόχο του εχθρού. Όλμοι, ο ένας μετά τον άλλο, συνέτριβαν την οροφή του, κάνοντας τον απόηχο αφόρητο για τους τραυματίες που λούζονταν συνεχώς με τα θραύσματα του κτηρίου. Κάποιοι απ' αυτούς κλαψούριζαν ήσυχα σαν κατοικίδια, αλλά κανένας δεν έχασε τον έλεγχο.

Βγήκα έξω, δειλά-δειλά, ανάμεσα στα ακατάστατα συντρίμμια, που έπεφταν από τους τοίχους όλων των πλευρών. Τα αεροπλάνα είχαν αρχίσει να χτυπούν στόχους σε άλλα σημεία, οπότε συμπέρανα πως και το γερμανικό πεζικό θα είχε πλησιάσει και θα ήταν σε θέση πλέον να εξαπολύσει την επίθεση του. «Ας τους να 'ρθουν», σκέφτηκα -απ' τη στιγμή που θα πιανόμασταν στα χέρια οι πιθανότητες θα ήταν περισσότερο με το μέρος μας. Το να βλέπω τους άνδρες μου τραυματίες και νεκρούς, ήταν από μόνο τους αρκετά δυσάρεστο. Ήμασταν, πάνω απ' όλα, στρατιώτες κι ήταν αναμενόμενο ότι θα αντιμετωπίζαμε τέτοιες καταστάσεις. Αλλά το να είναι οι δρόμοι γεμάτοι από παραμορφωμένες γυναίκες και παιδιά, ήταν κάτι το ανυπόφορο για όλους μας.

Καθώς περπατούσα κάτω στο χωριό, ξαφνιάστηκα όταν είδα μια ηλικιωμένη κυρία, σκυμμένη σχεδόν μέχρι τη μέση της μαγκούρας της να κουτσαίνει ήσυχα στο δρόμο ήρεμη, αγνοώντας επιδεικτικά την ύπαρξη του κινδύνου γύρω της. Έσπευσα γρήγορα διαμαρτυρόμενος να τη βάλω μέσα σ' ένα κτήριο, όταν μια νεαρή γυναίκα ήρθε τρέχοντας προς το μέρος μου κρατώντας ένα φασκιωμένο μωρό, λαχανιασμένη μέσα σε λυγμούς. Σταμάτησε πέφτοντας πάνω μου και κρεμάστηκε από το λαιμό μου. Στη συνέχεια, με μια

28   'Σάντυ' Τόμας, Κυνηγώντας την Ελευθερία

απερίγραπτη κραυγή αγωνίας, έπεσε σχεδόν στα πόδια μου πάνω στο μωρό παιδί της. Ήταν ξαπλωμένο μπρούμυτα και ακίνητο μέσα στο δρόμο. Την πλησίασα με μεγάλη αμηχανία. Ξαναπήρε το παραμορφωμένο παιδί στην αγκαλιά της, το οποίο παρέμενε ακίνητο, μέχρι που κατάφερα να μεταφέρω το μικροσκοπικό του σώμα, όσο πιο απαλά μπορούσα, σ' ένα κοντινό παντοπωλείο.

Έριξα μια ματιά γύρω μου προς τα δεξιά, όπου φαίνονταν τα στρατεύματα σε μια στενή λωρίδα προς τη θάλασσα, και προς τ' αριστερά, όπου το υψηλότερο έδαφος προσέφερε καλές θέσεις κάλυψης για την επικείμενη επίθεση. Προσπέρασα αρκετούς νεκρούς αλεξιπτωτιστές, οι οποίοι είχαν προσγειωθεί, προφανώς, μακριά απ' την κύρια δύναμη τους. Οι γυναίκες της Κρήτης, που είχαν ήδη χηρέψει απ' τις συγκρούσεις στην Αλβανία, εκτελούσαν άμεσα και ωμά κάθε άτυχο Γερμανό που έπεφτε, στην κυριολεξία, μέσα στα χέρια τους.

Έφτασε το βράδυ και μαζί μ' αυτό η ώρα της επίθεσης. Για περίπου μία ώρα, κάθε τουφέκι και οπλοπολυβόλο Μπρεν που είχαμε έβγαζε φωτιές, αφού οι άνδρες έπαιρναν εκδίκηση για την τιμωρία που είχαν υποστεί κατά τη διάρκεια της μέρας. Αριστερά μας, η γραμμή αμφιταλαντευόταν, αλλά στη συνέχεια σταθεροποιήθηκε. Μπροστά, δύο τμήματα εξαντλημένα απ' τις απώλειες, οπισθοχώρησαν και στη συνέχεια ρίχτηκαν και πάλι στη μάχη. Πριν τις δέκα το βράδυ, οι εχθροί είχαν αποσυρθεί αρκετά μακρύτερα από μας για να γλείψουν τις πληγές τους. Η νύχτα ησύχασε περιέργως. Έξω απ' την εκκλησία όπου ήμουν, το μόνο που άκουγα ήταν τα ήσυχα βογκητά των τραυματισμένων και το κλάμα των μικρών παιδιών μέσα απ' τα σπίτια.

Με την άκρη του ματιού μου είδα μία νεαρή κοπέλα που μου θύμισε την Αντέλ. Δεν μπόρεσα να συγκρατήσω τον νου μου από το να σκεφτεί το πόσο μακριά και σε τι είδους αντίθετες καταστάσεις βρισκόμαστε με την αγαπημένη μου. Μεγαλώσαμε μαζί, αχώριστοι κι ερωτευμένοι. Αποχωριστήκαμε αρραβωνιασμένοι, αλλά μας ένωνε ψυχικά η ελπίδα ότι θα γυρίσω στη Νέα Ζηλανδία το συντομότερο δυνατόν, σώος και αβλαβής, έτσι ώστε να δημιουργήσουμε την οικογένεια που πάντα ονειρευόμασταν.

Τώρα, όμως, ήμουν σε μία φάση όπου η ελπίδα μου περιοριζόταν απλά στο να βγω ζωντανός απ' την επόμενη μάχη.

Η Μάχη της Κρήτης, 1941   Br. Heffernan

Η ΜΑΧΗ ΤΟΥ ΓΑΛΑΤΑ

Λάβαμε διαταγή ν' αποσυρθούμε αμέσως μετά τα μεσάνυχτα και μεταφέραμε τους τραυματίες μας με αυτοσχέδια φορεία κατά μήκος μία αργιλώδους κατηφόρας που έφτανε μέχρι τον δρόμο, κάτω απ' την πρόσοψη ενός απότομου γκρεμού. Στη συνέχεια, βαδίζαμε σχεδόν μέχρι την αυγή. Είχα εντυπωσιαστεί απ' τη συνεχιζόμενη πειθαρχία των ανδρών μου. Βαδίζαμε με κόπο, χιλιόμετρο το χιλιόμετρο. Ήταν όλοι κουρασμένοι κι γενικώς αγανακτισμένοι, παρόλο που κανένας από εμάς δεν ήθελε να θέσει το δάκτυλο επί τον τύπον των ήλων. Εκείνοι που είχαν περισσότερες δυνάμεις κουβαλούσαν τα τουφέκια και τα όπλα των άλλων που ήταν εξουθενωμένοι. Ο Λεν Ντάιαμοντ, ένας τραχύς και αξιαγάπητος ανθρακωρύχος από το Γουέστ Κόουστ, χαμογελούσε και τραύλιζε κάθε φορά που τα πράγματα ήταν λίγο τεταμένα.

Ξεκουραστήκαμε όλη την επόμενη μέρα και τη νύχτα, ξαπλώνοντας με τα ρούχα μας κάτω απ' τις χανιώτικες ελιές. Η πίεση του εχθρού ήταν προφανές ότι αυξανόταν και υπήρχε πάντα ο κίνδυνος βομβαρδισμού. Πράγματι, ένα αναγνωριστικό Χέινκελ αιωρείτο πάνω απ' την περιοχή μας κατά το μεγαλύτερο μέρος της μέρας. Κάποιες στιγμές, μας προκαλούσε ανησυχία να βλέπουμε τις αντιδράσεις μερικών ανδρών. Μαζεύονταν κοντά στο έδαφος, συνωστίζονταν γύρω από τον κορμό μιας ελιάς και γούρλωναν τα μάτια τους τόσο αφύσικα, που δεν ήθελε και πολύ να καταλάβεις ότι είχαν κυριευτεί από πανικό.

Μετά από έναν βαρύ νυχτερινό ύπνο, αισθάνθηκα πιο φρέσκος και αναδιοργάνωσα τον Λόχο. Αργά το πρωί, ο Συνταγματάρχης με ενημέρωσε ότι θα έφτανε ο Λοχαγός Μαρκ Χάρβεϋ ν' αναλάβει και λίγο μετά το μεσημέρι, επισκεφτήκαμε τις διμοιρίες μαζί. Στην αρχή ένιωθα λίγο απογοητευμένος για την απώλεια της νέας μου διοίκησης αλλά θυμήθηκα ότι ο Μαρκ ήταν ένα άξιος συνάδελφος με πολυετή εμπειρία κι ότι εγώ δεν ήμουν παρά ένας πολύ νέος ανθυπολοχαγός, οπότε επανήλθα στη διμοιρία μου ευχαρίστως.

Τα νέα από το μέτωπο ήταν λιγοστά, αλλά το άκουσμα των θαρραλέων μαχών που λάμβαναν χώρα σχετικά κοντά, προσέδιδε μία περισσότερη αξιοπιστία στις ευφάνταστες φήμες. Έτσι δεν αποτέλεσε έκπληξη, όταν στις διαταγές των πέντε το απόγευμα, είχε φτάσει η ώρα για επείγουσα κίνηση προς τα μπρος, με σκοπό τη σταθεροποίηση της κατάστασης στην παράκτια ζώνη κοντά στο Γαλατά. Το Τάγμα ανέβηκε σε σειρά και τα τμήματα κινούνταν αγχωμένα από κάλυψη σε κάλυψη. Όλοι οι βαθμοφόροι μας ήταν φοβισμένοι για το μέγεθος της σφαγής που θα μπορούσε να ακολουθήσει, αν η επίμονη εναέρια αναγνώριση των Γερμανών ανακάλυπτε τη μαζική μετακίνηση των στρατευμάτων μας.

Πριν φτάσουμε στον Γαλατά, κατέστη φανερό ότι απειλούμασταν με γενική κατάρρευση. Άοπλοι άνδρες, με άγριο βλέμμα, πλησίαζαν τρέχοντας ξέφρενα πίσω απ' τα δέντρα και φώναζαν με τρόμο «πίσω, πίσω, όπου να 'ναι έρχονται κατά χιλιάδες. Επιστρέψτε! Ο σώζων εαυτόν σωθήτω!»

Αρχικά, το θέαμα αυτό με τρόμαξε. Ανησυχούσα και για την επίδραση που μπορεί να είχε πάνω στους άνδρες μας, αλλά καθώς είχαν αποκτήσει την ορμή προς τα μπρος, τα αγόρια μας έδειχναν περιφρόνηση.

Οι ήχοι της μάχης πλησίασαν πολύ. Αλλόκοτες σφαίρες, άστοχες αλλά εξίσου θανατηφόρες, έσκιζαν τα κλαδιά των ελιών. Μάς συγκλόνιζε το γεγονός ότι έπρεπε να προσπεράσουμε τον τραυματισμένο Συνταγματάρχη, που κειτόταν στην άκρη του δρόμου. Παρόλο που, προφανώς, πονούσε πολύ, κατάφερνε να δίνει κι από ένα χαμογελαστό χαιρετισμό σε κάθε κατώτερο του και να μάς εύχεται καλή τύχη. Οι άνδρες φάνηκε ν' αναθάρρησαν όταν θυμήθηκαν ότι ο παλιός Διοικητής του Λόχου μας, ο Ταγματάρχης Τόμασον, θ' αναλάμβανε τώρα τη γενική διοίκηση. Τρέφαμε όλοι μεγάλη εκτίμηση στον Ταγματάρχη. Μας είχε διδάξει όλα όσα ξέραμε και είχε κερδίσει πολύ την εμπιστοσύνη μας με τις έξυπνες τακτικές του.

Μέχρι να φτάσουμε στους πρόποδες του λόφου κάτω από

το Γαλατά, ήταν ξεκάθαρο ότι η κατάσταση είχε γίνει απελπιστική. Όπως είχαμε αναπτυχθεί στη δεξιά πλευρά του δρόμου είδα έναν ιδρωμένο και ατημέλητο δρομέα να μιλάει εναγωνίως στον Λοχαγό Χάρβεϋ. Υπήρχε αλλαγή σχεδίου. Ο Γαλατάς είχε πέσει στα χέρια του εχθρού και έπρεπε ν' αντεπιτεθούμε. Αλλάξαμε σχηματισμό και αναπτυχθήκαμε κατά μήκος του δύσβατου δρόμου. Το μικρό χωριό πάνω στον επιβλητικό λόφο, έκανε σιγά-σιγά την εμφάνιση του. Πίσω από αυτό, απανωτές φωτοβολίδες ανέβαιναν στο σούρουπο και το αδιάκοπο κροτάλισμα των μικρών πυροβόλων είχε αυξηθεί τόσο πολύ που κάλυπτε εντελώς το βρυχηθμό των αεροπλάνων. Οι εκρήξεις απ' τα βλήματα των όλμων, στο δρόμο μας μπροστά, έδιναν στο δειλινό με τις ξαφνικές λάμψεις τους, ένα λαμπρό πορτοκαλί χρώμα.

Καθώς οι σκιές βάθαιναν, τόσο τα πνεύματά μας φωτίζονταν. Το σκοτάδι επιτέλους τύφλωσε τα αντιπαθητικά Στούκας κι έτσι οι πιθανότητες ήρθαν στα ίσα τους.

Ένα μοναχικό Ντορνιέ ζούμαρε χαμηλά πάνω από το χωριό, αναμφίβολα λόγω των πυρσών που ήταν αναμμένοι, και πετούσε απειλητικά προς το μέρος μας. Από το κάτω μέρος της κοιλιάς του, κόκκινοι και πράσινοι ιχνηλάτες σάρωναν συνεχώς το δρόμο.

Βρήκαμε καταφύγιο σ' ένα χαντάκι. Από εδώ ήταν που για πρώτη φορά πρόσεξα μία μικροκαμωμένη φιγούρα να καπνίζει πίπα και να στέκεται αδιάφορα στο δρόμο περιφρονώντας τον κίνδυνο. Όταν το αεροπλάνο είχε περάσει, τον είδα να συνομιλεί με τον Μαρκ και τον Ρεξ Κινγκ. Αργότερα άκουσα ότι ήταν ο Αντισυνταγματάρχης Χ.Κ. Κίππενμπεργκερ, διοικητής του 20ου Τάγματος της Νέας Ζηλανδίας, ο οποίος ενεργούσε ως Ταξίαρχος μιας σύνθετης ομάδας στρατιωτών.

Τα εχθρικά πυρά ήταν αδιάκοπα μεγάλα σε ένταση, όταν ο Λοχαγός Χάρβεϋ μας κάλεσε για μια σύντομη ενημέρωση σχετικά με την κατάσταση που επικρατούσε.

Ο εχθρός, εν τω μεταξύ, είχε οργανωθεί πλήρως και συγκεντρωνόταν για να μεταβεί στον κόλπο της Σούδας. Είχε καταλάβει τον Γαλατά από νωρίς το απόγευμα και ήδη

τώρα συγκροτούσε τις δυνάμεις του για μία νέα προώθηση.
Αν τα κατάφερνε και κατέγραφε μεγαλύτερη επιτυχία εκείνο
το βράδυ, όλη η Μεραρχία μας θα βρισκόταν σε εξαιρετικά
επικίνδυνη θέση. Ο Γαλατάς αποτελούσε το κλειδί όλης της κατάστασης.

Απ' τα δικά μας στρατεύματα, στη δεξιά πλευρά του χωριού
και προς τη θάλασσα, το 18° Τάγμα είχε χτυπηθεί άσχημα
και δεν μπορούσαμε να περιμένουμε τίποτε περισσότερο
από τους άνδρες του, μέχρι να τους δοθεί η ευκαιρία να
ξεκουραστούν και να ανασυνταχθούν. Ο 1ος και ο 2ος Λόχος
του Τάγματος μας είχαν αναπτυχθεί απ' τα δεξιά για να
καλύψουν το ρήγμα και να δημιουργήσουν μια σταθερή βάση
απ' την οποία θα μπορούσαν να επιτεθούν. Στην αριστερή
πλευρά του Γαλατά, και μάλιστα ακόμα πιο μπροστά από
αυτή, ένα μικρό και στριμωγμένο υποστηρικτικό τμήμα
κρατιόταν ηρωικά υπό τον Υπολοχαγό Χάρολντ Ρόου.
Παρά το γεγονός ότι το Τμήμα Εποχούμενων, μαζί με το
20ο Τάγμα, είχαν δεχτεί μεγάλο σφυροκόπημα από ομάδες
Γερμανών καταδρομέων, συνέχιζαν να επιχειρούν στο πίσω
αριστερό μέρος.

Όλα αυτά μάς τα ανέλυσε σε λίγα λεπτά ο Λοχαγός
Χάρβεϋ. Επίσης μας είπε, ότι ο Κίππενμπεργκερ πίστευε
πως η μοίρα ολόκληρης της Μεραρχίας θα εξαρτιόταν απ'
την ανακατάληψη του Γαλατά.

«... Και αυτό είναι δική μας δουλειά», είπε τελειώνοντας.

«Θα γίνει κόλαση», είπε ο Ρεξ, ρίχνοντας μια
τρομαγμένη ματιά στο χωριό, «αλλά δεν μπορούμε μόνοι
μας!» Ο Κίππενμπεργκερ του είχε πει πως είχε ήδη κάνει
δύο ανεπιτυχείς προσπάθειες νωρίτερα εκείνο τ' απόγευμα.

«Α, όχι,» απάντησε ο Μαρκ. «Ο Κιππ τα 'χει κανονίσει
όλα πολύ καλά. Η 4η Μεραρχία θα επιτεθεί απ' τ' αριστερά
του δρόμου με την υποστήριξη δύο αρμάτων, αλλά το όλο
σκηνικό θα 'ναι γεμάτο από Ούννους. Πρόκειται να
εκτυλιχθεί μία ακόμα αιματηρή παράσταση, αλλά εμείς
πρέπει να πετύχουμε τον στόχο μας».

«Σάντυ, εσύ θα πας στα δεξιά, Ρεξ αριστερά. Τώρα
τσακιστείτε!

Επέστρεψα στη διμοιρία μου. Εξήγησα την κατάσταση

στους υπαξιωματικούς και σ' εκείνους που στέκονταν κοντά μας εκείνη την στιγμή, όσο πιο συνοπτικά μπορούσα. Μαζευτήκαμε πιο μπροστά σε ένα λασπωμένο ύψωμα και παραταχθήκαμε έτοιμοι για την επίθεση. Λιγότερο από διακόσια μέτρα μπροστά, τα πρώτα κτήρια του Γαλατά φαίνονταν αρκετά ήσυχα, όμως οι στεντόρειες φωνές του εχθρού ακούγονταν καθαρά απ' τα ενδότερα. Κοίταξα κατά μήκος της γραμμής.

Στα δεξιά, ο Δεκανέας Ρέι Τόμσον μιλούσε ήσυχα στους άνδρες του, αριστερά ο Υποδεκανέας Άιρβιν έχωνε έξτρα πυρομαχικά στην τσέπη τού Λεν Ντάιαμοντ και ο Μπέλλαμυ χάιδευε το οπλοπολυβόλο του. Όλοι τους, φαίνονταν αγχωμένοι και απαισιόδοξοι. Αναρωτήθηκα αν αισθάνονταν φόβο όπως εγώ, αν ο λαιμός τους ήταν ξηρός, αν το στομάχι τους ήταν τη μία στιγμή σφιγμένο και την άλλη ανακατωμένο. Προσπαθούσα πάντως, να δείχνω εξίσου χαλαρός όσο κι εκείνοι διότι ένιωθα τα βλέμματα να είναι καρφωμένα πάνω μου,. Συνειδητοποίησα, ξαφνικά, ότι αυτό που θα εκτυλισσόταν εντός ολίγου, επρόκειτο να είναι η μεγαλύτερη στιγμή της ζωής μου και πως τώρα, πολύ περισσότερο από ό,τι κατά τη διάρκεια των τελευταίων πυρετωδών ημερών, οι άνδρες περίμεναν από μένα να τους βγάλω ασπροπρόσωπους. Κοίταξα τον ουρανό με τα λαμπερά αστέρια και προσευχήθηκα στον Θεό με θέρμη για καθοδήγηση και δύναμη.

Περιμέναμε τα δύο άρματα, δύο παλιά Μαρκ VI, τα οποία τελικά εμφανίστηκαν γουργουρίζοντας αργά. Ήταν κατασκευασμένα στο μεσοπόλεμο, γεγονός που τα καθιστούσε εντελώς άχρηστα για οποιαδήποτε πολεμική χρήση -ακόμη και διατρητικές σφαίρες από ένα συνηθισμένο τουφέκι μπορούσαν να διαπεράσουν τα πλαϊνά τους. Ο Κιππ, είχε αρχίσει να κινείται αθόρυβα ανάμεσα στα στρατεύματα που ήταν σε επιφυλακή, κι ανέβηκε πάνω στο πρώτο άρμα για να συνομιλήσει με τον πολλά υποσχόμενο αξιωματικό.

Εν τω μεταξύ, εντός του χωριού, η δραστηριότητα είχε αρχίσει ν' αυξάνεται. Οι σθεναρές διαταγές και οι σπασμωδικοί πυροβολισμοί είχαν καταστήσει σαφές ότι είχε αποχωρήσει και το τελευταίο αεροπλάνο, αλλά επειδή δεν υπήρξε καμία ριπή προς το μέρος μας, κατά κάποιο τρόπο το θεώρησα αρκετά δυσοίωνο, διότι σίγουρα κάποια σκοπιά από ψηλά θα έπρεπε να μας είχε ήδη εντοπίσει. Ξαφνικά τα τανκς ανέβασαν στροφές και μας προσπέρασαν μουγκρίζοντας. Ο ξανθομάλλης Διοικητής που ήταν επικεφαλής στο πρώτο, μάς κούνησε το χέρι του περνώντας. Αυτό ήταν και το σήμα για επίθεση. Κάποιος σφύριξε. Άρχισαν όλοι να γαβγίζουν εντολές κατά μήκος της γραμμής. Με θυμάμαι να διατάζω κάθε έναν ξεχωριστά τους διακόσιους άνδρες που περνούσαν από μπροστά μου σε σειρά, και σταθερά με πείσμα ορμήσαμε ομαδικά.

Καθώς τα άρματα χάθηκαν πίσω απ' τα πρώτα κτήρια του χωριού, μέσα σ' ένα σύννεφο σκόνης και καπνού, ολόκληρη η γραμμή μας ξέσπασε εσπευσμένα σε αιμοδιψείς κραυγές μάχης. Το αποτέλεσμα ήταν εκπληκτικό. Ένοιωθες αίφνης το αίμα σου να βράζει σε τέτοιο βαθμό, που ξεπερνούσες το φόβο και την αβεβαιότητα κι έφτανες σε μια ανεξήγητη και απερίγραπτη χαρά.

Κινηθήκαμε όλοι μαζί, σαν ένας, μέσα στα προάστια. Μέσα στο χωριό, ένα πανδαιμόνιο από πολύχρωμες φωτοβολίδες εκρήγνυνταν σε παροξυσμό και η απάντηση των Γερμανών ήταν να θέσουν σε άμεση δράση τους όλμους τους. Εμείς, όμως, είχαμε φτάσει σχεδόν στο κέντρο σε απόσταση ασφαλείας.

Απ' τη στιγμή που μπήκαμε στα στενά δρομάκια και πριν αντικρύσουμε τον πρώτο Γερμανό, οι στρατιώτες προχωρούσαν με τα όπλα τεταμένα, πυροβολώντας μπροστά ή στον αέρα και ένοιωθες έντονα την μεγάλη αυτοπεποίθηση που κυριαρχούσε. Τίποτα δεν μπορούσε να μας σταματήσει. Επιτιθέμεθα, όχι σαν τους πατεράδες μας, με το πυροβολικό να προπορεύεται, αλλά σαν τους παππούδες μας, με τα σιδερικά στα χέρια και με πρωτόγονες ιαχές μάχης.

Τότε συνέβη κάτι το εντελώς απρόσμενο. Ένα απ' τα άρματα μας, υποχωρούσε σχεδόν πετώντας προς το μέρος μας κι επιβράδυνε μόνο όταν μας αναγνώρισε από κοντά. Οι άνδρες το κοιτούσαν με ανοιχτό το στόμα απογοητευμένοι, και οι φωνές μας χαμήλωσαν. Από τον πυργίσκο του εμφανίστηκε ένα ξέφρενο κεφάλι με τρομαγμένη ματιά σε κατάσταση πανικού. Άρχισε να ουρλιάζει.

«Αφήστε με να περάσω - φύγετε απ' τη μέση», και στη συνέχεια ενώ ο πανικός του μεγάλωνε, «για τ' όνομα του Θεού τρέξτε! Αυτοί οι μπάσταρδοι έχουν κατακλύσει τον τόπο!»

Άρχισε αμέσως ένα μουρμούρισμα μεσ' απ' τις γραμμές μας. Συνειδητοποίησα έντρομος ότι αυτή ήταν μία κατάσταση έκτακτης ανάγκης, μία κρίση πανικού, η οποία θα έπρεπε να κατασταλεί άμεσα.

«Γύρνα», του είπα, εκπλήσσοντας τον εαυτό μου απ' την τραχύτητα της φωνής μου, «δεν είναι ώρα για πισωγυρίσματα. Γύρνα και θα σ' ακολουθήσουμε όλοι». «Ξέχνα το! Το άλλο άρμα έπεσε στα χέρια τους και σκοτώθηκε ο αξιωματικός μου - τον σκότωσαν σου λέω! Φύγετε από μπροστά μου αλλιώς θα περάσω από πάνω σας». Ξαφνικά, όπως στεκόμουν πάνω στις ερπύστριες, είδα το κάτασπρο πρόσωπο του οδηγού του άρματος να με κοιτά μέσα από ένα τετράγωνο άνοιγμα της θωράκισης του οχήματος. Έτεινα το πιστόλι μου λίγα εκατοστά από το μέτωπο του και φώναξα, «Γύρνα και προχώρα αλλιώς, μα το Θεό, θα σου ρίξω!»

Είναι αξιοπερίεργο το γεγονός ότι, μέσα στον πυρετό του ενθουσιασμού, στην αγωνία, στο φόβο και στον κίνδυνο εκείνης της βραδιάς, το πιο αξέχαστο πράγμα που έμεινε χαραγμένο στη μνήμη μου, ήταν η αποτυπωμένη τρομάρα στα μάτια του οδηγού.

«Εγώ είμαι πρόθυμος κύριε», απάντησε μια λονδρέζικη προφορά. «Δεν χρειάζεται να με απειλείτε, θα κάνω ότι μου πείτε -στο κάθαρμα από πάνω μου πρέπει να στρέψετε το πιστόλι».

Αμέσως το άρμα άρχισε να παίρνει στροφή. Χτύπησε και γκρέμισε τον τοίχο ενός πέτρινου σπιτιού, που μαζί με άλλα περιτείχιζε ένα στενό δρομάκι, μάρσαρε κι ετοιμάστηκε να εφορμήσει και πάλι. Καθώς το όχημα κινούνταν, ο φρενήρης τύπος του πυργίσκου πήδηξε κι έτρεξε σκοντάφτοντας προς τα πίσω ανάμεσα στις γραμμές μας. Οι κραυγές και οι κατάρες του υπονόμευαν την επιτυχία της επίθεσης μας.

Όταν ένας άνθρωπος σπάει, επηρεάζει κι άλλους που μπορεί να παραπαίουν και εντός ολίγου μπορεί ένας ισχυρός λόχος να μεταβληθεί σε όχλο.

Σήκωσα το περίστροφο μου και τον σημάδεψα, διστακτικά. Σαν αξιωματικός, το καθήκον μου ήταν ξεκάθαρο, αλλά δεν μπορούσα να πείσω τον εαυτό μου να προβεί σε κάτι τέτοιο.

Ήχησε ένας πυροβολισμός και οι κραυγές του σταμάτησαν. Το τουφέκι ενός απλού στρατιώτη κάπνιζε καθώς εκείνος γύρναγε αργά το κεφάλι του και κοίταζε με βλοσυρότητα τους γύρω του. Κανείς δεν είπε τίποτα. Εμείς απλά προχωρήσαμε και πάλι, πιο ήσυχοι τώρα, και νομίζω ότι ήταν το καλύτερο που μπορούσαμε να κάνουμε μετά απ' αυτό που συνέβη.

Ο δρόμος έγινε λίγο πιο πλατύς και μετά ίσιωσε. Από μπροστά μας, ένα αυτόματο πολυβόλο Σπαντάου ξέρναγε μολύβι και οι σφαίρες εξοστρακίζονταν πάνω απ' τα κεφάλια μας. Δυνατές λάμψεις έκαναν την εμφάνιση τους από διάφορες σκιές που ήταν χωμένες στα γκρεμίσματα και οι απαντήσεις μας που προσφέραμε ήταν οδυνηρές.

Ξεχυθήκαμε εμπρός. Τρεις Ναζί πετάχτηκαν ξαφνικά μέσα από ένα σωρό με πτώματα αριστερά μας, και πέσαμε πάνω τους. Στάθηκαν όρθιοι μπροστά μας, λόγχη προς λόγχη. Ο ένας κατέρρευσε κρατώντας την λόγχη του Τέμπλετον στο λαιμό του. Ο άλλος σκοτώθηκε από το οπλοπολυβόλου του Ντάιαμοντ. Νομίζω ότι ο τρίτος έπεσε μάλλον από το δικό μου περίστροφο.

Οι πυροβολισμοί των Γερμανών συνέχιζαν ακατάπαυστα. Από το δρόμο, απ' τα παράθυρα και απ' τις χαμηλές στέγες, τουφέκια και Σπαντάου, σκόρπιζαν λαμπερές χαρακιές προς όλες τις κατευθύνσεις. Οι περισσότερες απ' αυτές ήταν ξέφρενες και άστοχες, αλλά το αποτέλεσμα τους ήταν ότι μας προκαλούσαν τρόμο. Ήμασταν καλυμμένοι προσωρινά πίσω από το άρμα που είχε γυρίσει πίσω. Τώρα βρισκόταν νοκ-άουτ στο κέντρο ενός δρόμου, που οδηγούσε σε μια μικρή πλατεία. Μέσα στο όχημα ήταν όλα ακίνητα. Περιστασιακές ριπές εξοστρακίζονταν στον πυργίσκο του. Ψηλάφησα με το χέρι μου γύρω-γύρω τη μία πλευρά και έφτασα μέχρι το κάθισμα του οδηγού. Πόσο φρικτό είναι να αισθάνεσαι ένα νεκρό πρόσωπο και πόσο αλάνθαστη σού είναι η αίσθηση που σε κάνει να καταλάβεις ότι είναι νεκρό. Επέστρεψα στους άνδρες. Είχαν ξαναγεμίσει τα όπλα τους. Απέναντι απ' την πλατεία άστραφτε ένα Σπαντάου, και γάζωνε τα σπίτια στο πίσω μέρος και πάνω απ' τα κεφάλια μας. Ακούγαμε ξεκάθαρα τις ξελαρυγγιασμένες διαταγές του εχθρού. Ο Ντάιαμοντ και ο Μπέλλαμυ απαντούσαν στις ριπές, πυροβολώντας χωμένοι κάτω από το τανκ. Κάποιος έβαζε επίδεσμο σε μία φιγούρα στο χαντάκι και έλεγε «είναι εντάξει, Ντικ, θα σας βγάλουμε σύντομα -απλά ξαπλώστε και χαλαρώστε».

Το άρμα του Ρόυ Φάρραν, Γαλατάς   ATL DA-12645

Συνειδητοποίησα ότι η ομάδα μου είχε συρρικνωθεί ραγδαίως. Έπρεπε να δράσουμε και μάλιστα γρήγορα. Αποφάσισα να δώσω οδηγίες. Τα αγόρια αναπτύχθηκαν συγκροτημένα. Διαγκωνιζόμασταν για το ποιος θα είναι πρώτος και πυροβολώντας από το μηρό, διασχίζαμε βήμα-βήμα όλη την πλατεία.

Έγινε αμέσως αντιληπτό ότι ο εχθρός σάστισε. Οι κραυγές και οι φωνές τους έδειξαν ότι είχαν αρχίσει να πανικοβάλλονται απελπιστικά.

Ξαφνικά κατάλαβα, μ' εκείνη τη μοναδική διαύγεια που

εμφανίζεται μόνο κατά τη διάρκεια μίας μάχης, ότι τους είχαμε πιάσει απροετοίμαστους, πάνω στη φάση της ανασύστασης. Αν είχαμε καθυστερήσει την κίνηση μας έστω και για λίγα λεπτά, η κατάσταση θα μπορούσε να είναι αντίστροφη.

Μέχρι εκείνη τη στιγμή, περπατούσαμε ανάμεσα σε τραυματισμένους και όσοι ανασηκώνονταν εναντίον μας ξανάπεφταν κάτω απ' τις μακριές λόγχες μας που εμβόλιζαν λαιμούς και στέρνα, κάνοντας τον ίδιο φρικτό ήχο και παρουσιάζοντας την ίδια διστακτική αντίσταση με τ' αχυρένια ανδρείκελα της εκπαίδευσης μας πίσω στο Μπέρναμ. Ο εχθρός φάνηκε να τρέπεται σε φυγή. Από πόρτες, παράθυρα και στέγες πεταγόντουσαν κι έπεφταν ο ένας πάνω στον άλλο, προσπαθώντας να αποφύγουν την αμείλικτη γραμμή μας. Υπήρχαν λιγότεροι πυροβολισμοί εναντίον μας τώρα.

Η προηγούμενη χαρά είχε επιστρέψει και η νίκη φαινόταν εξασφαλισμένη.

Αλλά εκεί που οι δρόμοι στένεψαν, επτά ή οκτώ άνδρες όρμησαν άξαφνα προς το μέρος μας. Κοντές ξιφολόγχες άστραφταν την ώρα που μας έριχναν. Ήταν μια ομάδα σκληροτράχηλων Γερμανών. Κάποιος φώναξε, «προσέξτε αυτό το κάθαρμα στην ταράτσα» και έριξα αμέσως μαζί με τους άλλους στη φιγούρα με το κράνος την ώρα που πετούσε μια χειροβομβίδα. Όπως γύρισα να αντιμετωπίσω και πάλι τους επιτιθέμενους, κάτι στο πίσω μέρος του μυαλού μου, κατέγραψε το κουδούνισμα και το κροτάλισμα της χειροβομβίδας που έπεσε ακριβώς πίσω μου.

Οι εχθροί είχαν παραταχθεί ούτε δέκα βήματα μακρύτερα από εμάς. Υπήρχαν μόνο τέσσερις Γερμανοί τώρα και πριν προλάβω να στοχεύσω στον πιο εύσωμο από δαύτους, εκείνος σκόνταψε κι έπεσε. Μας είχαν φτάσει. Μία ξιφολόγχη λαμπύρισε, σχεδόν τρία μέτρα από το προτεταμένο πιστόλι μου. Όπως πήγα να τραβήξω τη σκανδάλη, και την στιγμή που ο ασκεπής γερμανός που είχε σκοντάψει επιχειρούσε να βουτήξει προς την κοιλιά μου, είδα ένα νεαρό αναμαλλιασμένο κεφάλι με ξανθά σγουρά μαλλιά και σφιγμένα δόντια, να βγάζει μία άγρια κραυγή και να πυροβολεί. Το δικό μου πιστόλι είχε μπλοκάρει. Την στιγμή που αντιλήφθηκα τη φρίκη που τον είχε καταλάβει, κάτι σαν βαριοπούλα με χτύπησε στο μηρό, με σήκωσε ψηλά και με πέταξε μακριά.

Είναι δύσκολο να το περιγράψω, αλλά την ώρα που ήμουν στον αέρα, ένοιωθα ήδη παγωμένος κι άρρωστος. Πριν ακόμα συντριβώ στο έδαφος απ' αυτό που με χτύπησε, εξερράγει και η χειροβομβίδα πίσω μου. Από τον αυχένα και την πλάτη μου μέχρι και τους γλουτούς και τις γάμπες μου, ήμουν κατάστικτος από οδυνηρά θραύσματα. Για μερικά δευτερόλεπτα είχαν γίνει όλα μαύρα γύρω μου. Είχα προσγειωθεί άσχημα και προσπαθούσα με μεγάλη δυσκολία να ανακτήσω την αναπνοή μου. Οι κραυγές, οι βρισιές και τα βογκητά, οι ριπές που σφύριζαν από πάνω μου, όλα βούιζαν και χάνονταν μες στ' αυτιά μου καθώς πάλευα να ανακτήσω στοιχειωδώς τον αυτοέλεγχο μου.

Το μυαλό μου καθάρισε αργά. Ένας από τους άνδρες μου, ο Σρέντερ, απ' τη Διμοιρία του Αρχηγείου, στέναζε ήσυχα στα δεξιά μου και προσπαθούσε να σταθεί στα πόδια του. Πάνω απ' τις φωνές και τα βογκητά, κατάφερα ν' ακούσω μια φωνή με πολύ βρετανική προφορά να λέει, «Ωραία βουτιά, Νεοζηλανδέ, πολύ ωραία βουτιά, μπράβο Νεοζηλανδέ...» και ολοκλήρωσε με ένα επιφώνημα πόνου. Ήταν ο νεαρός αξιωματικός των τανκς, Ρόυ Φάρραν.[1]

Ο Μπέλλαμυ, ο Νόουλς κι ο Ντάιαμοντ έσκυψαν πάνω μου και νομίζω πως άκουσα τη φωνή του Λόγγι να λέει με αγωνία, «Είστε καλά, κύριε, είστε καλά;»

Στήριξα το κορμί με το χέρι μου και γύρισα ανάσκελα. Η πλάτη μου πονούσε πολύ, αλλά δεν μου έδινε την αίσθηση ότι είχε κάποιο σοβαρό πρόβλημα. Το στομάχι μου το ένιωθα σαν ένα κομμάτι μολύβι, αλλά από εκεί και κάτω ήμουν αρκετά μουδιασμένος. Δεν ένιωθα καθόλου πόνο. Είχα συνειδητοποιήσει όμως ότι κάτι δεν πήγαινε καλά.

---

[1] Ρόυ Φάρραν, (1921-2006) διάσημος Βρετανός Ταγματάρχης. Πιάστηκε κι αυτός αιχμάλωτος μαζί με τον Σάντυ Τόμας. Αργότερα, παρασημοφορήθηκε και διακρίθηκε ως πολιτικός, συγγραφέας και δημοσιογράφος.

Ήμουν πολύ προσεκτικός με το κάτω μέρος του σώματος μου. Η βουβωνική μου χώρα φαινόταν ανέγγιχτη. Ο δεξής μηρός μου, όσο μπορούσα να τον αισθανθώ, ήταν άθικτος. Αλλά καθώς ψηλαφούσα τον αριστερό μηρό μου, ανακάλυψα μία ζεστή, παραμορφωμένη μάζα. Στην αρχή, δεν ήμουν σίγουρος ότι ήταν το δικό μου πόδι γιατί δεν ένιωθα καθόλου πόνο, ένα όμως απ' τα δάχτυλά μου, ψαχούλεψε βαθύτερα και άγγιξε κάτι σκληρό. Ολόκληρο το σώμα μου τραντάχθηκε, μία μαυρίλα ανάβλυσε και πάλι και με κυρίευσε σκοτοδίνη κι αδυναμία.

Ο Λόγγι έκοψε λίγο από το παντελόνι μου και το έσκισε για να τ' ανοίξει. Ο Ντάιαμοντ έκανε κάτι μ' έναν επίδεσμο. Ξάπλωσα πίσω και τους εμπιστεύτηκα.

«Χαμός», είπε ο Ντάιαμοντ, τραυλίζοντας ως συνήθως, «αυτά δεν φτάνουν - χρειαζόμαστε μία ντουζίνα τέτοια για να το τυλίξουμε ολόκληρο».

Πιο κάτω από μάς, τα πράγματα είχαν ησυχάσει αρκετά τώρα. Υπήρχαν ακόμα ανοίγματα, τόσο μπροστά μας όσο και πίσω μας, αλλά μπορούσαμε με ασφάλεια να υποθέσουμε ότι το πεδίο ήταν δικό μας.

«Θα πρέπει να προχωρήσουμε, παίδες», είπα ασθενικά, «συγκεντρωθείτε στις παρυφές του χωριού και στη συνέχεια στείλτε ένα δρομέα να βρείτε τον Λοχαγό Χάρβεϋ». Δεν ήξερα σ' εκείνη τη φάση ότι ο Λοχαγός Χάρβεϋ και ο Ρεξ Κινγκ, καθώς και άλλοι πέντε ανώτεροι Αξιωματικοί μας είχαν ήδη τραυματιστεί. Οι άνδρες δίσταζαν λίγο. Δεν υπήρχε αξιωματικός να τους καθοδηγήσει και ανησυχούσαν για μένα και για τους άλλους τραυματίες.

Τότε, ο Λεν Ντάιαμοντ, το τραχύ κι αξιαγάπητο πνεύμα της διμοιρίας, σηκώθηκε και ξεκίνησε με προθυμία να κατηφορίζει προς τον σκοτεινό δρόμο, ψέλλίζοντας, «Ε-ε-ε-ελάτε βρε μα-μα-μάγκες, ας την πε-πε-πέσουμε στα καθα-θάρματα να τε-τελειώνουμε».

Στη συνέχεια με προσπέρασαν, λέγοντας μου με συγκίνηση κάποια ενθαρρυντικά λόγια, όπως «Καλή τύχη, κύριε», «θα σας δούμε στο νοσοκομείο κύριε», «Σίγουρα θα είστε εντάξει, κύριε;» και άλλα παρόμοια.

Ο Λόγγι τέλειωσε αυτά που έκανε στο πόδι μου και

σηκώθηκε. «Θα επανέλθω αμέσως μόλις ηρεμήσουν τα πράγματα» μου υποσχέθηκε και με διαβεβαίωσε ότι «θα σας βγάλουμε από αυτή την τρύπα».

Ο ήχος των ποδιών τους είχε σχεδόν ξεθωριάσει όταν η πόρτα ενός εκ των σπιτιών άνοιξε διάπλατα και πέντε Γερμανοί ξεχύθηκαν στους δρόμους, προφανώς αποφασισμένοι να διαφύγουν. Ψαχούλευσα γύρω μου και βρήκα το περίστροφο μου. Αναρωτήθηκα μήπως ήταν σοφότερο να ξαπλώσω χαμηλά και να παριστάνω τον πεθαμένο. Οι Γερμανοί κινήθηκαν προς την κατεύθυνσή μας. Την ώρα που με πλησίαζε ο πρώτος απ' αυτούς, τον πυροβόλησα καταστόμαχα. Παραπάτησε για μερικά βήματα ουρλιάζοντας. Ο δεύτερος ήταν σχεδόν από πάνω μου. Τράβηξα τη σκανδάλη, αλλά δεν έγινε τίποτα και θυμήθηκα εκείνη την ώρα πως είχα ήδη χρησιμοποιήσει όλα μου τα πυρομαχικά. Όμως δεν κινδύνευα πραγματικά. Αυτοί οι άνδρες βρίσκονταν σε πανικό. Έτρεξαν όσο πιο γρήγορα μπορούσαν. Ο τελευταίος πάτησε κανονικά πάνω στο στήθος μου και παραλίγο να πέσει. Σκαρφάλωσαν πάνω από ένα χαμηλό πέτρινο τοίχο και εξαφανίστηκαν.

Η σιωπή κατακάθισε και πάλι στην πλατεία. Κάποια ισχνά βογγητά και κλαψουρίσματα ακούγονταν μόνο. Ένιωθα πιο κρύος από ποτέ στη ζωή μου, παρότι η νύχτα ήταν ήπια μέχρι τότε. Προσπαθούσα να σταματώ τον εαυτό μου από το να παραμιλάει.

Στη συνέχεια, οι Γερμανοί άρχισαν να σφυροκοπούν και πάλι με όλμους το χωριό. Τα θλιβερά κλαψουρίσματα, Γερμανών και Βρετανών, είχαν εμπλουτιστεί με φόβο. Ο Σρέντερ, με το ένα πόδι να παραπαίει, σύρθηκε προς το μέρος μου και με έσπρωχνε μέσα σ' ένα χαντάκι υδρορροής στα θεμέλια ενός πέτρινου τοίχου, που θα μας προσέφερε λίγο καλύτερη κάλυψη, απ' ότι ο ανοιχτός δρόμος.

Επιθεώρησε τις πληγές μου και ψηλάφησε με τα δάχτυλα του, την κοιλιακή μου χώρα και τον μηρό μου. Καταλάβαινα αμυδρά ότι προσπαθούσε να πιέσει τις αρτηρίες πάνω απ' την πληγή μου για να μειώσει την αιμορραγία.

Όταν τελείωσε με μένα, επιχείρησε σιγά-σιγά και πονώντας αφόρητα, να εξασφαλίσει σε όσους περισσότερους τραυματίες μπορούσε μία σχετική ασφάλεια, ανάμεσα στις κίτρινες λάμψεις και τα θανατηφόρα συρίγματα των οβίδων.

Οι Γερμανοί εισβάλλουν και πάλι στον Γαλατά. Λίγες ώρες αργότερα, ο Σάντυ Τόμας κείτεται τραυματισμένος σ' αυτό το χαντάκι ανάμεσα στους νεκρούς συμπολεμιστές του. ATL DA-12652

Κάποια στιγμή, μία νεαρή Ελληνίδα, δώδεκα-δεκατριών ετών, προσέφερε σε όλους τους τραυματίες από ένα ποτήρι ζεστό φρέσκο γάλα, το οποίο απ' τη δίψα που είχαμε μας φάνηκε σαν πραγματικό νέκταρ. Έφερε χαλιά και μοκέτες για να μας καλύψει στο μέρος που ήμασταν ξαπλωμένοι.

Λίγο μετά τα μεσάνυχτα, ο Λόγγι, ο Μπάλλαμυ, ο Νόουλς κι ο Ντάιαμοντ επέστρεψαν και μας είπαν ότι τα πράγματα φαινόντουσαν ήσυχα. Είχαν λάβει άδεια να πάρουν τους τραυματίες έξω από το χωριό. Δεν υπήρχαν, φυσικά, φορεία. Η δυσκολία λύθηκε χρησιμοποιώντας τις πόρτες απ' τα γκρεμισμένα σπίτια.

Την αυγή, μεταφέρθηκα σε μία πέτρινη αυλή που είχε ήδη γεμίσει με φορεία. Το κτήριο που την περιέκλειε συγκροτούσε έναν έκτακτο κι απελπιστικά περιορισμένο Σταθμό Πρώτων Βοηθειών. Οι νοσηλευτές έκαναν εξαιρετικό έργο, αλλά δεν μπορούσαν να προφθάσουν τους τραυματίες.

Έκαναν μια προσπάθεια να μας ταΐσουν αμέσως μόλις φτάσαμε. Μου έδωσαν ένα κομμάτι βοδινού ταυρίσιου κρέατος. Είχα, πλέον, καταληφθεί εξ ολοκλήρου από εγωιστικές σκέψεις. Το θέαμα του κρέατος με απωθούσε· το μόνο που ήθελα ήταν να είμαι σε ησυχία και να ανησυχώ μόνος μου. Είχαν περάσει δέκα έξι ώρες απ' τη στιγμή του τραυματισμού μου και δεν με είχε κοιτάξει γιατρός. Αντιλαμβανόμουν ότι μετά από τόση απώλεια αίματος και τέτοιο σοκ, ήταν επιτακτική η ανάγκη να φάω κάτι. Αλλά ακόμα κι η πιο αποφασιστική προσπάθεια να καταπιώ έστω και μία μπουκιά μού έφερνε επώδυνο εμετό, κι έτσι τα παράτησα.

Το κτήριο, του οποίου οι στέγες και η αυλή είχαν γεμίσει από φορεία, ήταν λιτά χτισμένο με βαριά ξύλινα δοκάρια και στεγασμένο με κεραμίδια. Ήταν προφανές ότι φιλοξενούσε τους χοίρους και τις αγελάδες κάποιου αγρότη. Η δυσωδία ήταν σχεδόν αφόρητη, προσελκύοντας χιλιάδες μύγες που βούιζαν λαίμαργα γύρω μας, μέχρι που τα ματωμένα ρούχα μας είχαν καλυφθεί, σχεδόν εξ ολοκλήρου, απ' τη φρικτή μαυρίλα τους. Πιο ψηλά, στο γείσο, τα περιστέρια ερωτοτροπούσαν τιτιβίζοντας. Θα ήμουν λιγότερο ενοχλημένος, αν περιόριζαν τις δραστηριότητές τους μόνο σ' αυτό.

Επιτέλους ήρθε κι η σειρά μου για φροντίδα. Ένας νεαρός, φρέσκος γιατρός, που μου συστήθηκε ως Υπολοχαγός Μπάλλανταϊν, με ρώτησε πόσος χρόνος είχε περάσει απ' την τελευταία επίδεση της πληγής μου. Ανησύχησε περισσότερο όταν του είπα ότι απ' την αρχή, είχε επιδεθεί πρόχειρα. Καθώς έπαιρνε τη θερμοκρασία μου και αισθανόταν τον σφυγμό μου, κατάλαβα ότι παρά την αναγκαστική του ευθυμία, τα είχε δώσει όλα και, κατά πάσα πιθανότητα, ήταν άυπνος για μέρες. Φάνηκε να είναι ο μοναδικός γιατρός εκεί, ενώ πάνω από ογδόντα άνθρωποι ήταν αφημένοι στα χέρια του και χρειαζόντουσαν επείγουσα χειρουργική φροντίδα.

Τέσσερις νοσοκόμοι με μετέφεραν έξω απ' την αυλή και μπόρεσα να ρίξω μια σύντομη ματιά στην Κρητική ύπαιθρο.

Βρισκόμαστav σε ένα χαμηλό λόφο. Κάνα-δυο

χιλιόμετρα μακρύτερα, πέρα από τον κάμπο, είδα μια μεγάλη κόκκινη σημαία με σβάστικα, που είχε τοποθετηθεί για να βοηθά τις εναέριες αναγνωρίσεις. Σκεφτόμουν ότι ο εχθρός ήταν πολύ μακριά. Το επεσήμανα στο νοσηλευτικό προσωπικό, αλλά έμειναν αρκετά αδιάφοροι, δείχνοντας μου με νόημα τον μεγάλο κόκκινο σταυρό στο θρασύ κοντάρι που στεκόταν πάνω από το κτήριο. Υπονοούσαν με βεβαιότητα ότι οι Ούννοι αποκλείεται να τολμούσαν ν' ανοίξουν πυρ σε αυτό το μέρος. Εγώ δεν ήμουν και τόσο σίγουρος. Με έβαλαν μέσα στο «χειρουργείο», από το στενό άνοιγμα μιας πόρτας. Εκεί, ο Μπάλλανταϊν, έβαζε σε σειρά κάτι φρικιαστικά, σε εμφάνιση, μαχαίρια μαζί με κάτι σύριγγες. Το χειρουργικό τραπέζι πάνω στο οποίο με τοποθέτησαν αποτελείτο από δύο σανίδες που γεφύρωναν δύο μικρά βαρέλια. Μου δόθηκε μορφίνη μαζί με τουλάχιστον άλλες τέσσερις ενέσεις, συμπεριλαμβανομένου και αντιτετανικού ορού. Η μορφίνη μου έφερε ζαλάδα και είχα μια αμυδρή μόνο αίσθηση ότι κάτι μου άνοιγε και μου τράβαγε το πόδι, μέχρι που ένα χειρουργικό εργαλείο άγγιξε κάποιο οστό μου και βυθίστηκα απ' τη ναυτία. Όταν ο γιατρός είχε τελειώσει με το πόδι μου, έπιασε να καθαρίσει, να επαλείψει και να επιδέσει τις μικρές πληγές απ' τα θραύσματα της χειροβομβίδας στην πλάτη και τους γλουτούς μου.

Μού είπε με ηρεμία, «Το πόδι σας είναι σε κακή κατάσταση. Πώς το πάθατε αυτό;»

Του περιέγραψα εν συντομία.

«Αυτή δεν είναι πληγή από συνηθισμένη σφαίρα. Φοβάμαι ότι οι Ούννοι χρησιμοποιούν εκρηκτικές σφαίρες. Έχω δει αρκετά τέτοια τραύματα», σχολίασε.

Η αναφορά του γιατρού στον εχθρό, μου θύμισε την αδιαμφισβήτητη παρουσία του κοντά μας.

«Το ξέρετε ότι είναι σχεδόν δίπλα μας;» τον ρώτησα.

«Έτσι ε;» μου απάντησε, σχεδόν αδιάφορα. «Είμαι πολύ απασχολημένος για ν' ανησυχώ γι' αυτούς. Πιστεύετε ότι θα το παίξουν δίκαια;»

Δεν απάντησα. Δεν πίστευα πως οι Γερμανοί θα

φερόντουσαν ανθρωπιστικά, αλλά στην κατάσταση που ήμουνα δεν φαινόταν να με πείραζε και πολύ.

«Θα ξέρουμε σύντομα, ούτως ή άλλως», είπε ο Μπάλλανταϊν, ενώ μου έβαζε τσιρότα σε κάποιες απ' τις μικρότερες οπές της χειροβομβίδας. «Όσο πιο γρήγορα το μάθουμε, τόσο το καλύτερο - εγώ θέλω να πάρω και να χειριστώ κάποια απ' τα επείγοντα περιστατικά κάτω στο νοσοκομείο, αλλά δεν τίθεται καν θέμα μέχρι να σταματήσουν οι μάχες».

Ανέλυσα στο μυαλό μου, για λίγα λεπτά, αυτό που είπε.

«Είμαι κι εγώ ένα απ' τα 'επείγοντα' περιστατικά;» ρώτησα πιεστικά.

«Ε... ναι, είσαι. Δεν μπορώ να κάνω και πολλά για το πόδι σας εδώ που είμαστε.»

«Εννοείτε ότι θα χάσω το πόδι μου;»

«Όχι απαραίτητα», απάντησε φιλοαδιάφορα. «Τώρα θα σας δώσω λίγη ακόμα μορφίνη. Δοκιμάστε να χαλαρώσετε και να κοιμηθείτε.»

ΑΙΧΜΑΛΩΤΟΣ ΠΟΛΕΜΟΥ

Μέσα στην αυλή όπου βρισκόμουν, η ένταση μεγάλωνε και η γενική ανησυχία είχε μεταβληθεί σε έξαψη, διότι τραυματίες και νοσηλευτές συνειδητοποιούσαν ότι οι μάχες θα κορυφώνονταν πολύ σύντομα. Η εναέρια δραστηριότητα είχε αυξηθεί σε άγριο βρυχηθμό που σκεπαζόταν ενίοτε από τους πυροβολισμούς, που ακούγονταν ολοένα και πιο κοντά μας. Οι όλμοι πλήθαιναν στην πλαγιά του λόφου. Αισθανόμουν αποχαυνωμένος και βαρύς απ' την μορφίνη, αλλά κοίταξα ένα-ένα τα πρόσωπα που υπήρχαν γύρω από το φορείο μου. Ίσως να αναζητούσα κάποιον ισχυρό χαρακτήρα να μ' ενθαρρύνει και να μου πει με πειθώ, ότι όλα θα πήγαιναν καλά. Με μόνη εξαίρεση ένα ηλικιωμένο οπλίτη, που δεν είχε ακόμα ανακτήσει τις αισθήσεις του, υπήρχε η ίδια φευγαλέα ματιά ανησυχίας σε όλους τους τραυματίες. Κανείς δεν μιλούσε, αλλά τα μάτια μετατόπιζαν το βλέμμα τους ικετευτικά, από άτομο σ' άτομο, αναζητώντας την ίδια ενθάρρυνση με μένα.

Λίγη ώρα αργότερα, ένα Στούκας έκανε κύκλους νωχελικά πάνω από τον πρόχειρο Σταθμό Πρώτων Βοηθειών μας, όχι και πολύ ψηλότερα απ' τη σημαία με τον μεγάλο κόκκινο σταυρό που κυμάτιζε περίοπτα στο αεράκι.

Οι θυρίδες των βομβών του αεροσκάφους είχαν ανοίξει και μπορούσαμε να δούμε ξεκάθαρα τις μικρές μαύρες απάνθρωπες βόμβες να είναι σε σειρά στις θήκες τους. Πέταξε μακριά για να κερδίσει ύψος και απ' τη στροφή που πήρε φάνηκε ξεκάθαρα ότι ερχόταν για μας. Οι βόμβες απασφαλίστηκαν και στόχευσαν διαγώνια κάτω προς το μέρος μας. Καλύψαμε όλοι τα κεφάλια μας προσπαθώντας να χωθούμε όσο πιο πολύ γινόταν μέσα στα φορεία μας. Η μία βόμβα χτύπησε το απέναντι κτήριο από εκεί που ήμουν ξαπλωμένος, και οι υπόλοιπες έπεσαν στην πίσω πλευρά του ψηλού πέτρινου τοίχου.

Αυτό φαίνεται να ήταν και το προκαθορισμένο σήμα για τις χερσαίες δυνάμεις. Βλήματα άρχισαν να πέφτουν απελπιστικά κοντά μας, ενώ σφαίρες εξοστρακίζονταν επικίνδυνα γύρω μας. Στην αυλή άλλοι έβριζαν κι άλλοι προσεύχονταν. Μέσα στο σπίτι άρχισαν να ουρλιάζουν. Ο τοίχος της αυλής τραντάχτηκε και κατέρρευσε τοπικά. Τα περιστέρια τινάχτηκαν με τρόμο. Μερικά απ' τα κεραμίδια αποσπάστηκαν και έπεφταν βροχή ανάμεσα στα φορεία που βρίσκονταν από κάτω. Ακριβώς από πάνω μου, ένα ξύλινο δοκάρι τουλάχιστον τριάντα εκατοστά παχύ, έδειχνε σημάδια ολίσθησης απ' την πέτρινη θέση στην οποία ήταν ενσωματωμένο. Το παρακολουθούσα αγχωμένος.

Ο βομβαρδισμός συνεχίστηκε, για περίπου ένα τέταρτο ακόμα και σταμάτησε απότομα όπως είχε αρχίσει. Όλοι βρισκόμασταν σε αναβρασμό.

Στη συνέχεια, απ' την πόρτα της αυλής έσκασαν μύτη μία, δύο, τρεις, τέσσερεις φιγούρες, κουνώντας περίστροφα και πολυβόλα εναντίον μας φωνάζοντας ακατάληπτες διαταγές. Ο Μπάλλανταϊν τους πλησίασε ήσυχα και άφοβα. Ήμασταν αιχμάλωτοι.

Σύντομα, οι τέσσερις έγιναν είκοσι. Ξαπλωμένος πάνω στην πόρτα μου, τους παρατηρούσα. Ήταν όλοι τους νεαροί. Άλλοι καλοί, άλλοι σκοτεινοί, αλλά

Στούκας σε δράση
(Αρχείο Γκάλων)

σίγουρα, όλοι αλαζονικοί και μεθυσμένοι απ' τη νίκη τους. Άνδρες που χειρίζονταν πολυβόλα Σπαντάου, φορώντας γύρω μακριές ζώνες με λαμπερά πυρομαχικά, όπως οι ληστές του βουνού, περιφέρονταν παντού. Σχεδόν αμέσως, τρεις από δαύτους σκαρφάλωσαν πάνω στα χαλάσματα και έφτασαν στην απέναντι πλευρά όπου και κάρφωσαν στη θέση της σημαίας του Ερυθρού Σταυρού, μια μεγάλη μαύρη σβάστικα σε κόκκινο φόντο. Σαν απάντηση το Στούκας κατέβηκε χαμηλά και πήρε μία απότομη κλίση γύρω από το κτήριο. Η συνεργασία μεταξύ των γερμανικών αεροπορικών και χερσαίων δυνάμεων ήταν υποδειγματική. Τώρα, οι τρεις στρατιώτες χαιρετούσαν απ' τη στέγη χαρωπά τον πιλότο που έσκυβε έξω το πιλοτήριο του για ν' ανταποδώσει τους χαιρετισμούς.

Εν τω μεταξύ, οι Γερμανοί που ήταν στο έδαφος, κινούνταν μεταξύ του νοσηλευτικού προσωπικού και των τραυματιών, απαιτώντας στρατιωτικές πληροφορίες. Οι περισσότεροι άνδρες μας κράτησαν εξαιρετική στάση - έδωσαν τον αριθμό, το όνομα και το βαθμό τους αλλά αρνιόντουσαν να δώσουν οποιαδήποτε περαιτέρω πληροφορία.

Ένας μάλλον καλοβαλμένος νεαρός, γονάτισε πάνω από το φορείο μου και μού απευθύνθηκε σε αρκετά καλά αγγλικά.

Ο Βομβαρδισμός του 7ου Γεν Νοσοκομείου Κρήτης,   Peter McIntyre

«Το όνομά και τον βαθμό σας, παρακαλώ.»

«Τόμας ... Ανθυπολοχαγός.»

«Το σύνταγμα και τη μεραρχία σας», συνέχισε πολύ ήρεμα.

«Δεν νομίζω πως είμαι υποχρεωμένος να σας δώσω τέτοιου είδους πληροφορίες.»

Ο Γερμανός χαμογέλασε, όχι με το χαμόγελο ενός Ναζί ή ενός εχθρού, αλλά με ένα αυθόρμητο διασκεδαστικό ύφος που φανέρωνε τ' αξιοζήλευτα δόντια του. Τα μάτια του αναβόσβηναν καθόλη τη διάρκεια που χρησιμοποιούσε όλα τα συνήθη κόλπα για να αποσπάσει πληροφορίες.

«Δεν είστε αναγκασμένος να δώσετε τέτοιες πληροφορίες -σύμφωνοι», μου απάντησε, «αλλά αν κάνετε κάτι τέτοιο, θα μπορούσε να οργανώσει ο Ερυθρός Σταυρός, να ενημερωθούν οι δικοί σας άνθρωποι για το αν είστε ασφαλής κτλ.» Δεν έδωσα καμία απάντηση.

Μέχρι εκείνη την ώρα, το μούδιασμα στον αριστερό μηρό μου είχε συρθεί προς την κοιλιά και το στομάχι μου. Δεν το θυμάμαι ως επώδυνο. Μου προκαλούσε περισσότερο ανακατωσούρα κι είχα την εντύπωση ότι το πόδι μου είχε τετραπλασιαστεί σε μέγεθος. Πρέπει είτε να λιποθύμησα, είτε να αποκοιμήθηκα. Όταν ξανάνοιξα τα μάτια μου, είχε σουρουπώσει για τα καλά κι ο Δόκτωρ Μπάλλανταϊν βρισκόταν γονατιστός πάνω από το φορείο μου, με το χέρι του στο μέτωπό μου. Αλλά ποιος ήταν ο άλλος με το κομψό πρόσωπο; Σήκωσα το κεφάλι μου για να δω καλύτερα.

«Αυτός είναι ο γιατρός ____», είπε ο Μπάλλανταϊν, σπρώχνοντας ένα θερμόμετρο στο στόμα μου, «που έχει συμφωνήσει να μεταφερθείτε στο νοσοκομείο και υποσχέθηκε σας στείλουν απ' την Κρήτη στην ηπειρωτική Ελλάδα». Ο Γερμανός γιατρός υποκλίθηκε σφιχτά. Ήταν ένας αρκετά ηλικιωμένος άνδρας, με γκρίζα μαλλιά και μουστάκι. Καθώς γύρισε να φύγει, παρατήρησα ότι φορούσε ένα μικρό τελετουργικό σπαθί.

Λίγο αργότερα, τέσσερις νοσηλευτές με μετέφεραν σε ένα φορείο. Ήμουν τρομοκρατημένος για το πόσο πολύ πηγμένο αίμα έμεινε πάνω στην πόρτα που κειτόμουν και για πρώτη φορά, με έλουσε ένας ξαφνικός φόβος - ήταν η κατάστασή μου επικίνδυνη; - υπήρχε σοβαρή πιθανότητα να μου κοστίσει τη ζωή; Και καθώς οι νοσηλευτές με έπαιρναν απ' την αυλή, ψηλαφούσα με αγωνία το μηρό και το στομάχι μου κι αναρωτιόμουν, αν το υφέρπον μούδιασμα που είχα μπορούσε να ήταν γάγγραινα.

Με φόρτωσαν στους ώμους και με κατέβαζαν απ' τη βουνοπλαγιά, πάνω από τοιχία και μέσα από αμπελώνες. Ο ήλιος είχε μόλις βυθιστεί κάτω από τον ορίζοντα και τόσο η θάλασσα όσο και τα σύννεφα ολόγυρα, είχαν πάρει ένα λαμπερό ροζ χρώμα. Ο αέρας τώρα, μου φαινόταν γλυκός και καθαρός σε σχέση μ' εκείνον της αυλής. Ήθελα απεγνωσμένα να ζήσω. Φτάσαμε στο νοσοκομείο. Φαινόταν πολύ ταλαιπωρημένο από τους βομβαρδισμούς και τους πυροβολισμούς. Με άφησαν στο πάτωμα σε ένα μεγάλο δωμάτιο με πενήντα ή εξήντα άλλους πάνω σε φορεία. Στα δεξιά μου βρισκόταν ένας άσχημα πληγωμένος Γερμανός που λαχάνιαζε και κρατούσε την αναπνοή του εναλλάξ, σαν άρρωστο σκυλί. Αλλά στ' αριστερά μου, ήταν ένας ακούρευτος ξανθομάλλης με ένα χαρούμενο αγγλικό χαμόγελο. Συστηθήκαμε. Ήταν ο Ρόυ Φάρραν του Τρίτου Ιππικού, ο αξιωματικός που διοικούσε τα άρματα μάχης που είχαν χρησιμοποιηθεί στον Γαλατά. Όταν το άρμα του καταστράφηκε σχεδόν ολοκληρωτικά, κατά τη διάρκεια της μάχης, έμεινε και 'κείνος στην πλατεία τραυματισμένος. Τον είχαν μεταφέρει οι άνδρες μου. Γίναμε αμέσως φίλοι και ξαναζήσαμε τη μάχη. Στο τέλος, πέσαμε για ύπνο.

Το πρωί κατάλαβα ότι η φρικτή δυσωδία που νόμιζα ότι ερχόταν από κάποιο πτώμα έξω, ερχόταν από το ίδιο μου το πόδι. Κατά τη διάρκεια της νύχτας, κάποιος είχε ρίξει μια κουβέρτα πάνω μου και καθώς τη σήκωσα, η δυσωδία αυξήθηκε. Ήμουν τρομοκρατημένος.

Όταν ο νεαρός γιατρός Φρεντ Μούντι ήρθε κάτω, ήμουν πανικοβλημένος κι εκτός εαυτού. Εκείνος, όμως, δε φάνηκε να εντυπωσιάζεται απ' την κατάσταση μου και με τη χαρακτηριστική άνεση του επαγγέλματός του, μού προφήτευσε ότι ο μηρός μου θα μυρίζει ακόμα χειρότερα μέχρι το βράδυ. Μου έφερε ένα φλιτζάνι ζεστό κακάο για να μου φτιάξει το κέφι, αλλά εγώ δεν μπορούσα να το κρατήσω καν στα χέρια μου.

Έβλεπα κάτι το, μάλλον, απελπιστικό και τελειωτικό στη σκέψη ότι θα πετούσα προς τα βόρεια μέσα σε ένα γερμανικό αεροπλάνο. Αυτή η προοπτική, βασάνιζε τον νου μου αρκετά και λυπόμουν πολύ τον εαυτό μου. Ωστόσο, δεν υπήρχε και πολύς χρόνος για προβληματισμό. Εκείνη την ώρα, έφτασε μια ομάδα απ' τέσσερις Γερμανούς τραυματιοφορείς οι οποίοι με μετέφεραν και με τοποθέτησαν, μαζί με άλλους τραυματίες, στην καρότσα ενός ανοικτού φορτηγού. Δεν ήταν κι ευχάριστο να συνειδητοποιεί κανείς ότι το όχημα αυτό ήταν ένα απ' τα πολύ λίγα καλά μηχανήματα του νησιού και ότι είχε επιστρατευτεί ανέπαφο απ' την RAF. Ο οδηγός φορούσε πάνω απ' τη στολή του το σακάκι ενός Βρετανού Λοχαγού μαζί με τις κονκάρδες του βαθμού καρφιτσωμένες κι αισθανόταν, προφανώς, πολύ ευχαριστημένος με τα λάφυρα του.

Όταν φτάσαμε στο αεροδρόμιο, τους τραυματίες ξεφόρτωσαν δικοί μας αιχμάλωτοι που κρατούνταν στα κτήρια του διαδρόμου προσγείωσης ήδη δύο μέρες. Μου φάνηκε αρκετά ενθαρρυντικό όταν, μετά από λίγα λεπτά, με ανακάλυψαν οι Λοχαγοί Ρον Στιούαρτ και Μπομπ Γκρίφιθς, μαζί με τον Στρατιωτικό Γιατρό του Τάγματος μας που ήταν και Ιερωμένος. Είχαν επιλέξει να παραμείνουν πίσω μαζί με τους τραυματίες των πρώτων μαχών, αλλά εκεί τους βρήκε η εμπροσθοφυλακή των Γερμανών. Μου είπαν ότι, απ' τις μέχρι τότε εμπειρίες τους, οι Ναζί τούς αντιμετώπιζαν καλά αφού τους βρήκαν να φροντίζουν και Γερμανούς τραυματίες στη μονάδα φροντίδας του Συντάγματος. Έτσι, τους επετράπη η δυνατότητα να δημιουργήσουν ένα πρόχειρο νοσοκομείο σε ένα συγκρότημα κατοικιών κοντά στο αεροδρόμιο, όπου μπορούσαν σε μεγάλο βαθμό, ανενόχλητοι από τους απαγωγείς τους, να συγκεντρώσουν τόσο τους δικούς μας τραυματίες, όσο και τους Γερμανούς.

Μεταφέρθηκα κάτω στον κεντρικό αεροδιάδρομο. Υπήρχαν κι αρκετές εκατοντάδες άλλα φορεία που ήταν τοποθετημένα σε μακριές σειρές στην άκρη του διαδρόμου.

Μείναμε ξαπλωμένοι στον ήλιο για περίπου πέντε ώρες. Έκανε πολύ ζέστη και η δυσωδία από το πόδι μου, αλλά και την αιματοβαμμένη κουβέρτα, ήταν σχεδόν αφόρητη. Οι άνδρες που βρίσκονταν σε κοντινή απόσταση, παραπονιόντουσαν ότι η δυσωδία αυτή τους έκανε να νιώθουν ακόμα πιο άρρωστοι κι έτσι οι νοσηλευτές τούς απομάκρυναν από μένα. Ένιωθα μόνος και αξιολύπητος.

Αργότερα, ένας από τους νοσηλευτές με λυπήθηκε και ήρθε κοντά μου για κουβεντούλα. Για να προφυλαχθεί απ' τη μυρωδιά, κάθισε απ' την πλευρά που φυσούσε ο άνεμος κι άρχισε να μου περιγράφει τη μάχη του αεροδρομίου.

«Ξέρεις», μού είπε, «υπήρχαν πάνω από εκατό αεροπλάνα που συνετρίβησαν γύρω από το διάδρομο προσγείωσης και κάποια από αυτά που έπεσαν κοντά στην παραλία, είχαν ακόμη μέσα τα πληρώματα και τους επιβάτες ακριβώς στις θέσεις που κάθονταν δεμένοι την ώρα που χτυπήθηκαν απ' τα πολυβόλα μας».

Γερμανικά Τζάνκερς 52   (φωτ. Μερβ Σιμ)

Αεροπλάνα έρχονταν κι απογειώνονταν συνεχώς, τελείως ανενόχλητα. Ναζιστικά στρατεύματα αποβιβάζονταν με τάξη απ' τα εισερχόμενα μεταγωγικά αεροσκάφη και κινούνταν στοιχισμένα, κατευθείαν στον δρόμο που οδηγούσε προς το μέτωπο. Τα κενά αεροπλάνα τροχοδρομούσαν μέχρι το τέλος του διαδρόμου και αφού φόρτωναν τραυματίες, απογειωνόντουσαν και πάλι εντός λίγων λεπτών. Οι περισσότερες απ' τις χειρωνακτικές εργασίες, όπως η εκφόρτωση των προμηθειών και η εκκαθάριση των συντριμμιών, γίνονταν από τους δικούς μας, ανάμεσα σε ένοπλη φρουρά. Υπήρχαν, επίσης, και μερικές εκατοντάδες βρώμικοι και απρόθυμοι Ιταλοί, τους οποίους είχαν ελευθερώσει οι σύμμαχοι τους απ' τη ντόπια στρατιωτική φυλακή μόνο και μόνο για να τους βάλουν σε καταναγκαστική εργασία -την οποία εκτελούσαν φρουρούμενοι ακόμα κι εκείνοι.

Συνέβη κι ένα συναρπαστικό περιστατικό πριν φύγουμε. Ένα απ' τα μεγαλύτερα αεροπλάνα, ένα ογκώδες κιτρινομύτικο Ντορνιέ, ερχόταν να προσγειωθεί χωρίς να υπολογίσει σωστά την απόστασή του. Διένυσε σχεδόν όλον τον διάδρομο και στη συνέχεια προσπάθησε ορμητικά και με όλες του τις δυνάμεις να απογειωθεί και πάλι. Δεν τα κατάφερε, όμως, και συνετρίβη μέσα σε μία πύρινη κουρτίνα πάνω στα ελαιόδεντρα, προκαλώντας στους τραυματίες που παρακολουθούσαν το σκηνικό, μια υποτονική αλλά χαιρέκακη επευφημία.

Ένα γιγαντιαίο Τζάνκερ 52 για τη μεταφορά στρατιωτών, σύρθηκε ως την άκρη του διαδρόμου, λίγο μακρύτερα από μένα. Με μετέφεραν σε αυτό τέσσερις Άγγλοι νοσηλευτές.

Για την επόμενη μισή ώρα δεν συνέβαινε τίποτα, κι αφού είχα πάρει λίγο τα πάνω μου, άρχισα να μελετώ το εσωτερικό του αεροπλάνου. Φαινόταν τεράστιο. Το κύριο τμήμα του, που δεν περιείχε τίποτε άλλο εκτός απ' την αφεντιά μου, είχε έξι μέτρα μήκος, περίπου τρεισήμισι φάρδος και περίπου δύο μέτρα ύψος από το δάπεδο μέχρι την οροφή. Τα πλαϊνά του, ήταν φτιαγμένα από ένα ελαφρύ κυματοειδές μέταλλο και παρατήρησα, με μία νοσηρή ικανοποίηση, ότι οι πολλές μικρές τρύπες πάνω του αποδείκνυαν ότι τα αντιαεροπορικά μας πυρά ήταν εύστοχα.

Ανασηκώθηκα στον αγκώνα μου και είδα ότι οι σανίδες του δαπέδου είχαν, επίσης, σαφείς ενδείξεις αίματος στα σημεία όπου είχαν τρυπήσει, οπότε δεν υπήρχε καμία αμφιβολία ότι οι σφαίρες μας είχαν βρει και ζωτικούς στόχους. Στα πλαϊνά ψηλότερα σημεία, υπήρχε μια συλλογή από αυτόματες καραμπίνες έχοντας δίπλα τους πρόσθετα πυρομαχικά και ζώνες γεμιστήρων, όλα τακτοποιημένα σε σειρές.

Όταν σήκωνα το κεφάλι μου πιο πολύ, παρατηρούσα εκτενέστερα το πιλοτήριο, μέσα από μια μικρή πόρτα. Έβλεπα τους δύο πιλότους να κουβεντιάζουν στα χειριστήρια τους, αναμένοντας την εντολή απογείωσης. Έδειχναν εντυπωσιακά αδιάφοροι κι αυτάρεσκοι, λες κι όλη η σφαγή και η καταστροφή που είχε γίνει, δεν τους αφορούσε καθόλου. Εκτελούσαν, απλώς, τα καθημερινά τους καθήκοντα. Κάθε λίγα λεπτά, μάρσαραν εναλλάξ τους δίδυμους κινητήρες, οι οποίοι έκαναν με τη σειρά τους ολόκληρο το αεροπλάνο να τρέμει. Είχε φτάσει η στιγμή που η κίνηση έξω από το αεροπλάνο αυξανόταν και, ένα προς ένα, τρία φορεία φορτώθηκαν μέσα. Μόλις οι νοσηλευτές πήδηξαν έξω, δύο Γερμανοί στρατιώτες σκαρφάλωσαν και έκλεισαν τις πόρτες πίσω τους. Οι κινητήρες του ιπτάμενου μέσου μεταφοράς μας ήταν πανέτοιμοι και ανέβασαν στροφές. Το αεροπλάνο κινήθηκε στο διάδρομο, αργά στην αρχή, αυξάνοντας βαρύγδουπα την ταχύτητα του. Μετά από μερικά δευτερόλεπτα απογειώθηκε και άρχισε ν' αναρριχάται νωχελικά στον ουρανό.

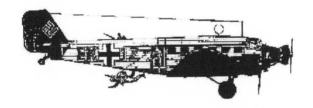

Η ΖΩΗ ΣΤΟ ΝΟΣΟΚΟΜΕΙΟ ΑΙΧΜΑΛΩΤΩΝ

Προσγειωθήκαμε σε ένα αεροδρόμιο που βρισκόταν στην Πελοπόννησο, μερικά χιλιόμετρα έξω απ' την Κόρινθο,[2] και τροχοδρομήσαμε σε ένα μακρύ αεροδιάδρομο, που απ' ό,τι φαινόταν είχε κατά μήκος του εκατοντάδες αεροπλάνα. Την πόρτα άνοιξαν τέσσερα ομοιόμορφα παλληκάρια της Βέρμαχτ και αυτομάτως μεταφερθήκαμε σε ένα ασθενοφόρο που περίμενε εκεί κοντά. Έκανε πολύ ζέστη. Όλα φαινόντουσαν να είναι πολύ καλά οργανωμένα.

Η Διώρυγα της Κορίνθου
(Σ. Τόμας)

Κάποιος χαμηλόβαθμος γερμανίσκος εξέτασε γρήγορα τα στοιχεία που υπήρχαν στις καρτέλες μας και μετά από λίγα λεπτά, τρέχαμε σ' έναν φρεσκο-ασφαλτομένο δρόμο που οδηγούσε σε μία αυτοσχέδια γέφυρα την οποία οι Γερμανοί είχαν τοποθετήσει πάνω από τον Ισθμό της Κορίνθου. Σύντομα εισήλθαμε στην πόλη.[3]

Πρέπει να ήταν περίπου επτά το βράδυ, όταν φτάσαμε. Μας πήγαν στο φουαγιέ ενός ξενοδοχείου που το χρησιμοποιούσαν ως νοσοκομείο.[4] Ένας νοσηλευτής εμφανίστηκε, μας κοίταξε, έδωσε σε όλους από μια δόση μορφίνης και εξαφανίστηκε.

Περίπου μια ώρα αργότερα, μία Γερμανίδα νοσοκόμα σταμάτησε και μας εξέτασε για λίγα λεπτά. Στη συνέχεια, παρά τις επαναλαμβανόμενες διαμαρτυρίες μου - μού έκαναν ενέσεις μορφίνης όλη τη μέρα, και δεν είχα καμία επιθυμία

---

[2] Το παλαιό αεροδρόμιο στο Λέχαιο Κορινθίας.

[3] Το Λουτράκι της Κορίνθου.

[4] Το σημερινό Hotel Bretagne.

να περάσω στον άλλο κόσμο από υπερβολική δόση - ξαναέκανε το ίδιο πράγμα με τον προηγούμενο.

Θυμάμαι αμυδρά ότι μετακινηθήκαμε μ' ένα ασθενοφόρο σε κάποιο άλλο μέρος και στη συνέχεια μας κουβάλησαν μέσα από ένα πολυσύχναστο δρομάκι με πολίτες γεμάτους από περιέργεια, σ' ένα άλλο ξενοδοχείο. Ένας Γερμανός νοσηλευτής με πλησίασε με μια σύριγγα, αλλά αυτόν κατάφερα να τον πείσω πως δε χρειαζόμουν άλλη μορφίνη. Ήταν σχεδόν μεσάνυχτα.

«Είσαι αξιωματικός, έτσι δεν είναι;»

Κούνησα το κεφάλι μου καταφατικά και είπε, «Οι πληγές σου μυρίζουν άσχημα. Θα κανονίσω να τις φροντίσουν. Μπορείς να περπατήσεις;»

Όταν απάντησα αρνητικά, εξαφανίστηκε για μερικά λεπτά και επέστρεψε μαζί με έναν ηλικιωμένο και εύσωμο αξιωματικό, που από ότι κατάλαβα ήταν γιατρός. Μού μίλησε στα γαλλικά, επειδή τα γνώριζα αρκετά καλά, και του περιέγραψα την κατάσταση των πληγών μου και τη φροντίδα που είχα δεχτεί μέχρι εκείνη τη στιγμή. Έστριψε σκεπτικά το γκρίζο μουστάκι του για λίγα λεπτά και στη συνέχεια κάλεσε κάποιους από το νοσηλευτικό προσωπικό. Με μετέφεραν ακόμα μία φορά με ασθενοφόρο σ' ένα άλλο νοσοκομείο έκτακτης ανάγκης και περίπου στις δύο τα ξημερώματα, με τοποθέτησαν σε ένα χειρουργικό τραπέζι.

Ο γιατρός, που φορούσε τώρα μία λευκή ρόμπα, τράβηξε τα λαστιχένια γάντια του και μου χαμογέλασε. Παντού γύρω από το τραπέζι στέκονταν λευκοφορεμένοι νοσηλευτές. Μέτρησα περίπου οχτώ από δαύτους. Με ξέντυσαν προσεκτικά και με έκαναν να αισθανθώ άνετα με τόσο φιλικό και συμπαθητικό τρόπο, που μου ήταν δύσκολο να αποδεχτώ ότι ήταν Γερμανοί.

Ο γιατρός ξεκίνησε με το πόδι μου μοιράζοντας σύντομες διαταγές, τις οποίες οι νοσηλευτές υπάκουαν αμέσως τη μία μετά την άλλη δίνοντάς του κάποια σύριγγα ή άλλα ιατρικά εργαλεία. Δεν με πόναγε με τις κινήσεις του, διότι το πόδι μου εκείνη την ώρα ήταν αρκετά μουδιασμένο, από το ύψος του μηρού μου μέχρι κάτω. Σήκωσα, όμως, το χέρι μου λίγο

απρόθυμα και ο γιατρός σταμάτησε να κόβει άλλο. Μίλησε
σε έναν από τους νοσηλευτές. Τοποθέτησαν μία κομπρέσα
με αιθέρα στο πρόσωπό μου και με νεύματα με έπεισαν να
μετρήσω φωναχτά, όπως κι έκανα.

Ανέκτησα τις αισθήσεις μου μία φορά κατά τη διάρκεια
της εγχείρισης, εξαιτίας διάφορων αλλοπρόσαλλων θορύβων
και φωνών που μού τρυπούσαν τ' αυτιά. Πρόσεξα κάτι
παράξενα πρόσωπα που ήταν σκυμμένα από πάνω μου, και
πίσω απ' αυτά το ταβάνι που είχε ένα περίεργο Ανατολικό
μοτίβο.[5] Έκανα κάποιες βίαιες κινήσεις και με νάρκωσαν για
άλλη μία φορά. Όταν ξύπνησα, έκανα εμετό απ' την πολύ
ζαλάδα και ήμουν ξαπλωμένος στο διάδρομο. Με σκέπαζε η
αιματοβαμμένη κουβέρτα μου, που ευτυχώς ο αιθέρας
υπερκάλυπτε τη δυσοσμία της.

Με πλησίασε ο εύσωμος γιατρός και με εξέτασε. Μετά
από μερικές λέξεις που ανταλλάξαμε στα γαλλικά, κανόνισε
να με μεταφέρουν στους ώμους, σκάλα-σκάλα, σε ένα
πραγματικά πολύ ωραίο δωμάτιο στον τελευταίο όροφο.
Εκεί με επισκέφθηκε και μού είπε ήρεμα ότι θα πρέπει να
γίνουν μεταγγίσεις και όταν οι αναλύσεις αίματος μου ήταν
φυσιολογικές, το πόδι μου θα έπρεπε να ακρωτηριαστεί.
Έσυρε, μάλιστα, το δάχτυλό του εγκάρσια στο σημείο του
μηρού μου για να μου δείξει πού ακριβώς θα το έκοβε.

Από το παράθυρο του δωματίου, μπορούσα να δω το
γαλάζιο της ελληνικής θάλασσας που ήταν διάσπαρτο με
πανιά ελληνικών ψαροκάικων. Στον δρόμο από κάτω,
άκουγα μια στρατιωτική μπάντα να παίζει διάφορα
εμβατήρια και αργότερα θεώρησα ότι ήταν ένα Τάγμα
στρατιωτών που παρέλαυναν τραγουδώντας. Το κρεβάτι
ήταν μαλακό και άνετο. Περιέργως, δεν ανησυχούσα
καθόλου για το πόδι μου. Ίσως να ήταν κάποια αντίδραση
από το σοκ, ή απ' τις άφθονες ενέσεις μορφίνης που μου
είχαν δώσει, αλλά με κατείχε μία πρωτόγνωρη ατονία που
κράτησε για αρκετές ημέρες. Κοίταζα ακίνητος τις οδηγίες

---

[5] Πρόκειται για το σημερινό Loutraki Palace Hotel στο οποίο διατηρούνται ακόμα και
σήμερα αρκετά από τα ίδια χαρακτηριστικά.

για τις μεταγγίσεις και τον ακρωτηριασμό μου, που ήταν γραμμένες πάνω στην καρτέλα μου με έντονα γράμματα στα γερμανικά και με χειρόγραφες σημειώσεις στ' αγγλικά. Δεν μου φάνηκαν ιδιαίτερα ανησυχητικές.

Νωρίς το απόγευμα, πληροφορήθηκα πως οι Ναζί θα συγκέντρωναν όλους τους τραυματίες κρατούμενους σ' ένα νοσοκομείο στην Αθήνα. Μετά από λίγο, με φόρτωσαν μαζί με άλλους για εκεί, μέσα σ' ένα ασθενοφόρο. Ήταν ένα μακρύ και πολύ ζεστό ταξίδι. Σε διάφορες στροφές της διαδρομής, μπορούσα να δω από το πίσω μέρος του οχήματος, παραλίες και ανοιχτή θάλασσα. Ήταν αργά το βράδυ, όταν επιτέλους το ασθενοφόρο επιβράδυνε και ένας φρουρός μάς επέτρεψε να μπούμε σε ένα χώρο περιφραγμένο με συρματόπλεγμα. Ένα κουδούνι χτύπησε δυνατά και γύρω στους οκτώ με εννιά νοσηλευτές συγκεντρώθηκαν στο πίσω μέρος του ασθενοφόρου.

Μας ανέκριναν σε εύθυμα αγγλικά και τότε διαπίστωσα με μεγάλη μου χαρά, ότι ήταν όλοι τους ψηλοί και ρωμαλέοι Αυστραλοί, καλά μαυρισμένοι από τον ελληνικό ήλιο.

Είχα φτάσει στο 5ο Γενικό Νοσοκομείο της Αυστραλίας στην Κοκκινιά,[6] το οποίο είχε καταληφθεί από τους Ναζί, περίπου έξι μήνες πριν.

Το κτήριο αυτό, είχε χτιστεί από τους Έλληνες ως αναμορφωτήριο, κι αποτελείτο από πέντε τετραώροφα κτήρια. Με πήγαν στο σημείο υποδοχής και από 'κεί σε ένα θάλαμο, ο οποίος θα με φιλοξενούσε για πολλούς μήνες.

Το ταξίδι απ' την Κόρινθο με είχε εξαντλήσει και δεν είχα προσέξει ιδιαίτερα ποιοι μπορούσαν να είναι οι γύρω μου τραυματίες. Οι νοσηλευτές που με περιτριγύριζαν, μ' έκαναν να αισθάνομαι άνετα και δεν ξέχναγαν ποτέ να μου κάνουν τις αναπόφευκτες ενέσεις.

---

[6] Σύμφωνα με την δραστήρια φιλόλογο-ιστορικό της Νίκαιας, Αρχοντία Παπαδοπούλου, πρόκειται για το Αναμορφωτήριο ή Άσυλο Αρρένων στον Κορυδαλλό, κοντά στις σημερινές φυλακές, που χτίστηκε το 1918. Κατεδαφίστηκε πριν λίγα χρόνια και στη θέση του ανεγέρθη το νέο Δημαρχείο Κορυδαλλού επί της Γρ. Λαμπράκη, το οποίο εγκαινιάστηκε τον Νοέμβριο του 2013.

"Εκφόρτωση" τραυματιών στο Νοσοκομείο Αιχμαλώτων Πολέμου της Κοκκινιάς, (Australian War Memorial)

Στη συνέχεια, οι γιατροί έφτασαν και συζητούσαν πάνω από το κρεβάτι μου κάτι που αφορούσε στις οδηγίες που ήταν γραμμένες στην καρτέλα μου.

Τους άκουγα έχοντας τα μάτια μου κλειστά μέχρι που συνειδητοποίησα ότι, στην ουσία, διαφωνούσαν μεταξύ τους με την απόφαση των Γερμανών να με ακρωτηριάσουν.

Προσπάθησα να φανταστώ πώς θα ήταν η ζωή χωρίς το ένα από τα δυο μου πόδια, πώς θ' αντιδρούσε αν με έβλεπε έτσι η Αντέλ, αλλά όντας υπό την επήρεια της δόσης μου δεν μου δημιουργούσαν συναισθηματική φόρτιση όλες αυτές οι αγωνίες.

Ένιωθα σίγουρος ότι ήμουν σε καλά χέρια. Ο γιατρός μού χαμογέλασε καθώς μου έμπηγε μια μεγάλη σύριγγα κάπου στον αγκώνα του χεριού μου.

Όταν ξύπνησα και κοίταξα τριγύρω, μού φάνηκε ότι ήμουν σε αφασία για αρκετές μέρες. Αντιλήφθηκα αμέσως ότι ήμουν καλύτερα και βασάνιζα το μυαλό μου να θυμηθεί πώς είχα φτάσει σε αυτό το άνετο κρεβάτι, όταν ξαφνικά ... με έλουσε κρύος ιδρώτας. Είχα πάει χειρουργείο; Είχα χάσει το πόδι μου;

Δεν μπορούσα να αισθανθώ τίποτα. Ψαχούλευα με το χέρι

μου προς τα κάτω σιγά-σιγά, αυτήν τη φορά χωρίς να έχω καμία απάθεια παρά μόνο έναν τρομερό φόβο. Ένιωσα ένα μεγάλο στουπί από επιδέσμους με βαμβάκι στο μέρος της πληγής μου και παρακάτω βρισκόταν ακόμα μουδιασμένο, σαν ένα ξένο σώμα, αλλά ήταν σίγουρα εκεί, το υπόλοιπο πόδι μου.

Το Νοσοκομείο Αιχμαλώτων Πολέμου στην Κοκκινιά, έξω από τον Πειραιά
ATL DA-12318

Μία απέραντη ευγνωμοσύνη διαπέρασε ολόκληρο το σώμα μου και τα μάτια μου έτσουξαν καθώς προσπαθούσα να την εκφράσω με προσευχή. Ήταν μια αξέχαστη στιγμή! Ακριβώς τότε, έφθασε ο γιατρός. Έβγαλε τους επιδέσμους και σήκωσα το κεφάλι μου για να ρίξω μια ματιά. Μία τρομακτική βαθειά κόκκινη πληγή ξεκινούσε από το μπροστινό μέρος του μηρού μου λίγο χαμηλότερα απ' την κοιλιά μου, πήγαινε μέχρι την πλαϊνή κορφή του ισχίου κι έφτανε κάτω έως το γόνατο μου, σχηματίζοντας ένα ακανόνιστο τετράκτινο αστέρι.

Το μέγεθος της ήταν περίπου σαράντα εκατοστά μήκος και εικοσιπέντε πλάτος. Οι άκρες της ζάρωναν ακατάστατα σαν μπορντούρες και το κέντρο της, διέσχιζαν κομμάτια σάρκας που άφηναν ένα τμήμα του οστού να φαίνεται ξεκάθαρα.

Ο γιατρός μού εξήγησε ότι τα πάντα, πλέον, εξαρτώνται από το να κάθομαι ήσυχα και να αποφεύγω κάθε είδους κίνηση που θα διέγειρε την αιμορραγία. Οι πληγές της χειροβομβίδας που είχα στην πλάτη μού προκαλούσαν αρκετό τσούξιμο και με ταλαιπωρούσαν πολύ περισσότερο απ' ότι το πόδι, αλλά ο γιατρός με διαβεβαίωσε ότι καμιά τους δεν ήταν σοβαρή, αν και ορισμένες εξακολουθούσαν να περιέχουν θραύσματα τα οποία, όπως ανέφερε αδιάφορα, δεν θα μου δημιουργούσαν κανένα περαιτέρω πρόβλημα.

Τον ταλαιπώρησα λίγο για να μου δώσει μια εκτίμηση σχετικά με το πόσο καιρό θα έπαιρνε μέχρι να επουλωθούν οι πληγές μου, αλλά το μόνο που του απέσπασα ήταν ένα, «Πάντως δεν θα επουλωθούν μέσα σε έξι μήνες». Η διάγνωση του αποδείχτηκε, λίγο-πολύ ακριβής. Στην πραγματικότητα, οι δύο άκρες δεν θα ενώνονταν παρά δεκαπέντε μήνες αργότερα.

Και έτσι οι μέρες άρχισαν να κυλούν. Μερικές από αυτές δεν είχαν τέλος και το ρολόι μου τις έκανε να μοιάζουν ακόμα μεγαλύτερες. Μετά απ' τα πολύ πρωινά ξυπνήματα για τις αλλαγές των επιδέσμων, ολόκληρες οι μέρες σέρνονταν αργά μέχρι που μια ματιά στο καρπό μου, αποδείκνυε ότι δεν είχε περάσει πάνω από μία ώρα. Οι μακρύτερες ώρες, όμως, ήταν εκείνες που τρεις-τέσσερις από εμάς, πειθαρχούσαμε να μην αγγίξουμε το πρωινό ψωμί μας, για ένα ορισμένο χρονικό διάστημα. Κάποιος από εμάς πάντα θα ενέδιδε, και είτε θα ορμούσε να το καταβροχθίσει μέσα σε λίγα δευτερόλεπτα, είτε θα τηρούσε την αυτοσυγκράτηση του σε τέτοιο βαθμό, ώστε θα το τεμάχιζε με ξυράφι σε λεπτά κομμάτια ακουμπώντας τα ένα προς ένα στη γλώσσα του, ανά τακτά χρονικά διαστήματα. Ναι, καθώς η όρεξή μας επανήλθε, το φαγητό έγινε το παν στη ζωή μας, το μόνο πραγματικό θέμα συζήτησης κι ο μόνος ικανοποιητικός τρόπος συνδιαλλαγής. Ο δε, πιο μισητός ασθενής στο θάλαμο, ήταν εκείνος που θα λάμβανε τις μεγαλύτερες μερίδες ή θα εξασφάλιζε με αθέμιτα μέσα για την πάρτη του, μία δεύτερη μερίδα.

Καμιά δεκαριά μέρες μετά την άφιξή μου εκεί, ο ασπρομάλλης Γερμανός γιατρός, που είχε καθαρίσει τις πληγές μου στην Κόρινθο, επισκέφθηκε το νοσοκομείο περιοδεύοντας για επιθεώρηση των ασθενών. Μπήκε στην κλινική μας, συνοδευόμενος από νεαροτερους γιατρούς και νοσηλευτές, εκπέμποντας συμπάθεια προς όλους. Δεν θα εξέταζε όλους τους ασθενείς - στην πραγματικότητα κοίταξε μόνο πέντε μ' έξι - αλλά όταν έφτασε απέναντι από το κρεβάτι μου, το πρόσωπό του φωτίστηκε αναγνωρίζοντας με. «Ααα! Ο νεαρός Νεοζηλανδός!» αναφώνησε στα γαλλικά, «ο ασθενής μου απ' την Κόρινθο. Για να δω, σε τι κατάσταση βρίσκεσαι».

Απάντησα όσο χαρωπά μπορούσα, και παίρνοντας θάρρος, απαίτησε να του δείξουν τις πληγές μου. Εξεπλάγη αρκετά όταν βρήκε το πόδι μου ακόμα στη θέση του και έστειλε έναν από τους γιατρούς να φέρει το φάκελο μου. Από ότι μπορούσα να καταλάβω, προσπαθούσε να εξηγήσει λεπτομερώς στους νεότερους γιατρούς, το γιατί είχε παραγγείλει τον ακρωτηριασμό μου.

Το αποτέλεσμα αυτής της επίσκεψης ήταν διττό. Πρώτον, η πληγή στο μηρό μου φωτογραφήθηκε και μέρα με τη μέρα, σχηματιζόταν ένας μακρύς κατάλογος από νεότερους γιατρούς που με επισκέπτονταν για να επιθεωρούν την επούλωση της (κάτι που με καθιστούσε αντιπαθητικό από τον υπόλοιπο θάλαμο). Το δεύτερο αποτέλεσμα ήταν πιο σημαντικό και πιο απολαυστικό -κάτω απ' τις περιστάσεις. Μου έφερναν επιπλέον μερίδες, επειδή αποτελούσα γι' αυτούς μία άκρως ενδιαφέρουσα περίπτωση ασθενούς, κι ο ίδιος ο γκριζομάλλης γιατρός άρχισε να με επισκέπτεται περιοδικά φέρνοντας μου συχνά σταφύλια και γλυκά. Φυσικά, ήμουν υποχρεωμένος να μοιράζομαι το παραπάνω φαγητό με τους συντρόφους μου, αλλά ακόμη κι η ποσότητα που κρατούσα για μένα έκανε τεράστια διαφορά για τη διατροφή μου. Σύντομα συνειδητοποίησα ότι θα μπορούσα να κάνω και χωρίς περαιτέρω φαρμακευτικές ουσίες, και ότι έπαιρνα τα πάνω μου. Δεν χρειαζόμουν πια μεταγγίσεις αίματος και η σωματική μου δύναμη επανακτήθηκε, απομακρύνοντας κατά πολύ την πιθανότητα υποτροπής μου.

Με τη βελτίωση της υγείας μου, με χτύπησε και η πρώτη

ξεκάθαρη δόση ρεαλισμού για την κατάσταση που βρισκόμουν. Κάθε προσπάθεια που είχα κάνει πριν από αυτό το χρονικό διάστημα, για να βάλω σε τάξη τις σκέψεις μου, κατέληγε πάντα σε μία θολή απελπισία, ενώ τώρα το πράγμα φαινόταν αρκετά απλό. Ήμουν στα χέρια του εχθρού, ένας αιχμάλωτος πολέμου. Έπρεπε να γυρίσω πίσω. Έπρεπε να φύγω.

Το πόδι μου έχασκε σαρκαστικά, όποτε το τσέκαρα για σημάδια επούλωσης, αλλά το μυαλό μου ήταν γεμάτο από σκέψεις και ιδέες. Μερικές ήταν λίγο άγριες και ακατόρθωτες, αλλά ως ονειροπολήσεις ευχάριστες και συναρπαστικές, Άλλες, είχαν και την πρακτική τους πλευρά. Σε κάθε περίπτωση, είχα βρει μια σειρά σκέψεων για να κρατάω το μυαλό μου απασχολημένο, καθώς την έβγαζα συνέχεια ξαπλωμένος στο κρεβάτι, κι έτσι οι ώρες δεν περνούσαν τόσο τρομακτικά αργά. Άρχισα να αποταμιεύω τα μάρκα που μου κατέβαλλαν κάθε βδομάδα, λόγω του ότι ήμουν αξιωματικός, και για ένα διάστημα συγκέντρωσα ένα απόθεμα από παξιμάδια. Κατάφερα να διατηρήσω τις χρηματικές οικονομίες μου, αλλά το απόθεμα των παξιμαδιών δεν κράτησε για πολύ. Ένα βράδυ, αφού είχε συγκεντρωθεί ποσότητα περίπου έξι εβδομάδων, ξύπνησα και δεν μπορούσα με τίποτε να ξανακοιμηθώ. Μετά, άρχισα να στριφογυρίζω ανήσυχα για καμιά ώρα, και στο τέλος άρχισα να τα μασουλάω ένα προς ένα. Μέχρι να ξημερώσει και να γράψω από ένα γράμμα στην Αντέλ και τους γονείς μου δεν είχε απομείνει κανένα.

Η γενική στάση των κρατουμένων για μία ενδεχόμενη απόδραση ήταν απαθής. Δεν είχαμε δεχτεί ως στρατιώτες, σχεδόν καμία εκπαίδευση για καταστάσεις αιχμαλωσίας και η πλειοψηφία των κρατουμένων είχε παραδοθεί σε μία παράξενη κι εγωιστική κόπωση· ένα απ' τα χαρακτηριστικά γνωρίσματα όλων των στρατοπέδων κράτησης. Οι μέρες, οι εβδομάδες και οι μήνες σέρνονταν. Οι άκρες της κύριας πληγής μου, είχαν γίνει λιγότερο τραχείς και βδομάδα με τη βδομάδα, άρχισαν να στρογγυλεύουν και να συγκλίνουν προς το κέντρο.

Αιχμάλωτοι στο Νοσοκομείο της Κοκκινιάς, 1941
(Australian War Memorial)

Ο Μάιος, ο Ιούνιος, ο Ιούλιος και οι αρχές του Αυγούστου είχαν διαγραφεί στο μεγάλο ημερολόγιο που κρεμόταν στο τέλος του θαλάμου. Εξακολουθούσα να βρίσκομαι στο ίδιο κρεβάτι, πάντα ξαπλωμένος, περιμένοντας με ανυπομονησία για κάποια πραγματικά σημάδια ανάκαμψης.

Τη δεύτερη εβδομάδα του Αυγούστου, έκανα την πρώτη μου προσπάθεια για να επανέλθω σε φόρμα, με απώτερο σκοπό φυσικά, την απόδραση. Ένα ζεστό και άβολο απόγευμα, όταν όλοι οι νοσηλευτές είχαν μαζευτεί για ηλιοθεραπεία στην ταράτσα, συγκέντρωσα όλες τις δυνάμεις και τη θέληση μου, και μετακίνησα προσεκτικά το καλό μου πόδι από το κρεβάτι στο πάτωμα. Στη συνέχεια και για καμιά ώρα, με πολλές κινήσεις και προσπάθεια, κατάφερα να σηκωθώ και να σταθώ μπροστά στο κρεβάτι στα δυο μου πόδια. Ζαλίστηκα, αισθάνθηκα άρρωστος και σύντομα κατάρρευσα. Ακολούθησε, κατά συνέπεια μια κακή βραδιά. Εκτός απ' την ίδια την πληγή, η οποία είχε ακόμη αρκετά εκατοστά για να κλείσει, τα πόδια, τα χέρια μου και μάλιστα ολόκληρο το σώμα μου, ήταν αδύναμο κι έτρεμε.

Παρόλα αυτά, είχα κάνει μία αρχή. Την επόμενη μέρα επανέλαβα την παράσταση, την μεθεπόμενη κατάφερα να κάνω ένα βήμα στηριζόμενος στην πλευρά του κρεβατιού μου. Μέχρι το τέλος της εβδομάδας, μετακινιόμουν τρεμάμενος από το κρεβάτι μου μέχρι το τέλος της πτέρυγας, κάνοντας στάσεις για κουβεντούλα και ξεκούραση κατά τη διάρκεια της διαδρομής. Λίγο μετά, θα μπορούσα να αυτοεξυπηρετηθώ στο αποχωρητήριο και ήμουν σε θέση να μπερδεύω το νοσηλευτικό προσωπικό, κατά τις ημέρες που ακολούθησαν, απορρίπτοντας τις μισητές πάνες και τις πάπιες που μου έβαζαν τόσο καιρό.

Κάθε μέρα γύμναζα τα χέρια μου και το δεξί μου πόδι, απολαμβάνοντας την αίσθηση της νεανικότητας μου, που ανταποκρίνονταν αμέσως στην πρόκληση. Στο τέλος της δεύτερης εβδομάδας, καθοδηγούμενος προσεκτικά και υποβασταζόμενος από άλλους δύο ασθενείς, κατέβηκα απ' τα σκαλοπάτια δύο ορόφους, μέχρι την ανοικτή αυλή κάτω.

Αυτή ήταν μια πολύ ευχάριστη μέρα. Έβγαλα όλους τους επιδέσμους μου και άφησα τον ήλιο να ρέει πάνω στην ακατέργαστη επιδερμίδα του αριστερού μου μηρού. Εξέθεσα ολόκληρο το πόδι στον γλυκό και καθαρό αέρα της περιοχής, μετά απ' την ατμόσφαιρα των βρώμικων πληγών και των γύψων που επικρατούσε στο θάλαμο. Όλοι οι άνδρες του 23ου Τάγματος που είχαν συλληφθεί μαζί μου, ήρθαν γύρω μου για να μου δώσουν συγχαρητήριά. Μερικοί από αυτούς ήταν με πατερίτσες και κάποιοι άλλοι με μπαστούνια. Άλλοι είχαν τα στήθη τους καλυμμένα από γύψο και τα χέρια τους στερεωμένα υπό άβολες γωνίες με τη βοήθεια συρμάτινων πλαισίων, που τα ονόμαζαν «αεροπλανικούς νάρθηκες».

Συνηθίζαμε να συναντιόμαστε σχεδόν κάθε απόγευμα, είτε στην αυλή είτε επάνω στην επίπεδη ταράτσα του κτηρίου μας. Μου άρεσε πολύ, αυτό το τελευταίο μέρος, λόγω της υπέροχης θέας του.

Νότια, περίπου πέντε χιλιόμετρα μακρύτερα, έβλεπες τον κόλπο του Πειραιά, μέσα στον οποίο τα λευκά πανιά των αλιευτικών ξεχώριζαν μαζί με το βασιλικό μπλε του Αιγαίου, που απλωνόταν πολύ πιο πέρα απ' την είσοδο του λιμανιού. Ανατολικά, διακρινόταν η όμορφη Αθήνα με τα νοικοκυρεμένα κι ασβεστωμένα προάστια που είχαν για κορωνίδα τους την Ακρόπολη. Μας είπαν ότι με κιάλια, μπορούσαμε να δούμε καθαρά τις κατοχικές σημαίες στις άκρες του Παρθενώνα, αλλά, προσωπικά, ήμουν ευτυχής που δεν είχα τα δικά μου.

Ήταν αξιοπερίεργο το πόσο σπάνια αναφερόμασταν στη περίπτωση απόδρασης, κατά τη διάρκεια των απογευματινών συζητήσεων μας. Φυσικά, το θέμα δεν προσφερόταν για κουβεντούλα ανάμεσα σε μια τόσο μεγάλη ομάδα κρατουμένων, και σύντομα διαπίστωσα πως υπήρχαν, ούτως ή άλλως, αντικρουόμενες απόψεις. Αν έφερνε δε κανείς το θέμα προς συζήτηση την ώρα κάποιας χαλαρωτικής στιγμής, ήταν σαν να επιζητούσε να δημιουργήσει φασαρία.

Οι αποδράσεις που σημειώθηκαν κατά τη διάρκεια της περιόδου εκείνης, συμπεριλαμβανομένου και του Ρόυ Φάρραν,[7] ικανοποιούσαν πολλούς, αλλά εμένα με αναστάτωναν. Με έκαναν πιο ανυπόμονο για την ίαση των πληγών μου και για το πότε θα μπορέσω να αποδράσω κι εγώ, πριν οι Γερμανοί λάβουν πρόσθετες προφυλάξεις που θα δυσκόλευαν τη διαφυγή μου.

Ένα πρωί ανέβηκα στην ταράτσα του νοσοκομείου. Ο ήλιος είχε μόλις ανατείλει πίσω απ' την Αθήνα και το αεράκι φυσούσε ζωηρά κι ευχάριστα. Κάθισα λίγα λεπτά για να αναλογιστώ το πόσο θα έπρεπε να περιμένω ακόμα μέχρι να γίνει τελείως καλά το πόδι μου· αφαίρεσα όλους τους επιδέσμους, τις γάζες και τις κομπρέσες για να του ρίξω άλλη μία προσεκτική ματιά. Τέντωνα και μάζευα το πόδι μου μπρος-πίσω και παρακολουθούσα τους μύες να κινούνται ομαλά, κάτω απ' την φρέσκια καθαρή σάρκα. Αν ήμουν προσεκτικός και τυχερός, αν μπορούσα να εξασφαλίσω αρκετές ιατρικές προμήθειες, θα μπορούσα να αποδράσω ακόμα και στην τωρινή φυσική μου κατάσταση. Άξιζε το ρίσκο. Αποφάσισα να μη χάσω άλλο χρόνο.

---

[7] Απέδρασε από το στρατόπεδο της Κοκκινιάς με τη βοήθεια της αείμνηστης ηρωίδας, που εκτελέστηκε αργότερα από του Γερμανούς, Λέλας Καραγιάννη.

Άποψη εσωτερικού θαλάμου στο Νοσοκομείο της Κοκκινιάς

Η ΠΡΩΤΗ ΑΠΟΠΕΙΡΑ

Στρ. Σταν Σρέντερ

Ο Στρατιώτης Σταν Σρέντερ, ήταν εξαρχής μέλος της διμοιρίας μου, όταν διαμορφώθηκε το Τάγμα μου από Νεοζηλανδούς πολίτες, το 1939. Ποτέ δεν διακρίθηκε ιδιαίτερα κατά τη διάρκεια της εκπαίδευσης. Σκληροτράχηλος, αλλά αρκετά πρόσχαρος στην εμφάνισή του, δεν θα έλεγα ότι είχε τις προϋποθέσεις να ξεχωρίσει ως στρατιώτης. Στη μάχη, όμως, είχε επιδείξει εκπληκτικές ικανότητες και υψηλό βαθμό γενναιότητας. Η αξία του στην Κρήτη, άλλωστε, αναγνωρίστηκε αργότερα όταν του απόνειμαν το μετάλλιο Διακεκριμένης Διαγωγής.

Όσο ήμουν κλινήρης, ο Σρέντερ ήταν ένας από τους πιο συχνούς επισκέπτες μου, και μου είχε ζητήσει αρκετές φορές να τον συμπεριλάβω στο σχέδιο απόδρασης, όταν θα λάμβανε χώρα την κατάλληλη στιγμή. Ως αιχμάλωτος, η εμφάνιση του ήταν αρκετά αμετάβλητη, τραχύς όπως πάντα, με μακριά ακατάστατα μαλλιά και ρούχα που κρεμόντουσαν έξω πρόχειρα. Ωστόσο, αυτός ο σε όλα απεριποίητος στρατιώτης, διατηρούσε μέσα στο στρατόπεδο αιχμαλώτων κάτι πολύ πιο πολύτιμο απ' την προσωπική εμφάνιση: ποτέ και σε καμία περίπτωση δεν έχασε την αίσθηση του καθήκοντος.

Έτσι, όταν είχα τακτοποιήσει την πληγή μου και είχα πεισθεί πως το πόδι κι ο μηρός μου δεν θα με πρόδιδαν, αναζήτησα τον Σρέντερ.

Τον βρήκα να κάθεται με μια μεγάλη παρέα Αυστραλών που έπαιζαν «κορώνα-γράμματα» πάνω σε μία νοσοκομειακή κουβέρτα, τζογάροντας τα τσιγάρα τους. Επειδή το παιχνίδι δεν φαινόταν να έχει το συνήθη ενθουσιασμό, κι ο Σρέντερ είχε μείνει με ελάχιστα τσιγάρα μπροστά του, υπέθεσα ότι δεν θα τον πείραζε μία διακοπή. Του έκανα νόημα. Αποσύρθηκε απ' την παρέα με τρόπο. «Καλημέρα, κύριε», είπε χαμογελώντας με τον απλό τρόπο του. «Με χρειάζεστε κάτι;» «Αυτό εξαρτάται μάλλον από σένα, Σταν», απάντησα. «Αισθάνεσαι ότι θέλεις να αλλάξεις παραστάσεις ή είσαι ικανοποιημένος απ' τη ζωή εδώ;» Το κατηφές πρόσωπό του φωτίστηκε αμέσως. «Ετοιμάζετε κάτι, κύριε;» ρώτησε πονηρά, ρίχνοντας και μια ματιά γύρω για να δει αν υπήρχε κανείς σε απόσταση ακοής. «Γιατί αν ετοιμάζετε, είμαι μαζί σας μέχρι τέλους. Εγώ περιμένω απλά να αποκτήσει λίγο περισσότερο δέρμα το γόνατό μου, και δεν θα με πειράξει καθόλου να μην ξαναδώ ποτέ αυτό το μέρος!» Ανεβήκαμε μαζί μέχρι την κορυφή του κτηρίου. Δεν υπήρχε κανείς στην οροφή κι έτσι καθίσαμε στο κιγκλίδωμα κοιτάζοντας πέρα από τους φρουρούς στο απέραντο γαλάζιο του Αιγαίου.

Το πρώτο πράγμα που έπρεπε να κάνουμε, ήταν να καθαρίσουμε το μυαλό μας απ' όλες τις αισιόδοξες πτήσεις της φαντασίας μας που οργάνωνε μεγαλεπήβολα σχέδια, όπως η κλοπή ενός μεγάλου σκάφους από το αγκυροβόλιο του Πειραιά. Σύντομα συνειδητοποιήσαμε, ότι, πιο χρήσιμο θα ήταν να συγκεντρωθούμε και να βρούμε έναν τρόπο να ξεπεράσουμε το πρωταρχικό εμπόδιο, που ήταν η πραγματική απόδραση απ' την περίβολο του νοσοκομείου. Απ' τη στιγμή που θα ήμασταν ελεύθεροι, θα είχαμε ένα σωρό εναλλακτικές λύσεις που θα εξαρτώνταν, σε μεγάλο βαθμό, απ' την τύχη που θα είχαμε στο να βρούμε φίλα προσκείμενους Έλληνες. Το σχέδιο που είχα σαν πρώτη επιλογή στο μυαλό μου, σ' εκείνη τη φάση, ήταν μία μακρά πορεία βορειοανατολικά της Κοκκινιάς, μέχρι τις ακτές του Πόρτο Ράφτη, απ' όπου άλλωστε, είχα ξεκινήσει τον προηγούμενο Απρίλιο για την Κρήτη. Μόλις θα φτάναμε εκεί, ήμουν σίγουρος ότι θα μπορούσαμε να βρούμε σταδιακά το δρόμο μας ταξιδεύοντας με ένα πλεούμενο, κατά μήκος του Αιγαίου, προς τα Μικρασιατικά παράλια.

«Ξέρετε ιστιοπλοΐα, κύριε;»

«Ε... δε θα το 'λεγα. Έχω κάνει λίγο κωπηλασία, αλλά σίγουρα δεν έχω διανύσει με κάποιο πλεούμενο ανοιχτή θάλασσα. Όλα τα νησιά του Αιγαίου, όμως, πρέπει να 'χουν απόσταση το πολύ καμιά τριανταριά μίλια μεταξύ τους. Αν δεν τα χάνουμε απ' τα μάτια μας, θα μπορούσαμε κωπηλατώντας να πεταγόμαστε από το ένα νησί στο άλλο».

«Δεν χρειάζονται και πολύ τα πόδια στην κωπηλασία, άρα θα μου ταίριαζε, κύριε. Αλλά τα κουπιά δε θα μας βγάλουν έξω απ' αυτό το κλουβί. Αυτό, με ποιο τρόπο θα το καταφέρουμε;»

Ήμασταν ξανά μπροστά στο κυρίως πρόβλημα. Συζητούσαμε τις περισσότερες ώρες εκείνης της μέρας και αργά το βράδυ, ψιθυρίζοντας σε ένα σκοτεινό διάδρομο που οδηγούσε στους θαλάμους. Περιπλανιόμασταν γύρω από το βασικό πρόβλημα, καβάλα πάνω σε διάφορα θαυμάσια σχέδια που ξεκινούσαν απ' την επιτυχή διαφυγή μας, αλλά στη συνέχεια αναδυόταν και πάλι ενώπιων μας το θέμα της απόδρασης. Η μόνη απόφαση που λάβαμε ήταν να περιμένουμε ακόμα άλλες δέκα με δεκαπέντε μέρες, οι οποίες θα μας ήταν απαραίτητες στο να μελετήσουμε προσεκτικότερα τους φρουρούς και τις συνήθειές τους, να συλλέξουμε όλα τα απαραίτητα εργαλεία και τον εξοπλισμό που θα χρειαζόμασταν, και να εξοικονομήσουμε αρκετά τρόφιμα για το ταξίδι. Με την καθυστέρηση αυτή θα τρέφονταν ακόμα περισσότερο και οι πληγές μας.

Συνεχίσαμε να συλλέγουμε τρόφιμα με τη βοήθεια ενός φίλου του Σρέντερ, που δούλευε στα μαγειρεία. Πήρα μια πένσα, από έναν Έλληνα ηλεκτρολόγο, για να την έχω για συρματοκόφτη. Πήραμε μια πυξίδα από έναν τραυματισμένο Νεοζηλανδό αξιωματικό, την οποία ανταλλάξαμε με μια γερμανική φωτογραφική μηχανή που ο Σταν είχε πάρει από ένα νεκρό αλεξιπτωτιστή και την είχε κρύψει με επιτυχία στο φορείο του, όταν αιχμαλωτίστηκε. Αυτό σήμαινε ότι ήμασταν σχεδόν πλήρεις με τον αναγκαίο εξοπλισμό που απαιτείτο για μια πετυχημένη απόδραση. Τώρα, μπορούσαμε να αποκρυσταλλώσουμε το σχέδιό μας.

Μετά από προσεκτική μελέτη των αλλαγών της

γερμανικής φρουράς, ανακαλύψαμε ένα αδύνατο σημείο της, το οποίο ήταν, ίσως, χαρακτηριστικό του Τευτονικού τρόπου σκέψης.

Τα πέντε τετραώροφα κτήρια τα οποία αποτελούσαν το νοσοκομείο είχαν μικρή απόσταση μεταξύ τους, οπότε η καθαρή περιοχή που έμενε να φυλάσσεται από τους Γερμανούς δεν ήταν υπ' ουδενί απέραντη. Η περίμετρος του διπλού και καλά στερεωμένου συρματοπλέγματος ήταν το πολύ τριακόσια επί διακόσια μέτρα. Πέραν αυτού, ο εκάστοτε φρουρός βασιζόταν και στα εξάμετρα τοιχία, που περιέτρεχαν τα κτήρια κατά μήκος της δυτικής πλευράς τους, περιορίζοντας έτσι τις κεντρικές εξόδους όλου του χώρου σε δύο.

Δεν υπήρχε καθόλου βλάστηση εντός τού χώρου τού Νοσοκομείου, αλλά ούτε κι γύρω απ' αυτό περιμετρικά, σε μεγάλη έκταση. Έτσι, η φρουρά την πύλης και οι άλλες στις απέναντι γωνίες του συγκροτήματος, ήταν αρκετές για την φύλαξη του χώρου κατά τη διάρκεια της μέρας.

Τη νύχτα, η τριπλές βάρδιες αυξάνονταν, παρέχοντας από μια επιπλέον φρουρά στις δύο γωνιακές, και μία πρόσθετη που έκοβε βόλτες γύρω από το κτιριακό συγκρότημα. Και πάλι, αυτά τα μέτρα ήταν υπεραρκετά για τις νυκτερινές βάρδιες - το έδαφος ήταν τόσο φωτισμένο και επίπεδο, ώστε και μία μόνο κίνηση στο σκοτάδι μπορούσε εύκολα να γίνει αντιληπτή. Επίσης, μετά τη δύση του ηλίου, ίσχυε για τους κρατούμενους απαγόρευση κυκλοφορίας, σε όλους τους εξωτερικούς χώρους του πρώην αναμορφωτηρίου.

Το σημαντικό στοιχείο, όμως, ήταν άλλο. Στις οκτώ το απόγευμα ήταν η προκαθορισμένη ώρα για το διπλασιασμό της φρουράς, κατά την καλοκαιρινή περίοδο, και επειδή ήταν διαταγή, η Γερμανοί την τηρούσαν αυστηρά. Με τον ερχομό, όμως, του φθινοπώρου, στις οκτώ παρά τέταρτο ήταν ήδη σκοτεινά έξω. Προγραμματίσαμε να εκμεταλλευτούμε αυτό το μικρό δεκαπεντάλεπτο κενό, κατά το οποίο, η μεγάλη απόσταση των δύο φρουρών, πριν διπλασιαστούν με τις βραδινές βάρδιες, θα μας έδινε τη δυνατότητα να περάσουμε απαρατήρητοι.

Επιλέξαμε ένα ελαττωματικό σημείο του συρματοπλέγματος, μεταξύ της φρουράς της πύλης κι εκείνης που βρισκόταν στην βόρεια γωνία, έχοντας υπόψη ότι ο φρουρός, που έκανε τη βάρδια της πύλης τα περισσότερα απογεύματα, ήταν ένας ηλικιωμένος άνδρας με γυαλιά, οπότε ποντάραμε στο ότι δεν θα έβλεπε και πολύ καλά στο σκοτάδι.

Επιλέξαμε μια κοντινή ημερομηνία, μεταξύ επτά και δέκα Σεπτεμβρίου. Ο κύριος λόγος γι' αυτό ήταν, εκτός απ' τη συγκέντρωση όλων των αναγκαίων, το γεγονός ότι το νέο φεγγάρι έβγαινε στον ουρανό τα απογεύματα. Στις ημερομηνίες που είχαμε επιλέξει, θα εμφανιζόταν πολύ αργότερα και θα μας εξασφάλιζε το μέγιστο δυνατό διάστημα σκότους κατά την ώρα της απόδρασης, αλλά και λίγο καλό φως για την πορεία της πρώτης μας νύχτας έξω. Ο ενθουσιασμός και η ανυπομονησία μας μεγάλωνε ώρα με την ώρα.

Παρά το γεγονός ότι γνωρίζαμε εξ αρχής καλά, ότι το μεγαλύτερο μας εμπόδιο ήταν το να καταφέρουμε να δραπετεύσουμε από το νοσοκομείο, δεν μπορούσαμε να παραβλέψουμε τελείως και τη δεύτερη φάση του σχεδίου, που θα ήταν η μακρά πορεία μας προς το Πόρτο Ράφτη. Μελετήσαμε τους χάρτες που βρίσκαμε μέσα σε διάφορα βιβλία της βιβλιοθήκης του νοσοκομείου και απεικονίσαμε τη διαδρομή και τις αποστάσεις που θα διανύαμε κάθε βράδυ. Είχαμε αντιγράψει ένα περίγραμμα της Ελλάδας πάνω σε ένα κομμάτι λινό ύφασμα και είχαμε σκιαγραφήσει τους κεντρικούς της δρόμους κι όλα τα μικρά νησιά που απλώνονταν στο Αιγαίο μέχρι και τις Μικρασιατικές ακτές.

Σχετικά με την πιθανότητα να συλληφθούμε, ξοδέψαμε ένα διασκεδαστικό απόγευμα χαράσσοντας προσεκτικά μια ψεύτικη πορεία πάνω στο χάρτη προς μία εντελώς άσχετη κατεύθυνση από 'κείνη που θα παίρναμε. Κάναμε μάλιστα και παραπλανητικές σημειώσεις, του τύπου «να δούμε τον κ. "Χ" στο Αρχηγείο της Αστυνομίας» κι άλλες παρόμοιες παρατηρήσεις που παρέπεμπαν σε διάφορα ανύπαρκτα χωριά.

Αυτός ο χάρτης, δεν φτιάχτηκε για να προκαλέσει

περισσότερες ανησυχίες μόνο, αλλά για να προσφέρει και μεγαλύτερη διασκέδαση αργότερα.

Συνεχίζαμε τις προετοιμασίες μας, όταν μια μέρα δεχτήκαμε ένα πλήγμα. Το βράδυ ο Σρέντερ ήρθε να με δει.

«Έχω κάποια άσχημα νέα, κύριε», είπε πολύ ήσυχα.

«Τι συμβαίνει Σταν;»

«Ο Επιλοχίας του Νοσοκομείου, με προειδοποίησε σήμερα να ετοιμαστώ για να μεταφερθώ στη Γερμανία με την επόμενη φουρνιά». Σταμάτησε και κοίταξε μακρύτερα από μένα, έξω από το παράθυρο. «Σχεδιάζουν να μας πάρουν από εδώ τη Δευτέρα», ολοκλήρωσε.

Αυτό ήταν πράγματι μία σοβαρή αναποδιά. Είχαμε προγραμματίσει τα πάντα με βάση τις επόμενες δέκα μέρες και θα ήταν κρίμα να βιαστούμε με τις προετοιμασίες μας. Εκτός αυτού, έπρεπε να λάβουμε υπόψη μας και το φεγγάρι.

Το σκέφτηκα λίγο. «Προσπάθησες να βγάλεις τα' όνομά σου απ' τη λίστα;» του επεσήμανα.

«Ναι, πέρασα όλο το απόγευμα νταντεύοντας τον Επιλοχία και συναντήθηκα μέχρι και με το γιατρό τού θαλάμου μου, αλλά μου είπαν ότι αυτός που έχει καταρτίσει τον κατάλογο είναι ο Γερμανός γιατρός και ότι δεν μπορούν να του ασκήσουν καμία επιρροή γι' αυτό το θέμα».

«Η κατάσταση είναι σοβαρή, Σταν».

«Ναι. Είναι!» συμφώνησε.

Σιγήσαμε για ένα λεπτό περίπου. Απ' όσα μπορούσα να αντιληφθώ εκείνη την ώρα, δεν υπήρχε παρά μόνο ένας δρόμος που θα μπορούσαμε να ακολουθήσουμε, αλλά με ανησυχούσε λίγο. Συνεχίσαμε, χαμηλόφωνα.

«Πόσο μεγάλο ήταν αυτό το καταραμένο φεγγάρι απόψε;» τον ρώτησα.

«Περίπου το ένα τέταρτο ή λίγο λιγότερο, θα 'λεγα. Έπεσε στις εννιά η ώρα, λίγο πριν έρθω εδώ».

«Ήταν πολύ φωτεινό;»

«Ήταν, θα 'λεγα, αλλά όχι και πάρα πολύ. Πάντως δεν μπορούσα να διακρίνω τον φρουρό στην πύλη απ' την άλλη άκρη της 4ης Πτέρυγας».

«Τι θα 'λεγες, τότε, να κάναμε μια δοκιμή αύριο βράδυ;»

«Εγώ είμαι μέσα, αν είστε εσείς. Απλά, δεν νομίζω ότι θα

πρέπει να το επιχειρήσετε τώρα, κύριε. Αν το αφήσετε μέχρι το φεγγάρι να είναι κατάλληλο και πάρετε κάποιον άλλο μαζί σας, θα έχετε ίσως μια καλύτερη ευκαιρία».

«Και τι θα γίνει με σένα;»

«Α, θα το επιχειρήσω κάπου αλλού. Στο τρένο, κατά τη διάρκεια της διαδρομής ίσως».

«Όχι, θα φύγουμε μαζί αύριο βράδυ. Έτσι κι αλλιώς, έχω βαρεθεί να περιμένω. Θα πρέπει να προσευχόμαστε για ένα ωραίο παχύ σύννεφο που θα καλύπτει το φως του φεγγαριού. Αυτό είναι όλο».

«Τι θα συμβεί αν δεν υπάρξει σύννεφο όμως; Δεν έχω προσέξει ούτε ένα όλο το καλοκαίρι. Μα ούτε ένα.»

«Θα το επιχειρήσουμε σε κάθε περίπτωση. Δεκαπέντε λεπτά πριν τις οκτώ, αύριο βράδυ, θα βγούμε στο μονοπάτι από το κεντρικό κτήριο απέναντι, στο προκαθορισμένο σημείο. Παρά δέκα, θα προχωρήσουμε. Στις οκτώ, θα είμαστε ελεύθεροι».

Απέμειναν προς διευθέτηση λίγες ακόμα λεπτομέρειες. Συζητούσαμε, ακόμη ψιθυριστά, στην κοιμώμενη τώρα πτέρυγα, μέχρι να αποσαφηνίσουμε όλα όσα έπρεπε να γίνουν την επόμενη ημέρα. Τότε, ο Σταν σηκώθηκε για να φύγει. Στάθηκε αδέξια στο τέλος του κρεβατιού μου για λίγα λεπτά, και στη συνέχεια, μουρμουρίζοντας κάτι συναισθηματικά, έπιασε το χέρι μου, το κούνησε και εξαφανίστηκε από το θάλαμο.

Αφού έφυγε, πέρασε ένας νοσηλευτής κι ενώ προσποιούμουν τον κοιμισμένο, το μυαλό μου κατατρυχόταν από ενθουσιασμό. Έκανα αισιόδοξες κι εκστατικές σκέψεις, καθώς στο νου μου απεικονίζονταν διάφορες σκηνές που θα ακολουθούσαν την επιτυχή απόδραση μας. Είδα να φτάνω πίσω στο Τάγμα μου και να δέχομαι τα συγχαρητήρια του Ταξίαρχου. Είδα τον εαυτό μου να περπατά με τα πόδια, ήσυχα, στο μονοπάτι του κήπου μας για να κάνω έκπληξη στη μητέρα μου την ώρα που θα μάζευε τριαντάφυλλα το πρωί. Ο ύπνος δεν φαινόταν πουθενά.

Το ξημέρωμα της Κυριακής, της 25ης Αυγούστου του 1941, έκανε την εμφάνιση του με απόλυτη διαύγεια και λαμπρότητα -και χωρίς κανένα σύννεφο στον ορίζοντα.

Για τους νοσηλευτές που περιφέρονταν αεικίνητοι πέρα-δώθε με τα θερμόμετρα, τα γεύματα και τις πάπιες, ήταν απλά μια ακόμη μέρα σκληρού και άχαρου έργου. Για τους ασθενείς, ήταν η αρχή άλλων είκοσι τεσσάρων σπαρακτικών ωρών, πείνας και πλήρους πλήξης. Για μένα, όμως, που σηκώθηκα νωρίς και φρεσκαρίστηκα, ήταν η αυγή μιας νέας ζωής. Το κουτσουρεμένο πρωινό που μας πρόσφεραν, δεν ήταν ικανό να επηρεάσει την ψυχολογία μου. Εκείνη την ώρα μου ήρθε εκείνη η περίεργη όρεξη που χτυπάει κάποιον μερικές φορές για να κάνει τα πιο άχαρα πράγματα με κέφι, και κάθισα να ερευνήσω σπιθαμή προς σπιθαμή τους άσχημους τοίχους του θαλάμου, που ήταν γεμάτοι κοριούς. Ούτως ή άλλως, δε θα τους ξανάβλεπα μπροστά μου.

Μετά το γεύμα ελέγξαμε τα αποθέματα μας. Τρόφιμα, χρήματα, πυξίδα, αλοιφές για τις πληγές μας κι ο χάρτης που είχαμε ζωγραφίσει σ' ένα κομμάτι υφάσματος. Ο Σρέντερ, είχε μετατρέψει σε σακίδια δύο παλιές μαξιλαροθήκες, απλά περιλούζοντας τες με καφέ για να μη φαίνονται μες στη νύχτα. Στοιβάξαμε τα πάντα κρυφά και περάσαμε το απόγευμα αποχαιρετώντας τους «ενήμερους» φίλους μας. Δεχτήκαμε με υπομονή όλες τις χρήσιμες συμβουλές που είχαν να μας δώσουν. Ακούγοντας τους, το θέμα έμοιαζε ότι θα είχε απλή κατάληξη. Τελείωσαν με αισιοδοξία, γράφοντας μηνύματα και διευθύνσεις για τους δικούς τους.

Όμως, μέχρι αργά το απόγευμα, η περισσότερη αισιοδοξία και ο ενθουσιασμός μου είχαν εξαφανιστεί. Ο Σταν φαινόταν χαρούμενος - όσο του επέτρεπε το συνήθως σκυθρωπό πρόσωπό του. Εγώ ένιωθα έναν αυξανόμενο φόβο σαν μούδιασμα, μία ανακατωσούρα, σαν κι εκείνες που αισθάνονται οι μαθητές που περιμένουν ν' ακούσουν την τιμωρία τους από τον διευθυντή του σχολείου. Ο φρουρός στην πύλη φαινόταν πολύ πιο σκοτεινός και βάναυσος απ' ότι συνήθως, με το φαρδύ κράνος του να φτάνει κάτω απ' τα αυτιά του και χαϊδεύοντας το τουφέκι του, σαν να ευχόταν να του δοθεί μία απλή αφορμή να το χρησιμοποιήσει -σαν κι αυτή που θα του δίναμε. Ακόμα και το σύρμα έμοιαζε πιο αποτρεπτικό τώρα. Αναρωτήθηκα πόσο κοφτεροί να ήταν οι συρματοκόφτες μας.

Συνάντησα τον Σταν στον διάδρομο και περιμέναμε. Προσπαθούσαμε απεγνωσμένα να δείχνουμε αδιάφοροι και φυσιολογικοί. Οι νοσηλευτές, τόσο οι Αυστραλοί όσο και οι Γερμανοί, έμοιαζαν να μας υποπτεύονται καθώς περνούσαν. Προχωρήσαμε στη μεγάλη διπλή πόρτα στο πίσω μέρος του συμπλέγματος. Είχε πολύ σκοτάδι έξω, αλλά δεν ήταν σε καμία περίπτωση πίσσα και γι' αυτό μπορούσαμε να διακρίνουμε τη σκοτεινή μορφή του πίσω φρουρού, στην βορινή πλευρά. Σπεύσαμε γύρω απ' τη γωνία του κτηρίου και καθίσαμε στο σημείο που είχαμε επιλέξει για να περιμένουμε ν' αυξηθεί το σκοτάδι για κάνα πεντάλεπτο ακόμα. Από 'κει μπορούσαμε να δούμε κάτω στην πύλη αμυδρά, τον μοναδικό φρουρό που μπορούσε να μας ανησυχεί. Κλοτσούσε τις αρβύλες του πάνω στο πεζούλι μιας μικρής γέφυρας που αποτελούσε την κύρια είσοδο του στρατοπέδου. Δεν ήμασταν απολύτως σίγουροι ότι ήταν εκείνος με τα γυαλιά.

Πάνω από το Αιγαίο το νέο φεγγάρι φαινόταν να μας χαμογελά αρρωστημένα κι εμείς από κάτω αναθεματίζαμε το φως του.

Κάποιοι ασθενείς μάς πρόσεξαν την ώρα που έκαναν μια τελευταία βόλτα γύρω από το τετράγωνο πριν κλείσουν οι πόρτες, και συνέχισαν την πορεία τους ψιθυρίζοντας με ενθουσιασμό. Ένιωσα να φοβάμαι απεγνωσμένα και έπρεπε να σφίγγω το στόμα μου για να μην τρίζουν τα δόντια μου. Συνειδητοποίησα ότι αν ήμουν μόνος μου θα την είχα πατήσει. Το πιο εύκολο εκείνη τη στιγμή, θα ήταν να πάω πίσω στο θάλαμο με μια αληθοφανή ιστορία ατυχίας.

Τότε, ξαφνικά, ήθελα να τελειώσουν όλα. Η απροσδόκητη διαύγεια που εμφανίζεται στο νου σε στιγμές άμεσου κινδύνου, έδωσε και πάλι το παρόν. Τινάχθηκα όρθιος. Ο Σρέντερ, με ακολούθησε πιο αργά.

Συζητήσαμε ψιθυριστά προς τα πού κοίταζε ο φρουρός. Ήταν αδύνατο να είμαστε σίγουροι.

Στη συνέχεια ο Σταν μού είπε ότι «... έτσι κι αλλιώς, οι πιθανότητες μας είναι 50-50».

Αυτό μάς ήταν αρκετό. Πεταχτήκαμε στον ακάλυπτο

χώρο κινούμενοι προς το συρματόπλεγμα, σαν να θέλαμε να διασχίσουμε το δρόμο, ακριβώς μπροστά από ένα διερχόμενο αμάξι. Κινηθήκαμε πολύ γρήγορα, παρόλο που ξέραμε ότι η γρήγορη κίνηση προσελκύει την προσοχή. Πέσαμε κάτω από το πρώτο συρματόπλεγμα. Άρχισα να κόβω. Η πένσα λειτούργησε τέλεια. Έκοψα τρία κομμάτια. Ξαφνικά ακούστηκε μια άγρια κραυγή απ' τη γέφυρα. Την ακολούθησε ο αλάνθαστος ήχος που κάνει ένα τουφέκι καθώς οπλίζει και σπρώχνει μία σφαίρα μέσα στην κάννη. «Γρήγορα», είπε ο Σταν, σπρώχνοντας με από πίσω. «Γρήγορα, μας είδαν!»

Μετά από λίγα δευτερόλεπτα, το μόνο που καταλάβαινα ήταν μια αυξανόμενη αναταραχή στη φρουρά της πύλης. Έκοψα άλλα τέσσερα κομμάτια. Στη συνέχεια, ακούστηκε ένας κρότος με μία λάμψη μαζί. Μια σφαίρα χτύπησε έναν από τους σιδερένιους ορθοστάτες του συρματοπλέγματος, περίπου δύο μέτρα μακριά και εξοστρακίστηκε στον ουρανό. Προς στιγμήν σκύψαμε και μετά συνεχίσαμε. Ο Σταν λύγιζε τα σύρματα που έκοβα εγώ.

Βρισκόμασταν ανάμεσα στις δύο περιφράξεις, όταν μία δεύτερη βολή σφύριξε πάνω απ' τα κεφάλια μας. Μετά από αυτό, άρχισαν να εξοστρακίζονται, απανωτά, σοβάδες και πέτρες ανάμεσα μας.

Κανονικά έπρεπε να σταματήσουμε αμέσως μόλις ακούστηκαν οι φωνές. Απ' τη στιγμή που μας ανακάλυψαν, ήταν τρέλα να συνεχίσουμε, αλλά οι πένσες δούλευαν πολύ καλά και μπροστά μου βρισκόταν το τελευταίο σύρμα τεντωμένο. Κόπηκε τόσο εύκολα λες και ήταν από βούτυρο.

Πέρασα από μέσα κι άρχισα να τρέχω. Τότε άκουσα τον Σταν να φωνάζει κι έτσι πήγα πίσω. Φοβόμουν μήπως είχε τραυματιστεί. Υπήρχαν τρία τουφέκια που έριχναν εναντίον μας και το ένα από δαύτα, ήταν μόλις τριάντα μέτρα μακριά. Ο Σταν, όμως, είχε τραυματιστεί και είχαν πιαστεί τα ογκώδη ρούχα του μέσα στο κενό που είχα ανοίξει. Τον βοήθησα. Ξεχωρίσαμε τις μαξιλαροθήκες μας, τις ρίξαμε πάνω από τους ώμους μας κι απομακρυνθήκαμε μέσα στη νύχτα.

Σύσσωμη η γερμανική φρουρά, είχε βγει έξω από τους

χώρους ενδιαίτησης φωνάζοντας και βρίζοντας. Αρκετοί απ' αυτούς πυροβολούσαν ψυχρά προς την κατεύθυνσή μας. Ο φρουρός στη γέφυρα πληροφορούσε φωναχτά τους άλλους για το πού κινούμασταν κι όλο μαζί το σκυλολόι άρχισε να μας καταδιώκει. Τους ακούγαμε που μας ακολουθούσαν, αλλά είχαμε πάρει διαφορά διακοσίων μέτρων. Με κάμποση τύχη, με αρκετή τύχη, θα μπορούσαμε να τα καταφέρουμε. Το νοσοκομείο ήταν όλο στο πόδι. Από κάθε παράθυρο και από τα πλήθη στις οροφές των κτηρίων, ακούγαμε επευφημίες και αγωνιώδεις συμβουλές. Στη συνέχεια, κάποιος τους παρακίνησε να τραγουδήσουν όλοι μαζί, ώστε ο ήχος της μελωδίας να καλύπτει τον ήχο των βημάτων μας.

Προχωρήσαμε, ελπίζοντας ότι το σκοτάδι θ' αποθάρρυνε τους καταδιώκτες μας. Τους ακούσαμε να μας ακολουθούν και πετάξαμε αμέσως τα σακίδια μας όταν ένας από τους φίλους μας, μας φώναξε ότι το χρώμα τους φαινόταν στο σκοτάδι. Τους είδαμε καμιά διακοσαριά μέτρα μακριά. Στη συνέχεια, έριξαν μια ομοβροντία σφαιρών σε μια συστάδα μικρών δέντρων στα δεξιά μας. Αρχίσαμε να βάζουμε τα δυνατά μας, αν και οι πληγές μας μάς ανάγκαζαν περισσότερο να περπατάμε. Ένιωθα σκουριασμένος από τον ιδρώτα που με κάλυπτε και αγκομαχούσα να πάρω αναπνοή. Αλλά και πάλι σκεφτόμουν ότι μπορούσαμε να τα καταφέρουμε.

Στη συνέχεια, εμφανίστηκε μία ένστολη φιγούρα μέσα στο σκοτάδι μπροστά μας. Ήταν ένας Έλληνας αστυνομικός.

Στραφήκαμε μακριά από αυτόν, αλλά μας έκλεισε τον δρόμο και τράβηξε το περίστροφο του. Φώναξε. Ήταν ένας από τους αστυνομικούς της Γκεστάπο που είχαν φέρει οι Γερμανοί απ' την ελληνική κοινότητα στο Βερολίνο. Ήταν, προφανώς, λίγο αβέβαιος για το τι κάνει. Κούνησε το περίστροφό του προς το μέρος μας και συνέχισε να φωνάζει, αλλά φαινόταν κάπως απρόθυμος να συνεχίσει. Νόμιζα ότι ήταν πολύ φοβισμένος.

Ο Σταν τον περιποιήθηκε καταλλήλως. Του έδωσε ένα δεξί κι ένα αριστερό και τον έστειλε ξάπλα στο έδαφος. Επιταχύναμε.

Ο γερμανοτσολιάς μάς άφησε να ξεφύγουμε καμιά εικοσαριά μέτρα. Μετά άρχισε να χρησιμοποιεί τη σφυρίχτρα του και να μας ακολουθεί. Ακούσαμε τους Γερμανούς που άλλαξαν κατεύθυνση και πήγαν προς το μέρος του. Σταδιακά μας πλησίαζαν. Συναντήθηκαν με τον αστυνομικό και το διαπεραστικό του σφύριγμα σταμάτησε. Άρχισαν να φυτεύουν σφαίρες παντού γύρω μας. Σκόνταψα προς τα εμπρός κι έπεσα πάνω στον Σταν. Τα πνευμόνια μου είχαν εκραγεί και τα πόδια μου έτρεμαν σχεδόν εκτός ελέγχου. «Φύγε Σταν» του είπα ασθμαίνοντας και 'κείνος κάτι συλλάβισε. Καθίσαμε και τους περιμέναμε να έρθουν. Ήμασταν τρομερά εξαντλημένοι, για να μας συνεπάρει ο φόβος. Ένιωθα, όμως, πάνω από όλα, απογοητευμένος. Οι Γερμανοί ήταν έξω φρενών. Σκέφτηκα προς στιγμήν, καθώς πίεζαν τα τουφέκια τους στο στήθος μας, ότι επρόκειτο να μας σκοτώσουν εκεί επί τόπου. Αλλά μετά από κάμποσους μώλωπες που αποκτήσαμε απ' τις κλωτσιές με τα παπουτσόπροκα τους, μας έσυραν να σταθούμε όριοι και παρατάχθηκαν γύρω μας. Προφανώς, μετά από κάθε απόδραση, οι φρουροί τιμωρούνταν με στέρηση αδείας για πολύ καιρό κι έτσι ήθελαν να ξεσπάσουν πάνω μας γι' αυτό που κάναμε.

Ξεκινήσαμε πίσω για το νοσοκομείο. Τη χειρότερη μελανιά μου την απόκτησα από τον φρουρό της πύλης. Ήταν εκτός εαυτού, πυρ και μανία. Έσπευσε προς το μέρος μου, έστριψε στο πλάι κρατώντας το τουφέκι του ανάποδα, ώστε να με χτυπήσει όσο πιο δυνατά μπορούσε με τον υποκόπανο στο πρόσωπο. Σήκωσα τα χέρια μου σε άμυνα χωρίς να ελπίζω ότι θα μπορούσα να ανακόψω τελείως την ορμή του. Ο Φρούραρχος, ευτυχώς, φώναξε διατάζοντας κάτι και πρόβαλε το δικό του τουφέκι προς τα εμπρός για να εκτρέψει το επερχόμενο χτύπημα. Ακόμα και με μειωμένη δύναμη, όμως, το χτύπημα ήταν αρκετό για να με ρίξει στο έδαφος και να μου αφήσει μια μελανιά που θα με πονούσε αρκετούς μήνες.

Μας καθοδήγησαν μέσα απ' τις κύριες πόρτες, και οι

νοσηλευτές απωθούσαν μακριά όλους τους κρατούμενους, που προσπαθούσαν να μαζευτούν εκεί. Κάποιοι μας φώναξαν άτυχους, αλλά οι περισσότεροι μας κοιτούσαν με ανοιχτό στόμα, σαν να ήμασταν αξιοθέατα. Ήταν πολύ ντροπιαστικό. Ο φύλακας μας έσπρωξε στην αίθουσα των νοσηλευτών και συγκεντρώθηκαν όλοι γύρω μας. Ένας στρατιώτης ήταν απασχολημένος στο τηλέφωνο. Στη συνέχεια μας έψαξαν. Η μόνη ικανοποιητική στιγμή της βραδιάς ήρθε, όταν τους είδαμε να μένουν κατάπληκτοι την ώρα που έβγαζαν έξω τις προμήθειες μας. Ο ενθουσιασμός τους απ' την απρόσμενη ανακάλυψη του χάρτη, μας ήταν άκρως διασκεδαστικός. Είχα μεριμνήσει να χαράξω πάνω του μια διαδρομή μέσω Κορίνθου προς την Πελοπόννησο, εκατοντάδες χιλιόμετρα πιο μακριά από το Πόρτο Ράφτη, κι έτσι άρχιζαν να πιστεύουν ότι ανακάλυψαν τα χνάρια κάποιας μυστικής οργάνωσης που θα είχε έδρα τα χωριά που αναφερόντουσαν κατά τύχη. Ήμουν σίγουρος ότι η ιστορία με τον χάρτη δε θα τελείωνε εκεί.

Κατά τη διάρκεια της έρευνας, η ψυχή μου είχε πάει στην κούλουρη. Ήξερα ότι θα έπαιρναν σχεδόν τα πάντα, αλλά το μεγαλύτερο πλήγμα θα ήταν να χάναμε την πυξίδα και τα χρήματά μας. Τα τελευταία, τα είχα κρύψει ανάμεσα στους επιδέσμους της πληγής μου. Ήταν σχετικά ασφαλή εκεί. Η πυξίδα, ήταν κρεμασμένη κάπου στο εσωτερικό των ποδιών μου, από ένα σύρμα γύρω απ' τη μέση μου. Έτσι, όταν με διέταξαν να γδυθώ, έβγαλα το παλτό μου, το πουκάμισο και το πολιτικό παντελόνι, αλλά άφησα ένα κοντό παντελονάκι αγγαρείας, όπου κρυβόταν το λάφυρο. Όταν με διέταξαν για πρώτη φορά να το βγάλω κι αυτό, έκανα πως δεν καταλάβαινα. Επέμειναν και προσποιήθηκα ότι ντρεπόμουν πολύ. Ο Σταν, στεκόταν γυμνός και χαμογελούσε σιωπηρά διότι καταλάβαινε τί ακριβώς έκανα, κι έτσι εξεπλάγην όταν ο Φρούραρχος υποχώρησε και πείστηκε απλά να αναποδογυρίσει τις τσέπες μου για να δει αν έκρυβα κάτι εκεί. Η πυξίδα είχε σωθεί.

Απ' την αρχή συμπάθησα τον Φρούραρχο. Ήταν ένας ιδιαίτερα μεγαλόσωμος και ήσυχος δικηγόρος απ' τη Βιέννη. Το πρόσωπό του θα ήταν πολύ πιο ευχάριστο, αν δεν είχε κάτι φοβερές ανάγλυφες ουλές, τις οποίες οι απόφοιτοι πολλών γερμανικών πανεπιστημίων αποκτούσαν και τις έφεραν για πάντα με περηφάνια. Αποφάσισα να του συμπεριφερόμαστε καλά, γιατί οποιαδήποτε επιείκεια που θα μπορούσαμε να λάβουμε στη συνέχεια, θα ερχόταν μόνο από αυτόν.

Ένα αυτοκίνητο σταμάτησε απότομα έξω απ' την πύλη κι ο φύλακας πάγωσε σε στάση προσοχής μπροστά σ' έναν καλοντυμένο ένστολο που μπήκε υπεροπτικά μέσα στο δωμάτιο. Όσο συμπάθησα τον Φρούραρχο, άλλο τόσο αντιπάθησα αυτόν τον αξιωματικό. Αν ένα πρόσωπο θα μπορούσε να είναι η προσωποποίηση του κακού, αυτό θα ήταν το δικό του. Λεπτό, σχεδόν τσιτωμένο, με μάτια που κάρφωναν τους άλλους γύρω του και υπέθαλπαν παντού την απέχθεια. Ο γκεσταπίτης Υπολοχαγός Γουόλτερ Μπρούνινγκ, ήταν ξεκάθαρα ο μοχθηρότερος όλων τους. Θα συνέχιζε να μου είναι μισητός όλες τις υπόλοιπες εβδομάδες που θα ακολουθούσαν. Απευθύνθηκε τώρα στον Φρούραρχο επιθετικά, προφανώς για να τον ταπεινώσει. Ο Φρούραρχος στεκόταν ξερά σε στάση προσοχής καθόλη τη διάρκεια, αλλά κρατούσε το κεφάλι του με υπερηφάνεια και δεν υπήρχε καμία αμφιβολία ότι τον περιφρονούσε. Ήταν η πρώτη ένδειξη που είχα, σχετικά με τη γενική απέχθεια που κάποιοι Γερμανοί στρατιώτες έτρεφαν απέναντι στα SS ή αλλιώς, την Γκεστάπο.

Ο Υπολοχαγός στράφηκε προς το μέρος μας και ρώτησε κάτι στα γερμανικά. Ο διερμηνέας εισήχθη μέσα και περάσαμε απ' την ίδια ανάκριση στην οποία ο φρούραρχος μάς είχε υποβάλλει λίγο πριν -αλλά τώρα ήταν πολύ πιο δυσάρεστη. Ένιωσα την ψυχραιμία μου να αντικαθίσταται από εκνευρισμό καθώς εκείνος πέταγε διάφορα κοσμητικά επίθετα.

Τότε ασχολήθηκε με τον Σταν. Όταν το επίθετο του δηλώθηκε ως «Σρέντερ» - που θύμιζε γερμανικό - ο ίδιος ο αξιωματικός ξέσπασε σε μια απίστευτη οργή και χαστούκισε τον Σταν στο πρόσωπό, τέσσερις με πέντε φορές. Ο Σταν, το δέχτηκε στωικά και ίσα που τον αγριοκοίταξε χωρίς να του πει τίποτα. Ο διερμηνέας, μετέφραζε ψύχραιμα ότι ο αξιωματικός πίστευε πως ο Σταν ήταν Γερμανός, και άρα, και προδότης του Ράιχ έπρεπε να τουφεκισθεί. Παρατηρούσα το πρόσωπο του Φρούραρχου όταν ειπώθηκε αυτό και θα μπορούσα να ορκιστώ ότι μου έκλεισε το μάτι, παρά ότι το βλέφαρό του έτρεμε. Σε κάθε περίπτωση, κανείς από εμάς δεν ανησύχησε ιδιαίτερα εκείνη τη στιγμή.

Μας διέταξαν να ντυθούμε και στη συνέχεια μας πήγαν κάτω στο υπόγειο του παλαιού αναμορφωτήριου και μας έριξαν σε ξεχωριστά κελιά. Υπήρχε μια διαρροή στο σωλήνα αποχέτευσης που έτρεχε κατά μήκος της οροφής του δικού μου κελιού και το πάτωμα ήταν καλυμμένο από, τουλάχιστον δύο πόντους, βοθρόνερα. Η σιδερένια πόρτα κλείδωσε και η φρουρά απομακρύνθηκε κροταλίζοντας.

Λίγα λεπτά αργότερα ο Φρούραρχος επέστρεψε φέρνοντας μου μία καρέκλα.

Οι ώρες σέρνονταν εκεί μέσα, κι εγώ κωπηλατούσα πάνω-κάτω στο κελί, αναρωτώμενος τι θα γινόμασταν. Φανταζόμουν στρατοδικεία, φυλακές και, καθώς κρύωνα και μιζέριαζα, το μυαλό μου πήγαινε ανήσυχα στο εκτελεστικό απόσπασμα. Εκείνη η νύχτα δεν ήταν απ' τις καλύτερες της ζωής μου.

Το πρωί μάς πήγαν με το αυτοκίνητο στο Αρχηγείο που βρισκόταν στην Κηφισιά, και μας ανέκρινε ένας πολύ αξιοπρεπής και ελαφρώς πομπώδης ηλικιωμένος Λοχαγός. Μας πήρε χωριστά, αλλά το κύριο αντικείμενο της ανάκρισης ήταν, προφανώς, η σημειωμένη διαδρομή και τα κυκλωμένα χωριά πάνω στο χάρτη. Θέλω να πιστεύω ότι καταφέραμε και οι δύο, αρνούμενοι να δώσουμε οποιαδήποτε περαιτέρω εξήγηση, και να αφήσουμε την εντύπωση ότι κάποια πολύ μυστική οργάνωση ανθούσε σε αυτά τα αθώα χωριά. Δεν υπάρχει αμφιβολία ότι ένας ικανός αριθμός απ' τις μυστικές υπηρεσίες τους, που διαφορετικά θα χρησιμοποιούνταν σε πιο υπαρκτούς και δυσώδης σκοπούς, θα καταπιάνονταν με το ξεκαθάρισμα του μυστηρίου.

Όταν τελείωσε την κανονική ανάκριση και αφού είχε

εγκαταλείψει την ιδέα ότι θα μπορούσε να πάρει έστω και μία πληροφορία από μένα σχετικά με τον αξιοπρόσεκτο χάρτη, ο Λοχαγός σταμάτησε. Πήρε μια ακόμη πιο πομπώδη στάση, έγειρε πίσω το κεφάλι του και με κοίταξε πάνω απ' τη μύτη του. Κατάλαβα, ότι ήταν έτοιμος να ανακοινώσει την τιμωρία μου.

Αναφέρθηκε επί μακρόν στις διάφορες ποινές που είχε εξουσία να μου επιβάλλει, και ξόδεψε κάμποσα λεπτά ν' αναφέρεται στα εκτελεστικά αποσπάσματα που είχε στείλει κάποιους Πολωνούς παραβάτες που είχε συλλάβει στη Βαρσοβία. Στη συνέχεια, αναφέρθηκε στα στρατόπεδα συγκέντρωσης και στο πόσοι λίγοι ήταν σε θέση να ολοκληρώσουν τις ποινές τους εκεί. Ψωμί και νερό επί μήνες και στο τέλος, ακόμα λιγότερο ψωμί. Έτσι έσπαγαν εντελώς έναν κρατούμενο, αφού τον είχαν κλεισμένο συνέχεια σ' ένα σκοτεινό κελί απομόνωσης, μολυσμένο από αρουραίους. Τελείωσε το φρικιαστικό υβρεολόγιο του και με κοίταξε.

«Κύριε Τόμας», είπε, «όταν τραυματιστήκατε, οι άνδρες που προσπαθούσατε να σκοτώσετε, σας έφεραν απ' την Κρήτη στο νοσοκομείο».

«Πράγματι, κύριε», του απάντησα. Όλες οι αηδιαστικές του εξουσίες με ωθούσαν να λέω το «κύριε» αρκετά εύκολα. Σε κάθε περίπτωση, ήταν ανώτερος μου.

«Είχατε καλή περίθαλψη μέχρι τώρα και καμία άλλη δύναμη, εκτός από το γερμανικό Ράιχ δε θα σας είχε μεταχειριστεί ως κρατούμενο με καλύτερο τρόπο».

Εδώ το παράκανε λίγο. Ήμουν σε αρκετά μειονεκτική θέση για να διαφωνήσω, αλλά κατάφερα να του απαντήσω ότι «Πράγματι, μας φερθήκατε σύμφωνα με τη Σύμβαση της Γενεύης».

«Εμείς δεν αναγνωρίζουμε τη Σύμβαση της Γενεύης, κύριε Τόμας. Το Τρίτο Ράιχ δεν δεσμεύεται από οποιουσδήποτε Διεθνείς νόμους. Η μεταχείριση σας, υπαγορεύεται απ' την εθνική αξιοπρέπεια του γερμανικού λαού».

Παρέμεινα σιωπηλός.

«Αλλά το κύριο ερώτημα είναι το εξής», είπε χτυπώντας

το χέρι του στο τραπέζι. «Δείξατε την αχαριστία σας με το να αποδράσετε. Ανταποδώσατε την καλοσύνη μας, με το να φέρεται αναστάτωση και να προκαλέσετε επιπλήξεις και ντροπή στους αξιωματικούς και τους νοσηλευτές που είχαν την ευθύνη της φροντίδας σας. Τι περιμένατε να κερδίσετε; Τι αποζητούσατε με αυτήν την απείθαρχη συμπεριφορά; Γιατί θέλατε να αποδράσετε;»

Ήταν έτοιμος να εκραγεί. Αντιλήφθηκα, ότι αν δεν έλεγα κάτι που θα τον ηρεμούσε, οι συνέπειες θα μπορούσαν να είναι απρόβλεπτες.

Συνειδητοποίησα ότι ο τρόπος του, εκτός απ' την εκ γενετής έπαρση του, ήταν απολύτως ορθός στρατιωτικά, σύμφωνα πάντα με τα πρότυπα μιας ανάκρισης. Αναρωτήθηκα αν θα βοηθούσα την κατάσταση, ανεβάζοντας λίγο τη δική μου αξιοπρέπεια.

«Κύριε», είπα, όσο ψυχρά μπορούσα, «εγώ έκανα απλά, το καθήκον μου. Εμείς οι αξιωματικοί δίνουμε όρκο να κάνουμε το παν για να διαφεύγουμε από τον εχθρό, κι αυτό το γνωρίζετε πολύ καλά. Είμαι σίγουρος, ότι η προσπάθειά μου να επανενταχθώ στο δικό μου στράτευμα, ήταν ακριβώς αυτό που θα περιμένατε κι εσείς από έναν Αξιωματικό του Γερμανικού Σώματος, αν βρισκόταν σε μία παρόμοια περίσταση, έτσι δεν είναι;»

Προσπάθησα να το πω ψυχρά και με στόμφο, αν και για μένα ακουγόταν πολύ αφελές. Το αποτέλεσμα, όμως, ήταν πέρα για πέρα απρόσεμνο. Ήταν σαν να είχα παρουσιάσει, ξαφνικά, ένα γλειφιτζούρι σε ένα δύστροπο παιδί.

Ο Λοχαγός, σήκωσε τον εύσωμο όγκο του απ' την καρέκλα και ήρθε γύρω από το γραφείο του προς το μέρος μου χαμογελώντας. Ήρθε στο πλευρό μου κι έψαχνε το χέρι μου σχεδόν γουργουρίζοντας.

«Φυσικά, φυσικά, κ. Τόμας», μου πέταξε, «εμείς οι αξιωματικοί έχουμε την τιμή και το καθήκον μας. Έχουμε τον κώδικα μας. Έχετε απόλυτο δίκιο, απόλυτο δίκιο».

Ήταν κάτι περισσότερο από ντροπιαστικό: ήταν λίγο αρρωστημένο. Συνειδητοποίησα ότι μόλις είχα αγγίξει μια αχίλλειο πτέρνα και αποφάσισα αμέσως, αφελώς ή όχι, να το εκμεταλλευτώ πλήρως, στο μέλλον.

Η ποινή τής αποτυχημένης απόδρασης, ήταν απομόνωση δεκαπέντε ημερών μόνο με ψωμί και νερό -θα μπορούσε, όμως, να ήταν πολύ χειρότερη.

Μας πήγαν πίσω στο νοσοκομείο και μας έκλεισαν σε δύο υπόγεια κελιά, δίπλα στην αίθουσα τής γερμανικής φρουράς. Αυτή τη φορά, ωστόσο, και τα δύο κελιά, ήταν καθαρά και στεγνά.

Ο Φρούραρχος, έστειλε κάτω κρεβάτια από το νοσοκομείο, και δεν έφερε, επίσης, καμία αντίρρηση όταν έπεισα τους Αυστραλούς νοσηλευτές να μας φέρουν σεντόνια και κουβέρτες. Ο ίδιος ο Φρούραρχος, πήγε στη βιβλιοθήκη του νοσοκομείου και μας έφερε μια ποικιλία από βιβλία για να διαβάσουμε. Άρχισα την κελιώτικη θητεία μου πολύ ευχάριστα.

Στον Σρέντερ, απ' ότι κατάλαβα σύντομα, η αποτυχία μας του είχε κοστίσει πολύ περισσότερο από μένα. Η απογοήτευσή του ήταν έντονη και καθόταν ήσυχος και σκυθρωπός. Πάλευε να φαίνεται χαρούμενος κάθε φορά που μπορούσαμε να περάσουμε μαζί λίγα λεπτά, αλλά πρόσεξα ότι δεν είχε πάρει τίποτα για να διαβάζει κατά τις αργόσυρτες ώρες που θα πέρναγε στο κελί του.

Ήμουν νεότερος από τον Σρέντερ. Ανακάλυψα ότι η έξαρση των προηγούμενων ημερών, είχε αμβλύνει σε μεγάλο βαθμό την πίκρα της αποτυχίας. Πάντα διψούσα για δράση και περιπέτειες, αλλά τώρα είχα βρεθεί στη μέση μιας πολύ μεγαλύτερης, και πολύ συναρπαστικότερης, από οποιοδήποτε νεανικό μου όνειρο. Η ιδέα τού να είμαι μέσα σε ένα σιδερένιο κελί μού έφερνε κάποια ικανοποίηση. Γέλαγα με τη σκέψη, ότι κάποια μέρα στο μέλλον θα μπορούσα να διηγηθώ αυτήν την ιστορία με κάθε λεπτομέρεια στους δικούς μου, πίσω στη Νέα Ζηλανδία. Ήμουν πιο αποφασισμένος από ποτέ να διαφύγω μακριά και, κατά κάποιο τρόπο, είχα αποκτήσει πολύ περισσότερη αυτοπεποίθηση πλέον.

Η ζωή στα κελιά, είχε και την ανάλαφρη πλευρά της. Απόλαυσα κάθε ώρα εκείνων των δεκαπέντε ημερών. Ήμασταν σε πολύ καλή θέση σε σχέση με τη διατροφή του «ψωμόνερου» από οπουδήποτε αλλού.

Η μέρα ξεκινούσε με τις επισκέψεις του Υπολοχαγού Μπρούνινγκ, περίπου στις επτά το πρωί. Ήταν πάντα έξαλλος με το γεγονός ότι μας έβρισκε ακόμα στο κρεβάτι και μας ούρλιαζε θυμωμένα. Η ρουτίνα ήταν να γυρνάμε προς τον τοίχο, να τραβάμε τις κουβέρτες γύρω απ' τα αυτιά μας και να απολαμβάνουμε την επιδείνωση του θυμού του, μέχρι που φώναζε τον φρουρό. Στη συνέχεια, σηκωνόμασταν και κάναμε ό,τι θέλαμε. Είμαι βέβαιος ότι κι ο Φρούραρχος ευχαριστιόταν εξίσου εκείνες τις καθημερινές σκηνές. Ποτέ δεν παρενέβη, ούτε μας έδωσε εντολή να σηκωθούμε, πριν φτάσει ο Υπολοχαγός.

Ενώ ντυνόμασταν, ένας φύλακας μας έφερνε το ψωμί και το νερό. Τέσσερις ουγγιές μαύρο γερμανικό ψωμί και μια κανάτα νερό, σε κάθε έναν από εμάς. Μερικές φορές τρώγαμε από λίγο, μέσα στα κελιά μας. Το απολάμβανα.

Μόλις, όμως, ακούγαμε τους ήχους των πιάτων που προανήγγειλαν την άφιξη του πρωινού, κουδουνίζαμε τις πόρτες μας δυνατά και απαιτούσαμε να μας βγάζουν έξω. Πάντα τους λέγαμε πως θέλαμε να πάμε στην τουαλέτα επειγόντως - η ίδια δικαιολογία κάθε πρωί για δεκαπέντε ημέρες - και συμμορφώνονταν πάντα στις απαιτήσεις μας.

Σε μηδαμινό χρόνο, καθόμασταν σε ένα απ' τα δύο μεγάλα τραπέζια της φρουράς, έξω από το χώρο των κελιών, κι απολαμβάναμε ένα καλό πρωινό κι ένα πολύ καλό γεύμα.

Το πρώτο πρωί που το προσπαθήσαμε αυτό, ήταν το πιο διασκεδαστικό απ' όλα. Επιστρέψαμε απ' τα μπάνια και, χωρίς στην πραγματικότητα να το είχαμε σχεδιάσει εκ των προτέρων, πήγαμε και καθίσαμε στο πλησιέστερο τραπέζι. Οι Γερμανοί φρουροί, κάθισαν πίσω με έκπληξη. Έπιασα ένα πιάτο από πάνω και το γέμισα με μερικά κεφτεδάκια από μία μεγάλη καραβάνα που βρισκόταν στο κέντρο του τραπεζιού. Πέρασα ένα πιάτο στον Σταν κι εκείνος ακολούθησε το παράδειγμά μου.

Ήταν μια λαμπρή αίσθηση. Ήμουν έτοιμος να εκραγώ από το κέφι. Τότε το παράκανα λίγο. Σκούντηξα το χέρι του Γερμανού στρατιώτη στα δεξιά μου και του έδειξα το ψωμί, υπονοώντας να μου το δώσει. Εκείνος τίναξε το χέρι του μακριά, συγκλονισμένος απ' την κίνηση μου. Έβρισε και κοίταξε προς τον Φρούραρχο που καθόταν στην κεφαλή τού τραπεζιού γιατί δεν ήταν και πολύ σίγουρος για το τι έπρεπε να κάνει.

Ο Φρούραρχος, είχε μείνει εμβρόντητος όπως και οι υπόλοιποι φύλακες. Τώρα, όμως, όλοι περίμεναν τη γνώμη του, ή καλύτερα, την ανοχή του ή όχι. Πήρε την πιο εύκολη απόφαση. Ανασήκωσε τους ώμους του με νόημα και στη συνέχεια κοίταξε στο πιάτο του και συνέχισε να τρώει το πρωινό του. Ο διπλανός μου στρατιώτης μου πέρασε το ψωμί με ένα μάλλον ανόητο χαμόγελο κι από εκείνη τη στιγμή δεν συναντήσαμε καμία άλλη δυσκολία. Αρκούσε μόνο να σκουντάμε και να δείχνουμε, και παίρναμε όλα όσα θέλαμε. Ο φύλακας ήταν εμφανώς χαρούμενος για την κατάσταση αυτή. Συμπέρανα ότι απολάμβανε την παρατυπία του όλου θέματος.

Κι έτσι, είχαμε τρία καλά γεύματα κάθε μέρα, μαζί με ένα ευπρόσδεκτο φλιτζάνι καφέ, πρωί κι απόγευμα. Επιπλέον, ως μπόνους, είχαμε και τέσσερις ουγκιές μαύρο ψωμί.

Βρήκα ότι ήταν ενδιαφέρον και απολαυστικό, να μελετάω τους φύλακες. Ήταν λίγο-πολύ ίδιοι, σε ατομικό και ομαδικό επίπεδο, όσο θα ήταν και μια συνηθισμένη -εν καιρώ πολέμου- φρουρά Νεοζηλανδών. Είχαν τον πλακατζή τους, που έκανε όλες τις παιδαριώδης πλάκες, τον αφελή, που ήταν το αντικείμενο όλων των ανεκδότων, τον κακό, που είχε να κάνει πάντα παραπανίσιες βάρδιες, και τον υπερευσυνείδητο στρατιώτη που έτρεχε να κάνει πάντα τις χάρες του Φρούραρχου. Όλοι τους φαίνονταν να συνεργάζονται καλά κι εκτελούσαν τα καθήκοντά τους με ευσυνειδησία.

Τους βρήκα ενδιαφέροντες για συζήτηση. Όλοι τους μιλούσαν ελεύθερα για την καταγωγή τους: οι περισσότεροι ήταν απ' τη Βιέννη, δύο ήταν απ' την Τσεχοσλοβακία και ένα, μάλλον απλό, παλληκάρι που με έφερνε συχνά σε αμηχανία λόγω των συχνών χαιρετισμών του, μου έλεγε για την νεαρή γυναίκα και την οικογένειά του κοντά στη Βρέμη για το πώς ο πατέρας του είχε πιαστεί αιχμάλωτος πολέμου από τους Άγγλους, στον προηγούμενο πόλεμο. Ο πατέρας του, μάλιστα, τον είχε νουθετήσει ως εξής: «Πάντα να φέρεσαι σ' έναν Άγγλο καλά. Να θυμάσαι, ότι είναι κύριος και παίζει δίκαια», κάτι το οποίο ήταν σίγουρα μία ασυνήθιστη συμβουλή σε έναν Γερμανό γιο, που πάει στον πόλεμο με το Γ' Ράιχ.

Αξιοποίησα την ευκαιρία που μου δόθηκε να ξανακρύψω τα λεφτά και την πυξίδα, όταν έκανα την πρώτη μου επίσκεψη στους νοσοκόμους, για να αλλαχτούν οι επίδεσμοι μου. Τα πολιτικά μου ρούχα ήταν λίγο πιο δύσκολο να τα ξαναπάρω. Βρισκόντουσαν σε ένα άδειο ντουλάπι μέσα στο δωμάτιο των φρουρών και καταφέραμε να τα εξασφαλίσουμε μ' ένα αριστουργηματικό κόλπο. Ο Σταν, ως συνήθως, ανέλαβε τον δυσάρεστο ρόλο να το φέρει εις πέρας. Ανέφερε στους φρουρούς ότι είχε βρει μια ψείρα στα ρούχα του και, καθώς ήταν αναμενόμενο, έσπευσαν να τα απολυμάνουν. Από 'κει και πέρα, ήταν εύκολο απλά και μόνο να αναφέρω κι εγώ, ότι πιθανώς και τα δικά μου ρούχα να χρειάζονταν καθάρισμα, και μάλιστα πρότεινα να τα πάω εγώ στην απολύμανση. Ο απλός φρουρός απ' τη Βρέμη, θεώρησε ότι έπρεπε να με συνοδεύσει, αλλά επειδή δεν μιλούσε αγγλικά δεν αντιλήφθηκε ότι εγώ ζήτησα από τον Αυστραλό υπεύθυνο της απολύμανσης, να φυλάξει τα ρούχα γιατί θα τα χρειαζόμουν στο μέλλον.

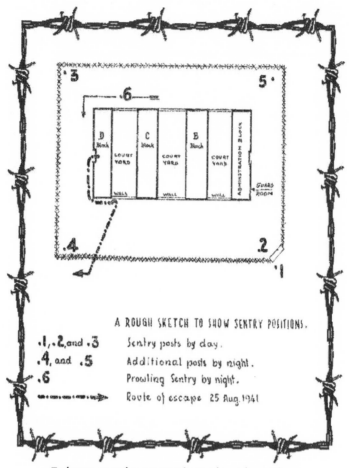

Πρόχειρη αποτύπωση των φρουρών από τον Τόμας

ΕΠΙΧΕΙΡΗΣΗ «ΦΕΡΕΤΡΟ»

Όταν τελείωσε η ποινή μας και μας έστειλαν πίσω στις πτέρυγες του νοσοκομείου, ανακάλυψα πως στη ζωή εκεί είχε επικρατήσει μια εντελώς διαφορετική αντίληψη. Στους κρατούμενους δε κυριαρχούσε αναγκαστικά η γκρίνια ή οι μικροενοχλήσεις, και οι καυγάδες δεν δημιουργούσαν πια καμία ανησυχία. Όλα είχαν μετατραπεί σε μία καταπληκτική περιπέτεια, ένα είδος παιχνιδιού της πραγματικής ζωής με σαφείς κανόνες και κυρώσεις. Ο τελικός στόχος παρέμενε πάντα η απελευθέρωση, αλλά ήταν στο χέρι του καθενός για το πώς θα κυνηγούσε την ελευθερία του.

Όντας αιχμάλωτοι πολέμου, είχαμε αναγάγει σε αλατοπίπερο της καθημερινότητας μας, την αδιάκοπη παραβατική συμπεριφορά. Το μυαλό μου δεν μπορούσε ν' αντισταθεί και να μην ενδώσει σε οποιαδήποτε συναρπαστική ή διασκεδαστική ιδέα που θα βοηθούσε αυτόν τον ιερό αυτοσκοπό· το να κάνουμε τη ζωή δύσκολη στους Γερμανούς. Από το να κλέψω τη γερμανική μισθοδοσία και να χρησιμοποιήσω τα κεφάλαια για να νοικιάσω βάρκα για την Αίγυπτο, να κλειδώσω τη φρουρά μέσα στα φυλάκια με τις μεγάλες σιδερένιες πόρτες, να κλέψω μια γερμανική στολή απ' την αποθήκη του νοσοκομείου και να βγω με τα πόδια έξω τη νύχτα ανενόχλητος, ή να βγω κρυμμένος μες στα μεγάλα καλάθια των άπλυτων ρούχων του νοσοκομείου με τη συγκάλυψη του Έλληνα προμηθευτή, μέχρι το να θαφτώ κάτω απ' τα σκουπίδια μέσα στους κάδους - όλα αυτά ήταν σχετικά εφικτά. Η συνεχής διερεύνηση αυτών των δυνατοτήτων, κρατούσε το μυαλό μου σ' εγρήγορση.

Η αναχώρηση του Σρέντερ απ' την Αθήνα, που έλαβε χώρα αμέσως μετά την απόπειρα μας, ήταν η αφορμή να συνδεθώ με μια ομάδα αξιωματικών, που είχαν έναν κοινό σκοπό: να διαφύγουν. Ο ενθουσιασμός τους, έκανε, πράγματι, την παρέα τους να μου είναι πολύ ευχάριστη. Ο αρχηγός, ή μάλλον το αρχαιότερο μέλος εκείνης της ομάδας, ήταν ο Πλοίαρχος Σάννον. Είχαμε μια μεγάλη γκάμα από ιδέες, μερικές απ' τις οποίες δεν διστάσαμε να δοκιμάσουμε, παρόλο που αποτυχαίναμε για διάφορους λόγους. Η πρώτη πραγματικά καλή ιδέα, ωστόσο, ήταν εκείνη που θα μπορούσε να πυροδοτήσει τη φαντασία κάθε λάτρη της περιπέτειας.

Προέκυψε από μια έμπνευση που είχε ο «Κάπτεν» Σάννον αμέσως μετά την τελετή μιας κηδείας. Ένας νεαρός αξιωματικός Μαορί, που είχε τραυματιστεί οικτρά από μια ξιφολόγχη στην Κρήτη, πέθανε ειρηνικά, αφού είχε αγωνιστεί γενναία να κρατηθεί στη ζωή επί πέντε μήνες. Τρέφαμε όλοι μεγάλη εκτίμηση για τον νεαρό Μαορί και θαυμάζαμε τη θαρραλέα διάθεση που είχε παρόλο που ήξερε ότι πλησίαζε το τέλος του. Κατά συνέπεια, δώδεκα αξιωματικοί, ζήτησαν άδεια να παραστούν στην κηδεία του. Μας χορηγήθηκε προφορικά ορκωτή άδεια.

Η κηδεία του έγινε λίγες μόνο ώρες μετά το θάνατο του, κάτι που ήταν άκρως απαραίτητο λόγω των ζεστών συνθηκών που επικρατούσαν στην Αθήνα. Τυλίξαμε με μία βρετανική σημαία, που είχαμε φυλάξει στα κρυφά, το αποκρουστικό φέρετρο, γνωρίζοντας ότι οι Γερμανοί δεν θα έφερναν αντίρρηση. Στη συνέχεια τον μεταφέραμε απ' την πτέρυγα του έξω στο προαύλιο.

Ένα στρατιωτικό φορτηγό μάς περίμενε εκεί συνοδευόμενο από έναν δεκανέα και τρεις άνδρες, όλοι τους οπλισμένοι. Στοιβάξαμε το φέρετρο προσεκτικά και σκαρφαλώσαμε στην καρότσα. Το αυτοκίνητο τράβηξε έξω απ' τις πύλες και προσέγγισε ένα μικρό προάστιο της Αθήνας, μέσα από κάτι στενούς δρόμους.

Όταν το φορτηγό ανηφόρισε, βρεθήκαμε στις πύλες ενός περιφραγμένου νεκροταφείου. Οι τοίχοι είχαν τρία μέτρα ύψος και ήταν φτιαγμένοι από πέτρα και λάσπη.

Ποτέ μου δεν κατάφερα να υιοθετήσω πλήρως την δημοφιλή άποψη ότι όλοι οι Γερμανοί ήταν κακοί. Αντιθέτως, συνάντησα συχνά άνδρες, στο γερμανικό στράτευμα, τους οποίους θα μπορούσα να σεβαστώ. Στη συγκεκριμένη περίπτωση, ο δεκανέας, δεν μπήκε καθόλου μέσα στο κοιμητήριο, αλλά αρκέστηκε να αφήσει το φορτηγό στην πύλη και να τοποθετήσει από έναν φρουρό στις τέσσερις εξωτερικές γωνίες του περιβάλλοντος χώρου. Έτσι, το σύνολο της τελετής που λάμβανε χώρα εντός απαρτιζόταν μόνο από Βρετανούς.

Κουβαλήσαμε τον Μαορί κοντά σε μία λωρίδα από κυπαρίσσια, μέχρι να συναντήσουμε δύο Έλληνες ιερείς οι οποίοι, χωρίς να μιλούν μάς οδήγησαν στο σημείο όπου είχε προετοιμαστεί ένας ρηχός τάφος. Οι ιερείς παραστάθηκαν με συμπάθεια και διακριτικότητα κοντά μας, ενώ ένας δικός μας Πάδρε θα επιτελούσε τα δέοντα για την ανάπαυση του νεαρού αξιωματικού Μαορί, το όνομα του οποίου, δυστυχώς, δεν μπορώ με τίποτα να ανακαλέσω στη μνήμη μου. Αποδώσαμε στρατιωτικό χαιρετισμό για δύο λεπτά και στη συνέχεια τον αφήσαμε. Ήταν μια απλή και συγκινητική τελετή.

Πριν φύγουμε από το κοιμητήριο, οι δύο ιερείς μάς προσκάλεσαν σε ένα μικρό χώρο πίσω από το παρεκκλήσι και μας προσέφεραν ρακί. Δεδομένης της απουσίας Γερμανών, ήταν πολύ φιλικοί και μας έλεγαν ιστορίες γεμάτες με αυτοπεποίθηση κι ελπίδα ότι οι συμμαχικές δυνάμεις θα ξαναέρχονταν στο εγγύς μέλλον. Λίγο πριν φύγουμε συνειδητοποιήσαμε ότι δεν είχαμε πάρει τη Σημαία μαζί μας και μείναμε σύξυλοι, όταν οι ιερείς προσφέρθηκαν να μας την επιστρέψουν... μαζί με το φέρετρο! Μας εξήγησαν ότι, για λόγους οικονομίας, τοποθετούσαν τις σορούς στον τάφο χωρίς τα στρατιωτικά φέρετρα. Για όλους τους νεκρούς, το νοσοκομείο χρησιμοποιούσε το ίδιο φέρετρο!

Επιστρέψαμε στην πύλη, χωρίς καμία βιασύνη και ο δεκανέας της Φρουράς φώναξε πίσω τους φρουρούς του. Σε μισή ώρα ήμασταν και πάλι πίσω στο νοσοκομείο.

Εκείνο το βράδυ, ήρθε στο θάλαμό μου ο Σάννον έχοντας μυστηριωδώς μία ενθουσιώδη συμπεριφορά. Ήμουν πεπεισμένος ότι είχε κάνει κάποια μεγάλη ανακάλυψη. Ανεβήκαμε στην ταράτσα, που είχε μείνει έρημη, κι ο Σάννον μου αποκάλυψε το σχέδιό του.

«Σάντυ», μού είπε, «έχω ανακαλύψει τον τέλειο τρόπο διαφυγής! Εάν υπάρχει ένας αλάνθαστος, κι εκατό τοις εκατό σίγουρος τρόπος, αυτός είναι!»

Η συμπεριφορά του Κάπτεν-Σάννον, ήταν εντυπωσιακή διότι, συνήθως, κυμαινόταν μεταξύ αυτοσυγκράτησης κι απαισιοδοξίας. Τον πίεσα να συνεχίσει, αλλά ήταν λίγο ψυχοβγάλτης και ήθελε το χρόνο του.

«Δεν υπάρχει κανένας πιθανός λόγος για τον οποίο θα μπορούσε κάτι τέτοιο να πάει στραβά», δήλωσε εμφατικά, κουνώντας το κεφάλι του σε κάθε λέξη.

«Περί τίνος πρόκειται, καπετάνιε, θα με βοηθήσεις να καταλάβω;» απαίτησα.

«Φυσικά. Ξέρεις, Σάντυ, αν το φέρουμε αυτό βόλτα, θα γίνουμε πρωτοσέλιδο, best seller, καταλαβαίνεις;»

Δεν μπόρεσα να μην παρατηρήσω το «αν», αλλά η ανυπομονησία μου με συνεπήρε. Τον σφυροκόπησα φιλικά στην κοιλιά, μέχρι που παραδόθηκε. Παρόλα αυτά, συνέχισε να μου εξηγεί με το πάσο του.

«Αυτό είναι ακριβώς το πρόβλημα με εσάς τους νέους», μού είπε μορφάζοντας, «φορτώνετε τον εγκέφαλο σας με σχεδόν αδύνατα σχέδια, κι όταν όλα αποτυγχάνουν έρχεστε σα μαγκάκια σε μας τους παλιούς να σας βρούμε την τέλεια λύση· καλά, σήμερα δεν σου μπήκε καμία ιδέα;»

«Εννοείς το αν κάποιος θα ήταν πρόθυμος να παραβεί μία ένορκη άδεια σαν κι αυτή που δώσαμε για να παραστούμε στην κηδεία;»

«Τι 'ναι αυτά που λες, δεν τίθεται καν τέτοιο θέμα», με διέκοψε ο Κάπτεν, «σκέψου, άνθρωπε, σκέψου. Χρησιμοποιήστε τη φαιά ουσία σου».

Τελικά αφού εγκατέλειψε τα πειράγματα, τα οποία είχε ευχαριστηθεί πλήρως, μού είπε πολύ ήσυχα, «Θα στο πω κι αλλιώς: υπήρξε ένας από εμάς σήμερα, που δεν έδωσε όρκο».

«Ποιος; Ο Πάδρε; Έδωσε», είπα, λίγο αμήχανα.

«Όχι βρε. Όχι ο Πάδρε», κι έκανε παύση. «Ο μακαρίτης ο Μαορί που ήταν στο φέρετρο, έδωσε όρκο; Εσύ τι λες;»

Στάθηκε πίσω και με άφησε να συνειδητοποιήσω την πλήρη σημασία αυτού που μου είχε μόλις πει. Μου αποκαλύφθηκαν όλα σαν μία έκλαμψη.

«Φυσικά και όχι!» φώναξα. «Κι αν δεν ήταν πεθαμένος, θα κυκλοφορούσε ελεύθερος τώρα στην Αθήνα κι οι Γερμανοί, επειδή θα τον είχαν ξεγράψει, δε θα είχαν και κανέναν απολύτως λόγο να τον ψάξουν!»

Σταμάτησα να μιλάω για να δώσω στον Κάπτεν μία ενθουσιώδη αγκαλιά. «Γέρο, αγαπητέ μου παλιο-Μαθουσάλα, η ιδέα σου χτύπησε φλέβα χρυσού. Μπορούμε να «πεθαίνουμε» ένας-ένας μπαμ και κάτω, ή να ασθενούμε πρώτα, και τα υπόλοιπα είναι λεπτομέρειες. Αν τα πράγματα κυλούν πάντα όπως σήμερα, θα πρέπει απλώς να βγαίνουμε από εκείνη τη ρηχή τρύπα, και μέχρι η φρουρά να επιστρέφει πίσω με όλους τους «πενθούντες», θα πίνουμε ρακί με τους ιερείς».

«Ναι. Δεν είναι καθόλου άσχημο, έτσι δεν είναι;» Ο Κάπτεν ακτινοβολούσε απ' τη χαρά του. «Το φέρετρο θα μπορούσε να έχει και λίγο πιο χαλαρό καπάκι με λίγους αεραγωγούς, για να είναι και πιο υποφερτό. Ο φυγάς θα μπορεί μ' ευκολία να στοιβάζει μέσα κι όλο το κιτ της απόδρασης του. Είναι ένας πραγματικά πολυτελής τρόπος διαφυγής».

«Εκτιμώ, ότι σε κάθε περίπτωση θανάτου θα συμβαίνουν τα ίδια πράγματα. Αυτό που εννοώ είναι πως, οι Γερμανοί, δεν αφήνουν στους δικούς μας γιατρούς να βγάζουν τα πιστοποιητικά θανάτου;»

«Ε, λοιπόν, γνωρίζω απ' τις περιπτώσεις τουλάχιστον τριών αξιωματικών που πέθαναν εδώ, ότι σε όλες τις περιπτώσεις, οι Γερμανοί επαφίονταν, εξ ολοκλήρου, στη γνώμη των δικών μας γιατρών».

«Αυτή η διαδικασία φαίνεται να είναι υπό έλεγχο. Αλλά τι γίνεται με την τοποθέτηση του νεκρού στο φέρετρο; Αυτό είναι αγγαρεία των Βρετανών ή των Γερμανών;»

«Ε, σ' αυτό μπορούμε να είμαστε σίγουροι, διότι όλες τις βρώμικες δουλειές, σαν κι αυτή, τις αφήνουν στους δικούς μας. Πράγματι, αν οι γιατροί συνεργαστούν, αυτό το σχέδιο γαίνεται πράγματι αλάνθαστο.»

«Τώρα, έτσι για να εξετάσουμε όλα τα ενδεχόμενα, τι γίνεται με τις διαδικασίες στο νεκροταφείο; Ας υποθέσουμε ότι κάποιος ψιλοχαζός νεκροθάφτης θάβει ζωντανό έναν από εμάς μέσα στην τρύπα.»

«Αυτό δεν είναι και πολύ επικίνδυνο. Θα πρέπει να έχουμε τον Πάδρε μαζί μας που μιλάει καλά ελληνικά. Θα μπορούσε να πάρει στην άκρη τους δύο ιερείς και να το κανονίσουν. Το μόνο χώμα που θα πέσει στο φέρετρο θα είναι οι χούφτες που ρίχνουν κατά τη στιγμή της τελετής που λένε «χοῦς εἶ καί εἰς χοῦν ἀπελεύσει».

Το πρωί προσεγγίσαμε τους γιατρούς. Βρήκαν πολύ γαργαλιστική και πρωτότυπη την πλοκή μας, αλλά δεν δεχόντουσαν εύκολα να συνεργαστούν. Δεν είχαμε εκτιμήσει, μας επεσήμαναν, ότι μία αποτυχία θα έριχνε το μεγαλύτερο φταίξιμο στους γιατρούς. Οι Γερμανοί ήταν ιδιαίτερα σκληροί στις ποινές κάθε κατάχρησης προνομίων που είχαν παραχωρήσει σε κάποιες προστατευόμενες ομάδες, όπως οι γιατροί.

Ωστόσο, ένας νεαρός γιατρός απ' τη Νέα Ζηλανδία, ο Ρον Στιούαρτ, προθυμοποιήθηκε.

Τραβήξαμε κλήρο για το ποιος από τους υποψηφίους που προσφέρθηκαν θα είχε την πρώτη ευκαιρία, και αναπάντεχα κέρδισα εγώ.

Σε μισή ώρα βρισκόμουν στο κρεβάτι μου και η φήμη ότι είχα ανεβάσει ψηλό κι επίμονο πυρετό είχε εξαπλωθεί σ' όλον τον θάλαμο, και κατ' επέκταση σ' όλο νοσοκομείο.

Για μια ολόκληρη εβδομάδα το διάγραμμα στο κρεβάτι μου, έδειχνε ανησυχητικές θερμοκρασίες κι οι άνθρωποι είχαν αρχίσει να κουτσομπολεύουν στα ψιθυριστά την κατάστασή μου. Μερικοί από τους νοσηλευτές, οι οποίοι δεν ήταν εν γνώσει της περίπτωσης, άρχισαν πραγματικά να ανησυχούν, κάτι που βοήθησε πολύ στο να δημιουργηθεί το κλίμα που επιδιώκαμε. Ο Πάδρε είχε γίνει πλέον, σταθερός μου επισκέπτης.

Στις τρεις η ώρα το πρωί της Παρασκευής, 14 Σεπτεμβρίου του 1941, είχα πεθάνει ειρηνικά στο κρεβάτι μου από πνευμονία. Η Παρασκευή ήταν μια καλή ημέρα για να πεθάνει κανείς, επειδή εκείνη την ημέρα ο Υπολοχαγός Μπρούνινγκ έφευγε πάντα νωρίς για την Αθήνα, και γυρνούσε αργά το βράδυ -οπότε, ένας πεθαμένος είχε ένα αξιοπρεπές περιθώριο δώδεκα ωρών για να ταφεί με την ησυχία του.

Μόλις το φως της αυγής παρείσφρησε στο θάλαμο, μια ομάδα από πένθιμες φιγούρες στεκόντουσαν γύρω από το κρεβάτι μου. Μιλούσαν χαμηλόφωνα από σεβασμό, και ίσως μόνο εγώ κάτω από το σάβανο μου θα μπορούσα να πω ότι τη συμπόνια τους αποτελούσαν, κυρίως, υποτιμητικά σχόλια. Ούτε νεκρός δεν δικαιώνεται κανείς, σε μερικές περιπτώσεις...

Καθώς φώτιζε όλο και περισσότερο, αντιλήφθηκα ότι θα είχα πρόβλημα να αποφύγω το ανεβοκατέβασμα του σεντονιού στο ύψος της αναπνοής μου. Ο Ρον ήρθε κατά τις έξι το πρωί. Τον άκουσα να λέει ότι ο Γερμανός Λοχίας ήταν πολύ συμπονετικός με το συμβάν και μεριμνούσε ώστε η κηδεία να γίνει εκείνο το απόγευμα. Αυτό μου ακούστηκε πολύ ενθαρρυντικό. Ο Κάπτεν Σάννον ακουγόταν να λέει σε επιτύμβιους τόνους, ότι θα ήταν δύσκολο να βρεθεί ένα ελληνικό φέρετρο αρκετά μακρύ για μένα, και σε περίπτωση που βρισκότανε κάποιο, θα ήταν μικρότερο, κι αναρωτιόταν, αν ο γιατρός Στιούαρτ θα κατάφερνε να μου κόψει τα πόδια ή το κεφάλι, για να χωρέσει μέσα το σώμα μου. Ο Ρον απάντησε ότι, αν χρειαζόταν κάτι τέτοιο, δεν θα ήταν ανέφικτο να κανονιστεί. Μετά από μια παύση, έστειλε έναν από το νοσηλευτικό προσωπικό για να φέρει τον Πάδρε. Εγώ τους έβριζα από μέσα μου γιατί στην κατάσταση που ήμουν διακινδύνευα να προδοθώ από νευρικό γέλιο.

Μ' αυτά και μ' αυτά πέρασε ακόμα μια ώρα. Το πρωινό είχε φτάσει και είχα αρχίσει να πεινάω. Συν τοις άλλοις, άκουγα την συναχωμένη φωνή του νοσηλευτή να λέει, «Εδώ είναι, Γκούντγουιν -σνιφ- καλύτερα να πάρεις εσύ τη μερίδα του άτυχου κ. Τόμας σήμερα. Δεν νομίζω ότι -σνιφ- θα τη χρειαστεί πια».

Μπορεί και να ροχάλιζα με αναίδεια όταν κατά τις δέκα, άκουσα το νοσηλευτή να μου ψιθυρίζει επιτακτικά κάτι, προσποιούμενος ότι καθαρίζει δήθεν το έπιπλο δίπλα στο κρεβάτι μου.

Δεν μπορούσα να καταλάβω τίποτα από όσα έλεγε, αλλά το μήνυμά που έφτασε στ' αυτιά μου ήταν

«...ανησυχούν ... Γερμανός γιατρός ... γκρίζα μαλλιά ... μπορεί τυχαίο, αλλά...» και στη συνέχεια διακόπηκε από μια κραυγή στην άλλη άκρη του θαλάμου.

Αμέσως σκέφτηκα τον εύσωμο, γκριζομάλλη γιατρό που είχε φροντίσει την πληγή μου στην Κόρινθο και αργότερα είχε δείξει σοβαρό ενδιαφέρον για μένα. Τι θα μπορούσε να συμβεί αν έκανε επίσκεψη στο νοσοκομείο σήμερα! Υπήρξε μια αναταραχή στο τέλος του θαλάμου και, ω της φρίκης, κάποιος ερχόταν προς το μέρος μου μιλώντας γερμανικά. Πάγωσα και δεν ανέπνεα καν -ήμουν ολοκληρωτικά πανικοβλημένος. Καθώς πλησίαζαν, κάποιος με μια πολύ γερμανική προφορά, ρώτησε αν μιλάει κανείς γαλλικά. «Parlez-vous Français;» είπε, και πάγωσα διότι μόλις είχαν πάρει σάρκα και οστά οι χειρότεροι φόβοι μου. Ήταν ο φίλος μου ο γιατρός. Το πάρτυ σίγησε στην άκρη του κρεβατιού μου.

Κάποιος του απάντησε, «Et si jeune, il n'a pas ans vingt-deux» (*Και τόσο νέος, δεν είναι ούτε είκοσι δύο χρονών*).

Κινήθηκε ήσυχα στην κεφαλή του κρεβατιού μου και στάθηκε ακριβώς από πάνω μου. Ακούω την αναπνοή του! Στη συνέχεια, πολύ απαλά, σήκωσε το σεντόνι από το κεφάλι μου και το δίπλωσε με ευλάβεια πάνω στο στήθος μου. Μέχρι εκείνη τη στιγμή, το είχα υπό έλεγχο και παρέμενα εντελώς ακίνητος. Αν και είχα τα μάτια μου κλειστά κι ακίνητα, ένιωσα ένα χέρι να έρχεται κοντά στο πρόσωπό μου. Το να κρατούσα κι άλλο την αναπνοή μου ήταν, δυστυχώς, υπεράνω των δυνάμεων μου. Άνοιξα γουρλώνοντας τα μάτια μου και κοίταξα κατευθείαν μες στα τρομαγμένα μπλε μάτια του γιατρού και ξεφύσηξα στο πρόσωπου του γελώντας νευρικά.

Έμειναν όλοι εμβρόντητοι και κοιτούσαν τρομαγμένοι τη σκηνή που διαδραματιζόταν μπροστά τους αγωνιώντας προφανώς για το τί θα επακολουθούσε. Ο Γερμανός γιατρός, απ' την τρομάρα του, έκανε ένα μεγάλο βήμα πίσω και ξέσπασε κι εκείνος σ' ένα ανεξέλεγκτο γέλιο. Κάθισε αυθόρμητα στο διπλανό κρεβάτι, έβαλε τα χέρια στην φαρδιά μέση του και κουνούσε το κεφάλι του γελώντας, χωρίς να μπορεί να σταματήσει., Άρχισαν, φυσικά, όλοι να συμμετέχουν σε αυτό το σκηνικό κοιτάζοντας τον γιατρό. Σύντομα, όλος ο θάλαμος σειόταν απ' τα γέλια. Νομίζω ότι ο τελευταίος που συμμετείχε ήταν ο Γερμανός Λοχίας, ο οποίος κοίταξε για λίγο τον ανώτερο του με αβεβαιότητα και μετά ανάμιξε τους καγχασμούς του με των υπολοίπων. Οι Γερμανοί δεν μας έκαναν απολύτως τίποτα. Αμφιβάλλω, μάλιστα, αν έφτασε και ποτέ το συμβάν στ' αυτιά του Υπολοχαγού Μπρούνινγκ. Δυστυχώς, όμως, το μεγαλεπήβολο σχέδιο με το φέρετρο είχε αποτύχει εν τη γενέσει του. Καταπιάμε την απογοήτευσή μας κι αρχίσαμε να 'χουμε και πάλι τα μάτια μας τετρακόσια.

ΤΑ ΦΤΕΡΑ ΝΙΚΟΥΝ ΤΑ ΣΙΔΕΡΑ

Τον Οκτώβρη εκείνο, η στρατηγική μου ήταν να βρίσκομαι πάντα σε ετοιμότητα. Ένα πρωί χαλάρωνα στο μπροστινό προαύλιο τού νοσοκομείου. Στις τσέπες μου είχα επιδέσμους και αλοιφή για την πληγή, σε ένα μικρό πουγκί κάτω από το πουκάμισό μου είχα ξερό ψωμί που έφτανε για τρία λιτά γεύματα, ενώ, κρυμμένα ανάμεσα στους επιδέσμους του τραυματισμένου μου μηρού, βρίσκονταν μάρκα και δραχμές που είχα μαζέψει και είχα δανειστεί. Επί αρκετές ημέρες παρακολουθούσα τα διάφορα οχήματα που ερχόντουσαν στο νοσοκομείο και στάθμιζα τις πιθανότητες που θα είχα αν κρεμόμουν κάτω απ' την καρότσα ενός φορτηγού ή αν καβαλούσα πάνω της. Κάτι τέτοιο, δεν φαινόταν εντελώς ανέφικτο, δεδομένου ότι η φρουρά είχε μειωθεί και τα πράγματα ήταν πιο χαλαρά. Γι' αυτό ήμουν σ' επιφυλακή μήπως κι αξιοποιούσα κάποια ευκαιρία που μπορεί να μου παρουσιαζόταν και η οποία θα μπορούσε να με οδηγήσει εκτός στρατοπέδου -και μάλιστα με στυλ.

Εκείνο το συγκεκριμένο πρωί, πάνω από έξι αυτοκίνητα και φορτηγά είχαν επισκεφθεί το νοσοκομείο, αλλά όλες τις ευκαιρίες μού τις κατέστρεφαν οι τρεις φρουροί. Ενώ ήταν εκτός υπηρεσίας, περνούσαν το πρωινό τους καπνίζοντας και διαβάζοντας στον ήλιο δίπλα στην είσοδο του νοσοκομείου, εκεί που στάθμευαν όλα τα οχήματα.

Πάνω που το 'χα πάρει απόφαση ότι δεν υπήρχε φως, δεν είχα τι άλλο να κάνω κι ετοιμαζόμουν να πάω για μεσημεριανό, όταν η κατάσταση άλλαξε. Ένα καλό αυτοκίνητο κόρναρε δυνατά πλησιάζοντας την είσοδο της φυλακής. Οι τρεις ρεμπεσκέδες, σήκωσαν το κεφάλι τους και στη συνέχεια έσπευσαν ολοταχώς στο δωμάτιο των φρουρών γνωρίζοντας, αναμφίβολα, πως έφτανε κάποιος αξιωματικός και θα ήταν τραγικό για 'κείνους να πιαστούν αξύριστοι και ατημέλητοι. Το αυτοκίνητο που ακούστηκε επιβράδυνε καθώς περνούσε μέσα απ' την πύλη, κι ο φρουρός χαιρέτισε στρατιωτικά με επιδεξιότητα. Σταμάτησε απότομα γλιστρώντας στο χώμα κι ένας ευπαρουσίαστος Ταγματάρχης ξεπηδώντας από το κάθισμα του οδηγού εξαφανίστηκε μέσα στο κτήριο. Αυτή ήταν η ευκαιρία μου.

Το φορτηγό που είχε φέρει το αλεύρι ήταν σταθμευμένο από το πρωί και επρόκειτο να αποχωρήσει ανά πάσα στιγμή, ώστε να επιστρέψει ο οδηγός σπίτι του για μεσημεριανό. Το όχημα αυτό, βρισκόταν ακριβώς κάτω απ' τη μύτη του φρουρού και το να σκαρφάλωνε κάποιος στο πίσω μέρος του, χωρίς να γίνει αντιληπτός φαινόταν αδιανόητο. Αλλά αν αυτός ο κάποιος είχε στη διάθεση του τέσσερα, μόνο, συγκεκριμένα δευτερόλεπτα, όταν δηλαδή ο φρουρός θα ήταν απασχολημένος με κάτι άλλο, θα μπορούσε να βρεθεί μες στην καρότσα εύκολα και οι εικοσάποντες σανίδες στα πλαϊνά καθώς και η πίσω πόρτα θα έκρυβαν τη θέα ενός ξαπλωμένου ανθρώπου, τη στιγμή που το φορτηγό θα περνούσε την πύλη. Ο στητός χαιρετισμός του φρουρού, μου αποκάλυψε όλες τις δυνατότητες που υπήρχαν: ήταν συνεχώς αφοσιωμένος στο να κρατά τη σωστή στάση χαιρετισμού, απ' την πρώτη στιγμή που εμφανίστηκε το αυτοκίνητο, μέχρι που ο αξιωματικός μπήκε στο κτήριο.

Συνειδητοποίησα ότι η χρυσή ευκαιρία για ν' ανέβω στην καρότσα θα παρουσιαζόταν την ώρα που ο Ταγματάρχης θα έφευγε, αρκεί να συνέβαινε αυτό πριν φύγει το φορτηγό.

Πλησίασα το φορτηγό και το χάζευα δήθεν νωχελικά, επιθεωρώντας τη μάρκα των ελαστικών, το πλαίσιο και το καπό. Ο φρουρός με παρακολουθούσε σιωπηλός για λίγα λεπτά και στη συνέχεια επιδείκνυε και πάλι την ετοιμότητα του για την επιστροφή του αξιωματικού. Τα λεπτά κύλισαν πολύ αργά κι εγώ αποτραβήχτηκα διακριτικά. Άκουσα τα τακούνια του φρουρού να χτυπούν δυνατά μεταξύ τους, έτσι όπως μόνο τα τακούνια ενός Ναζί αντηχούσαν.

Ο Ταγματάρχης έβαλε μπρος το αυτοκίνητό του. Απομακρύνθηκε από το φορτηγό για να πάρει στροφή, άλλαξε ταχύτητα και κινήθηκε αργά προς το μέρος τού φρουρού και την έξοδο. Είχε προσπεράσει κατά πέντε-έξι βήματα το μέρος που στεκόμουν.

Για μένα ήταν, ή τώρα ή ποτέ. Έβαλα το ένα μου πόδι

στη ρόδα, καβάλησα την πλευρά του οχήματος και σύρθηκα, μπρούμυτα, όσο πιο επίπεδα μπορούσα εντός της καρότσας. Μέχρι εδώ, όλα καλά. Δεν υπήρξε καμία αντίδραση απ' την πλευρά του φρουρού και το αυτοκίνητο του αξιωματικού ακουγόταν ν' απομακρύνεται. Η μόνη μου ανησυχία ήταν τα ενθουσιώδη σχόλια μιας ομάδας ασθενών που βρισκόταν στην ταράτσα και παρακολουθούσαν τη σκηνή. Τίναξα το κεφάλι μου και τους αγριοκοίταξα εξαγριωμένος. Είδαν το νόημα μου και μετέτρεψαν τα βλέμματα τους σε μια πιο αθώα και τεμπέλικη μελέτη του γύρω τοπίου. Παρατήρησα με ανησυχία, ωστόσο, ότι ο αριθμός τους μεγάλωνε γρήγορα και ολοένα και περισσότεροι συγκεντρώνονταν για να δουν τι συνέβαινε.

Δεν μπορούσα να καταλάβω αν η μάζωξη τους είχε επίδραση στον φρουρό, κι άρχισα ν' αγωνιώ.

Μου φάνηκε ότι πέρασαν ώρες, αλλά νομίζω ότι δεν είχαν περάσει πάνω από δέκα λεπτά μέχρι που άκουσα το σφύριγμα του Έλληνα οδηγού απ' τις αποθήκες, που ερχόταν προς το φορτηγό. Με την άκρη του ματιού μου έβλεπα ένα κύμα ενθουσιασμού κατά μήκος του τοιχίου της ταράτσας. Το φορτηγό πήρε μπρος τραυλίζοντας, προχώρησε καμιά εικοσαριά μέτρα για να πάρει στροφή και κινήθηκε αργά προς την είσοδο. Ήταν μια πολύ τεταμένη στιγμή.

Ο Έλληνας, είπε κάτι στον φρουρό που του προκάλεσε γέλιο. Περάσαμε πάνω απ' την κτιστό γεφυράκι ενώ το σασμάν διαμαρτυρόταν καθώς ο οδηγός προσπαθούσε να επιταχύνει το φορτηγό του.

Η ευχάριστη σκέψη ότι τα είχα καταφέρει άρχισε να με συνεπαίρνει. Όσο μπορούσα, κρατούσα το σώμα μου επίπεδο σαν τηγανίτα στο πάτωμα της καρότσας, αλλά δεν άργησα να θυμηθώ τα σχόλια που πάντα έκαναν οι φίλοι μου σχετικά με το ύψος μου. Τελικά, καθώς κατηφορίζαμε κάτω στο δρόμο, ο φρουρός με πήρε είδηση ξώφαλτσα. Άκουσα την ξέφρενη κραυγή του και συνειδητοποίησα αμέσως ότι είχαν ανοίξει οι ασκοί του Αιόλου. Έτρεφα κάποιες τελευταίες ελπίδες, μήπως κι ο οδηγός δεν άκουγε τις φωνές του φρουρού πάνω από το ποδοβολητό του κινητήρα και ότι, εντωμεταξύ, θα απομακρυνόταν αρκετά ώστε να μπορούσα να πεταχτώ έξω σε κάποιο μοναχικό σημείο. Αλλά, δεν ήταν γραφτό να γίνει. Μια σφαίρα πέρασε σύριζα πάνω από το φορτηγό και, σύντομα, την ακολούθησαν κι άλλες. Το όχημα σταμάτησε με ένα τράνταγμα που κόντεψε να με πετάξει έξω απ' την καρότσα. Ο Έλληνας πήδηξε στο πλαϊνό χαντάκι ουρλιάζοντας, κι εκεί, το παιχνίδι είχε τελειώσει. Τη φορά εκείνη ένιωσα πολύ πιο απογοητευμένος, απ' ότι φοβισμένος. Καθώς όλη η φρουρά, σύσσωμη, ξεχύθηκε απ' την πύλη προς το μέρος μου, κατέβηκα από το φορτηγό και περπατούσα αργά προς το μέρος τους. Δεν διέκρινα να είναι ιδιαίτερα θυμωμένοι, αλλά κι ο Λοχίας εμπόδισε την οποιαδήποτε βιαιότητα. Την στιγμή που με περνούσαν για ακόμη μία φορά μέσα απ' την πύλη, ήρθα αντιμέτωπος με το συμπαθητικό, αλλά πάραυτα πολύ ενοχλητικό βλέμμα εκατοντάδων θεατών.

Με κατέβασαν στο υπόγειο και με κλείδωσαν στο παλιό κελί μου. Νομίζω πως ήταν πολύ ευχαριστημένοι που με είχαν πίσω. Εκείνο το, μάλλον, απλό παλληκάρι απ' τη Βρέμη με ρώτησε αν είχα φάει μεσημεριανό και στην αρνητική μου απόκριση μπήκε στον κόπο να μου τηγανίσει αυγά και πατάτες. Το ίδιο βράδυ, κιόλας, επανέκτησα τη συνήθεια να τρώω μαζί τους και μάλιστα ο Λοχίας, αφού κλειδαμπάρωσε και τις δύο πόρτες που οδηγούσαν στο δωμάτιο της φρουράς, εμφάνισε ένα μπουκάλι κονιάκ. Κανείς από τους παρόντες δεν έκρυψε την ευχαρίστηση του. Το καλύτερο στιγμιότυπο της βραδιάς ήταν η απομίμηση που έκανε ένας μεγαλόσωμος Γερμανός, του τρόπου με τον οποίο είχα ξαπλώσει μπρούμυτα στην καρότσα και προσπαθούσα να κάνω το εαυτό μου χαλκομανία, ώστε να μην φαίνομαι πάνω απ' την πόρτα της καρότσας του φορτηγού. Η όλη τους προσπάθεια, μού προκαλούσε ένα αίσθημα χαρμολύπης.

Πάντως, όσο φιλικοί κι αν ήταν, είχα συνειδητοποιήσει ότι κανείς από δαύτους δεν θα το πολυσκεφτόταν, αν είχαν την ευκαιρία στο μέλλον, να μου φυτέψουν από μια σφαίρα. Ήταν φιλικοί απέναντι μου, γιατί απλά είχαν το πάνω χέρι.

Ο Υπολοχαγός Μπρούνινγκ δεν ήταν φιλικός προς

όλους. Κατά τη διάρκεια του επόμενου πρωινού, μπήκε αφρίζοντας στο δωμάτιο της φρουράς, και το πρόσωπό του ξεχείλιζε από οργή. Η φρουρά τινάχτηκε όλη στα πόδια της, ενώ εγώ σηκώθηκα όσο πιο νωχελικά μπορούσα. Ήταν προφανές ότι δεν χωρούσε και πολύ νταηλίκι: θα μπορούσε, στην κατάσταση που ήταν, να χρησιμοποιήσει με μεγάλη ευκολία το πιστόλι του. Άρχισε να ουρλιάζει και να βρίζει, κουνώντας τη μικροκαμωμένη λευκή γροθιά του κάτω απ' τη μύτη μου. Ωστόσο, όταν επιτέλους ηρέμησε κι ο θυμός του μετατράπηκε σε αγανάκτηση απέναντι στο απαθές και ανέκφραστο βλέμμα μου, έδωσε κάποιες εντολές στον Λοχία και κατευθύνθηκε προς τα έξω. Καθίσαμε όλοι κάτω για να συνεχίσουμε το πρωινό μας λίγο αμήχανα, μέχρι που έπεσε στην αντίληψή μου το βλέμμα του Λοχία και μου ξέφυγε ένα γελάκι. Τότε όλοι ξέσπασαν σε γέλια. Ο Υπολοχαγός Μπρούνιγκ δεν τύγχανε καθόλου της συμπάθειας των φρουρών.

Το περιεχόμενο των διαταγών του Υπολοχαγού προς τον Λοχία, κατέστη φανερό λίγο αργότερα εκείνο το πρωί. Αμέσως μετά το πρωινό, ζήτησα άδεια για να πάω μέχρι το θάλαμο μου και να ελέγξουν την πληγή μου. Η άδεια μού δόθηκε άμεσα και χωρίς συνοδεία, αλλά μου ζητήθηκε να κάνω όσο πιο γρήγορα μπορούσα. Βρήκα το δρόμο μου προς τον γιατρό.

Δεν βρισκόμουν εκεί περισσότερο από μισή ώρα, όταν ένας απ' την φρουρά μπήκε απότομα στο θάλαμο και μου ζήτησε να τον ακολουθήσω. Διαμαρτυρήθηκα ότι η πληγή μου δεν είχε ακόμα δεθεί, αλλά με διέταξε να βγω έξω αυταρχικά. Τον ακολούθησα κάτω στην κύρια είσοδο. Έξω βρισκόταν σε αναμονή ένα αυτοκίνητο προσωπικού και με έβαλαν μέσα βιαστικά. Ο στρατιώτης κάθισε στη θέση του οδηγού κι ο Λοχίας σκαρφάλωσε στην άλλη μ' ένα απολογητικό χαμόγελο. Ήταν η ώρα για άλλη μια επίσκεψη στον πομπώδη Λοχαγό, στο Στρατηγείο της Κηφισιάς.

Χαλάρωσα. Δεν υπήρχε τίποτα που να με φοβίζει και η ευκαιρία για άλλη μία βόλτα στην Αθήνα, δεν με χάλαγε καθόλου. Με λίγη τύχη μπορεί και να έβρισκα τίποτα αξιοπρεπές να φάω, και σκέφτηκα ότι αν επρόκειτο να γίνει συνήθειο στον Λοχία να μας προσφέρει και λίγο κονιάκ τα βράδια, η ρουτίνα μας εκεί μέσα θα είχε και τις φωτεινές της στιγμές.

Κινούμασταν μέσα στους πολυσύχναστους δρόμους της Αθήνας. Η πείνα και η δυστυχία στις οποίες η πόλη επρόκειτο να υποβληθεί αργότερα, δεν είχαν κάνει ακόμα εμφανή την παρουσία τους. Μεγάλοι πάγκοι στους δρόμους επιδείκνυαν πλούσια τσαμπιά από σταφύλια και επειδή η έδρα της Κηφισιάς στην άλλη πλευρά της Αθήνας, απείχε τουλάχιστον είκοσι λεπτά, ο Λοχίας συμφώνησε στην πρότασή μου και σταμάτησε για να στείλει τον στρατιώτη να αγοράσει δύο-τρία τσαμπιά. Απόλαυσα ιδιαίτερα την έκπληξή στο πρόσωπο του τη στιγμή που του πρόσφερα ένα χαρτονόμισμα των χιλίων δραχμών, για να πληρώσει τα σταφύλια, γιατί με είχε ψάξει πολύ καλά πριν φύγουμε και δεν είχε βρει ούτε ψίχουλο πάνω μου.

Φτάσαμε στο Στρατηγείο και κατεβήκαμε από το αυτοκίνητο. Παρατήρησα με περισσή ικανοποίηση ότι ο στρατιώτης εκείνος που ήταν αυταρχικός και βιαστικός στο θάλαμο του γιατρού λίγο πριν, είχε αποκτήσει τώρα αρκετές σκούρες κηλίδες στο πίσω μέρος της στολής του, και αυτό, διότι έριχνα κάθε τόσο στο μπροστινό κάθισμα ρόγες από σταφύλια. Φαινόταν παιδιάστικο, αλλά ακόμα κι ένας αιχμάλωτος πρέπει να αξιοποιεί όλες τις αφορμές για λίγη διασκέδαση, όταν του παρουσιάζονται. Ο Λοχίας παρατήρησε τους λεκέδες αμέσως, και η θλίψη του ήταν τόσο διασκεδαστική που μετά δυσκολίας κατάφερα τελικά να συγκρατηθώ και να μην ξεσπάσω στα γέλια. Ο Λοχίας αποφάσισε να τον αφήσει να περιμένει στο αυτοκίνητο κι έτσι ανεβήκαμε τα εντυπωσιακά σκαλοπάτια χωρίς αυτόν.

Το πρώτο πράγμα που μου έκανε εντύπωση όταν μπήκαμε, ήταν ένας οργανωτικός οργασμός. Έλληνες έσπευδαν μπρος και πίσω με κουβάδες και σφουγγαρίστρες, Γερμανοί Έφεδροι Αξιωματικοί διέταζαν ο ένας τον άλλο, κι όλοι μαζί διέταζαν τους Έλληνες που γυάλιζαν με ζήλο τα μπρούτζινα πόμολα και τις δρύινες πόρτες. Η απλή αξιοπρεπής εικόνα των χώρων της επιταγμένης Βίλλας Καζούλη που με είχε εντυπωσιάσει κατά την πρώτη μου επίσκεψη, απουσίαζε τώρα εντελώς. Υπέθεσα ότι περίμεναν σύντομα την άφιξη κάποιου αρκετά σημαντικού προσώπου.

Ακόμα κι ο φρουρός, ο οποίος την τελευταία φορά ήταν γεμάτος εγρήγορση και αυταρχικότητα, δεν κοίταζε τη δουλειά του, αλλά έδινε εντολές σε μια καλοβαλμένη ελληνίδα τονίζοντάς της ένα σημείο και την τραβούσε απ' τα μαλλιά κάνοντας φτηνή κι άνανδρη επίδειξη δύναμης.

Περάσαμε ένα φαρδύ διάδρομο, στον οποίο η κάθε πόρτα έφερε κάποιο φρικτό γερμανικό όνομα και τελικά, φτάσαμε μπροστά στις διπλές πόρτες του γραφείου τού Λοχαγού. Ο Λοχίας έκανε να χτυπήσει, αλλά στη συνέχεια δείλιασε, σα να φοβήθηκε. Διέκρινα ότι κάτι τον ανησυχούσε και φάνηκε να επιζητούσε ιδιαίτερα την συνοδεία και του άλλου στρατιώτη.

Στο τέλος χτύπησε.

Κάποιος φώναξε από μέσα και, μετά από κάποιο δισταγμό, ο Λοχίας μ' έβαλε εντός. Σ' εκείνη την αίθουσα, υπήρχαν οκτώ με εννιά άτομα, κυρίως αξιωματικοί, όλοι έχοντας μία εμφανή δυσαρέσκεια για την εισβολή μας.

Κάποιος απ' όλους απηύθυνε μουγγρίζοντας μία ερώτηση στον Λοχία, τον οποίο, είχε λούσει κρύος ιδρώτας. Κατάφερε να τραυλίσει κάποια απάντηση που φαινόταν ν' αναφέρεται σε μένα και στον λόγο που έπρεπε ν' ασχοληθούν με την περίπτωση μου.

Η ίδια φωνή ξέσπασε σε ένα σκληρό υβρεολόγιο, που συνοψίστηκε σε μία διαταγή. Φαντάστηκα πως θα ήταν κάτι σαν, «Πάρτε αυτό το αγγλικό γουρούνι έξω από το γραφείο μου». Εννοείται πως δεν ήμουν ιδιαίτερα ευπρόσδεκτος. Ο Λοχίας χαιρέτησε αμήχανα και με έβγαλε έξω στο διάδρομο, αλλά επειδή η αγριοφωνάρα είχε ξεκινήσει πάλι, ξαναμπήκε μέσα στην αίθουσα, χωρίς να παραλείψει να μου ρίξει μία αγωνιώδη ματιά.

Μέχρι εκείνη τη στιγμή, δεν μου είχε περάσει καθόλου από το μυαλό να προσπαθήσω να το ξανασκάσω. Καθώς, όμως, η πόρτα έκλεισε πίσω μου κι ο απόηχος των θυμωμένων διαταγών ηχούσε μέσα στο κτήριο, άρπαξα την ευκαιρία και κίνησα να διασχίσω τον μακρύ διάδρομο όσο πιο γρήγορα μπορούσα.

Δεν ήταν δύσκολο. Δεν περίσσευε χρόνος ούτε για φόβο, ούτε για ενθουσιασμό. Στο τέλος του διαδρόμου, ακριβώς εκεί που οδηγούσε στη μεγάλη αίθουσα, μια Ελληνίδα σφουγγάριζε. Οι εμπνεύσεις μού έρχονταν η μία μετά την άλλη από το πουθενά, εκείνο το πρωί. Προχώρησα κατ' ευθείαν μπροστά και, αγνοώντας τις έκπληκτες διαμαρτυρίες της, εξοπλίστηκα τόσο με τον κουβά, όσο και με τη σφουγγαρίστρα της βαδίζοντας προς την έξοδο.

Ο φρουρός στεκόταν ακόμα πάνω απ' την άλλη κοπέλα κι απ' το λάγνο βλέμμα στο πρόσωπό του υπέθεσα ότι είχε σταματήσει να της δίνει εντολές. Σε ένα δευτερόλεπτο τον είχα αφήσει αθόρυβα πίσω μου και κατέβαινα τις φαρδιές μαρμάρινες σκάλες που οδηγούσαν στον δρόμο. Στα αριστερά ήταν σταθμευμένο το αυτοκίνητο με τον ντροπιασμένο στρατιώτη. Κινήθηκα προς τα δεξιά και κρατώντας ακόμα τη σφουγγαρίστρα και τον κουβά, μέρα μεσημέρι, έγινα μέρος του πλήθους. Ελεύθερος!

Βέβαια, πριν ακόμα διανύσω εκατό μέτρα, η αυτοπεποίθηση μου είχε υποχωρήσει. Το χακί πουκάμισο που φορούσα, έφερε τα διακριτικά του βαθμού μου στις επωμίδες μου, γεγονός που με καθιστούσε κραυγαλέο και ύποπτο στόχο. Αρκετοί στρατιώτες γούρλωναν τα μάτια τους από έκπληξη καθώς περνούσα και συνειδητοποίησα ότι ο μόνος λόγος που δεν με σταματούν, ήταν διότι θα θεωρούσαν αδιανόητο να περιφέρεται ένας Άγγλος αξιωματικός γύρω από το Αρχηγείο τους, χωρίς τη συνοδεία Γερμανών. Προτιμούσαν ασυνείδητα να μη γελοιοποιηθούν στους ανωτέρους τους κάνοντας ένα τέτοιο λάθος, αλλά πιστεύω ότι η σφουγγαρίστρα κι ο κουβάς τούς μπέρδευε ακόμα περισσότερο.

Οι Έλληνες, απ' την άλλη, μπορούσαν πάντα να ξεχωρίσουν έναν Άγγλο. Καθώς χωνόμουν μέσα στο πλήθος, φευγαλέα κι ενθουσιώδη ψιθυρίσματα έφταναν στ' αυτιά μου από όλες τις πλευρές. Δύο μικρά αγόρια από ανώριμο πατριωτισμό, άρχισαν να με ακολουθούν φωνάζοντάς με δυνατά, «Εγγλέζε, Εγγλέζε». Έδειχναν τους βρώμικους αντίχειρες τους, κάνοντας τον χαιρετισμό που είχανε μάθει από εμάς κατά τη σύντομη περίοδο πριν τη γερμανική εισβολή. Με έφεραν σε πολύ δύσκολη θέση.

Αναρωτιόμουν, ποιος να ήταν ο πιο γρήγορος δρόμος που θα με οδηγούσε μακριά απ' το κέντρο της Κηφισιάς, όταν είδα να με πλησιάζουν δύο Γερμανοί της στρατιωτικής αστυνομίας. Δεν μπορούσα, με τίποτα, να συγκεντρώσω το επαρκές θάρρος που θα χρειαζόταν για να τους προσπεράσω. Υπήρχε μία πινακίδα που διαφήμιζε μία ταβέρνα στην άλλη πλευρά του δρόμου, κι έτσι πέρασα γρήγορα απέναντι σπρώχνοντας μέσα την πόρτα της εισόδου.

Το μεγάλο και μάλλον σκοτεινό ταβερνείο ήταν σχετικά άδειο, αλλά ακριβώς δίπλα στην είσοδο ήταν δύο Γερμανοί φαντάροι που συζητούσαν σοβαρά πάνω από μια μεγάλη κανάτα κόκκινο κρασί. Τα βλέμματα τους τραβήχτηκαν προς στιγμήν πάνω μου καθώς προχώρησα προς τα μέσα και στη συνέχεια συνέχισαν τη συνομιλία τους. Τοποθέτησα τον κουβά και τη σφουγγαρίστρα δίπλα στον καλόγερο που κρέμαγαν τα καπέλα τους κι επέλεξα να καθίσω σε ένα τραπέζι στο πίσω μέρος της αίθουσας ώστε να μπορώ να παρακολουθώ την είσοδο. Ο χώρος ήταν αρκετά σκοτεινός και ήλπιζα πως οι Έλληνες στο κοντινό τραπέζι θα συνέχιζαν με ευφράδεια την συζήτηση τους.

Ο μεγάλος δείκτης του ρολογιού πάνω από τον καλόγερο φαινόταν να κινείται αφόρητα αργά. Το μυαλό μου ήταν στάσιμο. Προσπαθούσα να καταστρώσω κάποιο σχέδιο, αλλά σε κάθε σκέψη που έκανα να κινηθώ απ' την καρέκλα μου με έλουζε κρύος ιδρώτας και μούδιαζα από το φόβο μου. Γνώριζα, όμως, πως οι ευκαιρίες μου θα ξεθώριαζαν όσο κυλούσε ο χρόνος. Η μόνη δυνατή και άνετη λύση θα ήταν, αν με μπόλικη τύχη κατάφερνα να παραμείνω στην ταβέρνα όλη την υπόλοιπη ημέρα χωρίς να με εντοπίσουν, και να ξεγλιστρούσα μακριά όταν σουρούπωνε.

Ο Έλληνας ταβερνιάρης είχε αρχίσει να κινείται με κάποια ανησυχία ανάμεσα στα άδεια τραπέζια, όταν ξαφνικά τα μάτια του πρόσεξαν ότι το τραπέζι με τους Έλληνες δεν είχε εξυπηρετηθεί ακόμη.

Περνώντας από κοντά μου, έριξε ένα σύντομο και

φωτεινό βλέμμα. Τρία βήματα πριν το τραπέζι, σταμάτησε απότομα, το χαμόγελό του εξαφανίστηκε και του έπεσε ο δίσκος που κρατούσε. Το πώς καταλάβαιναν οι Έλληνες την καταγωγή μου τόσο γρήγορα, ήταν ένα μυστήριο που επαναλαμβανόταν συνεχώς, καθ' όλη τη διαμονή μου στην χώρα τους.

Όσο συμπαθής κι αν μου ήταν ο ιδιοκτήτης της ταβέρνας, η έξαψη του, αποτελούσε μεγάλο κίνδυνο για μένα. Απέναντι στην αίθουσα, οι δύο Γερμανοί παρακολουθούσαν άπραγοι και οι Έλληνες στα δεξιά μου κοιτούσαν περίεργα. Τράβηξα γρήγορα όλα μου τα χρήματα -περίπου οκτώ χιλιάδες δραχμές- και τα κράτησα απρόσεκτα στο χέρι μου. Ψάχνοντας τον δίσκο του και ρίχνοντας βιαστικές ματιές στους γύρω του, δίστασε ακόμη περαιτέρω. Στη συνέχεια, το πήρε απόφασή. Έσκυψε κάτω, έκανε ότι μαζεύει μερικά ανύπαρκτα σκουπίδια από το πάτωμα και πλησίασε το ελληνικό τραπέζι σαν να ήταν αυτή η πρόθεση του απ' την αρχή. Πήρε την παραγγελία συνομιλώντας μαζί τους χαμηλόφωνα για λίγα λεπτά, και στη συνέχεια εξαφανίστηκε πίσω απ' την κουρτίνα, που προφανώς κρυβόταν η κουζίνα και η κάβα του.

Η βεβαιότητα ότι ήταν με το μέρος μου με φόβιζε, αλλά σε κάθε περίπτωση, ήταν κάτι πολύ ενθαρρυντικό. Αν είχε, μη πατριωτικά αισθήματα, θα μπορούσε να ειδοποιήσει αμέσως τους δύο Γερμανούς που, εντωμεταξύ, είχαν ξαναρχίσει την κουβέντα τους.

Λίγα λεπτά αργότερα, ο ταβερνιάρης επανεμφανίστηκε έχοντας από ένα δίσκο σε κάθε χέρι. Το χαμόγελό του ήταν σίγουρα λίγο στημένο, αλλά πέραν αυτού, συμπεριφερόταν εξαιρετικά. Ήρθε στο τραπέζι και προς έκπληξή μου, ακούμπησε τον μεγαλύτερο από τους δίσκους μπροστά μου. Τον είχα παρεξηγήσει γιατί δεν κοίταξε καν το χαρτονόμισμα των 1000 δραχμών που του πρόσφερα. Μουρμούρισε κάτι ακατάληπτο στα ελληνικά και πριν προλάβω να ανοίξω το στόμα μου για να τον ευχαριστήσω, είχε απομακρυνθεί εξυπηρετώντας το άλλο τραπέζι.

Έριξα μια ματιά στον δίσκο μου και το μεγαλύτερο μέρος της πεποίθησης μου επανήλθε. Ένα υπέροχα τηγανισμένο ψάρι με λεμόνι και άφθονες αποφλοιωμένες και λεπτοκομμένες πατάτες. Επιπλέον, μία καράφα μισογεμάτη με κόκκινο κρασί. Έχοντας κάτι να κάνω τώρα με τα χέρια μου ήταν πιο εύκολο να φέρομαι φυσιολογικά στους γύρω. Οι Γερμανοί συνέχιζαν να παραμένουν αδιάφοροι κι ο Έλληνας ο οποίος μου φερόταν θετικά έλαμψε όταν του 'κλεισα το μάτι για να τον ευχαριστήσω. Αναρωτιόμουν αν θα μπορούσα να βασιστώ επάνω του και μετά την αποχώρηση των Γερμανών.

Δοκίμασα λίγο από το κρασί. Είχε έντονη γεύση, αλλά μου ήταν πολύ ευχάριστο. Μετά από λίγο, άρχισα να αισθάνομαι τη ζεστή λάμψη του να εξαπλώνεται στα σωθικά μου, κι από εκείνη τη στιγμή ξεκίνησα να βλέπω και την αστεία πλευρά της κατάστασης την οποία, μάλιστα, απολάμβανα.

Κύλησε μια ώρα χωρίς επεισόδια. Τελείωσα την καράφα μου, η οποία ξαναγέμισε. Οι Έλληνες έφυγαν, και μου χαμογέλασαν ενθαρρυντικά. Οι Γερμανοί, όμως, φαίνεται πως ήθελαν να περάσουν όλο το απόγευμα εκεί. Έπιναν σταθερά και ήλπιζα πως η λογική τους θα αμβλυνόταν λίγο διότι ο ένας από δαύτους, περιστασιακά, κοίταζε σταθερά προς το μέρος μου. Παρά την αυξημένη αυτοπεποίθηση μου, δεν είχα το θάρρος να περπατήσω δίπλα τους προς την πόρτα.

Ήταν σχεδόν τρεις, πριν κλιμακωθεί η κατάσταση. Αισθανόμουν ξαναμμένος και πλήρης από το κρασί, ονειροπολώντας για την αντίδραση του καλού Λοχία, όταν συνειδητοποίησα ότι άρχισε κάποια φασαρία έξω. Στη συνέχεια, με έναν αιφνίδιο τρόμο, είδα μέσα απ' τα τζάμια της πόρτας, φαρδιά κράνη να πηδούν από το πίσω μέρος ενός φορτηγού. Η πόρτα άνοιξε διάπλατα και οκτώ με εννιά στρατιώτες ποδοβόλησαν μέσα στην ταβέρνα, φωνάζοντας διαταγές και κάνοντας με τις βαριές μπότες τους εκκωφαντική φασαρία πάνω στο ξύλινο πάτωμα. Οι δύο Γερμανοί είχαν αμέσως δεχτεί επίθεση από ερωτήσεις. Ήξερα ότι όλα είχαν τελειώσει. Δύο δάχτυλα κι άλλα δέκα τουφέκια με έδειχναν κατηγορηματικά και είχαν αρχίσει να με πλησιάζουν. Σήκωσα τα χέρια μου ψηλά και σηκώθηκα αργά.

Πίσω στο Στρατηγείο ο Λοχίας με αναγνώρισε. Ήταν πολύ φοβισμένος και τα μάτια του με κατηγορούσαν με πικρία, ενώ ένας από τους διερμηνείς είχε ξεκινήσει τις συνήθεις ερωτήσεις. Τον λυπόμουνα, αλλά έπεισα τον εαυτό μου ότι η αντίδραση μου ήταν αυτονόητη, διότι αποτελούσε μέρος των καθηκόντων μου, ως Βρετανός Αξιωματικός, να μη συμμερίζομαι οποιονδήποτε Γερμανό.

Μια διαφορετική φρουρά με πήγε πίσω στο νοσοκομείο και βρέθηκα και πάλι, καλά κλειδωμένος στο κελί μου. Ο Υπολοχαγός Μπρούνινγκ είχε την ευχαρίστηση να με προειδοποιήσει ότι είχε παραγγείλει να περάσω στρατοδικείο.

Απ' τη ζωή στα κελιά, κατά τις επόμενες λίγες ημέρες, έλειπε η πρώην διασκεδαστική και σχεδόν εγκάρδια ατμόσφαιρα. Η φρουρά ήταν ευγενική και μου επέτρεπε να τρώω μαζί τους, αλλά σιωπηλά με αποδοκίμαζαν. Ο εκτελών χρέη Φρούραρχου μού εξήγησε ένα βράδυ, ότι ο Λοχίας είχε φάει μια εβδομάδα φυλακή σε κρατητήρια, για την απροσεξία του. Και τα στρατιωτικά κρατητήρια για Γερμανούς, ήταν γνωστά για τη βαρβαρότητα τους.

Μετά από λίγες ημέρες, επισκέφθηκα ξανά το Αρχηγείο στην Κηφισιά -αυτή τη φορά για το στρατοδικείο μου. Μετά από μια δίκαιη και σωστή δίκη, κρίθηκα ένοχος. Προς μεγάλη απογοήτευση του Υπολοχαγού Μπρούνινγκ, η τιμωρία ήταν αμελητέα, λόγω της πληγής μου. Με διέταξαν να πληρώσω το κόστος του κουβά και της σφουγγαρίστρας και με προειδοποίησαν στο μέλλον να είμαι υπόδειγμα κρατουμένου!

Πίσω στο νοσοκομείο, με έβαλαν στο κρεβάτι τού θαλάμου για τέσσερις μέρες και η ξεκούραση μου ήταν απολαυστική. Ωστόσο, όταν άρχισα να κινούμαι γύρω και πάλι, βρήκα τα πράγματα μάλλον δύσκολα. Η μεγαλύτερη δυσκολία έγκειτο στο γεγονός ότι όλη η φρουρά είχε μάθει πλέον την εμφάνιση και τ' όνομα μου. Με χαιρετούσαν πάντα με ένα χαμόγελο γεμάτο νόημα ότι με παρακολουθούσαν στενά. Μετά από πολλή συζήτηση και σκέψη, συνειδητοποίησα με κατάθλιψη ότι δεν υπήρχε άλλη ελπίδα για μένα στην Αθήνα, πόσο μάλλον αλλού. Οι γιατροί με καταχώρησαν ως «θεραπευμένο» και πρότειναν να σταλώ βόρεια προς κάποιο άλλο στρατόπεδο αιχμαλώτων. Έγραψα ένα δακρυσμένο γράμμα στους γονείς μου, και τους ζήτησα να πουν στην Αντέλ ότι το μέλλον μου ήταν πλέον περισσότερο αβέβαιο από ποτέ ... και πως το πιθανότερο ήταν να μην ξανακούσουν ποτέ από μένα...

Η πορεία των μετακινήσεων του Τόμας μετά την Κρήτη

ΘΕΣΣΑΛΟΝΙΚΗ:
Η ΤΕΛΙΚΗ ΑΠΟΔΡΑΣΗ

Ο καλοκάγαθος Λοχίας καθυστερούσε την αναχώρηση των φορτηγών μέχρις ότου ολοκληρωθούν όλοι οι αποχαιρετισμοί. Εν τέλει, ξεκίνησαν να κατηφορίζουν στους κακοτράχαλους δρόμους με προορισμό το βομβαρδισμένο λιμάνι της Αττικής. Στον Πειραιά, μέχρι να πάρει ο Λοχίας αντίγραφο της «φορτωτικής» μας από ένα νεαρό Γερμανό Πλοίαρχο, μας παρέταξαν και τους σαράντα εννιά σε τρεις γραμμές μαζί με τα υπάρχοντα μας. Πριν μας εγκαταλείψει ο Λοχίας, με πλησίασε και μου έσφιξε το χέρι. Σαφώς και δεν έπαυε να είναι Γερμανός, αλλά και πάλι αν δεν ήταν, δε θα είχε την ίδια αξία η πράξη του -για 'κείνον αποτελούσε μεγαλύτερο ρίσκο το να εξωτερικεύσει κάποιο συναίσθημα συμπάθειας για έναν εχθρό, παρά για μένα. Εννοείται πως ο νεαρός αξιωματικός που είδε το συμβάν άφησε να φανεί ξεκάθαρα μία έκφραση δυσαρέσκειας.

Μας πήγανε βάδην κατά μήκος της κατεστραμμένης αποβάθρας και μας φόρτωσαν σε ένα φορτηγό ατμόπλοιο, το πολύ πέντε χιλιάδων τόνων. Στο κατάστρωμα του πλοίου *Κρήτη* πήραν θέση για να μας επιτηρούν τρεις ατημέλητοι Γερμανοί στρατιώτες, μέχρι να βγει και να αγκυροβολήσει έξω από το λιμάνι.

Κατά το σούρουπο, ανέβηκε στο πλοίο ο πιλότος για να μας οδηγήσει προσεκτικά ανάμεσα στα αμέτρητα ναυάγια, ένα εκ των οποίων ήταν κι η διάσημη βασιλική θαλαμηγός *Αμφιτρίτη*, που βομβαρδίστηκε εγκληματικά τον Απρίλιο του '41 ενώ εκτελούσε χρέη πλωτού νοσοκομείου και ήταν γεμάτη από τραυματίες. Αγκυροβολήσαμε στη ράδα του Πειραιά για διανυκτέρευση.

Παρόλη τη στεναχώρια που είχα επειδή με πήγαιναν βόρεια, χωρίς να ξέρω πού, δεν μπορούσα να αγνοήσω το γεγονός ότι οι περιστάσεις κάτω από τις οποίες γινόταν η μεταφορά μας με το πλοίο, συνέθεταν μία ανεπανάληπτη ευκαιρία για μία εντυπωσιακή απόδραση. Για τη φρούρηση μας, οι Γερμανοί είχαν διαθέσει έναν Δεκανέα και έξι στρατιώτες. Προσωπικά, δεν είχα ξανασυναντήσει σε καμία απ' τις δύο πλευρές του πολέμου, μία τόσο χαλαρή κι ανέμελη φρουρά όσο αυτή που μας συνόδευε. Οι τρεις σκοποί ήταν σε βάρδια, και οι άλλοι τρεις ξεκουράζονταν. Η βάρδια για τους τρεις σε επιφυλακή, σήμαινε άραγμα στα κάγκελα του πλοίου με τους κρατούμενους να συνωστίζονται γύρω τους. Με οποιοδήποτε σήμα, μέσα σε δέκατα του δευτερολέπτου, και οι τρεις τους μπορούσαν να βρεθούν στη θάλασσα. Οι υπόλοιποι τρεις ξεκουράζονταν σε μία καμπίνα που κλείδωνε εύκολα με μία σιδερένια πόρτα. Ο Γερμανός Πλοίαρχος δεν έφερε πιστόλι πάνω του, αν και θα είχε σίγουρα ένα στην καμπίνα του. Η μόνη ανησυχία για μας, ήταν οι δύο ναυτικοί που βρίσκονταν στη Γέφυρα.

Το σκεπτικό ήταν προφανές. Το ταξίδι θα διαρκούσε τρεις με τέσσερις μέρες. Εάν, κατά τη διάρκεια κάποιου απογεύματος καταλαμβάναμε το πλοίο, τα παράλια της Μικράς Ασίας δεν θα απείχαν απ' την πορεία μας πάνω από μία νύχτα πλεύσης. Τα απογεύματα αποτελούσαν την ιδανικότερη στιγμή για τον έλεγχο του πλοίου, διότι τα βράδια δεν γίνονταν αεροπορικές καταδιώξεις -είχαμε θεωρήσει βέβαιο ότι δε θα προλαβαίναμε να σταματήσουμε το Μαρκόνι ώστε να μη στείλει σήμα με τον ασύρματο.

Τη δεύτερη νύχτα, ξεγλίστρησα εύκολα απ' τη φρουρά την ώρα που στοιβάζανε τους κρατούμενους στ' αμπάρια του πλοίου. Χώθηκα μέσα σε μία ανθρωποθυρίδα και κατάφερα να φτάσω στην αίθουσα που μαζεύονταν οι Έλληνες ναυτικοί του επιστρατευμένου πλοίου. Με χαιρέτισαν θερμά και πιάσαμε μία μακρά και δυσνόητη κουβέντα διανθισμένη από διεθνείς λέξεις και χειρονομίες. Μου εξήγησαν πειστικά, ότι ο μόνος λόγος που βρίσκονταν εκεί, ήταν για να τροφοδοτούν την Ελλάδα και διότι οι οικογένειες τους θ' απειλούνταν από αντίποινα, σε περίπτωση που αρνούνταν να δουλέψουν υπό τον γερμανό Πλοίαρχο που τους επεβλήθη. Πάντως, μέχρι να τους αφήσω την αυγή, με είχαν εμπιστευτεί περισσότερο και με διαβεβαίωσαν, πως αν γίνει ανταρσία και πετύχει, θα μας πήγαιναν στην Τουρκία ή ακόμα μακρύτερα στην Αλεξάνδρεια, έστω κι αν ήταν πιο επικίνδυνο. Δεν θα έπαιρναν μέρος στις συμπλοκές, γιατί δεν ήθελαν να έχουν μπλεξίματα οι οικογένειες τους. Μπορούσαμε, όμως, να βασιστούμε στην παθητική τους στάση αν λάμβαναν χώρα μάχες, αλλά και στην πλήρη συνεργασία τους σε περίπτωση που αποκτούσαμε τον έλεγχο του πλοίου. Έμεινα κάτι περισσότερο από ευχαριστημένος.

Γνώριζα ότι δυο-τρία άτομα θα συνεργάζονταν μαζί μου. Γείραμε έξω απ' τα κάγκελα της κουπαστής και δουλέψαμε τις λεπτομέρειες. Για να εξασφαλίζαμε την επιτυχή έκβαση του εγχειρήματος, χρειαζόμασταν τρεις άντρες για κάθε φρουρό που θα είχε βάρδια, δύο για να κλειδώσουν τους υπόλοιπους μες στις καμπίνες τους και, τέλος, εμένα με άλλους τέσσερις για να χειριστούμε το πλήρωμα της Γέφυρας. Ο σχεδιασμός αυτός, απαιτούσε συνολικά δεκαέξι άτομα.

Πλησιάσαμε τους υπόλοιπους, σχεδόν πενήντα, κρατουμένους. Παρόλη την πειθώ, τα παρακάλια και στο τέλος τον θυμό μας, μόλις επτά έδωσαν τη συγκατάθεση τους. Ένας αξιωματικός κι ένας λοχίας έσπευδαν να επηρεάσουν σχεδόν τον καθένα ξεχωριστά, να κρατήσει αρνητική στάση στο σχέδιο μας. Ισχυρίζονταν, ότι μπορεί να υπήρχαν εκρηκτικά στο πλοίο και ότι οι Ναζί θα το ανατίναζαν ολόκληρο αν έβλεπαν ότι πετύχαινε η ανταρσία. Επίσης, ότι ο Γερμανός αρχηγός της Φρουράς μάς είχε μεταχειριστεί με ανθρωπιά και γι' αυτό θα έπρεπε να του φερθούμε κι εμείς ανάλογα, δηλαδή με το να παραμείνουμε αιχμάλωτοι του!

Έτσι, αναγκαστήκαμε να εγκαταλείψουμε την ιδέα. Έφτασα στο σημείο, σχεδόν, να κλαίω απ' την απογοήτευση μου. Το μέλλον, πάντως, θα με έβρισκε να επιβεβαιώνω στο Γενικό Αρχηγείο του Καΐρου, την αυθεντικότητα ενός αρχείου της Υπηρεσίας Πληροφοριών που αφορούσε στις μαρτυρίες του σχεδίου αυτού, τριών μελών τού πληρώματος τού *Κρήτη*, τα οποία κατάφεραν αργότερα να αποδράσουν στην Αίγυπτο.

Ελιχθήκαμε ανάμεσα στο Λαύριο και την Κέα και εισήλθαμε στο Νότιο Ευβοϊκό με ρότα προς τα στενά του

Νεγροπόντε.[8] Το πλοίο αγκυροβολούσε κάθε σούρουπο και ξεκινούσε πάλι κάθε αυγή. Ο φόβος για εμφάνιση συμμαχικών υποβρυχίων ήταν εμφανής. Το τρίτο πρωί, αφού αφήσαμε τις Θερμοπύλες στ' αριστερά μας, αγκυροβολήσαμε έξω απ' τη Στυλίδα, λίγο νοτιότερα από τον κόλπο του Βόλου.

Την άλλη μέρα, λίγο μετά το μεσημέρι της 30^{ης} Οκτωβρίου 1941, έχοντας δυτικά μας τις χιονισμένες κορφές του Ολύμπου καταπλεύσαμε μέσα στον Θερμαϊκό Κόλπο για να δέσουμε στο ιστορικό λιμάνι του.

Αποβίβαση αιχμαλώτων πολέμου στο λιμάνι της Θεσσαλονίκης, 1941[9]

Ψηλά, πάνω από το λιμάνι, τα παλαιά πέτρινα τείχη της Θεσσαλονίκης, οι πύργοι και τα κάστρα προσέδιδαν μία μεσαιωνική ατμόσφαιρα, αλλά τα πράγματα γύρω απ' τις αποβάθρες ήταν πιο εκσυγχρονισμένα. Υπήρχαν γερμανικά πλεούμενα παντού, ανακατεμένα με λίγα ιταλικά καταδρομικά κι αντιτορπιλικά. Γερμανοί ναύτες, κανείς τους πάνω από 18 χρονών, έκαναν παρέλαση πάνω κάτω στο λιμάνι, χαιρετώντας ασταμάτητα τους καλοντυμένους

⁸ Χαλκίδα
⁹ Συλλογή Β. Μήτου, Η Θεσσαλονίκη κατά τη Γερμανική Κατοχή, Εκδόσεις Ποταμός.

ανωτέρους τους. Όλοι τους ήταν καταπιασμένοι με κάτι, αλλά δεν μπορούσαν να κρύψουν το μεγάλο ενδιαφέρον τους για εμάς τους Εγγλέζους που, καθώς μας ξεφόρτωναν, μας οδηγούσαν κατευθείαν στα καμιόνια του Ερυθρού Σταυρού. Τα φορτηγά ξεκίνησαν και προχώρησαν κατά μήκος της παραλιακής ζώνης. Λίγα λεπτά αφότου αφήσαμε στα δεξιά μας τον περιβόητο Λευκό Πύργο, φτάσαμε μπροστά στις πύλες του στρατοπέδου που ήταν ο τελικός προορισμός μας.[10] Η καρδιά μου σκοτείνιασε από το θέαμα. Εδώ δεν υπήρχε μία απλή περίφραξη νοσοκομείου. Επρόκειτο για ένα αληθινό στρατόπεδο συγκέντρωσης με μεγάλα αγκαθωτά συρματοπλέγματα να το περιτρέχουν από γωνία σε γωνία. Σε όλη την περίμετρο, υπήρχαν πύργοι με σκοπούς που καθάριζαν αυτάρεσκα τα πολυβόλα τους. Πίσω απ' τις πόρτες, μαζεύτηκε πλήθος ατημέλητων και κακοθρεμμένων κρατουμένων που μας παρατηρούσε ενώ εμείς σχηματίζαμε σειρές για να ελεγχθούν τα πράγματα μας.

Μέχρι να συγκεντρωθούν όλα τα υπάρχοντα μας μπροστά στην πύλη κι ο Φρούραρχος να φανεί ευχαριστημένος που δεν βρέθηκε τίποτε πάνω μας που θα μπορούσε να χρησιμοποιηθεί για απόδραση, είχε σχεδόν νυχτώσει. Οι μεγάλες πόρτες άνοιξαν και ξεχυθήκαμε μέσα για να μοιραστούμε σε διάφορα κτήρια.

Σε ένα μεγάλο κοιτώνα, συνάντησα μερικούς αξιωματικούς που είχαν μεταφερθεί παλαιότερα με τον ίδιο τρόπο απ' την Αθήνα. Αρχίσαμε γρήγορα να ανταλλάσουμε μεταξύ μας εμπειρίες κι έτσι άρχισα να νοιώθω

Απομεινάρια κοιτώνα στο πρώην στρατόπεδο Παύλος Μελάς

---

[10] Πρόκειται για το πρώην στρατόπεδο αιχμαλώτων πολέμου "Παύλος Μελάς" του οποίου τα ερείπια κείτονται ακόμα στη Σταυρούπολη Θεσσαλονίκης.

περισσότερο οικεία ανάμεσα τους. Δύο από 'κείνους τούς συμπάθησα αμέσως. Ο Υπολοχαγός Λεσέφ, ψηλός, σκουρόχρωμος με χαμηλή φωνή, είχε αιχμαλωτιστεί με τη μονάδα του, την 7η Νοσοκομειακή Αυστραλίας, στο Ηράκλειο της Κρήτης μετά από καταδίωξη των Ναζί. Ο Ταγματάρχης Ρίτσαρντ Μπαρνέτ, ένας συνηθισμένος αξιωματικός, ήταν επικεφαλής της μονάδας του όταν πιάστηκε όλη αιχμάλωτη την ώρα μιας βραδινής αναγνώρισης.

Στο στρατόπεδο της Θεσσαλονίκης, η κατάσταση ήταν πολύ άσχημη από όλες τις πλευρές. Στο παρελθόν, είχαν λάβει χώρα πολλές και σοκαριστικές θηριωδίες από φύλακες που ήταν πρώην μέλη της ναζιστικής νεολαίας. Ο Μπαρνέτ, μάλιστα, προσπαθούσε να εξιχνιάσει εκείνη την περίοδο μία συγκλονιστική περίπτωση. Ένας Γερμανός φρουρός είχε πετάξει μία χειροβομβίδα σε ένα αποχωρητήριο με φυλακισμένους που είχαν δυσεντερία, και η σφαγή που προκλήθηκε ήταν τρομακτική. Η μόνη εξήγηση που δόθηκε στις διαμαρτυρίες του, ήταν πως οι κρατούμενοι το προκάλεσαν επειδή ψιθύριζαν ύποπτα. Οι αρχές υποστήριζαν αδιακρίτως τις πράξεις των φρουρών.

Σε μία πρόσφατη ανεπιτυχή προσπάθεια απόδρασης, τρεις άντρες πυροβολήθηκαν επί τόπου και οι σωροί τους αφέθηκαν σε κοινή θέα κάτω από τον ήλιο για μέρες, ενώ κάποιους άλλους δραπέτες, αφού τους τύλιξαν με αγκαθωτό σύρμα, τους μαστίγωσαν προς γενικό παραδειγματισμό. Μεθυσμένοι φύλακες έμπαιναν ευκαίρως-ακαίρως, στους κοιτώνες και χτυπούσαν άοπλους κρατουμένους, ενώ ο Διοικητής των νεαρών Ναζί τους ρωτούσε καθημερινά για το αν είχαν καθαρίσει τίποτα εγγλέζικα γουρούνια, κι αποζητούσε αφορμές για να τους επιβραβεύει με ενθουσιασμό.

Υπήρχε μία κατάσταση συνεχούς ανησυχίας που ήταν πολύ διαφορετική απ' τη μεταχείριση που είχα στην Αθήνα. Ακούγοντας τα, όλα αυτά, είχα μετανιώσει πικρά που είχα προκαλέσει τη φυγή μου απ' την Κοκκινιά.

Το στρατόπεδο αυτό, ήταν ένας παλιός Ελληνικός Στρατώνας του Πυροβολικού και οι Γερμανοί το είχαν αφήσει παντελώς ασυντήρητο, με αποτέλεσμα να περιέλθει σε δραματική υγειονομική κατάσταση χωρίς καν την ύπαρξη αποχέτευσης.

Εκατομμύρια μύγες περιτριγύριζαν τα αποχωρητήρια και τα μαγειρεία, σχηματίζοντας μαύρους σωρούς γύρω από το χώρο των απορριμμάτων, αλλά και δεκάδες βρώμικες γάτες τρύπωναν συνεχώς μέσα στους κοιτώνες.

Οι κρατούμενοι που βρίσκονταν μες στο σύμπλεγμα αυτό, ήταν όσοι είχαν απομείνει από έναν μεγάλο αριθμό αιχμαλώτων που είχε ήδη προωθηθεί στη Γερμανία. Υπήρχαν τριάντα αξιωματικοί και καμιά διακοσαριά άνδρες -οι εκατόν πενήντα των οποίων ήταν σακάτες.

Το κεντρικό κτήριο του Στρατοπέδου

Περίπου δεκαπέντε απ' όλους εκείνους είχαν πιαστεί πρόσφατα εντός ή γύρω απ' τη Θεσσαλονίκη. Αυτοί αποτελούσαν εξ ορισμού μία σημαντική ομάδα για μένα και γι' αυτό κοίταξα αμέσως να τους πλησιάσω, για να μπορέσω να αποσπάσω πολύτιμες πληροφορίες.

Μερικοί το είχαν ήδη σκάσει και είχαν ξαναπιαστεί τέσσερις με πέντε φορές· το πιο αστείο περιστατικό, μάλιστα, αφορούσε σ' έναν Αυστραλό που το έσκαγε κάθε Παρασκευή, αλλά τον έπιαναν κάθε φορά στο ίδιο κακόφημο σπίτι, οι Γερμανοί θαμώνες του. Άλλοι με υψηλότερα κίνητρα απόδρασης, έμεναν έξω για μεγαλύτερες περιόδους μέχρι να συλληφθούν στα σύνορα με την Τουρκία ή εν πλω προς την ελευθερία.

Ένας ψηλός Νεοζηλανδός Λοχίας, με προφανή αίσθηση του χιούμορ, δεν δίστασε ν' αρπάξει την ευκαιρία που του προσφέρθηκε όταν, κατά τη διάρκεια μίας πολύ βροχερής μέρας, έτυχε να επισκεφτεί το νοσοκομείο του στρατοπέδου ένας Γερμανός αξιωματικός ο οποίος είχε κρεμάσει το πανωφόρι και το καπέλο του στον προθάλαμο της υποδοχής, ακριβώς έξω από το δωμάτιο των φρουρών. Ο Λοχίας, έσπευσε να φορέσει και τα δύο ταχύτατα και μέσα στην καταρρακτώδη βροχή κινήθηκε προς την πύλη σαν να είχε έρθει η ώρα να αποχωρήσει με φυσικότητα από το στρατόπεδο. Οι φύλακες, μόλις διέκριναν τα διακριτικά του καπέλου του, κοκάλωσαν αμέσως και τον χαιρέτησαν στρατιωτικά καθώς εκείνος χανόταν, σαν να μη συμβαίνει τίποτα, στους δρόμους της Θεσσαλονίκης. Ήταν μία θεαματική απόδραση που προκαλούσε σε όλους μας έξαψη.

Μία άλλη περίπτωση ήταν εκείνη ενός μακρυμάλλη τύπου από το Σάσσεξ που κατάφερε να μεταφερθεί εκτός στρατοπέδου έχοντας κρεμαστεί κάτω από το φορτηγό ενός προμηθευτή. Ένας άλλος νεαρός Λονδρέζος μάς περιέγραψε το πώς είχε βγει εκτός στρατοπέδου έχοντας τρυπώσει μέσα σ' ένα κάδο σκουπιδιών.

Λίγο πριν κερδίσω την εμπιστοσύνη των κρατουμένων, είχε ήδη αρχίσει να συγκροτείται ακόμα ένα μαζικό σχέδιο απόδρασης, αφού είχαν στη διάθεση τους, πλέον, και τη συσσωρευμένη εμπειρία πολλών πρώην δραπετών.

Εν τω μεταξύ, όμως, η ατμόσφαιρα στους κοιτώνες των αξιωματικών ήταν δυσάρεστη. Συνέβαιναν σοβαρές διαμάχες για το φαγητό, αψιμαχίες μεταξύ του ιατρικού προσωπικού και των στρατιωτών για το ποιος είναι ανώτερος και διάφορες άλλες φασαρίες για τα δικαιώματα των Ανώτερων Αξιωματικών εν Αιχμαλωσία. Σε κάποια φάση, μάλιστα, το θυμικό είχε ανέβει τόσο πολύ, ώστε κάποια απ' τις δύο πλευρές πήγε και κάλεσε ένα Γερμανό για να λύσει τη διαφορά!

Δεν ήταν ένα ευχάριστο μέρος να βρίσκεται κάποιος, και γι' αυτό χάρηκα ιδιαίτερα όταν ο Ντικ Μπαρνέτ με προσκάλεσε να μοιραστούμε το δωμάτιο που τού έδωσαν, εξαιτίας του βαθμού του.

Ο Μπαρνέτ δεν κρατούσε αδιάφορη στάση προς την ιδέα της απόδρασης. Είχε δραπετεύσει τουλάχιστον μία φορά στην Κρήτη και παρότι ήταν σαραντάρης, ήταν αποφασισμένος να ρισκάρει τα πάντα προκειμένου να επιστρέψει στη μονάδα του. Για όσο καιρό βρισκόταν εκεί, εφάρμοζε επιμελώς την πατροπαράδοτη τακτική τού να προκαλεί όσο το δυνατόν περισσότερη αναταραχή μπορούσε σ' εκείνους που τον κρατούσαν αιχμάλωτο. Νομίζω πως ο Μπαρνέτ, κατά τη διάρκεια των πρώτων ημερών, με ζύγιζε ώστε να καταλάβει πώς θα συμπεριφερόμουν στην περίπτωση που αποδρούσαμε και θα έπρεπε να περάσουμε μαζί κάμποσο καιρό ως δραπέτες.

Έτσι λοιπόν, ξεκινήσαμε να ξεδιπλώνουμε τα σχέδια μας.

Το μόνο σημείο του στρατοπέδου που μας απασχολούσε, ήταν το μικρό κομμάτι στο οποίο βρισκόμασταν εγκλωβισμένοι. Όλα τα άλλα σημεία γύρω ήταν εγκαταλελειμμένα και αφύλακτα, εκτός από εκείνο που βρισκόταν ακριβώς στ' ανατολικά μας και χρησιμοποιούταν για την φυλάκιση πολιτικών κρατουμένων, Ελλήνων και Γιουγκοσλάβων. Μια μέρα, μάλιστα, είδαμε εκεί μία ηλικιωμένη κυρία να εκτελείται επειδή είχε παράσχει σημαντική βοήθεια σε αρκετούς συμμάχους που είχαν αποδράσει.

Ο δικός μας χώρος ήταν στενόμακρος, περίπου τριακόσια μέτρα μήκος επί διακόσια πλάτος, και περιείχε εφτά μεγάλες καλύβες για κοιτώνες, ένα μαγειρείο κι ένα μεγάλο καινούργιο κτήριο. Η μόνη έξοδος βρισκόταν στη βορειοδυτική γωνία κι εκτός απ' τις περιπλανώμενες περιπόλους, οι Γερμανοί βασίζονταν κυρίως στις σκοπιές για να επιτηρούν όλο το χώρο. Στη νότια πλευρά, τα φυλάκια ήταν δύο εξάμετροι πύργοι, με τον καθένα να έχει πάνω του δύο σκοπούς, ένα πολυβόλο κι έναν κινούμενο προβολέα. Στα βόρεια, ήταν οι φύλακες της πύλης, πιο ψηλά εκείνοι του πύργου πάνω απ' την πύλη και δύο σκοποί με οπλοπολυβόλο τοποθετημένοι πάνω στο στέγαστρο μίας μικρής αποθήκης ζωοτροφών. Η νότια και η ανατολική πλευρά, συνόρευαν με άλλα τμήματα του στρατοπέδου, η δυτική με έναν ανοιχτό χώρο κι έναν δρόμο της πόλης και η βόρεια πλευρά, μ' ένα φαρδύ χαλικοστρωμένο δρομάκι που χώριζε τα κτίσματα απ' τα σκουπίδια και οδηγούσε στους στάβλους.

Ένα ολόκληρο πρωινό καθόμασταν και σχεδιάζαμε μελετώντας αμέτρητα διαγράμματα ενοχλούμενοι από το γεγονός ότι η μπροστινή, η νότια κι η ανατολική πλευρά ήταν σχεδόν απροσπέλαστες. Κρατήσαμε ως υποψήφια έξοδο διαφυγής τη βόρεια πλευρά μόνο, χωρίς να τρέφουμε και πολλές ελπίδες ότι θα μας έδινε την λύση που ψάχναμε. Όπως και οι άλλες, είχε καμιά τριακοσαριά μέτρα διπλό συρματόπλεγμα που είχε τρία μέτρα ύψος και τρία μέτρα φάρδος, αλλά με μία διαφορά: υπήρχαν δύο κτήρια που παρεμβάλλονταν και διέκοπταν την συνεχόμενη επίγεια περίφραξη, αν και το συρματόπλεγμα ανέβαινε στο πλάι τους και συνέχιζε στην οροφή. Δεν τα περιέκλειε, όμως, κι από πίσω.

Το ένα κτήριο ήταν το μαγειρείο. Είχε ένα παχύ τσιμεντένιο τοίχο για πλάτη και, επιπλέον, ήταν και σε απόσταση βολής από τον πυργίσκο που βρισκόταν πίσω του. Το περιτριγυρίζαμε άσκοπα για κάνα μισάωρο και στο τέλος το απορρίψαμε ως απροσπέλαστο.

Το δεύτερο, ήταν ένα σχετικά καινούργιο τριώροφο κτήριο που εκτελούσε χρέη νοσοκομειακού κέντρου. Μετά από μια προκαταρτική εξέταση, δεν καταφέραμε να σιγουρευτούμε για το αν μπορούσε να προσφέρει κάποια πραγματική διέξοδο. Τα εξωτερικά παράθυρα που είχε ήταν καλά ασφαλισμένα με σίδερα και σύρμα, κι αν ακόμα κάποιος κατάφερνε να κατέβει από αυτά, θα βρισκόταν αυτομάτως σε κοινή θέα από τους προβολείς και των δύο σκοπιών.

Καθώς καταλήγαμε απογοητευμένοι ότι μόνο ένα τούνελ θα μπορούσε ν' αποτελέσει τη μόνη μας διέξοδο, έπεσε το μάτι μας σε μία σκάλα που κατέβαινε από το ισόγειο και κατέληγε σε μία καταχωνιασμένη πόρτα που έδειχνε να βγάζει σε έναν χαμηλότερο δρόμο με χαλίκια, που βρισκόταν πίσω απ' το κτήριο. Το πέρασμα προς τη σκάλα ήταν μπλοκαρισμένο από λίγες παλέτες. Η ίδια η πόρτα, δεν μας προκαλούσε καμία ανησυχία. Παρέμενε, βέβαια, πάντα ο κίνδυνος των πολυβόλων που κάλυπταν το δρόμο απέξω. Ο Ντικ, όμως, είχε μία ιδέα και ξανανεβήκαμε πάλι στον πρώτο όροφο για να την συζητήσουμε.

Εν προκειμένω, οι δύο προβολείς που μας απασχολούσαν κάλυπταν επαρκώς τον πίσω δρόμο. Ο ένας, που βρισκόταν στην μία άκρη του δρόμου είχε απεριόριστη θέα ενώ ο άλλος, που ήταν στην οροφή της αποθήκης δεν κατόρθωνε να φωτίζει επαρκώς το πίσω μέρος του τριώροφου κτηρίου. Σε αυτή τη λεπτομέρεια βασίστηκε όλο το σκεπτικό μας. Οι προβολείς, είχαν επιπλέον την ευθύνη να καλύπτουν εκτός από τον χαλικόδρομο, τη βόρεια και τη δυτική πλευρά αντίστοιχα και γι' αυτό κινούνταν ρυθμικά αλλάζοντας κατεύθυνση κάθε λίγα δευτερόλεπτα. Την περισσότερη ώρα, είτε ο ένας είτε ο άλλος, εστίαζε στον χαλικόδρομο και καμιά φορά κατέληγαν να συναντιούνται κι οι δυο εκεί. Πάραυτα, ήταν αναπόφευκτο να υπάρχουν στιγμές όπου και οι δυο άλλαζαν ταυτόχρονα εστίαση, για να φωτίσουν κι άλλα σημεία του στρατοπέδου αφήνοντας τον χαλικόδρομο στο σκοτάδι, μέχρις ότου ο ένας από τους δύο αντιλαμβανόμενος το κενό επιτήρησης επέστρεφε. Ο Μπαρνέτ κι εγώ θεωρήσαμε ότι, με λίγη τύχη, εκείνα τα καθοριστικά δευτερόλεπτα θα μας έδιναν την ευκαιρία να κάνουμε την πρώτη κίνηση και να διασχίσουμε τον χαλικόδρομο χρησιμοποιώντας ως λιγοστή κάλυψη ένα ρηχό χαντάκι, μέχρι οι προβολείς ν' αλλάξουν φορά.

Έτσι, λοιπόν, αποφασίσαμε να εξετάσουμε προσεκτικότερα τις προοπτικές απόδρασης που παρείχε εκείνη η έξοδος. Οι παλέτες που εμπόδιζαν την πρόσβαση στα σκαλιά, όχι απλά δεν θ' αποτελούσαν ιδιαίτερο εμπόδιο, αλλά θα παρείχαν και κάλυψη στις προσπάθειες διάρρηξης που θα χρειαζόταν να κάνουμε στην πόρτα, ενώ τα σκαλιά κατέβαιναν δύο μικρά επίπεδα και οδηγούσαν σε ένα μικρό χώρο ακριβώς μπροστά της. Υπήρχαν σιδερένιες βιδωμένες μπάρες και ξύλινες καρφωμένες σανίδες που την ασφάλιζαν, ενώ ολόκληρη η πόρτα ήταν καλυμμένη με συρματόπλεγμα. Η όλη κατασκευή έμοιαζε αδιαπέραστη, αλλά με την προϋπόθεση ότι θα είχαμε διαθέσιμο χρόνο μπροστά μας, η παραβίαση της ήταν κάτι το εφικτό.

Ένας σημαντικός παράγοντας σχετικά με την προετοιμασία του σχεδίου μας, ήταν η παντελής απουσία ενθουσιασμού και επιπολαιότητας. Προγραμματίζαμε κάθε βήμα μας ψυχρά και μεθοδικά. Δεν μοιραστήκαμε με πολλούς το πλάνο μας.

Μας φάνηκε καλός οιωνός τ' ότι βρήκαμε όλα τα εργαλεία που χρειαζόμασταν σχετικά εύκολα. Πήρα με ανταλλαγή μία εξαιρετική πένσα από έναν Έλληνα αιχμάλωτο, ο Μπαρνέτ κατασκεύασε λοστούς από κομμάτια των κρεβατιών μας και ο Φρεντ Μούντυ, ένας από τους γιατρούς του στρατοπέδου, μας βρήκε ένα ζευγάρι κόφτες. Ο Φρεντ κανόνισε, επίσης, να με εφοδιάσει με μία καλή ποσότητα μουρουνόλαδου, το οποίο αποδείχτηκε πολύ ευεργετικό για την πληγή μου.

Πιάσαμε δουλειά την ίδια νύχτα. Αμέσως μετά το νυχτερινό έλεγχο, περπατήσαμε προς το κτήριο με μία αθώα αδιαφορία πιάνοντας την κουβέντα με διάφορους νοσοκόμους μέχρι να μπει σε ισχύ η απαγόρευση κυκλοφορίας. Αμέσως μετά, χωθήκαμε πίσω απ' τις παλέτες και περιμέναμε στον πρώτο όροφο μέχρι να επικρατήσει πλήρης ησυχία.

Η πρόοδος των εργασιών μας ήταν αναγκαστικά αργή. Κάθε καρφί και κάθε βίδα έπρεπε να βγαίνει προσεκτικά κι αθόρυβα με μεγάλη προσοχή. Μετά από κάθε τρίξιμο περιμέναμε πάντα με φόβο κι αγωνία, μέχρι να σιγουρευτούμε ότι δεν μας είχαν αντιληφθεί. Κάθε λίγο και λιγάκι, όλο και κάποιος βηματισμός από βαριές αρβύλες στο χαλίκι μάς σταμάταγε και συνολικά τρεις φορές, κατά τη διάρκεια την πρώτης νύχτας, δύο φρουροί έτυχε να σταθούν συζητώντας για αρκετή ώρα ακριβώς έξω απ' την πόρτα.

Μέχρι τις τέσσερις η ώρα τα ξημερώματα, είχαμε αφαιρέσει όλες τις ξύλινες σανίδες και δύο απ' τις σιδερένιες μπάρες ασφαλείας. Στερεώσαμε χαλαρά τις σανίδες και τις μπάρες πίσω στις θέσεις τους και μαζέψαμε όλα τ' αποδεικτικά στοιχεία, πριν αφήσουμε το μέρος για το επικίνδυνο ταξίδι της επιστροφής στους κοιτώνες μας. Οι περίπολοι του εσωτερικού χώρου είχαν διαταγές να σκοτώνουν επί τόπου όποιον κυκλοφορούσε κατά την απαγόρευση, και παρόλο που μία πλήρης περιπολία κρατούσε είκοσι, υπεραρκετά για εμάς, λεπτά υπήρχε πάντα ο φόβος να αλλάξουν κατεύθυνση ή να πέσουν πάνω μας οι προβολείς.

Εν πάση περιπτώσει, φτάσαμε στο δωμάτιο μας χωρίς

ατυχήματα και η πρωινή έφοδος των έξι, μας βρήκε ξαπλωμένους. Έχοντας πείσει στο παρελθόν τους Γερμανούς, ότι θα ήταν λιγότερο κουραστικό για όλους να μη μας διατάζουν να σηκωνόμαστε όρθιοι δίπλα στα κρεβάτια μας, χουζουρέψαμε μέχρι την ώρα του μεσημεριανού.

Η πρόοδος της δεύτερης νύχτας δεν συγκρινόταν με 'κείνη της πρώτης. Μας συνέβησαν πολλές διακοπές - ανήσυχοι φρουροί, απρογραμμάτιστες αλλαγές βαρδιών, εργαζόμενοι στους στάβλους που επέστρεφαν αργοπορημένοι από άδεια διαπληκτιζόμενοι έξω στο δρόμο. Μας ανακάλυψε, μάλιστα, μία ομάδα Αυστραλών και Βρετανών νοσοκόμων και χρειαστήκαμε αρκετό χρόνο και κόπο για να τους πείσουμε να κρατήσουν το στόμα τους κλειστό. Πάντως, παρόλα αυτά, καταφέραμε να λύσουμε ακόμα δύο μπάρες και να χαλαρώσουμε μία τρίτη, μέχρις ότου ένας πετεινός κοντά στους στάβλους μάς ειδοποίησε ότι πλησιάζει η ανατολή του ηλίου.

Την τρίτη μέρα κάναμε, πράγματι, μεγάλη πρόοδο. Μέχρι τις έντεκα η ώρα το βράδυ, είχε βγει απ' τη θέση της και η τελευταία μπάρα. Ήταν η ώρα που με μία σκληρή σμίλη κι ένα κατσαβίδι θα ξεχαρβαλώναμε την κλειδαριά, αλλά, προς μεγάλη μας έκπληξη, ανακαλύψαμε ότι η πόρτα δεν ήταν, στην πραγματικότητα, κλειδωμένη. Υπήρχαν απλώς, διάφορα καρφιά καρφωμένα κατά μήκος της κάσας, τα οποία μέχρι τα μεσάνυχτα είχαν αφαιρεθεί όλα κι έτσι, ήμασταν σε θέση να κινήσουμε την πόρτα.

Άνοιξε πέντε με δέκα εκατοστά και μετά κόλλησε. Συνειδητοποιήσαμε ότι υπήρχε μία ποδιά από αγκαθωτό σύρμα που ήταν καρφωμένο απ' την εξωτερική πλευρά της πόρτας. Με μία κάποια δυσκολία, θα μπορούσαμε βγάζοντας το ένα χέρι με ένα κόφτη να κόψουμε το σύρμα. Αποφασίσαμε, όμως, να το αφήσουμε για τη νύχτα της απόδρασης γιατί δε φαινόταν ιδιαίτερα δύσκολο.

Πήγαμε προσεκτικά στο δωμάτιο μας, κρύψαμε τα εργαλεία κάτω απ' τα στρώματα μας και μέσα στη σόμπα, βγάλαμε τα ρούχα μας και ξαπλώσαμε στα σκοτεινά. Η προοπτική μερικών ωρών παραπάνω ύπνου, καθώς η ώρα ήταν μία μετά τα μεσάνυχτα, δε μας έπεφτε άσχημα. Λίγη ώρα αφότου είχαμε πει καληνύχτα, ταραχτήκαμε από το άξαφνο ποδοβολητό που έκαναν πολλές μπότες μαζί έξω στο διάδρομο. Μετά από μία στεντόρεια διαταγή, άνοιξε η πόρτα μας διάπλατα και τρεις στρατιώτες εισέβαλλαν κατευθείαν μέσα στο δωμάτιο. Φακοί φώτιζαν τα πρόσωπα μας, κουβέρτες πεταγόντουσαν απότομα και το δωμάτιο ψάχτηκε γρήγορα, αλλά όχι επιμελώς. Στη συνέχεια, σα να ήταν ευχαριστημένος ο αξιωματικός, γάβγισε μία διαταγή κι η παρέα του κάνοντας και πάλι σαματά βγήκε από το δωμάτιο αφήνοντας πίσω της, δύο τρομοκρατημένους άντρες.

Η ξαφνική επίσκεψη εκείνης της νύχτας δεν μας άφησε αλώβητους. Η εξήγηση της μας ξεπερνούσε, ακριβώς επειδή έκαναν έφοδο μόνο στο δωμάτιο μας. Ίσως κάποιος να είχε προσέξει ότι δεν βρισκόμασταν στα κρεβάτια μας τα βράδια ή να ήταν απλά ένας έλεγχος ρουτίνας, εξαιτίας του ότι ήμουν γνωστός σαν το «κακό παιδί». Το αποτέλεσμα που είχε, όμως, πάνω στον Μπαρνέτ ήταν καθοριστικό· αποφάσισε να μη συνεχίσει. Η κοπιαστική δουλειά τις τελευταίες τρεις νύχτες τον είχε πειράξει στα νεύρα ούτως ή άλλως, συν ότι τώρα πίστευε πως όλο το σχέδιο είχε ανακαλυφθεί. Ακόμα κι όταν το επόμενο φως της ημέρας μάς απέδειξε ότι η κατάσταση της πόρτας δεν είχε αλλάξει, ο Μπαρνέτ θεώρησε πως το πιθανότερο ήταν να μας είχαν στήσει παγίδα μ' ένα πολυβόλο απέξω το οποίο θα περίμενε να μας εκτελέσει προς παραδειγματισμό οποιουδήποτε άλλου θα προσπαθούσε να αποδράσει από 'κει μέσα. Η αποφασιστικότητα του δεν είχε χαθεί, αλλά με την επιφυλακτικότητα σαράντα χρόνων στην πλάτη, έβρισκε, πλέον, τις πιθανότητες επιτυχίας πολύ περιορισμένες. Δεν άργησε ν' αρχίσει να δουλεύει πάνω σε ένα νέο σχέδιο, που περιλάμβανε απόδραση από το τρένο που θα μας μετέφερε στη Γερμανία, καθώς θα περνούσε μέσα απ' τη Γιουγκοσλαβία.

Η απαισιοδοξία του με επηρέασε λίγο. Ξόδεψα όλο το πρωί να παρακολουθώ το μαγειρείο, και μετά το μεσημεριανό φαΐ κάθισα κάτω και προσπάθησα να βγάλω μία απόφαση. Τα επιχειρήματα του ήταν πολύ βάσιμα· το σχέδιο ήταν από μόνο του αρκετά ριψοκίνδυνο και πριν την έφοδο της φρουράς. Παρόλα αυτά, στο πίσω μέρος του κεφαλιού μου υπήρχε μία σιγουριά, έωλη βέβαια, ότι το πλάνο μας είχε παραμείνει ακόμα κρυφό.

Τελικά, πήρα ένα χαρτί και αφού τράβηξα μία κάθετη γραμμή στη μέση, άρχισα να καταγράφω τα υπέρ και τα κατά. Ήταν μία οδυνηρή διαδικασία που κράτησε περίπου μισή ώρα. Γνώριζα καλά ότι μία λάθος απόφαση, σε κάθε περίπτωση, θα μπορούσε να μου κοστίσει τη ζωή. Ένιωθα, πάραυτα, έντονα μέσα μου την ορμή τού «ή τώρα ή ποτέ» κι ότι αν άφηνα αυτή την ευκαιρία να πάει χαμένη, το πιθανότερο ήταν πως δεν θα συναντούσα κάποια άλλη καλύτερη στο μέλλον.

Καθώς η σελίδα συμπληρωνόταν, ο Μπαρνέτ ήρθε και κάθισε δίπλα μου σιωπηλός παρατηρώντας με. Ήξερα ότι ήταν ένας χαρακτήρας με κατανόηση γι' αυτό και δεν προσπάθησε να με αποθαρρύνει άλλο, ειδικά όταν είδε ότι είχα καταγράψει στο χαρτί και όλα τα δικά του επιχειρήματα.

Πριν μπορέσω να καταλήξω κάπου, είχαμε περικυκλωθεί από πέντε-έξι δεινούς χαρτοπαίκτες και αφού είχα μία ενδόμυχη διάθεση να καθυστερήσω τις αποφάσεις μου, πήγα να παίξω ένα, μάλλον τελευταίο, παιχνίδι μαζί τους. Είτε από καθαρή τύχη, είτε από Θεία Πρόνοια, μέσα σε μισή ώρα και χωρίς ιδιαίτερη προσπάθεια, είχα καταφέρει να κερδίσω σχεδόν όλες τις δραχμές που είχαν πάνω τους. Μόλις έφυγαν, ο Μπαρνέτ με προέτρεψε να προσθέσω στα υπέρ και το γεγονός ότι είχα, πλέον, στη διάθεση μου οκτώ χιλιάδες περισσότερες δραχμές απ' όσες υπολόγιζα.

Στις έξι η ώρα το απόγευμα, πήρα την απόφαση μου· διαισθανόμουν ότι θα ήταν η μεγαλύτερη της ζωής μου. Στο αρχικό σχέδιο είχαμε προβλέψει ότι θα έπρεπε να πάρουμε έναν γερό ύπνο εκείνο το Σαββατόβραδο, ώστε να μαζέψουμε δυνάμεις και να αποδράσουμε Κυριακή βράδυ, όταν όλοι οι εκτός βάρδιας φύλακες έπαιρναν άδεια. Βλέποντας, όμως, τα πράγματα να εξελίσσονται γρηγορότερα, κι επειδή τα νεύρα μου ήταν τεντωμένα και δεν υπήρχε περίπτωση να με πιάσει ύπνος, αποφάσισα να το σκάσω μόνος μου το ίδιο βράδυ.

Όταν ο Μπαρνέτ κατάλαβε ότι είχα πάρει την απόφαση μου, μου έδωσε ό,τι είχε: όλο του το ψωμί, συμπυκνωμένη τροφή του Ερυθρού Σταυρού, ένα σακάκι και όλες του τις οικονομίες, συμπεριλαμβανομένων και μερικών αγγλικών λιρών. Μαγείρεψε ένα πεντανόστιμο αποχαιρετιστήριο δείπνο και βάλθηκε να κάνει χίλια δυο πράγματα που θα με βοηθούσαν να προετοιμαστώ καλύτερα.

Η απαγόρευση κυκλοφορίας είχε μπει ήδη σε ισχύ, οπότε ήμουν αναγκασμένος να κινηθώ με πολύ μεγάλη προσοχή μέχρι το πλαϊνό τριώροφο κτήριο. Λίγο μετά τις οκτώμισι, αποχαιρέτησα τον Μπαρνέτ. Ήταν πολύ φοβισμένος για το ρίσκο που θα έπαιρνα εντός ολίγου, και συνάμα απογοητευμένος που δε θα ερχόταν μαζί. Συνειδητοποίησα, ότι η παρέα του θα μου έλειπε πάρα πολύ.

Μου πήρε περίπου μία ώρα για να διανύσω τα πρώτα διακόσια μέτρα από τους κοιτώνες μας. Οι προβολείς περιφέρονταν ανήσυχα και η περίπολος είχε κοντοσταθεί και συζητούσε επί τουλάχιστον μισή ώρα. Εγώ είχα κάτσει μέσα σ' ένα χαντάκι δίπλα σ' ένα συρμάτινο φράχτη. Μόλις τελείωσαν την κουβεντούλα κι έφυγαν, έτρεξα γρήγορα ν' ανεβώ τα λίγα σκαλοπάτια της εισόδου και μπήκα στο χωλ του ιατρικού κτηρίου. Μόλις έκλεισα την πόρτα πίσω μου με

Το πίσω μέρος του κτηρίου απ' το οποίο δραπέτευσε ο Τόμας
(πρ. Στρατόπεδο Παύλου Μελά)

υποδέχτηκε μία σοκαρισμένη φωνή.

«Είσαι τρελός; Δε γνωρίζεις πόσο επικίνδυνο είναι να κυκλοφορείς μετά την απαγόρευση;» μου ψιθύρισε έντονα ένας Αυστραλός νοσηλευτής. Όταν του είπα τους σκοπούς μου, προσφέρθηκε αμέσως να βοηθήσει. Σπεύσαμε στο παράθυρο του πάνω ορόφου για να παρατηρήσουμε την κατάσταση που επικρατούσε στον χαλικόδρομο από κάτω. Όλα φαινόντουσαν απολύτως φυσιολογικά. Κοιτούσαμε για κάνα μισάωρο, αλλά με εξαίρεση την μετακίνηση μερικών αλόγων έξω από τους στάβλους, δεν συνέβη κάτι το αναπάντεχο. Ο νοσηλευτής μαζί μ' έναν φίλο του ανέλαβαν να κρατούν τσίλιες για όση ώρα εγώ θα δούλευα την πόρτα. Αν ερχόταν κάποιος, συνεννοηθήκαμε να έχουμε για σινιάλο κάποιο μικροαντικείμενο το οποίο θα πετάγανε στη σκάλα προς το μέρος μου, και για το «όλα καλά» θα σφυρίζανε ήσυχα το ρυθμό του *Ριγγολέτο*.

Ο πόρτα ήταν ακριβώς στην κατάσταση που την είχαμε αφήσει. Αφού αφαίρεσα όλες τις χαλαρωμένες σανίδες και τις σιδερένιες μπάρες, ήμουν πλέον σίγουρος ότι δεν τις είχε πειράξει κανείς. Η πόρτα άνοιξε αθόρυβα όσο μια παλάμη και, στη συνέχεια, μου πήρε πάνω από είκοσι λεπτά για να κόψω τα οκτώ απ' τα εννιά σύρματα που την κρατούσαν απ' την εξωτερική της πλευρά.

Μόλις έκοψα και το τελευταίο σύρμα, κι ένιωσα την πόρτα να κινείται ελεύθερα, έφτασε το πρώτο σινιάλο με τη μορφή μιας δερμάτινης παντόφλας που κατρακύλησε στα σκαλιά.

Μου ήρθε η ψυχή στο στόμα κι έκλεισα την πόρτα ήσυχα. Απέξω άκουγα βαριά βήματα να ροκανίζουν τα χαλίκια, κι όσο πλησίαζαν την πόρτα κρατούσα την αναπνοή μου με φόβο. Με τους προβολείς σε πλήρη έξαρση, πίστεψα ότι δεν θα ήταν δύσκολο να διαφύγει απ' τον οποιονδήποτε ότι

Η πόρτα της απόδρασης

το σύρμα κρεμόταν τώρα ελεύθερο έξω απ' την πόρτα. Θα ορκιζόμουν ότι υπήρξε μία μικρή παύση ακριβώς απ' έξω, όμως ο κίνδυνος πέρασε και σε λίγα δευτερόλεπτα άκουγα ένα παράφωνο σφύριγμα του *Ριγγολέτο*. Άνοιξα την πόρτα λίγο περισσότερο και μελετούσα το έδαφος. Ο δρόμος είχε φάρδος περίπου πέντε μέτρα, αλλά ήταν φανερό ότι αν δεν ηρεμούσαν λίγο οι προβολείς δεν θα μπορούσα να περάσω απέναντι απαρατήρητος. Οι σκοποί του νότιου πυργίσκου ήταν πολύ ανήσυχοι. Ο προβολέας τους πηγαινοερχόταν πέρα-δώθε κάθε λίγα δευτερόλεπτα.

Επειδή ήταν ακόμα εννιάμιση, αποφάσισα να περιμένω μέχρι τις δέκα που θ' άλλαζαν οι φρουρές, μήπως και η επόμενη βάρδια ήταν λιγότερο δραστήρια. Όσο περίμενα, έκανα πρόβα στο μυαλό μου όλες τις επόμενες κινήσεις, όπως το πέρασμα του δρόμου και η μετάβαση μου στο σημείο απ' όπου θα έπρεπε να πηδήξω το χαμηλό τοιχίο για να βγω στην πλευρά των σκουπιδιών.

Σημερινά απομεινάρια των εσωτερικών προαύλιων χώρων του πρώην στρατοπέδου

Λίγο πριν τις δέκα, η ομάδα με τα άλογα που είχε βγει νωρίτερα, επέστρεψε κάνοντας πολύ θόρυβο κι απ' ό,τι κατάλαβα -γιατί δεν είχα οπτική επαφή- μάλλον ρυμουλκούσανε κάποιο χαλασμένο όχημα. Πέρασαν και κατευθύνθηκαν προς τους στάβλους. Έριξα μία κλεφτή ματιά και θεώρησα ότι η στιγμή ήταν ιδανική επιδή ο ένας προβολέας είχε εστιάσει στην περιοχή των στάβλων για να βοηθήσει το ξεπέζεμα των αλόγων. Αποφάσισα να βγω, και την ώρα που ήμουν έτοιμος να ανοίξω την πόρτα ένα αντικείμενο κατρακύλησε στη σκάλα. Ένα δευτερόλεπτο αργότερα ακούστηκε η κοφτή διαταγή του Φρούραρχου για την αλλαγή των δέκα. Μ' έπιασε ρίγος γιατί κατάλαβα ότι παραλίγο να έπεφτα στην αγκαλιά τους.

Επί δεκαπέντε λεπτά άκουγα το ποδοβολητό των φρουρών που άλλαζαν βάρδιες και πηγαινοέρχονταν στο φρουραρχείο, ενώ οι προβολείς δεν έμεναν ακίνητοι πάνω από λίγα δευτερόλεπτα.

Αμέσως μετά την εγκατάσταση των νέων σκοπών, η υπερδιέγερση μειώθηκε. Καθόμουν στα σκαλιά και υπολόγισα ότι ο χρόνος που το φως δεν πέρναγε μέσα απ' την κλειδαρότρυπα ή κάτω απ' την πόρτα, ήταν τέσσερα δευτερόλεπτα. Άνοιξα την πόρτα προσεκτικά και κοίταξα έξω για να πάρω μια εικόνα για το τι επικρατούσε.

Βλέποντας τον δρόμο απέναντι, αντιλήφθηκα ότι παρόλο που ο νότιος προβολέας φώτιζε στην έξοδο, τον μεγάλο κίνδυνο αποτελούσε ο άλλος, που ήταν πάνω στο υπόστεγο, γιατί έριχνε το φως του στη μάντρα με τα σκουπίδια. Άρχισα να χρονομετρώ τα ακανόνιστα διαστήματα του σκοταδιού. Υπήρχαν φορές που κάποιος από τους δύο προβολείς φώτιζε για κάνα δεκάλεπτο τον δρόμο, ενώ μετά για άλλα πέντε λεπτά κινείτο ακανόνιστα.

«Ένα-δύο-τρία», μετρούσα, «ένα-δύο-τρία-τέσσερα, τώρα καλύτερα, ένα-δύο-τρία-τέσσερα, τώρα έπρεπε να 'χα βγει, ένα-δύο-τρία-τέσσερα, φτουου, πάλι το 'χασα...» και μετά, εμφανιζόταν πάλι ο προβολέας. Εκείνο που με αναστάτωνε περισσότερο ήταν ότι δεν μπορούσα να σιγουρευτώ με τίποτα για το πόσο θα διαρκούσε το σκοτάδι. Ήξερα ότι όταν θα το 'παιρνα απόφαση, θα δρούσα αυτομάτως. Η επιτυχία του όλου εγχειρήματος βασιζόταν περισσότερο στην τύχη.

Νομίζω ότι πρέπει να στεκόμουν εκεί για τουλάχιστον μισή ώρα, αλλά μου φάνηκε αιώνας. Αμφιταλαντευόμουν μεταξύ μετάνοιας που δεν άρπαξα μια καλή ευκαιρία και τρομάρας, όταν ανακάλυπτα ότι το σκοτάδι δεν κρατούσε πάνω από ένα δευτερόλεπτο.

Και ξαφνικά, έφυγα. Χωρίς να τρέξω, πέρασα προσεκτικά
το δρόμο έχοντας φορέσει κάλτσες πάνω απ' τα παπούτσια
για να μην κάνουν πολύ θόρυβο στα χαλίκια. Τη στιγμή που
ετοιμαζόμουν να πηδήξω τη μικρή μάντρα, αισθάνθηκα τον
ένα προβολέα να έρχεται προς το μέρος μου κι ασυνείδητα
έπεσα μπρούμυτα στο έδαφος, σίγουρος πια ότι αποτελούσα
ιδανικό στόχο και για τις δύο σκοπιές.

Σχέδιο του χώρου και των κινήσεων της απόδρασης του Σάντυ
(ο Βορράς είναι αριστερά της κάτοψης)

Στην αρχή ο φωτισμός από το υπόστεγο πήγαινε πάνω-κάτω κατά μήκος του δρόμου, και ήταν τόσο δυνατός που φώτισε το πρόσωπο μου παρόλο που ήταν χωμένο στα χαλίκια. Τότε ένιωσα και τον άλλον να έρχεται πάνω απ' την πλάτη μου. Το σώμα μου έτσουξε από φόβο και για πρώτη φορά στη ζωή μου ένιωσα τις τρίχες του σβέρκου μου να γίνονται κάγκελο απ' την ανατριχίλα.

Άκουσα καθαρά, τους δύο από τους φρουρούς να μιλούν μεταξύ τους. Δεν ακούγονταν και πολύ ενθουσιώδεις και σίγουρα θα με είχαν προσέξει. Το σώμα μου άρχισε να ζαρώνει αφού φανταζόμουν ότι εντός ολίγου θα έβρισκε στόχο τουλάχιστον μία σφαίρα. Το μυαλό μου θόλωσε και δεν κατάλαβα πόση ώρα ήμουν σε αυτή τη κατάσταση μέχρι που, επιτέλους, οι προβολείς κινήθηκαν αλλού.

Τινάχθηκα επάνω. Αντί να περάσω πάνω από το τοιχίο, προχώρησα λίγο κατά μήκος του και το ακολούθησα δεξιά προς τη μικρή αυλή του χώρου στάθμευσης των μηχανοκίνητων οχημάτων. Τοποθέτησα μπροστά μου ένα άδειο βαρέλι καυσίμου και στριμώχθηκα από πίσω του, γιατί το επόμενο φως θα έφτανε σύντομα κατά 'κει. Κάθισα σ' εκείνη τη ψιλοάβολη θέση για κάνα δεκάλεπτο γιατί το βαρέλι μού παρείχε την κάλυψη που χρειαζόμουνα απ' τον ένα προβολέα, και η μάντρα από τον άλλο. Ανησυχούσα, όμως ταυτόχρονα, μήπως με ανακαλύψει καμιά αργοπορημένη μηχανοκίνητη περιπολία που θα επέστρεφε απέξω.

Μόλις σκοτείνιασε και πάλι, κατάφερα να περάσω τη μάντρα από πάνω και ν' αρχίσω να σέρνομαι μέσα από το χώρο των σκουπιδιών, προς το εξωτερικό συρματόπλεγμα. Δεν υπήρχε λόγος να χρονοτριβήσω άλλο εκεί γιατί τα σκουπίδια και τα πεταμένα αντικείμενα μού παρείχαν επαρκή κάλυψη απ' τα φώτα των προβολέων, αρκεί να μην έκανα θόρυβο. Η διαδρομή αυτή είχε μήκος τριάντα μέτρα, κι έφτανε μέχρι το αγκαθωτό συρματόπλεγμα, για το οποίο όμως, είχα μαζί μου έναν αρκετά ακονισμένο κόφτη κι έτσι δεν με προβλημάτιζε. Όταν ξεπέρασα κι αυτό το εμπόδιο, βρέθηκα μπροστά σε ακόμα ένα συρμάτινο φράχτη.

Κινήθηκα κατά μήκος του και πρόσεξα ότι είχε ένα κενό που ήταν καλυμμένο με μία σιδερένια λαμαρίνα, την οποία προσπέρασα σερνόμενος από το πλάι της και προχώρησα σκυφτός, σ' έναν ανοιχτό χώρο που ήταν γεμάτος από μεγάλα κιβώτια. Την ώρα που περνούσα ανάμεσα τους, μία κίνηση εκεί κοντά μού έκοψε την ανάσα και έπεσα κάτω αγκαλιάζοντας το έδαφος. Παρέμεινα σιωπηλός για κάποια λεπτά και ενώ ετοιμαζόμουν να κινηθώ άκουσα πάλι το θόρυβο, πιο κοντά μου αυτή τη φορά. Στην πραγματικότητα τον αισθανόμουν πίσω ακριβώς από το κιβώτιο που βρισκόταν δίπλα μου. Η τρομάρα μου κορυφώθηκε όταν πρόσεξα να βγαίνει από μέσα... μία κότα. Είχα παρεισφρήσει στο κοτέτσι των φρουρών.

Διέσχισα το κοτέτσι και καλύφθηκα στην πίσω γωνία του χώρου στάθμευσης, κόβοντας ένα μικρό τετράγωνο από το φράχτη για να βγω απέξω. Βρέθηκα σε ένα χορταριασμένο κήπο ανάμεσα σε δύο πολύ ψηλούς τοίχους που ερχόντουσαν από διακόσια μέτρα μακριά. Άκουγα, πλέον, τον καθαρό ήχο των τραμ που κινούνταν στον κεντρικό δρόμο της Θεσσαλονίκης.

Ο τοίχος που διαχώριζε το στρατόπεδο από τον δρόμο είχε τρία μέτρα ύψος και διέκρινα τώρα, μέχρι και τα σπασμένα γυαλιά που λαμπύριζαν κατά μήκος της κορυφής του. Ο τοίχος δε με φόβιζε διότι, το αγκαθωτό συρματόπλεγμα με το οποίο ήταν περιβεβλημένος, θα με βοηθούσε να τον ανέβω. Σκαρφάλωσα πολύ προσεκτικά αποκτώντας και κάμποσες γρατζουνιές. Ο δρόμος είχε ακόμα αρκετή κίνηση για το προχωρημένο της ώρας. Εκτός απ' τα τραμ και τα στρατιωτικά οχήματα, υπήρχαν διερχόμενοι πολίτες και στρατιώτες και στις δύο πλευρές του δρόμου. Ήθελα να παραμείνω εκεί πάνω μέχρι να κοπάσει εντελώς η κίνηση, όταν άκουσα, ή έτσι νόμισα τουλάχιστον, έναν πυροβολισμό από το πίσω μέρος του στρατοπέδου. Δεν συνοδεύτηκε από τίποτε περισσότερο όμως, και θεώρησα πως το μυαλό μου είχε αρχίσει να κάνει νερά απ' την πολλή πίεση. Αποφάσισα να προχωρήσω και να δω που θα με βγάλει όλη αυτή η ιστορία.

Ευτυχώς, τα έντονα φώτα των προβολέων που ήταν εντός

του στρατοπέδου δημιουργούσαν σκίαση απ' την εξωτερική πλευρά του τοίχου, επειδή τα περιόριζε, κι αμέσως μόλις πρόσεξα ότι η κίνηση στον κεντρικό δρόμο έπαυσε λίγο, κρεμάστηκα όσο πιο μαλακά μπορούσα απ' τα σύρματα, κι αφέθηκα να πέσω στο έδαφος. Από περίπου ενάμιση μέτρο ύψος, προσγειώθηκα πάνω σε κάτι μπάζα που βρίσκονταν ακριβώς κάτω στο πεζοδρόμιο.

Σημερινά απομεινάρια τού τοίχου από τον οποίο απέδρασε ο Σάντυ

Πονέσω υπερβολικά, γιατί η προσγείωση μου ήταν άτσαλη. Γύρω στα δεκαπέντε βήματα μακριά μου, πρόσεξα κάτι τύπους που μάλωναν δυνατά. Ήταν δύο στρατιώτες, κι από το όπλο που είχε κρεμασμένο ο ένας στον ώμο του, κατάλαβα πως ήταν σε βάρδια. Καθώς σηκωνόμουν διαπίστωσα ότι δεν με είχαν αντιληφθεί. Ο ένας στρατιώτης ήταν μεθυσμένος κι έπαιζε, ενοχλώντας τον πρώτο.

Κινήθηκα προς την αντίθετη πλευρά του δρόμου για καμιά εκατοστή μέτρα, σταμάτησα ν' αφαιρέσω τις κάλτσες πάνω απ' τα παπούτσια μου, και στη συνέχεια ξεχύθηκα ήσυχα στους δρόμους της Θεσσαλονίκης.

Είχα εκτελέσει το όλο εγχείρημα ψυχρά και μεθοδικά. Ο απελπιστικός φόβος μου για τους κινδύνους που παραμόνευαν δεν με άφηναν ν' απολαύσω την επιτυχία.

Μετά από κάθε βήμα που έκανα, όμως, αισθανόμουν ολοένα μία απίστευτη αναζωογόνηση και μία έκσταση, τόσο γλυκιά, που γέμισαν τα μάτια μου με δάκρυα ευγνωμοσύνης. Όλη η καταπίεση, η ανησυχία και η αδράνεια που με είχαν καταβάλει, τώρα εξαφανίζονταν λες και μου έπαιρναν ένα μεγάλο βάρος που κουβαλούσα στους ώμους μου. Η ατμόσφαιρα μού φαινόταν πεντακάθαρη και, κυρίως, ελεύθερη. Για καμιά ώρα, είχα αφήσει τον ενθουσιασμό μου να με πηγαίνει σα μεθυσμένο πάνω-κάτω σε άγνωστους δρόμους. Κάθε στρατιώτης που με προσπερνούσε ανύποπτα, μού εκτίνασσε ακόμα περισσότερο την αυτοπεποίθηση. Την ώρα που θα με πλησίαζε, τον ζύγιζα με το μάτι, έριχνα μια ματιά δεξιά κι αριστερά για πιθανούς τρόπους διαφυγής και, καθώς διασταυρώνονταν οι πορείες μας, έκανα δήθεν ότι φυσούσα τη μύτη μου ή σφύριζα ένα γνωστό ελληνικό τραγούδι, με όσο πιο νωχελικό τρόπο μπορούσα. Σύντομα, όμως, κατάλαβα ότι δεν χρειαζόταν να τους εκλαμβάνω όλους ως πιθανούς εχθρούς γιατί ο καθένας κοίταζε να πάει στη δουλειά του, και το τελευταίο πράγμα που θα είχε στο νου του κάποιος, ήταν μήπως μέσα στα πλήθη των πεζών κυκλοφορούσε κανένας αξιωματικός των συμμαχικών δυνάμεων.

Παρόλο που ίσχυε η απαγόρευση κυκλοφορίας, στους δρόμους επικρατούσε ευθυμία. Από κάθε εστιατόριο ή μπαράκι ακουγόντουσαν γέλια και τραγούδια των κατακτητών. Μεθυσμένα ζευγάρια, εδώ κι εκεί, συνωστίζονταν στα σοκάκια. Σε μία γωνιά, ένα μοναχικός βιολιστής απέδιδε παλαιά κομμάτια με μεγάλη πιστότητα. Ένιωθα υπέροχα, άνετα, με αυτοπεποίθηση, και γενικά μία χαιρέκακη ανωτερότητα σε σχέση με τους γκρίζους στρατιώτες που δεν είχαν την παραμικρή ικανότητα να αναγνωρίσουν τον εχθρό που περπατούσε ανάμεσα τους.

Σε κάθε περίπτωση, πάντως, κάπου προς το κέντρο της Θεσσαλονίκης, ο ενθουσιασμός καταλάγιασε και η λογική υπερίσχυσε. Επικεντρώθηκα στο αρχικό μου σχέδιο, που δεν ήταν άλλο απ' το να απομακρυνθώ απ' την πόλη πριν ξημερώσει. Με κάποια δυσκολία, προσανατολίστηκα κι απ' τη βόρεια πλευρά της πόλης όπου βρισκόμουν σ' εκείνη τη φάση, κατευθύνθηκα σχεδόν νοτιοανατολικά, περνώντας μέσα από ένα προάστιο γεμάτο από εύθυμες κουβεντούλες και σπίτια που έλαμπαν από τα ζεστά οικογενειακά φώτα, μέχρι που έφτασα στους πρόποδες του ωραίου σαλονικιώτικου λόφου. Ανηφόρισα ακολουθώντας τα παλαιά φιδίσια μονοπάτια που είχαν ποδοπατηθεί από κάθε λογής κατακτητές, και κάθε τόσο καθόμουν σε κάποιο κεφαλόσκαλο για να ξεκουραστώ και να απολαύσω τη θέα της χαμηλόφωτης πόλης που περιέκλειε τον μακεδονικό κόλπο. Καθώς η πόλη ησύχαζε, το ένα μετά το άλλο τα φώτα των σπιτιών έσβηναν. Μέχρι να φτάσω στα τείχη της παλαιάς πόλης με τις τεράστιες πύλες της, είχε επικρατήσει απόλυτη ησυχία.

Κάθισα πενήντα μέτρα μακρύτερα απ' τις πύλες και παρατηρούσα τα πάντα γύρω μου. Όλες οι έξοδοι της Θεσσαλονίκης ήταν φρουρούμενες. Περιστασιακά, οι πολίτες καλούνταν να δείξουν την ταυτότητα τους, αλλά η πύλη την οποία αντίκρυζα χώριζε, ουσιαστικά, την άνω πόλη απ' τα νεότερα προάστια της. Είχα ακούσει δε, κάπου μέσα στο στρατόπεδο, ότι ο φρουροί, εξαιτίας του μεγάλου αριθμού των πολιτών που περνούσαν πέρα-δώθε κάθε μέρα, είχαν χαλαρώσει αρκετά τους ελέγχους τους.

Ένας από τους σκοπούς της βάρδιας, βγήκε από τη μία σκοτεινή άκρη και περπάτησε κάτω απ' την αψίδα, μεταφέροντας το όπλο από τον ένα του ώμο στον άλλο. Είδα ότι πλησίαζε μία παρέα από ένα πλαϊνό δρόμο και κατευθυνόταν προς την πύλη. Ανασκουμπώθηκα και δειλά-δειλά την ακολούθησα από τέτοια απόσταση ώστε να μην τραβήξω μεν την προσοχή της, αλλά και οι φρουροί να με περάσουν για μέλος της. Για να δείξω αδιάφορος και συνηθισμένος, την ώρα που περνούσαμε σκέφτηκα να φυσήξω τη μύτη μου. Το έκανα τόσο δυνατά, που έπεσα σχεδόν επάνω σε έναν από τους φρουρούς, αλλά δεν μου έδωσε ιδιαίτερη σημασία, κι έτσι πέρασα μέσα από το τελευταίο προάστιο και κατηφόρισα προς τα περίχωρα της πόλης. Έβαλα το παλτό μου γιατί ο άνεμος εδώ γινόταν ενοχλητικός και κρύος.

Σύντομα αντίκρυσα ένα μεγάλο γκρι κτήριο και το

δρομάκι που ακολουθούσα με οδηγούσε καταπάνω του. Μόλις πέρασα από το φως του φεγγαριού στο σκοτάδι, ακούστηκε μία αυστηρή διαταγή και πάγωσα. Εμφανίστηκε μέσα στη μαυρίλα μία αστραφτερή ξιφολόγχη, που σταμάτησε δέκα εκατοστά από τον λαιμό μου.

Σήκωσα, προσεκτικά, τα χέρια μου μέχρι τους ώμους μου και με φόβο, που μεταβαλλόταν σε απογοήτευση, μουρμούρισα μίζερα, «Ίνγκλις - Ενγκλάντερ - Εγγλέζι».

Αυτό που ακολούθησε ήταν ένα σύνηθες φαινόμενο στην Ελλάδα -τη χώρα τού... «ποτέ δεν ξέρεις». Το τουφέκι έπεσε στο έδαφος, δύο χέρια έπιασαν τα δικά μου και πριν μπορέσω να συνέλθω απ' την έκπληξη και να καταλάβω τι συνέβαινε, ένα αξύριστο πρόσωπο μου φύτεψε από ένα φιλί και στα δύο μάγουλα. Διέκρινα στα σκοτεινά ότι ο νέος μου φίλος ήταν ένστολος. Παρατηρώντας περισσότερο το σχήμα του κτηρίου, στου οποίου τη σκιά στεκόμασταν, ήρθε στη μνήμη μου κάτι που είχα ακούσει στο στρατόπεδο. Κατάλαβα πως ήταν προφανώς οι πολιτικές φυλακές της περιοχής[11] κι ότι είχα πέσει πάνω σε έναν από τους Έλληνες αστυνομικούς που τις φρουρούσαν. Ήταν η πρώτη φορά που εξεπλάγην, λόγω των πρότερων εμπειριών μου, για το ότι δεν ήταν όλοι οι Έλληνες Αστυνόμοι αναγκαστικά υπέρ των Γερμανών.

Πάραυτα, μετά την πρώτη συναισθηματική έκρηξη του φύλακα, τον κατέλαβε φόβος κι άρχισε να μου ψιθυρίζει αμέσως οδηγίες κάνοντας σπασμωδικές κινήσεις. Κατάλαβα ότι μου έλεγε να εξαφανιστώ γρήγορα και να μην ακολουθήσω το ίδιο δρομάκι. Όταν ανασήκωσα τους ώμους μου, εκφράζοντας απελπισία, με πήρε από το χέρι και μου έδειξε έναν άλλο δρόμο σε κάτι φώτα μακριά, ψιθυρίζοντας συνεχώς, «Εκεί μπον, καλά, γκουτ, μπον καλα, γκουτ».

Μισή ώρα αργότερα, ένας ανοιχτός και βραχώδης λοφίσκος, με έφερε αντιμέτωπο με τα φώτα ενός οικισμού που αποτελούνταν από περίπου τριάντα φτωχικά σπίτια. Τα

---

[11] Οι φυλακές του Επταπυργίου ή αλλιώς Γεντί Κουλέ, που λειτουργούσαν μέχρι το 1989.

περισσότερα ήταν βυθισμένα στο σκοτάδι και την ησυχία, αλλά τα φώτα που είχα ακολουθήσει, δήλωναν ότι κάποιος μπορεί να ήταν ακόμα ξύπνιος. Πλησίασα για να δοκιμάσω την τύχη μου και χτύπησα την πόρτα στο κοντινότερο από αυτά.

Στη χώρα μου λέμε, ότι το σπίτι ενός Εγγλέζου είναι το κάστρο του· το ίδιο συμβαίνει και με τους Έλληνες. Δεν θα κατεβάσει τη γέφυρα μέσα στη νύχτα, αν δεν αναγνωρίσει κάποιον φίλο. Θα περιεργαστεί κρυφά την παρουσία σου από το ένα παράθυρο, στη συνέχεια από το άλλο που βρίσκεται στην άλλη πλευρά της πόρτας και, τελικά, θ' αποφασίσει απ' την κλειδαρότρυπα και απ' την προφορά σου, ότι δεν είσαι φίλος του. Μετά απ' αυτό, κανένα είδος θορύβου ή κτυπήματος, κανένα παρακάλι και καμία απειλή δε μπορεί να του αλλάξει γνώμη. Θα ακουστούν από μέσα εντατικοί ψίθυροι, άλλες κινήσεις πίσω απ' την πόρτα και θα σταθείς πολύ τυχερός, αν σου ανοίξει στο τέλος.

Δοκίμασα όλα τα σπίτια της πρώτης ομάδας, φωτισμένα ή όχι, και είχα πάντα το ίδιο αποτέλεσμα. Κρύωνα κι ένοιωθα απομονωμένος και η ασυνήθιστη απότομη άσκηση εκείνης της νύχτας έκανε την πληγή μου να τραβιέται άβολα στο μηρό μου. Για να γίνουν τα πράγματα ακόμα πιο απελπιστικά, ξαφνικά μέσα από ένα δρομάκι ανάμεσα σε δύο σπίτια, έκανε την εμφάνιση του ένας μεγάλος σκύλος, που γαύγιζε και μούγκριζε. Τον συνόδευσαν γρήγορα άλλοι τρεις-τέσσερις παρόμοιοι, κι αναγκάστηκα να κινηθώ ετοιμοπόλεμος κατά μήκος ενός τοίχου με τη ψυχή στο στόμα κι έχοντας την κλωτσιά μου έτοιμη.

Στην αρχή, οι μούργοι ήταν επιφυλακτικοί μαζί μου κι όταν έκανα ότι θα τους πετάξω κάτι οπισθοχωρούσαν κάνα-δυο μέτρα, αλλά σταδιακά αφού πλήθαιναν, έπαιρναν θάρρος κι άρχισαν να αρπάζουν τις άκρες του παντελονιού μου. Η κατάσταση ήταν άσχημη. Δεν προέβλεπα να έρθει καμιά βοήθεια απ' τα τριγύρω σκοτεινά σπίτια και ήμουν σίγουρος ότι αν άρχιζα να τρέχω, τα σκυλιά θα με κυνηγούσαν με ακόμα μεγαλύτερη μανία και δεν θα μπορούσα να τα βγάλω πέρα. Στο τέλος, βέβαια, δεν κατάφερα να μην το κάνω. Με κατέλαβε πανικός κι άρχισα να τρέχω με όλες μου τις δυνάμεις σε έναν ανώμαλο δρόμο, με τα σκυλιά να προσπαθούν να με δαγκώσουν, και μόλις διέκρινα κάτι μεγάλα και απότομα σκαλιά, τα ανέβηκα και άρχισα να βαράω την πόρτα με μανία. Το πρώτο σκυλί ανέβηκε τη μισή σκάλα και στάθηκε εκεί μουγκρίζοντας, ενώ τα άλλα γάβγιζαν και χοροπηδούσαν από κάτω. Από μέσα ακούστηκε κάποια φωνή σα να διατάζει κάτι και μετά από λίγο επαναλήφθηκε το ίδιο. Αμέσως μετά, ακούστηκαν βήματα και η πόρτα άνοιξε διάπλατα. Ένας μικροκαμωμένος άντρας, περίπου ένα κι εξήντα, μου χαμογέλασε και μου είπε κάτι γρήγορα στα ελληνικά. Δείχνοντας τον εαυτό μου, του είπα «Εγγλέζι» και αμέσως μετά του έδειξα και τα σκοτεινά τετράποδα που ήταν από κάτω. Κάνοντας μία οικουμενική χειρονομία με κάλεσε να περάσω μέσα και εισήλθα σε ένα μικρό χώρο υποδοχής.

Στο κέντρο του δωματίου, γύρω από ένα μαγκάλι γεμάτο στάχτες και μερικά αναμμένα κάρβουνα, καθόντουσαν άλλοι δύο μικρόσωμοι άνθρωποι, μία ηλικιωμένη κυρία κι ένας νεαρότερος άντρας. Μόλις μπήκα μέσα, σηκώθηκαν και οι δύο και με κοιτούσαν διερευνητικά. Ο άντρας είπε κάτι που εξέλαβα ως καλωσόρισμα, η δε ηλικιωμένη, μια γλυκιά κι εύθραυστη κυριούλα, μου έδωσε το χέρι της. Αναστέναξε βαθιά και ξαφνικά ένιωσα μέσα μου, όλη εκείνη τη συμπάθεια που αποζητούσα. Μου έδειξαν μία καρέκλα και καθώς, σχεδόν, κατέρρευσα πάνω της, το σώμα και το μυαλό μου ηρέμησαν κι ανακουφίστηκα τόσο πολύ, ώστε ήμουν έτοιμος να βάλω τα κλάματα.

Άρχισαν να μιλούν με ενθουσιασμό μεταξύ τους. Ένα ξερό ούζο προηγήθηκε ενός απλού γεύματος που προετοιμάστηκε από λαχανικά του κήπου τους. Μου ζητούσαν συγνώμη στα ελληνικά, μέχρι να αντιληφθώ ότι αναφέρονταν στο ότι δεν είχαν καθόλου ψωμί να μου προσφέρουν. Καθίσαμε γύρω από το μαγκάλι, το οποίο κάθε τόσο κάπνιζε, και προσπάθησα να τους εξηγήσω με κινήσεις παντομίμας την περιπέτεια που με οδήγησε έξω απ' την πόρτα τους.

Τελικά, αποφάσισαν ότι ήταν ώρα να ξεκουραστώ και με οδήγησαν σε ένα εξίσου μικρό δωμάτιο. Το λιλιπούτειο μέγεθος του σπιτιού ήταν απίστευτο. Είχε μόνο δύο δωμάτια και κανένα δεν ήταν πάνω από πέντε τετραγωνικά. Μου πρόσφεραν το μόνο κρεβάτι που είχαν και οι άλλοι ξάπλωσαν πάνω σε φλοκάτες που τις έστρωσαν δίπλα μου στο πάτωμα. Καθώς απλώθηκα όσο μπορούσα στο μικρό κρεβάτι, η ηλικιωμένη γυναίκα πλησίασε και έβαλε την παλάμη της στο μέτωπο μου αναστενάζοντας και πάλι βαθιά. Μουρμούρισε κάτι από πάνω μου, έκανε το σταυρό της με ευλάβεια κοιτώντας ψηλά κι έφυγε για το άλλο δωμάτιο, απ' όπου την άκουγα να στρώνει τον καναπέ για να κοιμηθεί. Όταν πια στο σπίτι επικράτησε πλήρη ησυχία, άκουγα ακόμη τους σπλαχνικούς αναστεναγμούς της και καθώς δε μπορούσα να κοιμηθώ απ' την υπερένταση, προσπαθούσα να εκτιμήσω την κατάσταση και να πείσω τον εαυτό μου ότι τα είχα πραγματικά καταφέρει.

Το αμυδρό φως του μισοφέγγαρου έφτανε στα μάτια μου αραιά και που, μέσα απ' τα σύννεφα και τα μικροσκοπικά παράθυρα. Έξω από το σπίτι, τα σκυλιά είχαν επιτρέψει στο χωριό να επανέλθει στη γαλήνια ησυχία του. Μία ησυχία που με έκανε να νιώθω οικογενειακά, ανάμεσα στα ροχαλητά των δύο αδερφών που κοιμόντουσαν δίπλα μου στο πάτωμα.

ΕΛΛΗΝΙΚΑ ΔΙΔΑΓΜΑΤΑ ΑΓΑΠΗΣ

Ο ουρανός είχε αρχίσει να φωτίζει ήδη, όταν τα δύο αδέρφια άρχισαν να ετοιμάζονται και ν' ασχολούνται με διάφορες μικροδουλειές του σπιτιού. Πριν φύγουν, ήρθαν στο δωμάτιο και προσπάθησαν μάταια να μου εξηγήσουν κάτι που φαινόταν σημαντικό, αλλά παρόλες τις χειρονομίες και τα επίμονα ελληνικά τους, είχα μπερδευτεί τελείως. Αφού έστυψα το μυαλό μου αρκετά για να καταλάβω τι να ήταν εκείνο που προσπαθούσαν να μου πουν, τα παράτησα και λαγοκοιμήθηκα πάλι μέχρι τις εννιά περίπου. Όταν σηκώθηκα, χάζευα με ευθυμία τους γύρω λόφους, τη θάλασσα και τους απροβλημάτιστους χαλαρούς εργάτες που πήγαιναν προς τις υπαίθριες αγορές, στα περίχωρα της Θεσσαλονίκης. Στο άλλο δωμάτιο, η ηλικιωμένη γυναίκα ήταν απασχολημένη με τις δουλειές του σπιτιού. Το μυαλό μου πήγαινε αυθόρμητα στην περιπετειώδη απόδρασή μου και ανακαλούσε όλα τα βήματα που με είχαν οδηγήσει σ' αυτό το καταφύγιο. Δόξαζα το Θεό για την ελευθερία μου.

Η ηλικιωμένη κυρία μού ετοίμασε ένα μικρό πρωινό με τα ίδια λαχανικά και μου έδωσε, επίσης, λίγο από το κατσικίσιο τυρί τους, το ποίο παρόλο που ήταν λίγο ξινό και στυφό, μου ήταν πολύ ευχάριστο.

Χαλάρωσα, συλλογίστηκα κι έκανα τα σχέδιά μου. Δεν είχα ξεφύγει από τον κίνδυνο, σε καμία περίπτωση, και είχα πλήρη συνείδηση ότι η απόδρασή μου αποτελούσε απλά το πρώτο βήμα της ποθούμενης ελευθερίας μου προς την Αίγυπτο. Επειδή η πληγή μου αποτελούσε μεγάλο μειονέκτημα, δεν έβλεπα άλλη οδό διαφυγής παρά μέσα απ' την επικίνδυνη βουλγαροκρατούμενη Θράκη, προς την Ευρωπαϊκή Τουρκία, που είχα ακούσει ότι κρατούσε ουδέτερη στάση.

Περίπου στις δύο το μεσημέρι, τα δύο αδέρφια επέστρεψαν σπίτι. Μπήκαν μέσα με ένα μυστηριώδες ύφος (αν μη τι άλλο, οι Έλληνες έχουν αρκετά αναπτυγμένη την αίσθηση του δράματος) και μετά από μία προσεκτική ματιά γύρω από το σπίτι μέσα απ' τα παράθυρα, ο ένας από αυτούς ξαναβγήκε και έβαλε μέσα άλλον έναν άντρα. Ο νεοεισερχόμενος μεσήλικας, ήταν γυαλισμένος και καλοντυμένος. Απ' τη γλώσσα του σώματος καταλάβαινα, ότι τα δύο αδέρφια τού συμπεριφέρονταν με σεβασμό. Ο άνθρωπος αυτός, μου κέντρισε το ενδιαφέρον. Στην αρχή, μου απευθύνθηκε στα ελληνικά και μετά στα γαλλικά. Ανταποκρίθηκα αμέσως όσο πιο καλά μπορούσα.

Δοκίμασε και στα γερμανικά με επιμονή μέχρι να καθίσω κάτω απογοητευμένος απ' την ανικανότητα συνεννόησης, οπότε μού χαμογέλασε και άρχισε να μου μιλάει σε άπταιστα αγγλικά. Αναπτερώθηκα αμέσως από την απρόσμενη αγγλομάθεια του.

Ξεκινήσαμε αμέσως μία ζωηρή συζήτηση, προς ευχαρίστηση των οικοδεσποτών που στεκόντουσαν γύρω μας και αδημονούσαν για τη μετάφραση των λεγομένων μας. Ο νέος μου φίλος ήταν επιχειρηματίας και πριν ανοίξει τη δική του επιχείρηση, ήταν αντιπρόσωπος μία μεγάλης βρετανικής εταιρείας.

Τους είπα την ιστορία μου. Με ρώτησαν για το πού στόχευα να πάω και ποια ήταν τα σχέδια μου. Μόλις τους περιέγραψα την πορεία που είχα κατά νου ν' ακολουθήσω, άρχισαν όλοι μαζί να μου δείχνουν τη διαφωνία τους κάνοντας νευρικά διάφορες αποτρεπτικές κινήσεις.

«Αγαπητέ μου Τόμας», είπε ο καλοντυμένος φίλος μου ευγενικά, «πίστεψε με, ο δρόμος που επέλεξες είναι αδιανόητος. Εδώ στη Σαλονίκη έχουμε τους Γερμανούς και, ο Θεός ξέρει, το πόσο κακοί είναι -στη Θράκη, όμως, έχουν εγκατασταθεί τα τσακάλια τους, οι Βούλγαροι. Κι όπου οι Γερμανοί στερούνται σε πανουργία λόγω της αλαζονικής αυτοεκτίμησης τους, στα βουλγάρικα σκυλιά περισσεύει η πονηριά και η έμφυτη καχυποψία. Υπάρχουν δε μεγάλα ποτάμια που θα πρέπει να περάσεις στα καινούργια σύνορα, όπως τον Στρυμόνα. Όλες οι γέφυρες του φυλάσσονται πολύ καλά και δε μπορεί να περάσει κανείς χωρίς τα σωστά έγγραφα. Λένε, επίσης, ότι στα σύνορα με την Τουρκία έχει στρατοπεδεύσει μεγάλος αριθμός γερμανικών και βουλγαρικών στρατευμάτων. Πιστεύω ακράδαντα, ότι πρέπει να εγκαταλείψεις άμεσα αυτό το σχέδιο».

«Μα, κύριε», είπα απορημένος, γιατί η περιγραφή του δεν ήταν ιδιαίτερα ενθαρρυντική, «ποια άλλη εναλλακτική θα μπορούσα να έχω;»

«Θα μπορούσαμε να σε κρύψουμε εδώ στη Σαλονίκη, γιατί οι Εγγλέζοι θα επιστρέψουν από μέρα σε μέρα».

Από πλευράς μου γνώριζα, ότι δεν είχαν τη δυνατότητα να πατήσουν το πόδι τους στην Ελλάδα σε τουλάχιστον δύο χρόνια, αλλά δεν ήθελα να τον απογοητεύσω. Σ' όλη τη χώρα ήταν διάχυτη αυτή η πεποίθηση, η οποία μάλιστα έπαιζε και καταλυτικό ρόλο στην ένταξη νέων πατριωτών στον αγώνα της αντίστασης.

«Παρόλο που είμαι πολύ ευγνώμων για την προσφορά σου -και ξέρω ότι μπορεί να φέρει σε μεγάλο κίνδυνο εσένα και την οικογένεια σου», του απάντησα, «φοβάμαι πως δε μπορώ να δεχτώ κάτι τέτοιο. Πρέπει να επιστρέψω στο σύνταγμα μου, όσο πιο γρήγορα είναι ανθρωπίνως δυνατό, ανεξάρτητα από το πόσο δύσκολο θα είναι».

«Ναι, ναι, καταλαβαίνω», είπε γνέφοντας καταφατικά και, νομίζω, λίγο ανακουφισμένος, «οι φίλοι μου κι εγώ αναμέναμε ότι αυτή θα ήταν η απάντηση σου. Λυπούμαστε που δε μπορείς να μείνεις, αλλά αν πρέπει να φύγεις, γιατί δεν ακολουθείς το δικό μας σχέδιο, το οποίο, παρόλο που δεν είναι ακίνδυνο, είναι περισσότερο εφικτό από το δικό σου;»

Διέκοψε και απευθύνθηκε στον μεγαλύτερο αδερφό ο οποίος έφυγε από το δωμάτιο και ξαναγύρισε με ένα μεγάλο ημερολόγιο που κρεμόταν από έναν εθνικό χάρτη της Ελλάδας.

«Κοίταξε εδώ», μου είπε σκύβοντας πάνω από το χάρτη, «Νοτιοανατολικά της Σαλονίκης, υπάρχουν αυτές οι τρεις μεγάλες χερσόνησοι που ξεπετάγονται σαν τρία δάχτυλα απ' τη Μακεδονία. Αυτή εδώ, όμως», συνέχισε βάζοντας τώρα το δάχτυλο του στην ανατολικότερη, «είναι ένα μικρό και αρχαίο κρατίδιο από μόνη της. Ονομάζεται Άγιον Όρος ή αλλιώς Χερσόνησος του Άθω».

«Εννοείς ότι έχει άλλον Αρχηγό Κράτους;» ρώτησα, ήδη γοητευμένος.

«Όχι... αν και για Αρχηγό τους αναγνωρίζουν μόνο τον Χριστό και για Κυβερνήτη την Μητέρα Του. Αλλά, σε κάθε περίπτωση, το μέρος αυτό λειτουργεί σαν ξεχωριστό κρατίδιο. Όλη η χερσόνησος κατοικείται αποκλειστικά, από Ορθόδοξους μοναχούς».

«Όταν λες ότι κατοικείται μόνο από μοναχούς, εννοείς ότι υπάρχουν μοναστήρια διάσπαρτα ανάμεσα σε χωριά;» Το ρώτησα αυτό, γιατί ο χάρτης έδειχνε διάφορα χωριά και ένα από αυτά φαινόταν να είναι το μεγαλύτερο.

«Όχι, εννοώ ότι δεν υπάρχει κανείς άλλος εκεί παρά μόνο μοναχοί κι ελάχιστοι λαϊκοί, που δεν μπορούν, φυσικά, να είναι γυναίκες. Μάλιστα», συνέχισε χαμογελώντας, «δεν νομίζω να υπάρχουν ούτε καν θηλυκά ζώα».

«Εεε...Τι;» ξέσπασα με δυσπιστία.

«Είναι γεγονός», είπε, «ότι υπάρχουν μερικές χιλιάδες μοναχοί στον Άθω και δεν επιτρέπεται να περάσει τα σύνορα καμία γυναίκα. Κι όχι μόνο αυτό», σταμάτησε για να δώσει μεγαλύτερη έμφαση σε αυτό που θα έλεγε στη συνέχεια, «όχι μόνο αυτό αγαπητό μου παιδί, αλλά αυτό το καθεστώς υπάρχει εδώ και καμιά δεκαπενταριά αιώνες. Όταν η χώρα σου ήταν ακόμα μία ομάδα από πολεμοχαρή βασίλεια, πολύ πριν απ' την κατάκτηση των Νορμανδών, αυτή η μικρή χερσόνησος ήταν ήδη προορισμένη ως τόπος απομόνωσης από τους πειρασμούς του κόσμου. Μιλάμε για την αρχαιότερη συνεχόμενη δημοκρατία του Κόσμου -πολύ αρχαιότερη από την βρετανική».

Συνέχισε να μου λέει διάφορα πράγματα σχετικά με τη ζωή των μοναχών τα οποία έβρισκα πολύ ενδιαφέροντα, αλλά ήμουν ανυπόμονος να καταλάβω τι σχέση μπορεί να είχαν όλα αυτά με τα σχέδια μου.

Στο τέλος, τον επανέφερα στο θέμα.

«Πρέπει να βρεις τον δρόμο και τον τρόπο, να φτάσεις σ' αυτή τη χερσόνησο», είπε, τοποθετώντας το καθαρό δάχτυλο του πάνω στον Άθω. «Εκεί θα σου παρέχουν άσυλο. Η φιλοξενία, ιδιαίτερα προς τους παθόντες, αποτελεί βασικό μέρος των πεποιθήσεων τους. Από 'κει, ή μέσω εκείνων - γιατί έχουν πολλές δυνατότητες- θα μπορούσε να βρεθεί κάποιος να σε πάει στα απέναντι μικρασιατικά παράλια».

Αυτό που άκουσα ήχησε σαν μουσική στα αυτιά μου. Ο μηρός μου θα γλύτωνε πολλές ταλαιπωρίες κι ο κίνδυνος του να περάσω από δύο σύνορα θα αποφευγόταν. Περάσαμε όλο το υπόλοιπο απόγευμα εξετάζοντας τις καλύτερες διόδους, τα επικίνδυνα χωριά και τις συνήθειες που είχε ο εχθρός στις περιοχές απ' τις οποίες θα περνούσα.

Δυστυχώς, θα έπρεπε να περάσω μέσα απ' τη Θεσσαλονίκη ώστε να ξεκινήσω την πορεία μου απ' την ανατολική πλευρά του λιμανιού. Ήμουν κάτι παραπάνω από τρομοκρατημένος για αυτό, όχι τόσο για το ενδεχόμενο να συλληφθώ, αλλά γιατί θα δυσκολευόμουν πολύ να βρω το δρόμο μόνος μου, μέσα απ' την πόλη. Και σίγουρα θα συναντούσα σίγουρα αρνητική στάση από τον οποιονδήποτε χρειαζόταν να ζητήσω οδηγίες. Οι φίλοι μου, πάντως, με διαβεβαίωναν για την επιτυχία του τολμηρού σχεδίου που είχαν σκεφτεί. Θα τους ακολουθούσα από μία απόσταση ασφαλείας μέσα στο κέντρο της πόλης προς μία συγκεκριμένη στάση του τραμ. Από εκεί θα έπαιρνα το τραμ που θα με πήγαινε περίπου δώδεκα χιλιόμετρα έξω απ' την πόλη, με το οποίο θα προσπερνούσα, επίσης, και δύο σημεία ελέγχου των Γερμανών. Μου τόνισαν να επιβιβαστώ στο δεύτερο συρμό του τραμ καθώς οι Γερμανοί, από αλαζονεία, δεν έμπαιναν ποτέ εκεί.

Έτσι, μόλις σουρούπωσε, ξεκινήσαμε από το χωριό με τους τρεις τους να περπατάνε περίπου πενήντα βήματα μπροστά από μένα. Καθώς βγαίναμε από το χωριό, υπέπεσαν στην αντίληψή μου πολλές διερευνητικές ματιές και ψίθυροι, αλλά μετά τους λόφους κι όσο μπαίναμε στην πόλη για να περάσουμε πάλι μέσα απ' τα παλαιά τείχη, οι άνθρωποι με προσπερνούσαν με αδιαφορία, και αυτό μου προσέδιδε αυτοπεποίθηση. Πράγματι, μέχρι να φτάσουμε στις κεντρικές οδικές αρτηρίες που ήταν γεμάτες με πλήθος στρατιωτών, είχα αρχίσει, ν' απολαμβάνω το όλο εγχείρημα.

Δεν είχα ξαναβρεθεί ποτέ σε μια πόλη τόσο γεμάτη από στρατιώτες. Ανεβοκατέβαιναν στους δρόμους, ανά τετράδες ή ανά ντουζίνες, όλοι με αποφασιστικότητα να εκτελέσουν τους σκοπούς τους ή τις διασκεδάσεις τους ώστε, κάποιες στιγμές, να δυσκολεύομαι να ακολουθώ τους οδηγούς μου.

Ελισσόμουν ανάμεσα από κύματα γκρίζων στολών για να μπορώ να διατηρώ το ρυθμό της παρακολούθησης μου. Όλοι εκείνοι οι άντρες πρέπει να ήταν οι καινούργιες φουρνιές που θ' αποστέλλονταν προς ενίσχυση του Ρόμελ στην έρημο.

Σε κάποια φάση έχασα τελείως τους οδηγούς μου για πάνω από δέκα λεπτά, κι αγχώθηκα. Εντέλει, τους είδα να με κοιτούν κρυφά από το απέναντι πεζοδρόμιο. Μόλις πήγα προς το μέρος τους, το παιχνίδι ξανάρχισε κι ενώ είχαμε περπατήσει πάνω από μία ώρα, σταμάτησαν κι άναψαν τσιγάρο σε μία στάση του τραμ. Τότε κατάλαβα ότι ο δικός τους ρόλος είχε εκπληρωθεί. Ο ένας από αυτούς γύρισε προς τα πίσω και περνώντας δίπλα μου, μου έπιασε το μπράτσο και μ' έσφιξε σιωπηρά.

Ήμουν και πάλι μόνος.

Στάθηκα κάτω από το ένα φανάρι της στάσης επίτηδες, ώστε να μην είμαι στη σκιά και κινώ υποψίες. Στην αρχή ήταν κοντά μου πολύ λίγοι πολίτες και αισθανόμουν άνετα, αλλά στη συνέχεια η στάση γέμισε, η μισή από Έλληνες και η άλλη μισή από Γερμανούς στρατιώτες. Ένας Έλληνας, με πλησίασε με περιέργεια και επέμενε να μου απευθύνει διάφορες ερωτήσεις στη γλώσσα του. Εγώ κρατούσα μία απόμακρη και αποθαρρυντική στάση, αλλά είχα έρθει σε μεγάλη αμηχανία. Μπροστά απ' τη στάση βρισκόταν η διάβαση κι ο δρόμος. Κάθε πέντε ή δέκα λεπτά, διέσχιζαν τη διάβαση αργά πέρα-δώθε δύο Γερμανοί της Στρατιωτικής Αστυνομίας. Εν τω μεταξύ, είχαν περάσει δύο ώρες χωρίς να έχει εμφανιστεί ούτε ένα τραμ.

Γερμανοί κι Έλληνες μαζί, άρχισαν να γίνονται ανυπόμονοι. Κάποιοι έφευγαν, ενώ οι υπόλοιποι που παρέμειναν παραπονιόνταν και στις δύο γλώσσες. Η κατάσταση κλιμακώθηκε όταν ένας ελαφρά μεθυσμένος στρατιώτης ήρθε προς το μέρος μου και αφού μου πέταξε κανα-δυο βρισιές, στο τέλος προφανώς με ρωτούσε για τα τραμ. Πέτρωσα. Η γλώσσα μου είχε κολλήσει στον ουρανίσκο. Κατάφερα, όμως, να σηκώσω τον καρπό μου και με δυο-τρεις νευρικές κινήσεις χτύπησα το ρολόι μου και του έδειξα τον σταθμάρχη του τραμ απέναντι. Αυτές μου οι κινήσεις, προκάλεσαν έναν χείμαρρο από θυμωμένες ερωτήσεις με στεντόρειες βρισιές και, νομίζω, πως τα πράγματα θα είχαν ξεφύγει από τον έλεγχο, αν κάποιος από τους διπλανούς δεν προσπαθούσε να του προσφέρει διστακτικά εξηγήσεις στα γαλλικά. Ο Γερμανός στράφηκε αμέσως προς το μέρος του. Μετά από λίγο απομακρύνθηκε αγριεμένος. Το παράδειγμα του ακολούθησαν κι άλλοι συνάδελφοι του μαζί με αρκετούς Έλληνες.

Εγώ απ' την πλευρά μου, διέγνωσα ένα νέο πρόβλημα. Απ' τις εξηγήσεις που δόθηκαν στα γαλλικά κατάλαβα ότι η πόλη δεν είχε ρεύμα, κι ήταν αμφίβολο αν θα γινόταν κάποιο δρομολόγιο τραμ, όλο το υπόλοιπο βράδυ. Αν περίμενα μέχρι το επόμενο πρωινό δρομολόγιο, δεν θα είχα αρκετό σκοτάδι στη διάθεση μου για να βγω απ' την πόλη, γιατί θα ξημέρωνε. Οι λεπτομερείς οδηγίες που είχα, όμως, για τη διαδρομή που θα έπρεπε να ακολουθήσω, ξεκινούσαν από ένα σημείο που βρισκόταν δώδεκα χιλιόμετρα μακριά. Η κατάσταση ήταν σοβαρή.

Άφησα τη στάση και πέρασα το δρόμο απέναντι. Εκείνος ο ενθουσιασμός που είχα όταν διέσχιζα τους δρόμους ερχόμενος, με είχε εγκαταλείψει και ένιωθα αποκαρδιωμένος με τη σκέψη ότι θα έπρεπε να βαδίσω άλλα δώδεκα χιλιόμετρα, με την πληγή μου τόσο ανοιχτή ώστε να χρειάζεται ακόμα, τουλάχιστον, άλλα τρία στρώματα επιδερμίδας για να επουλωθεί. Γνώριζα καλά πως το σώμα μου παρέμενε πλαδαρό και αργό στη θρέψη.

Περνώντας έξω από ένα εστιατόριο, παρατήρησα μέσα απ' τη τζαμαρία, δύο Γερμανούς αξιωματικούς του Ναυτικού κι άλλους δύο Έλληνες να δειπνούν, κι αποφάσισα ότι το να καθυστερώ άλλο, δεν ήταν σοφό. Θα έπρεπε να ξεκινήσω με τα πόδια. Η εικόνα των ανθρώπων να δειπνούν, μου θύμισε ότι όλη μέρα είχα φάει μόνο ένα μικρό κολατσιό και, καθώς απομακρυνόμουν, είχα ένα πολύ στενάχωρο αίσθημα πείνας.

Η γραμμές του τραμ με πέρναγαν μέσα από το κέντρο της πόλης, από δυνατές μουσικές και χορούς, βραχνά γέλια απ' τα καμπαρέ και φωτισμένα θέατρα.

Η πιο συναρπαστική στιγμή ήταν, όταν πέρασα και πάλι έξω από το στρατόπεδο αιχμαλώτων κι αναρωτιόμουν τι να πίστευαν άραγε, μέσα, για την απόδραση μου. Ο γνώριμος προβολέας, έριχνε το φως του ασταμάτητα στα συρματοπλέγματα, ενώ αντίθετα τα κτήρια των γύρω δρόμων παρέμεναν ημιφωτισμένα. Δεν μπορούσα να συγκρατήσω το χαμόγελο μου σκεπτόμενος την αντίδραση των φρουρών όταν θα ανακάλυψαν, καταρχάς, την απουσία μου και στη συνέχεια την πόρτα, που θα τους έδινε όλες τις απαντήσεις.

Ήμουν σίγουρος ότι, μες στο στρατόπεδο, το θαύμα θα διαρκούσε μόνο τρεις μέρες, αλλά μόνο μετά τον πόλεμο έμαθα από φίλους, πόσο μεγάλο σαματά είχαν προκαλέσει οι Γερμανοί μετά την απόδραση μου. Όλο το σύμπλεγμα παρήλαυνε επί ώρες, το στρατόπεδο ψαχνόταν σπιθαμή προς σπιθαμή κι ο πιο υψηλόβαθμος Βρετανός Αξιωματικός, την πλήρωσε άσχημα. Ο άνθρωπος δε, που ήταν η πιο μεγάλη απειλή και κρατούσε πάντα σε εγρήγορση και ανησυχία όλους τους φυλακισμένους, ο Γερμανός Διοικητής που κάλυπτε τις θηριωδίες των νεαρών Ναζί, στάλθηκε στην πρώτη γραμμή του Ρωσικού μετώπου για τιμωρία.

Βάδιζα με κόπο μέσα απ' τα προάστια και ξεκουραζόμουν στα κράσπεδα, εδώ κι εκεί. Ούτε οι στρατιώτες, αλλά ούτε και οι πολίτες μου έδιναν την παραμικρή σημασία, καθώς περνούσαν βιαστικά δίπλα μου. Η κούραση μου είχε αρχίσει να ξεπερνά τις ανησυχίες μου. Ξαφνικά, στα διακόσια μέτρα μπροστά, εμφανίστηκαν κάτι ταμπέλες και δύο άσπρες μπάρες που διέκοπταν τον δρόμο, ενώ και απ' τις δύο πλευρές υπήρχαν φυλάκια και σκοποί που περπατούσαν τριγύρω.

Οι Έλληνες με είχαν προειδοποιήσει γι' αυτά τα μπλόκα και καταριόμουν την τύχη μου που δεν μου επέτρεψε να τα προσπεράσω με το τραμ. Τραβήχτηκα στα σκοτεινά για να εξετάσω λίγο ψύχραιμα το σκηνικό.

Οι σκοποί σταματούσαν κάτω από ένα δυνατό φως τους πολίτες που ήθελαν να περάσουν και τους ζητούσαν τα έγγραφα τους. Παρότι ο έλεγχος ήταν επιπόλαιος, αντιλήφθηκα πως δε θα κατάφερνα να εξηγήσω εύκολα το γιατί δεν έφερα κάποιου είδους ταυτότητα πάνω μου. Ακόμα και οι πιο απλές ερωτήσεις θα με εξέθεταν εύκολα.

Αποφάσισα να κινηθώ προς τα πίσω και να βρω μία παράπλευρη οδό ελπίζοντας ότι θα με οδηγούσε σε κάποιο αφύλακτο πέρασμα, μέχρι που φάνηκε μία μεγάλη παρέα Γερμανών στρατιωτών ανακατωμένοι με κοπέλες και πολίτες που πλησίαζαν γελώντας και τραγουδώντας. Οι φύλακες τούς αντιμετώπισαν ευμενώς και σήκωσαν τη μπάρα επιτρέποντάς τους να περάσουν από το μπλόκο, ενώ ταυτόχρονα διασκέδαζαν με τη γελοία εικόνα της παρέας και τις αστείες χειρονομίες που τους έκαναν. Μου ήρθε στο μυαλό κάτι το αυτονόητο. Περίμενα με ανυπομονησία μέχρι να εμφανιστεί το επόμενο γκρουπ στρατιωτών που θα επέστρεφε. Φάνηκε μετά από περίπου μισή ώρα. Ήταν όλοι τους εμφανώς υπό την καθοδήγηση, το στρίμωγμα και τις αισχρολογίες των πολιτών που τους συνόδευαν.

Όταν ξεπέρασαν το σημείο στο οποίο κρυβόμουν, σηκώθηκα και άρχισα να περπατώ αργά πίσω τους. Με αγνόησαν, και οι περισσότεροι από δαύτους δεν με πήραν καν χαμπάρι. Επιτάχυνα τον βηματισμό μου και βρέθηκα στα μετόπισθεν της παρέας, σχεδόν ανάμεσα από δύο μεθυσμένους πιλότους. Μια Ελληνίδα, που βοηθούσε έναν τρίτο μεθυσμένο Γερμανό να σταθεί στα πόδια του, με παρατήρησε καχύποπτα και κάτι ψιθύρισε στον συνοδό της. Προφανώς του είπε κάτι σχετικά με την παρουσία μου εκεί, γιατί όσο του μιλούσε συνέχισε να κοιτάζει προς το μέρος μου. Διερωτήθηκα τι έπρεπε να κάνω. Δεν είχα καταφέρει ποτέ να ξεπεράσω κάποιον στο τρέξιμο, αν χρειαζόταν να ξεφύγω. Ο Γερμανός, όμως, μουρμούρισε κάτι και άρχισε να την παρενοχλεί με μία βραχνή και μεθυσμένη φωνή. Μου έριξε μία μόνο ματιά, αρκετή για να καταλάβω ότι δεν θα αποτελούσε κανέναν κίνδυνο.

Πλησιάσαμε το σημείο ελέγχου. Αισθάνθηκα γυμνός και τρομοκρατημένος όταν βρεθήκαμε κάτω από το δυνατό φως στη μέση του δρόμου. Προσπάθησα να παραστήσω τον συνηθισμένο τύπο και σφύριζα αδιάφορα.

Η μπάρα σηκώθηκε και οι προπορευόμενοι άρχισαν να περνούν χαιρετώντας τους φρουρούς. Ήταν απίστευτο πόσες πολλές κοπέλες μιλούσαν άπταιστα τα γερμανικά. Έφτασα κι εγώ στο κέντρο της μπάρας και ένιωσα τον φρουρό να με κοιτάζει. Ένιωσα να ξεβιδώνομαι. Ήμουν σίγουρος ότι το είχα παρακάνει με τη βιασύνη μου κι ότι εξάντλησα τις πιθανότητες μου. Από στιγμή σε στιγμή περίμενα κάποια πρόκληση. Περπατούσα μηχανικά και ήταν σα να έβλεπα εφιάλτη. Πριν το καταλάβω καλά-καλά, είχα εισέλθει και πάλι στο σκοτάδι που ξεκινούσε μετά το μπλόκο. Τα είχα καταφέρει. Συνέχισα να περπατώ κοντά στους πιλότους για καμιά διακοσαριά μέτρα μειώνοντας σταδιακά τον βηματισμό μου για να μείνω πίσω. Όταν θεώρησα ότι ήταν ασφαλές, έσκυψα υποτίθεται για να δέσω τα κορδόνια μου. Απομακρύνθηκαν όλοι μπροστά. Έψαξα για κάποιο σκοτεινό μέρος και ξεκουράστηκα πριν συνεχίσω μόνος. Δεν με διακατείχε καμία έξαψη, διότι είχα συνειδητοποιήσει το πόσο μεγάλο και ανόητο ρίσκο είχα πάρει. Υποσχέθηκα στον εαυτό μου να μην είμαι τόσο απερίσκεπτος στο μέλλον.

Μέχρι να συμβούν όλα αυτά, είχαν φτάσει τα μεσάνυχτα και η αγυμνασιά μου με είχε εξουθενώσει. Κινήθηκα αργά μέσα απ' τα περίχωρα, μέχρι που έφτασα στην ανοιχτή ύπαιθρο. Ξεκουράστηκα στο δρομάκι ενός μεγάλου σπιτιού και με έπιασε μία απελπιστική νοσταλγία καθώς άκουγα κάποιον να παίζει πιάνο από μέσα. Μπήκα σε πειρασμό να δοκιμάσω την τύχη μου, αλλά έπρεπε ν' απομακρυνθώ απ' την πόλη όσο πιο πολύ μπορούσα μέχρι να ξημερώσει.

Χιλιόμετρο το χιλιόμετρο, οδοιπορούσα σε μία ελαφρώς κυματοειδή περιοχή, περιφραγμένη γενικώς από διάσπαρτα αγροτικά κτίσματα. Ο δρόμος παρέμενε αρκετά φαρδύς και ασφαλτοστρωμένος χωρίς να μου αφήνει περιθώριο αμφιβολίας, τουλάχιστον στην αρχή, για το αν είχα πάρει τη σωστή πορεία. Επιτέλους, έφτασα στο τέρμα του τραμ. Επειδή ο δρόμος ήταν έρημος, έπαιρνα τα μέτρα μου κι όταν περνούσαν γερμανικά οχήματα, καλυπτόμουνα.

Πρέπει να διάνυσα πάνω από είκοσι χιλιόμετρα εκείνο το βράδυ, όταν η θέα της θάλασσας στα δεξιά μου με έκανε να καταλάβω ότι είχα βγει εκτός πορείας. Δεν είχα τις δυνάμεις να γυρίσω προς τα πίσω και παρόλο το κρύο και το διαπεραστικό ψιχάλισμα, ξάπλωσα στα χόρτα, παράπλευρα του δρόμου, και με πήρε αμέσως ένας βαθύς ύπνος.

Τα ρούχα μου αποτελούνταν από μία νοσοκομειακή πυτζάμα που ήταν μέσα από ένα χακί παντελόνι, κι από μία μπλούζα, ένα σακάκι και μία κάπα. Δεν είχα κάποιο βαρύ παλτό ούτε αδιάβροχα ρούχα για προστασία απ' τα βορειοελλαδίτικα καιρικά φαινόμενα, οπότε, δεν ήταν παράξενο ότι μόλις μία ώρα αφότου είχα ξαπλώσει ήμουν σχεδόν παγωμένος. Με πάρα πολύ κόπο κατάφερα να σηκωθώ και ν' αναζητήσω το σημαντικότερο πράγμα που χρειαζόμουν για να επιβιώσω. Λίγη ζέστη. Μετά από τρία οδυνηρά χιλιόμετρα, έφτασα σε ένα συγκρότημα από αγροτόσπιτα[12]. Πήγα στην μπροστινή πόρτα και τη χτύπησα δυνατά.

Αρχικά, δεν υπήρξε καμία αντίδραση. Μετά από μερικούς θορύβους από μέσα, κάποιος μου έκανε κάτι ακαταλαβίστικες χειρονομίες απ' το πάνω παράθυρο. Δεν με παραξένεψε που δεν ήταν διαθέσιμος και μετά από μερικά λεπτά ενόχλησης, το παράθυρο έκλεισε ερμητικά και δεν ακουγόταν τίποτα πλέον από το σπίτι. Δεν υπήρξε καμία άλλη αντίδραση στα χτυπήματα μου.

Ήμουν αποφασισμένος να μην προχωρήσω άλλο εκείνο το βράδυ. Φοβόμουν να απομακρυνθώ απ' την αγροτική αυτή περιοχή, διότι σε περίπτωση που κατέρρεα κάπου στη μέση του πουθενά, δε θα με έβρισκε κανείς.

Περίπου στα εκατό μέτρα από το σπίτι αυτό, υπήρχε ένας εγκαταλελειμμένος αχυρώνας, κοντά στο δρόμο. Έμοιαζε σκοτεινός και κρύος αλλά για μένα ήταν το καλύτερο δυνατό καταφύγιο απ' τη βροχή. Το πλησίασα και κοίταξα γύρω του.

Ένα μεγάλο μαύρο σκυλί εμφανίστηκε απ' τη μεριά του σπιτιού και μούγκριζε θυμωμένο. Του πέταξα μία πέτρα και στάθηκα αρκετά τυχερός γιατί το πέτυχα. Έμεινε σε απόσταση ασφαλείας, αλλά άρχισε να γαβγίζει συνέχεια. Ήλπιζα, τουλάχιστον, ότι θα κατάφερνε να σηκώσει τον αγρότη από το κρεβάτι του.

---

[12] Ο Σάντυ είχε κατευθυνθεί προς την περιοχή της Μίκρας.

Στον αχυρώνα φυλασσόταν ένα είδος αγροτικού μηχανήματος που έμοιαζε με μηχανή αλωνίσματος. Το έδαφος ήταν στεγνό αλλά απίστευτα κρύο. Αν και όλο μου το σώμα έτρεμε από το κρύο, ξάπλωσα κάτω και προσπάθησα να ηρεμήσω. Ο σκύλος απέξω συνέχισε να γαβγίζει. Κάποια στιγμή έκανε την εμφάνιση του το φως της αυγής. Μέσα απ' την μισάνοιχτη πόρτα έβλεπα ότι έβρεχε ακόμα. Τα πάντα γύρω μου, μού φαινόντουσαν θλιβερά και αφιλόξενα. Παρέμενα ξαπλωμένος στο έδαφος διερωτώμενος τι θα απογίνω τελικά.

Μετά από μισή ώρα περίπου, πήρε το αφτί μου κάτι βήματα απ' την πλευρά του σπιτιού. Ανασηκώθηκα. Κάποιος διέταξε το σκύλο να σκάσει πετάγοντας του άλλη μία πέτρα κι εκείνο έφυγε μακριά γκρινιάζοντας. Μία φιγούρα εμφανίστηκε στο κατώφλι της πόρτας. Προσπάθησα να σηκωθώ, χωρίς επιτυχία όμως.

Άκουσα ελληνικά και απάντησα στ' αγγλικά.

«Εγγλέζος, ε;» είπε ο νεοαφιχθείς. «Από πού ήρθες;»

Του περιέγραψα με συντομία ότι είχα δραπετεύσει δύο μέρες νωρίτερα.

«Α, τότε πρέπει να 'σαι ο Άγγλος που κυνηγάνε. Έχουν ειδοποιήσει όλα τα αστυνομικά τμήματα για σένα. Το όνομα σου είναι Τόμας, ε;»

Σοκαρίστηκα. Αν δεν ένιωθα τόσο τσακισμένος, θα είχα εκτιναχθεί επάνω σαν ελατήριο. Ο αγρότης μιλούσε με έντονη αμερικάνικη προφορά. Ξεκίνησε να μου λέει πως είχε περάσει είκοσι χρόνια στην Αμερική και έφερε τα λεφτά του πίσω για να αγοράσει αυτή τη φάρμα. Διέκοψε αμέσως όταν πρόσεξε ότι ήμουν άρρωστος. Η παραδοσιακή φιλοξενία και συμπάθεια του Έλληνα επιβεβαιώθηκε, όταν έσκυψε και με βοήθησε να σηκωθώ. Με παρακάλεσε να πάω στο σπίτι του για να ζεσταθώ.

Έριξε ένα σπίρτο στο τζάκι και μία ευχάριστη φλόγα φώτισε το σαλόνι του. Με παρότρυνε να βγάλω τα ρούχα μου και μου έδωσε μια μεγάλη κουβέρτα. Με έβαλε να κάτσω μπροστά απ' τη φωτιά κι έσπευσε να μου γεμίσει ένα ποτήρι ρακί για να απορροφήσει το κρύο. Σύντομα, το σπίτι άρχισε να γυρίζει γύρω μου κι ένα μέλος της οικογένειας κατέβηκε να μου συστηθεί.

Η οικοδέσποινα ήταν μια ευγενική γυναίκα με μεγάλα, θλιμμένα, καφέ μάτια. Έφερνε κοντά στα σαράντα, αλλά μπορεί να ήταν και μεγαλύτερη. Αν και δεν μιλούσε πολλά αγγλικά με έκανε να αισθανθώ σαν το σπίτι μου πολύ γρήγορα. Η μεγαλύτερη κόρη της είχε κατέβει μαζί της κάτω. Επρόκειτο για μία εκθαμβωτική κοπέλα με πανέμορφα σκούρα μαλλιά και τα θλιμμένα μάτια της μητέρας της. Αλλά η ομορφιά της περιορίστηκε τη στιγμή που εμφανίστηκε στο δωμάτιο η μικρότερη αδερφή της, Μαρία. Ήταν μία ζωντανή εικόνα ομορφιάς. Το να έχω συναναστραφεί μόνο με άντρες για τόσο πολύ καιρό και να βλέπω μία τέτοια οπτασία ξαφνικά μπροστά μου, ήταν κάτι το αναπάντεχο και γι' αυτό πρέπει να έδειχνα πολύ κακότροπος που δεν μπορούσα να πάρω με τίποτα τα μάτια μου από πάνω της. Ο πατέρας της πρέπει να το διασκέδαζε που μ' έβλεπε να τη θαυμάζω και να έχω μείνει με ανοιχτό το στόμα. Μου ξαναγέμισε το ποτήρι με ρακί και καθώς το έσπρωχνε προς το μέρος μου, έβλεπα τα μάτια του να λαμπυρίζουν.

«Λοιπόν», είπε, «αυτές είναι οι γυναίκες μου. Αργότερα θα σου γνωρίσω και τα αγόρια μου. Έχουν πάρει όλα τα καλά της οικογένειας, όπως θα δεις. Τώρα, τι γίνεται με σένα; Θα μας πεις κάτι σχετικά με την καταγωγή σου και το τί έχεις περάσει μέχρι τώρα;»

Κρατώντας το βλέμμα μου στη φιλική φωτιά του τζακιού, για να αποφεύγω να κοιτώ επίμονα τη Μαρία, άρχισα να τους διηγούμαι διάφορα.

«Αγόρι μου», είπε ο φίλος μου, όταν τέλειωσα να τους λέω την ιστορία μου, τα δεινά μου και τα σχέδια μου, «είσαι φιλοξενούμενος μου για όσο θέλεις να μείνεις εδώ. Είμαστε πατριώτες και για εμάς αποτελεί τιμή να κρατήσουμε ένα Άγγλο στο σπίτι μας. Αλλά», διέκοψε και έδειξε μία συστολή πριν συνεχίσει με την ένρινη αμερικάνικη προφορά του, «φαντάζομαι αντιλαμβάνεσαι, ότι πρέπει να σκεφτώ και την οικογένεια μου».

Κατάλαβα τι εννοούσε. Οι Γερμανοί είχαν εμποτίσει μία βαθιά ανασφάλεια σε πολλούς Έλληνες, χρησιμοποιώντας μία αδυσώπητη μέθοδο. Αν ανακάλυπταν Άγγλο μέσα σε οποιοδήποτε σπίτι, σκότωναν επί τόπου όλη την οικογένεια χωρίς δίκη και χωρίς να λογαριάζουν ηλικία ή φύλο. Ο δε, Άγγλος φυγάς -και εδώ έπαιζε ρόλο η ψυχολογική βία- δεν θα πάθαινε τίποτα εκεί που θα τον έβρισκαν, άσχετα αν η τοπική κοινωνία δεν θα μάθαινε ποτέ το τί μπορεί να του συνέβαινε αργότερα. Επιπλέον, ο επικεφαλής μιας ελληνικής οικογένειας, θα μπορούσε εύλογα να πει εξ αρχής, «Γιατί να σε βοηθήσω και να ρισκάρω τις ζωές της οικογένειας μου, ενώ εσύ απλά ρισκάρεις την επιστροφή σου σε κάποιο στρατόπεδο;».

Γι' αυτό, λοιπόν, απάντησα πολύ προσεκτικά.

«Γρηγόρη», αυτό ήταν το όνομα του, «το ξέρω πως ήσουν, ήδη, κάτι παραπάνω από εξυπηρετικός. Είμαι έτοιμος να φορέσω τα ρούχα μου και να συνεχίσω το δρόμο μου».

«Α, όχι, όχι», φώναξε τρομαγμένος. «Αυτό δε θα το έκανα ποτέ». Απλά, εδώ δίπλα υπάρχει ένα γερμανικό στρατόπεδο και οι στρατιώτες μας επισκέπτονται συχνά για να αγοράσουν αυγά και κοτόπουλα. Και επίσης», συνέχισε με ένα φαρμακερό ύφος, «για να προσβάλλουν τις κόρες μου με την άθλια συμπεριφορά τους. Πρέπει να μείνεις μαζί μας μέχρι να γίνεις λίγο καλύτερα και να σου βρω ένα καταλληλότερο καταφύγιο για να κρυφτείς. Το πιο σημαντικό τώρα, είναι να παραμένεις κρυμμένος κατά τη διάρκεια της ημέρας».

Εννοείται, ότι συμφώνησα αμέσως. Όταν ζεστάθηκα πλήρως, με οδήγησαν τυλιγμένο με την κουβέρτα όπως ήμουν, σε ένα υπόστεγο με σανό που ήταν εφαπτόμενο με το σπίτι. Εκεί, τα αγόρια πηρούνισαν μερικά δεμάτια για να διαμορφώσουν ένα κενό ανάμεσα στα άχυρα και οι κοπέλες έστρωσαν φλοκάτες με μαξιλάρια, ώστε να μπορώ να ξαπλώσω άνετα. Μετά από μερικά λεπτά και αφού είχα αρχίσει να μισοκοιμάμαι, εμφανίστηκε η σπιτονοικοκυρά κρατώντας ένα δίσκο με το πιο αξέχαστο γεύμα της ζωής μου. Μία πρώην σερβιτόρα που είχε υπηρετήσει στην κουζίνα του Βρετανικού Αρχηγείου, στον Α΄ Παγκόσμιο Πόλεμο, ήξερε πολύ καλά τι είδους φαγητό θα εκτιμούσε ένας ταλαιπωρημένος στρατιώτης. Μία μεγάλη ομελέτα με μπέικον και τηγανιτές πατάτες, φρέσκο σπιτικό ψωμί με πρόβιο βούτυρο κι ένα τεράστιο ποτήρι γλυκού κατσικίσιου γάλατος. Όλα αυτά ήταν τοποθετημένα με επιδεξιότητα πάνω στο δίσκο, με τη συνοδεία μίας χαρτοπετσέτας και, έτσι για τελευταία πινελιά, μερικές οδοντογλυφίδες.

Στάθηκε και με κοιτούσε σιωπηλή να τρώω. Ήμουν σίγουρος ότι ο τρόπος με τον οποίο καταβρόχθιζα τα φαγητά της, ήταν η καλύτερη φιλοφρόνηση για τη μαγειρική της, σε οικουμενική γλώσσα. Ξαφνιάστηκα, όμως, όταν πρόσεξα πως τα μεγάλα καφέ μάτια της δάκρυζαν καθώς έφευγε. Όταν μετά από λίγο ήρθε ο Γρηγόρης για να τσεκάρει αν ήταν όλα καλά, τον ρώτησα γιατί φαινόταν η γυναίκα του τόσο θλιμμένη και μου εξήγησε ότι σαν μάνα, ερχόταν στη θέση της δικιάς μου, και ότι γενικά ο πόλεμος της είχε φέρει μεγάλη στεναχώρια. Πράγματι, πίσω στη Νέα Ζηλανδία, σίγουρα τα μαλλιά της μητέρας μου θ' άσπριζαν απ' τα μοναδικά, προφανώς, νέα που θα είχε λάβει κατά τους τελευταίους επτά μήνες, «...σας ενημερώνουμε μετά λύπης ότι τραυματίστηκε και η τύχη του αγνοείται». Αυτή η αυθόρμητη και γενναία ευσπλαχνία, ένα κύριο χαρακτηριστικό των Ελλήνων, με χτύπησε σαν βαριοπούλα στην κατάσταση που ήμουν. Μόλις έμεινα μόνος, έγειρα το κεφάλι μου μπροστά, κράτησα το πρόσωπο μου κι άρχισα να ποτίζω τα άχυρα με δάκρυα.

Περίπου στις δύο το μεσημέρι, ξυπνώντας από έναν εξαιρετικά αναζωογονητικό ύπνο, ανακάλυψα δύο πολύ σκεπτικά καφέ μάτια να με μελετούν, μέσα από ένα μικρό άνοιγμα του καλύμματος που ήταν απλωμένο πάνω απ' τα δεμάτια για να με κρύβει. Ήταν η Μαρία. Είχε σκαρφαλώσει πάνω απ' τα άχυρα με ένα μεγάλο ποτήρι ζεστό γάλα, μερικές φρέσκιες πίτες ολικής άλεσης και κάτι αμερικάνικα περιοδικά.

Αφού στερέωσε το ποτήρι και το πιάτο με ασφάλεια, κύλισε δίπλα μου, επανατοποθετήσαμε το κάλυμμα και τότε, με μία αξιοθαύμαστη αποφασιστικότητα, μου έκανε το πρώτο μάθημα ελληνικών. Ξεκινήσαμε απ' τις φωτογραφίες των περιοδικών -άλογα, σκυλιά, άντρες, γυναίκες- κι αμέσως μετά με διάφορα επίθετα. Μέχρι το τέλος εκείνου του ξένοιαστου μαθήματος κατάφερα να της πω ότι είχε πολύ ωραία μύτη. Της φάνηκε τόσο αστείο που το γέλιο της με προκαλούσε να μάθω γρήγορα κι άλλα επίθετα. Μακάρι όλοι οι μαθητές να ήθελαν να ευαρεστούν τους δασκάλους τους όπως εγώ.

Το βράδυ έφτασε πολύ ευχάριστα: με κάλεσαν μέσα στο σπίτι, με τάισαν μία νόστιμη σαλάτα με βραστές πατάτες και αφού τους διηγήθηκα άλλο ένα κομμάτι της περιπέτειας μου, πήγα να ξαπλώσω και κοιμήθηκα βαριά όλη νύχτα. Το πρωί, η οικοδέσποινα μού έφερε τα ρούχα μου φρεσκοπλυμένα και πέρασα τις περισσότερες ώρες της ημέρας με τη Μαρία δίπλα μου, στη φωλιά απ' τα αχυροδεμάτια. Αφιερώσαμε το περισσότερο χρόνο στο μάθημα ελληνικών.

Το απόγευμα, το φως του ήλιου τρύπωσε μέσα απ' τις ρωγμές και τις τρύπες των ξύλινων τοίχων στο υπόστεγο. Εκείνο το δειλινό, καθώς οι τελευταίες αχτίδες του ήλιου κοκκίνιζαν τον ουρανό, συνειδητοποίησα πόσο εύκολα θα μπορούσα να αναπαύσω τη συνείδηση μου και να μένω εκεί όσο πιο πολύ μπορούσα. Ήξερα καλά, όμως, ότι έπρεπε να φύγω σύντομα. Ο ύπνος και το καλό φαγητό με είχαν αναζωογονήσει με το παραπάνω κι έτσι, αποφάσισα να αναχωρήσω το ίδιο βράδυ. Όλη η οικογένεια σηκώθηκε και εναντιώθηκε όταν τους ανακοίνωσα την απόφαση μου την ώρα που δειπνούσαμε, και η οικοδέσποινα φανερά κλαμένη άρχισε να μου γεμίζει τις τσέπες με σταφίδες και φέτες ψωμιού. Η νεαρή μου δασκάλα κι ο νεαρός αδερφός της, με συνόδευαν επί τρία χιλιόμετρα και ήταν πολύ δύσκολο για όλους μας να αποχαιρετιστούμε και να πούμε αντίο. Καθώς το σκοτάδι κύκλωνε τις φιγούρες τους, στο μονοπάτι του γυρισμού, και οι φωνές τους χάνονταν, έμπαινα σε πειρασμό να γυρίσω πίσω· όχι μόνο είχα μείνει έκθαμβος απ' την αυθόρμητη καλοσύνη και τη φιλοξενία τους, αλλά και η σκέψη περισσότερων μαθημάτων ανάμεσα στ' άχυρα, ήταν δελεαστική. Συνέχισα, νιώθοντας θλιμμένος και μόνος.

ΠΕΡΙΗΓΗΣΕΙΣ ΣΤΗΝ ΚΑΤΕΧΟΜΕΝΗ ΕΛΛΑΔΑ

Τηρώντας τις συμβουλές του αγρότη, ακολούθησα ένα στενό δρομάκι που κυλούσε μέσα από μία πολύ άγονη περιοχή, μέχρι που έπεσα πάνω σε ένα κεντρικό δρόμο. Σύμφωνα με τον οικοδεσπότη μου, αυτός ήταν ο δρόμος που έπρεπε να είχα ακολουθήσει δύο νύχτες πριν, κι αυτός θα μου γλύτωνε τώρα τουλάχιστον οχτώ χιλιόμετρα.

Υπήρχε ελάχιστη στρατιωτική κίνηση στο δρόμο και τα πρώτα πέντε-έξι χιλιόμετρα ήταν ήσυχα. Καθόμουν κάθε μισή ώρα για πέντε λεπτά και έτρωγα μια μικρή χούφτα απ' τις σταφίδες που η σύζυγος του μου είχε δώσει.

Μετά από λίγα ακόμη χιλιόμετρα, έβλεπα ότι πλησίαζα σε ένα αρκετά μεγάλο χωριό.[13] Ήταν περασμένες εννιά κι επειδή ίσχυε η απαγόρευση κυκλοφορίας, ήξερα ότι υπήρχε κίνδυνος να πέσω σε έλεγχο. Κινήθηκα με προσοχή ανάμεσα στα ήσυχα σπίτια που βρισκόντουσαν πάνω στο δρόμο.

Μετά από λίγο, όμως, βρέθηκα μπροστά σε μια μεγάλη πλατεία στο κέντρο του χωριού. Πάνω που θα την διέσχιζα, παρατήρησα ένα συνονθύλευμα οχημάτων στη σκιά των κτηρίων απ' την άλλη πλευρά της πλατείας. Χωρίς να χρειαστεί να ρίξω δεύτερη ματιά, κατάλαβα ότι ήταν στρατιωτικά οχήματα. Ένα απ' αυτά, μάλιστα, ήταν σημαδεμένο με ένα λαμπερό άσπρο κύκλο μέσα στον οποίο, ακόμα και στο σκοτάδι, ξεχώριζε περίοπτα μία μισητή σβάστικα. Καθώς γλίστρησα αθόρυβα πίσω από το τοιχίο ενός μεγάλου συντριβανιού, ένας φρουρός πετάχτηκε έξω από το σκοτάδι, προφανώς υποψιασμένος. Βυθίστηκα μέσα στη σκιά. Βαριά βήματα πλησίαζαν. Πήρα τις μπότες μου στο χέρι και έτρεξα με όλη μου τη δύναμη πίσω στον δρόμο από τον οποίο είχα έρθει, μέχρι να απομακρυνθώ για τα καλά από το χωριό. Ο φρουρός μού φώναξε κατ' επανάληψη καθώς έτρεχα, αλλά όταν καλύφθηκα εξαντλημένος σε ένα

---

[13] Το χωριό Βασιλικά.

χαντάκι στην πλευρά του δρόμου, τα πάντα πίσω μου είχαν ησυχάσει. Ξαπόστασα για λίγο και άφησα τον πανικό μου να σβήσει.

Δεν φαινόταν να έχω άλλη εναλλακτική λύση, από το να παρακάμψω το χωριό κυκλικά και να ξανασυνδεθώ με τη σωστή διαδρομή απ' την άλλη πλευρά. Ξεκίνησα για να κάνω ακριβώς αυτό. Η εξέλιξη του πρώτου χιλιόμετρου, ήταν καλή, το έδαφος ήταν οργωμένο με βαθιές διαβρώσεις από νερά και μικρά ρυάκια. Όπως άρχισα να ανεβαίνω στις χαμηλότερες πλαγιές των λόφων πίσω από το χωριό, έπεσα πάνω σε φρύγανα και γινόταν όλο και πιο δύσκολο να κρατήσω την πορεία μου στο σκοτάδι. Στη συνέχεια, άρχισε να βρέχει. Τσαλαβουτούσα ανάμεσα στους βρεγμένους θάμνους για περίπου δύο ώρες, έως ότου συνειδητοποίησα ότι είχα εντελώς χαθεί.

Ήταν μια φοβερή νύχτα. Υπήρχε κάτι αφύσικο σχετικά με αυτά τα παράξενα ψηλά φρύγανα. Μου δημιουργούσαν ένα κακό προαίσθημα, σα να ήθελαν να με κρατήσουν πίσω όσο εγώ προσπαθούσα να τα ξεπεράσω. Ήταν όλα τόσο ήσυχα και μοναχικά ώσπου με μεγάλη ανησυχία έφτασα σε ένα ξέφωτο και βγήκα με ανακούφιση έξω από τους θάμνους. Για κανένα λόγο δεν θα επέστρεφα πίσω σ' εκείνο το άλσος, όσο κι αν η συνεχιζόμενη ορειβασία με έπειθε ότι απομακρυνόμουν απ' την σωστή πορεία που θα έπρεπε να είχα.

Η βροχή υποβαθμίστηκε σε ένα ενοχλητικό ψιλόβροχο και τα σύννεφα έσπαγαν κατά τόπους επιτρέποντας σε μερικά αστέρια να κάνουν την εμφάνισης τους. Προσπάθησα να κρατήσω μια γενική κατεύθυνση προς τα νοτιοανατολικά, αλλά δεν είχα πραγματικά καμία ιδέα για το πού θα με έβγαζε εκείνη η μακριά νύχτα.

Την αυγή, βρέθηκα στην κορυφή των βουνοπλαγιών, που προσπαθούσα να φτάσω όλη νύχτα, κι άκουσα το οικείο βέλασμα των αγελάδων που έβγαιναν απ' τα σκοτεινά σημεία, έξω στην ανοιχτή κοιλάδα. Άκουγα το μουγκρητό των ζώων, το χτύπημα των οπλών τους πάνω στις πέτρες, όλα ανακατωμένα με το άμουσο κουδούνισμα των χάλκινων κουδουνιών του κοπαδιού. Ένιωσα μία παράξενη παρηγοριά, λες κι εκείνοι οι ευχάριστοι θόρυβοι μου έστελναν σινιάλο καλώντας με να καταφύγω στον κάμπο τους.

Καθώς τα σύννεφα από πάνω άρχισαν να φωτίζονται, ένα μικρό χωριό που λικνιζόταν ανάμεσα σε δύο λόφους, ξεπρόβαλε μπροστά.[14] Κάθισα σε ένα μεγάλο βράχο για να διερευνήσω ποια θα ήταν η καλύτερη δυνατή προσέγγιση. Το πρώτο σκυλί του χωριού, έπιασε το ξένο μου άρωμα και άρχισε να χαλάει την ησυχία του πρωινού.

Το χωριό ήταν βυθισμένο στο σκοτάδι, παρόλο που ένα κροτάλισμα από κουβάδες διακήρυττε ότι κάποιοι από τους κατοίκους του ήταν από νωρίς στο πόδι. Τα σπίτια ήταν όλα κι όλα δώδεκα με δεκαπέντε. Αποφάσισα να δοκιμάσω την τύχη μου στο πρώτο σπίτι που θα άναβε φως. Εν τω μεταξύ, τα σκυλιά του χωριού πλήθαιναν και είχαν γεμίσει ολόκληρη την κοιλάδα με τις αποδοκιμασίες τους.

Μία τρεμάμενη λάμπα πύρωνε ολοένα και περισσότερο σ' ένα σπίτι απόμακρο, κι έτσι, κρατώντας το βαρύ ραβδί μου σταθερά, πλησίασα κι επιστράτευσα όση περισσότερη αυτοπεποίθηση μπορούσα. Τα σκυλιά γάβγιζαν μανιωδώς από μακριά, λόγω της απειλητικής ράβδου μου. Σε λίγα λεπτά χτυπούσα μία σκληρή ξύλινη πόρτα.

Ακούστηκαν ψίθυροι κι εναλλαγές κινήσεων σε όλα τα παράθυρα και, στη συνέχεια, η πόρτα άνοιξε διάπλατα και μπήκα σε ένα μικρό δωμάτιο. Στην άλλη άκρη, ένα μωρό έκλαιγε μέσα σε ένα κουτί στο πάτωμα. Στο μπροστινό μέρος της φωτιάς που αργόσβηνε ήταν πέντε φιγούρες, δύο απ' τις οποίες σήκωσαν διερευνητικά τα νυσταγμένα πρόσωπα τους, ενώ ο Έλληνας και η σύζυγός του, μου έγνεφαν να καθίσω σε μία μικρή ξύλινη κατασκευή, η οποία ήταν και το μόνο έπιπλο του δωματίου. Πολύ σύντομα, τα κάρβουνα αναζωπυρώθηκαν, η φωτιά ζωντάνεψε κι ένα μεγάλο κομμάτι νωπού χοιρινού κρέατος βάλθηκε να βράσει στάζοντας από ένα σφυρήλατο σιδερένιο σκεύος που

---

[14] Το χωριό Περιστερά.

κρεμόταν από μια αλυσίδα της καμινάδας.

Το οίκημα ήταν ένα χαρακτηριστικό αγροτόσπιτο κι ο ιδιοκτήτης του ήταν ένας απλοϊκός χωρικός. Ο αγρότης ήταν αδύνατος και σκούρος, ψηλός σε σχέση με τους άλλους, και περίπου σαράντα ετών. Η σύζυγός του ήταν πολύ μικρότερη στο ανάστημα. Τα παιδιά τους, δύο αγόρια και δύο κορίτσια, ήταν εντυπωσιακά όμορφα παρά τα κουρέλια τους και την ατημέλητη εμφάνιση τους, ο δε απρόσμενος ερχομός ενός Άγγλου αξιωματικού στο σπίτι τους, δεν τα άφηνε καθόλου αδιάφορα. Αποτελούσα αναμφίβολα κακή επιρροή.

Όταν το γεύμα ήταν έτοιμο, το χοιρινό κόπηκε σε μικρά κομμάτια και τοποθετήθηκε σε ένα κοινό σκεύος. Καθίσαμε όλοι κάτω στο παραδοσιακό πάτωμα, με τα πιρούνια και τα δάχτυλα να κρατούν από ένα κομμάτι κρέας κι ένα βαρύ μαύρο ψωμί. Ανάμεσα σε μία συνομιλία γεμάτη χειρονομίες και νεύματα εικασίας απόλαυσα ένα πολύ χορταστικό γεύμα, ενώ τα άκρα μου αποψύχθηκαν κι ο ατμός απ' τα μουσκεμένα ρούχα μου αναδυόταν σαν σύννεφο. Αυτό το ογκώδες χοιρινό γεύμα σ' ένα σπίτι τόσο ταπεινό, δεν ήταν κάτι το ασυνήθιστο εκείνους τους πρώτους μήνες της κατοχής, όταν οι φοβεροί αγρότες κατανάλωναν πεισματικά οι ίδιοι τα αποθέματα τους, αντί να υποβάλλονται σε συστηματική κλοπή «αντί πινακίου φακής» από τους μισητούς κατακτητές τους.

Όταν τελείωσα τη μερίδα μου και τα παιδιά άρχισαν να κουράζονται απ' τις αναπάντητες, αλλά επίμονες ερωτήσεις τους, με οδήγησαν στο άλλο δωμάτιο του σπιτιού και μ' έβαλαν να ξαπλώσω στο μοναδικό κρεβάτι, ενώ μου ζήτησαν τα ρούχα μου για να τα στεγνώσουν. Αυτή η ιδέα του μοναδικού δεύτερου δωματίου, έμαθα αργότερα, ήταν αρκετά κοινή μεταξύ των ταπεινών και φιλόξενων ανθρώπων· σε γενικές γραμμές υπήρχαν για να χρησιμοποιούνται κυρίως από τους επισκέπτες, διότι ο σύζυγος και η γυναίκα του κοιμόντουσαν στο πάτωμα του σαλονιού, γύρω από το τζάκι, έχοντας για σκεπάσματα όλοι, τα ίδια σκληρά και δύσκαμπτα κουρέλια.

Πέρασα ολόκληρη την ημέρα σε έναν μικρό αχυρώνα λίγο έξω από το χωριό και μ' έφεραν πίσω στο σπίτι το βράδυ, όπου με τάισαν και πάλι μεγαλοπρεπώς. Ήταν απλοί άνθρωποι και πολύ γενναίοι πατριώτες, δεν άντεχα, όμως, να αγνοήσω την αυξανόμενη ανησυχία τους. Αποφάσισα, παρά τις διαμαρτυρίες τους, να ξεκινήσω και πάλι τα μεσάνυχτα. Πριν φύγω, μου έβαλαν στα χέρια με το ζόρι μία παλιά πλεκτή κουβέρτα και λίγο ψωμί. Γνωρίζοντας πόσο σημαντικά ήταν για 'κείνους τα δύο αυτά αγαθά, έκανα το παν για να τ' αρνηθώ, αλλά ήταν ανένδοτοι. Απ' τη μεριά μου, για να τους ευχαριστήσω επέμενα να δεχτούν σε αντάλλαγμα μία επιταγή λιρών, της Τράπεζας της Σκωτίας, την οποία είχα κερδίσει από τον Ρεξ Κίνγκ στα χαρτιά, πίσω στο νοσοκομείο της Αθήνας.

Η νύχτα ήταν καθαρή και ξάστερη. Φυσούσε κρύος αέρας χωρίς να βρέχει και ήμουν ευγνώμων για την άνεση που μου πρόσφερε η κουβέρτα την οποία είχα τυλίξει σαν κάπα, γύρω από τους ώμους μου. Κατηφόρισα προς μία κοιλάδα και διατηρούσα την πορεία μου έχοντας για σημάδι τα φώτα των διερχόμενων στρατιωτικών οχημάτων, μερικά χιλιόμετρα μακριά. Στη συνέχεια, άρχισα να κινούμαι ανηφορικά κατά μήκος ενός χαμηλού οροπεδίου που απλωνόταν παράλληλα στο δρόμο.

Η λαμπρή ανατολή του ηλίου το επόμενο πρωί, πλημμύρισε τον πανέμορφο και ειρηνικό κάμπο, προσφέροντας μου μια υπέροχη αναζωογόνηση. Σταμάτησα σ' ένα μικρό ρυάκι για ν' απολαύσω στο έπακρο το σκηνικό. Εκείνη τη μέρα έκανα πολύ λίγη πρόοδο.

Η συνέχεια της διαδρομής μου, καθοριζόταν από μια σειρά χαμηλών λόφων που αποτελούσαν τους πρόποδες μίας ευρύτερης και πιο ορεινής περιοχής. Στα δεξιά μου, προς τα νοτιοανατολικά, υπήρχε ένας εύφορος κάμπος που εκτεινόταν προς τη θάλασσα και κοβόταν από μια λωρίδα δρόμου, πάνω στην οποία μπορούσα να δω καθαρά μία σταθερή ροή γερμανικών μηχανοκίνητων μονάδων. Από το δρόμο αυτό πολλοί χαλικόδρομοι και λασπωμένοι χωματόδρομοι διακλαδιζόντουσαν προς διάφορα χωριά πάνω στους λόφους.

Περίπου στις τέσσερις το απόγευμα, αφού πέρασα κοντά από δύο ακόμα μικρά χωριά,[15] βρέθηκα πάνω στην κορυφή ενός λόφου. Κοιτώντας κάτω, παρατήρησα μια απροσδόκητη σκηνή. Ενώ τα υπόλοιπα χωριά μου είχαν φανεί ψιλοέρημα - διότι οι κάτοικοι τους έλειπαν στα χωράφια- εδώ υπήρχε έντονη δραστηριότητα.[16] Έξω από ένα ταβερνείο, στη μικρή πλατεία χαμηλότερα, ήταν μια ομάδα από εννιά ή δέκα άτομα με ανοιχτοπράσινες στολές. Είχαν συγκεντρωθεί γύρω από ένα τραπέζι, πάνω στο οποίο ηχούσε ένα παλιό γραμμόφωνο, περικυκλωμένο απ' τα πιο πολλά βρώμικα παιδιά που είχα δει ποτέ μου. Το θέαμα των στολών με έβαλε αμέσως σε επιφυλακή, και θα είχα γυρίσει πίσω αμέσως για να πάρω άλλη διαδρομή, αν δεν είχε αρχίσει κάποιος να με πλησιάζει και να με φωνάζει να πάω προς το μέρος του.

Δεν υπήρχε καμία πιθανότητα να αρχίσω να τρέχω προς τα πίσω, οπότε, έπιασα τον ταύρο απ' τα κέρατα και προχώρησα ανάμεσά τους.

Τι ενθουσιώδης υποδοχή ήταν εκείνη! Και οι δέκα ένστολοι ήταν αστυνομικοί, που έσπευσαν να με χαιρετήσουν και να φιλήσουν αυθόρμητα το χέρι μου. Ένας ηλικιωμένος γενειοφόρος ιερέας με ευλόγησε και με φίλησε και στα δύο μάγουλα. Είχα γίνει μονομιάς το τιμώμενο πρόσωπο της μέρας.

Κανείς δεν μιλούσε αγγλικά, αλλά κατάλαβα ότι είχα πέσει επάνω σε κάποια συνωμοτική συγκέντρωση πατριωτών της αστυνομίας[17] που οργάνωναν διάφορες αντιστασιακές δράσεις εναντίον των Γερμανών και έπιναν στην καλή

---

[15] Τα χωριά Λιβάδι και Πετροκέρασα.

[16] Το χωριό Καλαμωτό.

[17] Ο Σάντυ συνάντησε μέλη της αντιστασιακής οργάνωσης ΥΒΕ (Υπερασπισταί Βορείου Ελλάδος) που ιδρύθηκε στη Θεσσαλονίκη, τον Ιούλιο του 1941, μετά την κατάρρευση του Αλβανικού μετώπου τον προηγούμενο Απρίλιο, κι ετάχθη υπό τις διαταγές της Ελευθέρας Ελληνικής Κυβερνήσεως του Καΐρου με σκοπό την προετοιμασία αντιστασιακών ενεργειών κατά των κατακτητών στη Β. Ελλάδα. Το καλοκαίρι του 1942, η οργάνωση μετονομάστηκε σε ΠΑΟ (Πανελλήνιος Απελευθερωτική Οργάνωση) γιατί οι ΕΑΜίτες συκοφαντούσαν ότι η ΥΒΕ απαρτιζόταν από αυτονομιστές της Μακεδονίας. Στη συνέχεια, η ΠΑΟ και το ΕΑΜ ενεπλάκησαν μεταξύ τους σε εμφύλιες συγκρούσεις (Χρήστος Καραστέργιος).

παρέα. Μου πρόσφεραν φαγητό και κρασί, χτυπώντας με στην πλάτη συνέχεια, και με πολύ περηφάνεια μου επιδείκνυαν την ποικιλία από πυροβόλα όπλα που είχαν στη διάθεση τους για να φέρνουν εις πέρας τα σχέδια τους. Εντωμεταξύ, τα μικρά παιδιά στριμώχνονταν γύρω απ' την καρέκλα μου.

Αφού έφαγα μπόλικες ελιές με νόστιμο παστό ψάρι, κι ανανεώθηκα με το κρασί, άρχισα να αντιλαμβάνομαι ότι οι ντόπιοι ήθελαν να περάσουν σε άλλο επίπεδο. Είχε έρθει η ώρα να μου ανοιχτούν και να μου πουν σε διστακτικά γαλλικά το μυστικό που κρατούσαν. Σε ένα κοντινό χωριό, όπως μου είπαν, κρυβόντουσαν δύο Εγγλέζοι. Με ρώτησαν, αν μ' ενδιέφερε να τους συναντήσω. Μου παρουσίασαν κι ένα σημειωματάριο για να μου δείξουν δύο ονόματα, τα οποία με βάση τους στρατιωτικούς αριθμούς τους, κατάλαβα αμέσως ότι ήταν Νεοζηλανδοί. Ρώτησα αμέσως, αν θα μπορούσαν να με οδηγήσουν σε 'κείνους.

Πράγματι, μετά από περίπου μισή ώρα, μου έκανε νόημα ένας αστυνομικός να φύγουμε, και χαιρετούσαμε ταυτόχρονα όλους τους, μεθυσμένους πλέον, συναδέλφους του και τα παιδιά που μας επευφημούσαν. Ο οδηγός μού υπέδειξε να φορέσω ένα μακρύ γκρι παλτό της Ελληνικής Αστυνομίας μαζί με το γαλλικού τύπου, ψηλό, επίπεδο καπέλο. Αυτό το καμουφλάζ, παρόλο που μ' έκανε να νοιώθω λίγο ανασφαλής, ήταν τελικά πολύ αποδοτικό, διότι η μέρα πλησίαζε στο τέλος της κι η θερμοκρασία είχε αρχίσει να πέφτει απότομα. Βέβαια, ελλόχευε πάντα ο κίνδυνος να έχω τη μοίρα των κατασκόπων αν οι Γερμανοί με συλλάμβαναν έτσι.

Περάσαμε κάμποσους κυλιόμενους λοφίσκους και στη συνέχεια ξεκινήσαμε να ορειβατούμε στην πλαγιά ενός δύσβατου και αποθαρρυντικού υψώματος. Στην αρχή νόμιζα ότι η συνολική απόσταση θα ήταν λίγα χιλιόμετρα, αλλά απ' ότι κατάλαβα σύντομα, η συνολική διάρκεια του ταξιδιού θα ξεπερνούσε το εφτάωρο. Ήμουν φοβισμένος και απογοητευμένος διότι ήξερα δε θα κατάφερνα ν' ακολουθήσω, για τόσο μεγάλη απόσταση, το ρυθμό του συνοδοιπόρου μου. Παρόλα αυτά, αν και το σκοτάδι πύκνωνε γύρω μας, εμείς συνεχίζαμε να τραβούμε εμπρός σταθερά.

Προσπάθησα να τον κάνω να επιβραδύνει και να κάνει πιο συχνές στάσεις, αλλά μάταια. Στο τέλος, για να του αποσπάσω την προσοχή αναγκάστηκα να του δείξω την πληγή μου και πέτυχα αμέσως το επιθυμητό αποτέλεσμα. Έμεινε τόσο εμβρόντητος, που ήθελε να επιστρέψουμε κατευθείαν στο χωριό. Όμως, ακολουθώντας το παλιό ρητό μου, *μη γυρνάς ποτέ πίσω όποιο κι αν είναι το κόστος*, τον έπεισα να συνεχίσουμε, απλά μ' έναν πιο ήπιο ρυθμό για να καλύψουμε ένα, τουλάχιστον, μεγάλο μέρος της απόστασης.

Δεν υπήρχε φεγγάρι και η νύχτα ήταν ασυνήθιστα μαύρη, οπότε δεν μου έκανε εντύπωση ότι έχανε συνεχώς κάποιο μικρό μονοπάτι -και συνάμα πολύ χρόνο προσπαθώντας να το ξαναβρεί. Κάπου κοντά στα μεσάνυχτα, συνειδητοποίησα ότι δεν μπορούσα να συνεχίσω για πολύ ακόμη κι όταν ξεπεράσαμε το ανηφορικό μονοπάτι απ' όπου ξεκινούσε μία ευκολότερη κατάβαση, άρχισα να σέρνομαι λες και ήμουν υπό την επήρεια ναρκωτικών.

Εν τω μεταξύ, μου ήρθε και η ατυχής έμπνευση να φάω έναν κύβο βοδινού κρέατος προκειμένου να αποκτήσω γρήγορα λίγη ενέργεια. Είχα φυλάξει έξι κύβους από ένα δέμα του Ερυθρού Σταυρού, «για ώρα ανάγκης». Άνοιξα το κουτί και πέταξα ένα στο στόμα μου. Ήταν τόσο συμπυκνωμένο, που δεν είχα αρκετό σάλιο μετά από τόσες ώρες περπάτημα να το μασήσω κι έτσι, το κατάπια ολόκληρο σαν μία κολλώδη και αλμυρή μάζα. Το αποτέλεσμα ήταν να περιέλθω σε μία κατάσταση πολύ χειρότερη από πριν, κι επιπλέον τώρα, ο κύβος μού είχε δημιουργήσει μία αφόρητη δίψα. Έπινα νερό σε κάθε ευκαιρία από όπου έβρισκα, από μικρά ρυάκια, από βρώμικες γούβες, από λακκούβες που σχημάτιζαν οι οπλές των ζώων στα μονοπάτια, αλλ' εις μάτην. Πολύ σύντομα δεν ήμουν σε θέση να διανύσω ούτε πενήντα μέτρα μονομιάς, κι αυτό πάλι, υποβασταζόμενος από τον οδηγό μου.

Στις παρυφές της πεδιάδας που είχαμε φτάσει, τα περιστασιακά αχνά φώτα των στρατιωτικών οχημάτων δήλωναν την παρουσία κάποιας σημαντικής οδικής αρτηρίας. Ο αστυνομικός απ' την ανησυχία του άρχισε να ελίσσεται στα σκοτεινά μονοπάτια, χωρίς να μου επιτρέπει ούτε μια ολιγόλεπτη ανάπαυλα. Όταν έπαυσε λίγο η κίνηση, διασχίσαμε κάθετα τον ασφαλτωμένο δρόμο και περάσαμε με μεγάλη μυστικότητα τα προάστια ενός μεγάλου χωριού.[18] Στη συνέχεια, ακολουθήσαμε κατά μήκος τον κεντρικό δρόμο, πέφτοντας για κάλυψη μέσα στην παράλληλη τάφρο, του, κάθε φορά που πλησίαζε κάποιο γερμανικό αυτοκίνητο.

Κάπου εκεί, ήρθε η ώρα που εγώ απλά δεν μπορούσα με τίποτα να συνεχίσω. Κάθισα στο χαντάκι και αρνήθηκα να μετακινηθώ.

Ο φίλος μου, τρομοκρατήθηκε. Μου έδωσε να καταλάβω ότι τα ξημερώματα ολόκληρη η περιοχή θα κατακλυζόταν από Γερμανούς. Με έπιασε για να με υποβαστάξει, αλλά όταν μου έδειξε ότι έπρεπε να διασχίσουμε ένα, ακόμη, ορεινό πέρασμα, βιδώθηκα στην τάφρο μου πεισματικά. Τέλος, έπεσε σε απόγνωση και συμφώνησε να μου επιτρέψει να κρυφτώ και να παραμείνω στο απέναντι δάσος, μέχρι να μπορέσει να έρθει και να με πάρει νωρίς το επόμενο βράδυ.

Ανέβηκα σιγά-σιγά ψηλά το απότομο δάσος και πέρασα μια δύσκολη νύχτα. Πονούσα κι ήμουν εξουθενωμένος. Όσο κι αν προσπαθούσα, δεν κατάφερνα να βρω μια θέση στην παχιά βλάστηση που θα μου επέτρεπε να κοιμηθώ. Όπου κι αν δοκίμαζα, ήταν πολύ απότομα. Μόλις άρχιζα να παραδίνομαι στον ύπνο, αισθανόμουν τον εαυτό μου να γλιστράει προς την πλαγιά του λόφου κι όταν προσπαθούσα να ξαπλώσω στη βάση ενός δέντρου, μούδιαζα σε διάφορα μέρη του σώματος μου. Φυσικά, δεν τολμούσα να ανάψω φωτιά, αν και μετά από τόσους κόπους το κρύο διαπερνούσε τα γλοιώδη και ιδρωμένα ρούχα μου και με χτυπούσε στα κόκαλα.

Στη γύρω βλάστηση, συνέβαιναν διαρκώς διάφορες απότομες κινήσεις που με κρατούσαν σε κατάσταση επιφυλακής -όχι τόσο, ενδεχομένως, για την ύπαρξη λύκων ή

---

[18] Το χωριό Πλατανοχώρι.

δηλητηριωδών ερπετών, αλλά κυρίως για τις άμορφες και σκοτεινές σκιές που το κουρασμένο μυαλό μου επέμενε να πλάθει.

Τέλος, εγκατέλειψα κάθε σκέψη για ύπνο και ανεβαίνοντας στον κορμό ενός μεγάλου δέντρου κρατούσα το ραβδί μου σταθερά κοιτάζοντας με οδύνη τη μαυρίλα γύρω μου.

Το πρωί ήρθε φυσιολογικά, κάτι για το οποίο ευχαρίστησα τον Θεό, και ανέβηκα ψηλότερα για να βρω κάποιο μικρό ξέφωτο που θα επέτρεπε στον ήλιο να με αποψύξει. Βρήκα έναν μεγάλο επίπεδο βράχο και πέρασα εκεί μια έρημη μέρα, επιβλέποντας τα λεπτά να κυλούν στο ρολόι μου.

Δεν περίμενα τον Έλληνα οδηγό να επιστρέψει πριν σκοτεινιάσει, αλλά, περίπου στις τέσσερις το απόγευμα, άκουσα το συμφωνηθέν σύνθημα κι το ανταπέδωσα όσο πιο απαλά μπορούσα. Ακουγόταν ο ήχος ανθρώπων που διέσχιζαν την πυκνή βλάστηση, και μετά από λίγο, εμφανίστηκε ο φίλος μου μαζί με έναν ψηλό πολίτη ο οποίος, προς μεγάλη μου χαρά, μιλούσε αρκετά καλά αγγλικά.

Ήταν ένας γιατρός, τον οποίο είχε παρακαλέσει ο οδηγός μου να έρθει να μ' εξετάσει και να φροντίσει την πληγή μου. Αφού της έβαλε μια κίτρινη αλοιφή με ένα φρέσκο αρωματισμένο πανί, την περιέδεσε με επιδεξιότητα και την έσφιξε καλά με ένα μεγάλο επίδεσμο δίνοντάς μου την αίσθηση ότι θα έμενε στη θέση του αρκετά. Ανακουφίστηκα πολύ απ' αυτό το απροσδόκητο χτύπημα της τύχης και πραγματικά απόλαυσα το ψωμί και τις ελιές που μου έφεραν, μαζί με μια μεγάλη κανάτα κρασιού την οποία, φυσικά, μοιραστήκαμε όλοι με πνεύμα συντροφικότητας.

Κάπου μισή ώρα μετά το σούρουπο, η κυκλοφορία των πεζών μειώθηκε αισθητά στο δρόμο και αφού ευχαριστήσαμε δεόντως τον γιατρό, κατεβήκαμε στο δρόμο και ξεκινήσαμε για άλλη μια φορά. Προχωρούσαμε μαζί με μεγαλύτερη προσοχή κι επιτηδειότητα απ' ό,τι την προηγούμενη νύχτα.

Ο δρόμος μάς οδηγούσε ψηλά, μέχρι που περάσαμε μέσα

από ένα στενό σημείο, και μας έβγαλε σε μια απότομη κοιλάδα, αρκετά θαμνώδη και παράξενα σκοτεινή. Εδώ, ο οδηγός φάνηκε να τα 'χασε λίγο, αλλά στη συνέχεια, ανακάλυψε κάποιο γνώριμο σημάδι που μας οδήγησε εκτός δρόμου σε ένα μικρό καλντερίμι που κατευθυνόταν στα βάθη του δάσους. Συνεχίσαμε γύρω απ' την πλευρά του μεγάλου λόφου για περίπου τρεις ώρες και τελικά φτάσαμε μέσα σε ένα ξέφωτο. Χαμηλότερα από μας, απλωνόταν ένας ειρηνικός καλλιεργημένος και κάμπος, που στο βάθος του υπήρχαν οι απαλές λάμψεις φώτων των διάσπαρτων αγροικιών.

Συνεχίσαμε ελικοειδώς, κατηφορίζοντας την πλαγιά του βουνού και, περίπου, μια ώρα μετά φτάσαμε στην εξωτερική περίφραξη μιας αγροικίας. Ο οδηγός με πρόσταξε να ξαπλώσω χαμηλά και πήγε προς τα εμπρός για να δει αν τα πράγματα ήταν ασφαλή. Παρατήρησα ότι το φως φούντωσε στα επάνω παράθυρα και στη συνέχεια έτυχα θερμής υποδοχής από έναν ηλικιωμένο αγρότη, ενώ η σύζυγός του άρχισε να περιφέρεται γύρω από το τζάκι για να μας ετοιμάσει κάτι να φάμε. Έβγαλαν από το ντουλάπι ένα μπουκάλι κρασί, κι αφού αρχίσαμε να το πίνουμε «εις Δόξαν της Ελλάδας και της Αγγλίας», το τελειώσαμε καταριώντας με ελληνική σφοδρότητα τους Γερμανούς.

Η τύχη μάς επιφύλασσε ένα παράξενο κρεβάτι εκείνο το βράδυ. Το σπίτι, αν και διώροφο, είχε μόνο δύο χώρους, τον επάνω -που ήταν το σαλόνι και το υπνοδωμάτιο των συζύγων- και τον άλλο από κάτω, που ήταν για τα ζώα. Έτσι, μας οδήγησαν σε μια ομήγυρη από αγελάδες, χοίρους και πουλερικά. Επέλεξα ένα σημείο που νόμιζα ότι θα είχε το μεγαλύτερο κενό, μεταξύ δύο αγελάδων, και ο γεωργός μού έστρωσε λίγο φρέσκο, μυρωδάτο σανό από τριφύλλι για να ξαπλώσω.

Τακτοποιηθήκαμε γρήγορα γιατί είχα εξαντληθεί. Ο αγρότης μάς καληνύχτισε και πήγε πάνω, παίρνοντας μαζί και τη μοναδική λάμπα. Κατά κάποιο τρόπο, ήταν πολύ άνετα σε εκείνο το παράξενο υπνοδωμάτιο. Σε κάθε πλευρά μπορούσα να αισθανθώ τη ζεστασιά των δύο αγελάδων και να ακούω τα μεθοδικά αναμασήματα τους. Πάνω στα δοκάρια, οι κότες σταμάτησαν να διαταράσσουν την ησυχία με το κακάρισμα τους και λούφαξαν μ' ένα περιστασιακό κελάηδισμα στον ύπνο τους. Απέναντι, κοντά στο σημείο όπου κοιμόταν ο συνοδοιπόρος μου, ένα μεγάλο γουρούνι, γρύλισε με αποδοκιμασία και καθόταν με ανησυχία στα άχυρα. Για άλλη μια φορά, η έξαρση μιας απρόσμενης κατάστασης με συνέπαιρνε. Φωλιάζοντας κι εγώ πάνω στο σανό πριν με πάρει ο ύπνος, ένιωθα ανεξήγητα αμέριμνος και ευτυχής.

Ξυπνήσαμε νωρίς από τον γεωργό, όταν κατέβηκε να βγάλει έξω όλα τα απρόθυμα ζώα. Μας έδωσε ένα καλό κομμάτι από το χθεσινοβραδινό αποξηραμένο κρέας και λίγο χυλό καλαμποκιού. Στη συνέχεια, ενώ είχαμε ακόμα κάνα μισάωρο για την αυγή, οι δύο Έλληνες με οδήγησαν μέσα από κάτι χωράφια σ' ένα χαμηλό λόφο. Ο ήλιος είχε ανατείλει και μέσα σε μια λεκάνη που σχηματιζόταν απ' την απόληξη διάφορων χειμάρρων, βρισκόταν ένα σχεδόν κυκλικό περίβλημα διαμέτρου περίπου σαράντα βημάτων, φτιαγμένο από θάμνους και φρύγανα. Στη μια πλευρά του, ήταν χτισμένο ένα κυκλικό καταφύγιο, επίσης από θάμνους και φρύγανα, που είχε περίπου ενάμισι μέτρο ύψος, ίσως και δύο. Ένα χλωμό τσουλούφι καπνού αναδυόταν πάνω απ' την οροφή του και, όταν πλησιάσαμε κοντά, αποκαλύφθηκε μια πρόχειρη ξύλινη πόρτα. Κατάλαβα, με απογοήτευση, πως εκεί μέσα σ' αυτό το άθλιο παράπηγμα κρυβόντουσαν οι δύο συμπατριώτες μου.

Δεν υπήρχε κανένα ίχνος παπουτσιού, αλλά όταν φτάσαμε στην πόρτα το ηθικό μου αναπτερώθηκε με τη σκέψη ότι θα συναντήσω δύο συμπατριώτες μου στη μέση του πουθενά. Έκανα τα τελευταία μου βήματα και στάθηκα με ανυπομονησία, περιμένοντας τους δύο Έλληνες ν' ανοίξουν την πόρτα και να μπουν. Ο Έλληνας, όμως, είναι κάτι το ανεξιχνίαστο. Ο αστυνομικός που είχε κάνει το μακρύ και κουραστικό ταξίδι μόνο για μένα, έδειχνε ότι ανησυχούσε για κάτι. Όταν κινήθηκα να ανοίξω εγώ τη βαριά πόρτα, έβαλε το χέρι του στο στήθος μου για να με συγκρατήσει. Ο αγρότης έτριβε το αξύριστο πρόσωπο του με ανησυχία.

Προσπάθησα να καταλάβω τι έκαναν. Υπό την απουσία κοινής γλώσσας, προσπάθησα να τους ρωτήσω με χειρονομίες αν οι κάτοικοι της καλύβας ήταν φιλικοί. Κούνησαν το κεφάλι καταφατικά. Στη συνέχεια, χωρίς καμία άλλη λέξη, είτε στα ελληνικά είτε στ' αγγλικά, πλησίασαν κι οι δύο τους κοντά μου και μού έσφιξαν το χέρι θερμά. Ήταν ένα προφανές αντίο. Πριν καταφέρω να τους ευχαριστήσω για όλα όσα είχαν κάνει για μένα, στράφηκαν προς τα πίσω και περπάτησαν γρήγορα προς την κατεύθυνση απ' την οποία είχαμε μόλις έρθει. Καθώς άρχισαν να ανηφορίζουν, γύρισαν και με χαιρέτησαν για μία τελευταία φορά. Στη συνέχεια εξαφανίστηκαν.

Άνοιξα την μικρή πόρτα και σύρθηκα μέσα.

ΣΥΝΑΝΤΗΣΗ ΜΕ ΔΥΟ ΣΥΜΠΑΤΡΙΩΤΕΣ

«Είναι κανείς εδώ;», φώναξα, αν και μέσα στην ομίχλη του καπνού, στα σκοτεινά, είχαν αρχίσει να διακρίνονται ήδη δύο φιγούρες. Οι δύο άντρες ήταν ξαπλωμένοι εκατέρωθεν της μικρής φωτιάς που άναβε στο κέντρο της καλύβας. Η απάντηση ήταν άμεση. Η αριστερή φιγούρα, που ήταν ξεκάθαρα και η μεγαλύτερη απ' τις δύο, ανακάθισε και ρώτησε με ένταση και λίγο φόβο, «Ποιος είναι εκεί ... ποιος είσαι;» και συνέχισε προσπαθώντας να σταθεί όρθιος για να με αντικρύσει, «Από πού έρχεσαι;»

Ήταν λίγο εριστικός και αβέβαιος τα πρώτα λεπτά γιατί μάλλον τον διέκοψα απ' τον βαθύ του ύπνο. Όταν, όμως, τον ησύχασα και του διηγήθηκα, εν συντομία, ποιος ήμουν, άρπαξε το χέρι μου με τα δυο του χέρια και με καλωσόρισε θερμά.

«Ε, λοιπόν!», τόνισε απότομα, «Όταν άνοιξε η πόρτα, νόμιζα ότι ήσουν Ούννος. Εεε Τζώνυ, ξύπνα, κάποιος προστέθηκε στην παρέα μας!»

Έσπρωξε τα κάρβουνα της φωτιάς που ήταν αναμμένη σε μία σκαμμένη γούβα στο χώμα, και ξεσπάσαμε όλοι σε κουβεντούλα. Ήταν τόσο θαυμάσιο κι αναζωογονητικό που μιλούσα και πάλι αγγλικά, ώστε ένοιωθα σαν μαθητής που έλεγε την ιστορία του και οι λέξεις τού έφευγαν χωρίς ανάσα βγάζοντας μετά βίας νόημα από τον καταπιεσμένο του ενθουσιασμό.

Η καλύβα ήταν τόσο χαμηλή που δεν μπορούσαμε καν να καθίσουμε με άνεση, ενώ ο καπνός απ' τη φωτιά, μέχρι να περάσει αργά από το άχυρο της στέγης, έμενε χαμηλά κι έτσουζε τα μάτια. Οι δύο νέοι φίλοι μου ήταν κουρέλια, και παρόλη εκείνη την καπνιστή κατήφεια, η άσχημη κατάσταση τους ήταν φανερή. Όπως πέσαμε με ανυπομονησία στην ανταλλαγή ειδήσεων και περιπετειών, απέκτησα μια ενδελεχή εικόνα για τις τρομερές στερήσεις που είχαν υπομείνει οι δύο αυτοί γενναίοι άντρες κι ένιωσα το πόσο μηδαμινές ήταν οι δικές μου περιπέτειες, σε σύγκριση με τις δικές τους.

Ο πιο μικροκαμωμένος από τους δυο, ο Στρατιώτης Τζων Μανν, ήταν ένας ευγενής Αυστραλός. Αιχμαλωτίστηκε κοντά στον Όλυμπο ενώ υπηρετούσε με το 18° Νεοζηλανδικό Τάγμα. Το είχε σκάσει τον προηγούμενο Ιούλιο και γνώριζε, από πρώτο χέρι, τις ταλαιπωρίες ενός τέτοιου οδοιπορικού.

Ο μεγαλόσωμος και εγκάρδιος Νεοζηλανδός που με καλωσόρισε στην καλύβα, ήταν ο Επιλοχίας Ρ.Χ. Τόμσον, παρασημοφορημένος με το μετάλλιο Διακεκριμένης Ανδρείας. Βετεράνος μετά την πρώτη Λιβυκή εκστρατεία, ο Τόμσον είχε πιαστεί στην Κρήτη ενώ πολεμούσε σαν πεζικάριος με την 4η Νεοζηλανδική Μονάδα Μεταφοράς Προμηθειών.

Επιλοχίας Ρ.Χ. Τόμσον

Το ότι βρίσκονταν και οι δύο σε κακή ψυχολογική κατάσταση, ήταν αυτονόητο. Δεν πίστευαν ότι υπήρχε διέξοδος απ' τη χώρα και είχαν αρχίσει να πιστεύουν, όπως και οι υπόλοιποι Έλληνες, ότι «οι Εγγλέζοι θα φτάσουν από μέρα σε μέρα». Κι έτσι, αφού το πρώτο χιόνι είχε κάνει ήδη την εμφάνιση του, ήταν προετοιμασμένοι να τη βγάλουν εκεί, επειδή μπορούσαν να έχουν τουλάχιστον λίγο φαΐ μέχρι να περάσει ο χειμώνας, ή μέχρι να συνέβαινε κάτι απρόσμενο.

Με αφορμή την άφιξη μου, η καλύβα αναδιατάχθηκε κι έτσι έμεινε χώρος για να απλώσω την κουβέρτα μου. Καθόμασταν τριγωνικά γύρω απ' τη φωτιά, η οποία παρόλο που μας ήταν απαραίτητη, μας έθετε και σε κίνδυνο -έπρεπε να τη διατηρούμε αναμμένη νύχτα-μέρα γιατί οι συμπατριώτες μου δεν είχαν τίποτε για να σκεπάζονται, παρόλο που ο καπνός που ανάβλυζε μέσα απ' τη σκεπή αποκάλυπτε ότι η καλύβα ήταν κατοικημένη. Οι Γερμανοί βρισκόντουσαν αρκετά μακριά, αλλά υπήρχε πάντα ο φόβος μήπως φτάσει κάτι στα αυτιά τους από κάποιο κουτσομπολιό του χωριού.

Η ζωή στην καλύβα ήταν αρκετά μίζερη, αλλά είχε και

τις αναλαμπές της. Ο Τόμσον είχε εφεύρει ένα πρωτόκολλο για ν' ακολουθούμε καθημερινά. Κατ' αρχάς, ήταν κοινά αποδεκτό ότι επειδή η μέρα είχε μεγάλη διάρκεια, έπρεπε να κοιμόμασταν το πρωί μέχρι να ξυπνήσει κι ο τελευταίος. Έπειτα, πηγαίναμε σε ένα ρυάκι για να πλυθούμε και στη συνέχεια κάναμε αναγνώριση στη γύρω περιοχή, ακολουθώντας διαφορετική κατεύθυνση ο καθένας για να ελέγχουμε τυχόν ύποπτες κινήσεις. Η εξόρμηση αυτή χρησίμευε, επίσης, στο να μαζεύουμε καύσιμη ύλη.

Όταν γυρνούσαμε στην καλύβα, ετοιμάζαμε το πρώτο γεύμα της ημέρας χωρίς βιασύνη. Αυτό περιλάμβανε το βράσιμο νερού σε μία παλιά σιδερένια κατσαρόλα και αμέσως μετά, το ζέσταμα ενός χάλκινου μπολ. Μόλις το τελευταίο ζεσταινόταν, ρίχναμε μέσα μία κουταλιά πολύτιμου λίπους, αμέσως μετά μία χούφτα από διάφορα δημητριακά και ανακατεύαμε ζωηρά για λίγα λεπτά. Κατόπιν, γεμίζαμε το μπολ μέχρι πάνω με το βρασμένο νερό κι ανακατεύαμε για ακόμα τριάντα λεπτά το όλο μείγμα, μέχρι να μεταμορφωθεί σε ένα παχύρευστο χυλό που ήταν, παραδόξως, ο πιο νόστιμος που είχα γευθεί ποτέ.

Το φαγητό μαζευόταν για μας, σε πενιχρές μερίδες, από ένα καλό χωριάτη ενός μικρού οικισμού στους πέρα λόφους, και μας το έφερναν κάθε δύο ή τρεις μέρες ο Δήμαρχος ή ο Αστυνόμος του χωριού, που τον έλεγαν Δημήτρη. Κάθε ταπεινό, αλλά αξιοθαύμαστο σπίτι, έβαζε ένα πιάτο στην άκρη για κάποιους άγνωστους Εγγλέζους φυγάδες, και το γέμιζε με ξερό ψωμί, φασόλια, μικρά κομμάτια κρέατος, παστά ψάρια και ελιές.

Αν ο καιρός ήταν καλός, απλώναμε τα κουρέλια μας στον ήλιο, βγάζαμε όσο το δυνατόν περισσότερα ρούχα και περνούσαμε πολλές ώρες κάνοντας μία απ' τις πιο αποκρουστικές αγγαρείες στον κόσμο· ήμασταν γεμάτοι ψείρες. Η καλύβα είχε χρησιμοποιηθεί επανειλημμένως από περιφερόμενους αγύρτες και βρώμικους βοσκούς, οπότε δεν αποτελούσε έκπληξη το γεγονός ότι υπήρχε εκεί εγκατεστημένη μια δραστήρια αποικία από ψείρες που περίμενε να επιτεθεί, ευκαιρίας δοθείσης, στα κουρέλια και στ' αδύνατα σώματα μας. Μας φαινόταν αδύνατο να απαλλαγούμε τελείως απ' αυτές. Πλέναμε κομμάτι-κομμάτι τα ρούχα μας σε βραστό νερό, αλλά μετά από μία προσωρινή ανακούφιση, επανέρχονταν δριμύτερες. Ο ήλιος, μας βοηθούσε να ψάχνουμε κατά μήκος των ραφών των κουρελιασμένων ρούχων για να καταστρέφουμε τα φρικτά λευκόγκριζα ζωύφια, μαζί με τ' αυγά τους. Μέχρι που το διασκεδάζαμε κιόλας. Μια μεγάλη μπουκιά απ' τα πιο νόστιμα αποφάγια, ήταν το βραβείο που θ' απολάμβανε εκείνος που θα εξολόθρευε τα περισσότερα ζωύφια στον διαγωνισμό ξεψειρίσματος.

Όταν έφτανε το σούρουπο, ρίχναμε άλλη μια γρήγορη ματιά στον ορίζοντα κι επιστρέφαμε φορτωμένοι με την απαραίτητη ξυλεία που θα κρατούσε τη φωτιά ζωντανή όλη νύχτα.

Το βράδυ, καθόμασταν οκλαδόν γύρω απ' τη φωτιά, με τα κεφάλια μας μάλλον άβολα σκυμμένα προς τα εμπρός μέσα στον καπνό λόγω της χαμηλής κεκλιμένης οροφής, και προετοιμάζαμε το βραδινό μας με όρεξη και στυλ, δηλαδή, δύο πιάτα. Για ορεκτικό κάναμε σούπα. Ξεκινούσαμε με το νερό που μάζευε όλη μέρα το χάλκινο μπολ. Κάθε απόγευμα το πήζαμε συνδυάζοντας όσες μπουκιές μας είχαν ξεμείνει μαζί με διάφορα βότανα που βρίσκαμε κατά τις εξορμήσεις μας. Μετά, προσθέταμε λίγους κόκκους κριθαριού και μερικές κόρες ψωμιού. Αναδεύαμε το μείγμα εναλλάξ απολαμβάνοντας με ανυπομονησία την ορεκτική μυρωδιά που γέμιζε την καλύβα.

Δεν υπήρχε στη διάθεση μας κανένα πιάτο, παρά μόνο ένα κουτάλι. Η σούπα καταναλωνόταν περιφέροντας το αχνιστό σκεύος από τον έναν στον άλλον, και ο καθένας έπαιρνε από δέκα κουταλιές μέχρι ν' αδειάσει το σκεύος.

Στη συνέχεια, το κυρίως πιάτο παρασκευαζόταν συνήθως σε μικρότερη ποσότητα και διατροφική αξία από ό,τι η σούπα, αλλά παρόλα αυτά ήταν το κύριο πιάτο μας. Μερικές φορές ήταν πατάτες, κι άλλες, μικροσκοπικά παστά ψάρια. Η κύρια δίαιτα μας, ωστόσο, ήταν ξερά φασόλια τα οποία μουλιάζαμε όλη τη μέρα στην κανάτα του νερού και τα μαγειρεύαμε όταν το χάλκινο μπολ του κουάκερ και της σούπας, ήταν διαθέσιμο. Στη συνέχεια, για μεζέ, υπήρχαν ελιές που καταναλώνονταν απολαυστικά, μία προς μία. Κάπου εκεί, ο Τόμσον κι εγώ ολοκληρώναμε το δείπνο μας.

Όντας κι οι δύο μη-καπνιστές, παρατηρούσαμε το τελετουργικό κάπνισμα του Μανν, που ξετύλιγε ένα παλιό μαντήλι για ν' αποκαλύψει μερικά πολύτιμα θραύσματα καπνού με τα οποία, στη συνέχεια, τύλιγε προσεκτικά ένα τσιγάρο, χρησιμοποιώντας για τσιγαρόχαρτο τις σελίδες ενός ελληνο-γερμανικού λεξικού.

Μερικές επισκέψεις, έκαναν τις βραδιές μας ξεχωριστές. Όταν οι χωρικοί βολεύονταν γύρω απ' τη φωτιά, αποκάλυπταν ένα φλασκί με κρασί με σκοπό να μας φτιάξουν το κέφι. Καταλαβαίναμε πολύ λίγα ελληνικά, ενώ εκείνοι γρι αγγλικά, αλλά καθώς το κόκκινο κρασί καταδίωκε την πλήξη και την κούραση απ' την καλύβα, συνομιλούσαμε ελεύθερα και λέγαμε μεγάλες ιστορίες, ανέκδοτα και περιπέτειες, χωρίς να επηρεαζόμαστε ιδιαίτερα απ' τις συνήθεις δυσκολίες της γλώσσας. Πάντα είχαν κάποια μυστική πληροφορία να μοιραστούν μαζί μας, κάποια ιστορία που τους είχαν ψιθυρίσει, και που είχε φτάσει στ' αυτιά τους, πάντα μέσα από μυστηριώδη, αλλά απολύτως αξιόπιστα δίκτυα επικοινωνίας. Ο Δήμαρχος του τάδε χωριού, είχε ακούσει τους κεραυνούς των ρωσικών όπλων, καθώς πλησίαζαν μέσω της Βουλγαρίας, οι Βρετανοί είχαν προσγειώσει μια μεγάλη δύναμη στο τάδε ή στο δείνα νησί, η RAF έκανε επίθεση επί δέκα μέρες στο Βερολίνο και οι κάτοικοι της πόλης ζητούσαν άμεσα εκεχειρία. Υπήρχε πάντα η είδηση κάποιας προσγείωσης μαχητικού στη Γαλλία, ή απλά είχε ξεκινήσει ή ήταν ήδη στα προάστια του Παρισιού. Οι Ρώσοι πάντα προωθούνταν και κατάστρεφαν χιλιάδες γερμανικά αεροπλάνα.

Σε ό,τι αφορούσε την Δυτική Έρημο, οι Βρετανοί, είχαν ενισχυθεί με χιλιάδες Έλληνες στρατιώτες που πέταγαν τους Γερμανούς και τους Ιταλούς στη θάλασσα. Ο Βασιλιάς της Αγγλίας, με τις συμβουλές του Τσώρτσιλ, ετοιμαζόταν να παραχωρήσει στην Ελλάδα την Ερυθραία, την Αβησσυνία, τα Δωδεκάνησα και την Αλβανία για τη γενναία συνεισφορά της κατά τις τελευταίες εκστρατείες. Ποτέ δεν αμφέβαλαν ότι οι Σύμμαχοι θα φτάσουν στην Ελλάδα «ΑΥΡΙΟ-ΜΕΘΑΥΡΙΟ». Οι ιστορίες με θέμα την Τουρκία, ήταν ιδιαίτερα ασυνεπής. Μια μέρα, λόγω του βαθιά ριζωμένου μίσους που υπήρχε για τη χώρα αυτή, η Τουρκία θα συνεργαζόταν με τον Άξονα και, ως εκ τούτου, τα συμμαχικά στρατεύματα θα εισέβαλλαν απ' τη Συρία. Την επόμενη φορά, η πρώτη είδηση ήταν πως η Τουρκία τάχθηκε υπέρ των Συμμάχων και ήδη έκανε επέλαση στη Βουλγαρία για να συναντήσει τον Κόκκινο Στρατό.

Οι επισκέπτες μας, μετά από κάθε δόση ειδήσεων, ανέμεναν τον ενθουσιασμό και τη συγκίνηση μας κι αισθανόντουσαν εξαπατημένοι αν δεν αγκαλιάζαμε ο ένας τον άλλο μέσα σε έκσταση ευγνωμοσύνης. Αλλά ήταν πλήρως κατανοητό, ότι δεν αντιδρούσαμε με αυτόν τον τρόπο διότι περιμέναμε να επιβεβαιώσει το μέλλον την οποιαδήποτε σχετική εξέλιξη. Σε κάθε περίπτωση, ποτέ δεν θεωρήσαμε τους Έλληνες υπεύθυνους για τ' ότι οι ιστορίες τους δεν έβγαιναν αληθινές.

Κατά τη διάρκεια εκείνων των ημερών, υπήρχε ένα κάπως θολό, αλλά εύλογο σχέδιο σύμφωνα με το οποίο, ο Δήμαρχος θα μας οδηγούσε με ασφάλεια να συναντήσουμε ένα ελληνικό υποβρύχιο, που ονομαζόταν «Παπανικολής», για να μας μεταφέρει στην Αλεξάνδρεια. Όμως, επειδή σε κάθε επίσκεψη του ο Δήμαρχος διατηρούσε τον ενθουσιασμό του και μας έλεγε πως αυτή η μεγάλη μέρα θα είναι «ΑΥΡΙΟ-ΜΕΘΑΥΡΙΟ», έτσι κι εμείς, απ' την πλευρά μας διατηρούσαμε πάντα τις αμφιβολίες μας. Όπως αποδείχθηκε, τίποτα απ' όλα αυτά δεν συνέβησαν, αν και πολλούς μήνες αργότερα έμεινα άναυδος, όταν η Υπηρεσία Πληροφοριών του Καΐρου μού απέδειξε ότι εκείνος ο άξιος και πατριώτης Δήμαρχος, μιλούσε με επίγνωση για όσα έλεγε και είχε την εξουσιοδότηση να τα κάνει.

Παρέμεινα μαζί με τον Μανν και τον Τόμσον για δεκαεννιά μέρες. Δεν ήμουν πρόθυμος να τους εγκαταλείψω. Ήξερα, όμως, ότι έπρεπε να προχωρήσω. Ένιωθα τώρα πιο δυνατός, και η συγκίνηση της περιπέτειας είχε ξαναζωντανέψει μέσα μου με νέο αίμα το πλαδαρό και κακοπαθημένο σώμα μου. Ήμουν ανυπόμονος να ξεχυθώ και πάλι στην ελληνική ύπαιθρο για να πλησιάσω, το γρηγορότερο δυνατόν, στον τελικό προορισμό μου.

ΚΑΘΟΔΟΝ ΓΙΑ ΤΟ ΑΓΙΟ ΟΡΟΣ

Το πρωινό της 8ης Δεκεμβρίου του 1941, ήταν καλό και πολλά υποσχόμενο. Περπάτησα γρήγορα πάνω στο ελαφρώς παγωμένο χιόνι προς την κορφή του λόφου θέλοντας ν' αποχαιρετήσω για τελευταία φορά τον Τόμσον και τον Τζώνυ, που στέκονταν εγκαταλελειμμένοι στην πόρτα της καλύβας. Γύρισα κι αντίκρισα τα βουνά που κάλυπταν τον ανατολικό ορίζοντα και, γραπώνοντας γερά τη βαριά ποιμενική μου ράβδο, κίνησα προς τα εμπρός ν' ανακαλύψω ποιες άλλες περιπέτειες μού επιφύλασσε το μέλλον.

Ήταν μια πραγματικά όμορφη μέρα. Συνάντησα πολλούς αγρότες στην αόριστη πορεία που ακολουθούσα. Κάποιοι από αυτούς με προσπέρασαν χωρίς δεύτερη ματιά, ενώ άλλοι με κοίταζαν περίεργα. Μερικοί δε, αναγνώρισαν την εθνικότητά μου και με σταμάτησαν για να μου προσφέρουν ό,τι είχαν.

Αργότερα το πρωί, ένας έφιππος με προσπέρασε και αφού με παρατηρούσε για μερικά λεπτά, ξεπέζεψε και μου πρότεινε να μοιραστούμε ένα εξαιρετικό γεύμα, που ξετύλιξε απ' τη θήκη της σέλας του. Φρέσκο ψωμί, τυρί και ελιές, όλα μαζί με ένα αναπόφευκτο μπουκάλι νερωμένου κρασιού. Οι πλαγιές, στους πρόποδες που βρισκόμουν, είχαν αποψυχθεί από το χιόνι και μου ήταν εξαιρετικά ευχάριστο να απολαμβάνω το υγιεινό φαγητό και τον ήλιο, στην άκρη του μονοπατιού.

Ο ευεργέτης μου, παρόλο που είχε την εμφάνιση ηλικιωμένου αγρότη, δεν φαινόταν ιδιαίτερα διατεθειμένος να μπει σε συζήτηση. Ωστόσο, πριν καβαλικέψει και πάλι, μου έγραψε κάτι ελληνικά ιερογλυφικά πάνω σε ένα παλιό κομμάτι χαρτιού. Μου εξήγησε αργά και προσεκτικά, ότι το σημείωμα ήταν για ένα φίλο του, έναν μυλωνά, σε ένα χωριό που βρισκόταν δεκαπέντε χιλιόμετρα μακριά. Ο ίδιος έπρεπε να πάει προς διαφορετική κατεύθυνση, αλλά ήταν σίγουρος ότι ο φίλος του θα μου προσέφερε τροφή και στέγη.

Συνέχισα σταθερά μπροστά όλο το απόγευμα. Μισή ώρα πριν την δύση του ηλίου, προχώρησα σε μια απότομη δίοδο και μπήκα στο χωριό που ζούσε ο μυλωνάς.[19] Δεν επρόκειτο για κάποιο μεγάλο χωριό. Είχε δεν είχε καμιά τριανταριά σπίτια. Σύντομα συνάντησα ένα τριγωνικό περίβλημα, το οποίο κατάλαβα ότι ήταν η πλατεία του χωριού, απ' τις περιγραφές του καβαλάρη.

Κάθισα δίπλα στην πηγή του χωριού που πρόσφερε με σταθερή ροή το κρυστάλλινο νερό της, γνώριμο των ορεινών χωριών. Διάφορα παιδιά συνέρρεαν γύρω μου καθώς φρεσκαριζόμουν μ' ένα μεγάλο μεταλλικό μπολ που ήταν δεμένο με μια αλυσίδα στην πηγή. Σύντομα, αντιλήφθηκαν ότι μάλλον ήμουν Εγγλέζος φυγάς, κι όλοι προσπάθησαν με ανυπομονησία να μου δείξουν τον πατριωτισμό τους. Μου προσέφεραν πολύτιμα γλυκίσματα, πολυπόθητους μεζέδες και μου παρουσίαζαν κάτι πάνινες στρατιωτικές κούκλες.

Μέχρι να σκοτεινιάσει όλα τα παιδιά είχαν πάει σπίτι τους. Ακολούθησα τις οδηγίες που είχα στη διάθεση μου και χτύπησα αθόρυβα την πόρτα ενός μικρού σπιτιού, χτισμένο στην πλευρά ενός μεγάλου κτηρίου που έμοιαζε με αχυρώνα. Ήταν ο μύλος του χωριού.

Ο μυλωνάς ήταν κοντός, παχουλός και πρόσχαρος. Άφησε στην άκρη το σημείωμα και χτυπώντας με φιλικά στην πλάτη μ' έβαλε σπίτι του, ακτινοβολώντας φιλοξενία.

«Εγγλέζι, ααα γκουντ, βερ-γκουντ!» αναφώνησε ασθμαίνοντας και με κάθισε κάτω σ' ένα δωμάτιο γεμάτο με μικρά έπιπλα. «Εγγλέζι, μπράδερ Γιάννου, βερ-γκουντ!» Τριγύρισε το δωμάτιο και έβγαλε ένα μπουκάλι ρακί με δύο μικρά ποτήρια.

«Νόμα;» μου έλεγε, προσφέροντάς μου το ένα ποτήρι, «νόμα;»

---

[19] Το χωριό Μαραθούσα βρίσκεται 67χλμ. απ' τη Θεσσαλονίκη και 20χλμ. απ' την Αρναία, σε υψόμετρο 180μ. στους πρόποδες του Χολομώντα. Στις 19 Ιουνίου 1944, η Μαραθούσα υπέστη Ολοκαύτωμα απ' τις Ναζιστικές και τις Βουλγαρικές δυνάμεις για την αντιστασιακή δράση πολλών κατοίκων της.

«Τόμας».

«Τόμας;» είπε και κατελήφθη από χαρά, δείχνοντας με τα χέρια του τις ιερές κινήσεις του Αγίου Θωμά, όταν αμφέβαλλε για την ανάσταση του Κυρίου μας, «Τόμας, γκουντ. Μι Γιάννος, γιου κολ χιμ Γιάννος».

Δώσαμε τα χέρια. Ένιωσα ευχάριστα, σαν στο σπίτι μου παρόλη την κούραση μου.

Εκείνη τη στιγμή, κάτω απ' τη σκάλα μιας σοφίτας, εμφανίστηκε η σύζυγός του, μια σκούρα γυναίκα κοντά στα σαράντα, κρατώντας ένα πολύ μικρό παιδί στην αγκαλιά της, που ήταν το πολύ δεκαοκτώ μηνών.

Ο Γιάννος μού τους σύστησε με περηφάνια. Το μικρό κορίτσι ήταν κολλημένο δειλά στη μητέρα του, αλλά το παχουλό προσωπάκι της χαμογέλασε με αγάπη τον πατέρα του, καθώς έπαιρνε το χέρι της για να το τοποθετήσει στο δικό μου.

Όλοι τους δημιουργούσαν μία πολύ ευτυχισμένη και οικεία εικόνα, και μπορούσα εύκολα να καταλάβω και να συμφωνήσω με τον Γιάννο, όταν με τα σπασμένα αγγλικά του μου εξηγούσε ότι είχε περισσότερους λόγους να παλέψει και να επιβιώσει, απ' ότι ένας συνηθισμένος άντρας. Όταν οι συστάσεις τελείωσαν, η γυναίκα αποσύρθηκε στην κουζίνα της για να ετοιμάσει ένα υπέροχο γεύμα από χοιρινό με πατάτες τηγανισμένες σε ελαιόλαδο, ενώ ο Γιάννος μού περιέγραφε με λεπτομέρειες τους υπόλοιπους δραπέτες που, στις αρχές του καλοκαιριού, είχαν περάσει από το χωριό. Είχε πάντα το νου του για τέτοια ενδεχόμενα, μου έλεγε. Σε μία άλλη περίπτωση, αμέσως μετά τη γερμανική εισβολή, είχε κρύψει είκοσι τρεις στρατιώτες και αεροπόρους στο μύλο του, παρόλο που μια γερμανική φάλαγγα είχε στρατοπεδεύσει εκεί κοντά. Το πρόσωπό του σκοτείνιασε την ώρα που μου περιέγραφε την τρομερή αγωνία που είχε ζήσει εκείνες τις μέρες, γιατί γνώριζε πολύ καλά σε τι είδους κίνδυνο είχε εκθέσει την αγαπημένη του οικογένεια. Ένιωσα ότι είχα συναντήσει έναν πραγματικά μεγαλόκαρδο πατριώτη, και μ' αυτό το συναίσθημα αποφάσισα πως θα έπρεπε να προχωρήσω το συντομότερο δυνατόν έτσι ώστε να μην εξέθετα σε περιττούς κινδύνους την οικογένεια του.

Αφού τελείωσα το θαυμάσιο γεύμα μου, μου πρότειναν να ξαπλώσω σε έναν χαμηλό καναπέ στο σαλόνι και μου πρόσφεραν μία κουβέρτα. Παρά τους σπιτικούς θορύβους απ' τη λάντζα των πιάτων στην κουζίνα και του γέλιου της μικρής που έπαιζε με τον πατέρα της, με πήρε ο ύπνος σχεδόν αμέσως.

Πρέπει να είχα κοιμηθεί βαριά, τουλάχιστον για κάνα τρίωρο, όταν ξύπνησα επειδή το δωμάτιο είχε γεμίσει από άνδρες και γυναίκες.

Ο μυλωνάς είχε καλέσει όλα τα μέλη του τοπικού κινήματος αντίστασης για να με συναντήσουν. Ήταν όλοι τους νέοι -ο Γιάννος περνούσε κατά τουλάχιστον δέκα χρόνια τον μεγαλύτερο τους. Όλοι φαίνονταν έντονα πρόθυμοι να μου σφίξουν το χέρι και να μου πουν τα σχέδια και τις ελπίδες τους.

Ξαφνικά, ακούστηκε ένα επιτακτικό τριπλό χτύπημα σε κάποιο απ' τα παράθυρα. Το σύνθημα επαναλήφθηκε μετά από λίγο, και στη συνέχεια, ο Γιάννος, με χλωμό πρόσωπο μίλησε γρήγορα με τους φίλους του που άρχισαν να περνούν αθόρυβα μέσα από μια μικρή πόρτα που οδηγούσε στον μύλο. Σηκώθηκα από τον καναπέ μου για να τους ακολουθήσω, αλλά μου έκανε νόημα να μείνω πίσω.

Όταν και το τελευταίο πρόσωπο είχε εξαφανιστεί μέσα στο μύλο, ο Γιάννος έκλεισε την πόρτα προσεκτικά. Έκλεισε όλες τις κουρτίνες των παραθύρων ώστε να μη μπορεί κανείς να κοιτάξει ανάμεσα τους. Τοποθέτησε μια καρέκλα μπροστά στην πόρτα και στη συνέχεια στράφηκε προς εμένα.

«Γερμανός», είπε ήσυχα και σοβαρά, χωρίς ίχνος πανικού, «Γερμανός μπάσταρντος». Μου εξήγησε γρήγορα ότι μπορεί να με είχαν δει κάπου και τώρα ήρθαν να με ψάξουν.

Σηκώθηκα και έκανα να φύγω αμέσως, αλλά με συγκράτησε γρήγορα. Πήγε στο διπλανό δωμάτιο και ξαναήρθε αμέσως με τη σύζυγό του, οι οποία αν και τρομαγμένη, μου χαμογέλασε καθησυχαστικά.

Στάθηκαν στις δύο άκρες μία μεγάλης ντουλάπας στην πλευρά της μεσοτοιχίας με τον μύλο. Στη συνέχεια, άρχισαν να τραβούν αργά και προσεκτικά το έπιπλο προς τα εμπρός. Βγήκε εύκολα γιατί πάταγε πάνω σε δύο βαριές ξύλινες ράβδους περίπου ένα μέτρο η καθεμία. Πίσω από αυτό το έπιπλο, αποκαλύφθηκε μια μεγάλη κρύπτη που μύριζε φρεσκοκομμένο ξύλο. Είχε, ίσως, ενάμισι μέτρο άνοιγμα και τουλάχιστον άλλο ένα μέτρο βάθος.

Ο Γιάννος και η καλή του γυναίκα, τύλιξαν μερικές κουβέρτες μέσα στην κρυψώνα και μου πρότειναν να μπω μέσα. Μόλις βολεύτηκα εντός της, έσπρωξαν τη ντουλάπα πίσω στο τοίχο, αφήνοντάς με στο απόλυτο σκοτάδι. Για τα επόμενα λίγα λεπτά, άκουγα τα βήματά τους στο δωμάτιο ώσπου, κάποια στιγμή δεν άκουγα τίποτα.

Η αδιατάρακτη ηρεμία του οικοδεσπότη μου, είχε διώξει μακριά κάθε φόβο. Χωμένος στην κρύπτη, εξέταζα την κατάσταση και κατέληξα στο συμπέρασμα ότι, εφόσον όλοι οι πατριώτες θα κατάφερναν να ξεγλιστρήσουν πίσω στα σπίτια τους, θα την γλίτωνα κι εγώ. Για λίγες στιγμές πανικοβλήθηκα στη σκέψη ότι είχα αφήσει το ραβδί και το καπέλο μου στο σαλόνι. Αλλά θυμήθηκα την χαρισματική προνοητικότητα του φίλου μου και ηρέμησα.

Η κρυψώνα μου αεριζόταν καλά και, παρόλο που ήταν πολύ μικρή για να τεντωθώ, την έβρισκα ζεστή και άνετη. Κάπου εκεί, πριν με πάρει ο ύπνος, έκανε την εμφάνισή του εκείνο το ευχάριστο συναίσθημα, ότι ζούσα ένα ακόμα στιγμιότυπο μιας μεγάλης περιπετειώδους ιστορίας. Η φαντασία ενός νέου μπορεί να μην είναι μικρή, αλλά ακόμα και τα πιο παράτολμα όνειρά μου δεν με είχαν μεταφέρει ποτέ, από το απομακρυσμένο σπίτι μου στη μικρή κοιλάδα της Νέας Ζηλανδίας, σε μία τόσο παράξενη κρύπτη, κάτω απ' τη μύτη ενός αδίστακτου κατακτητή, σε μία χώρα στην άλλη άκρη της Γης.

Μερικές ώρες αργότερα ξύπνησα και, συνερχόμενος από έναν στιγμιαίο πανικό μέσα στο πυκνό σκοτάδι, συνειδητοποίησα ότι κάποιος κουνούσε το έπιπλο προς τα εμπρός. Ο μυλωνάς με καλημέρισε και μαζί με τη σύζυγό του, μου πρόσφεραν από ένα χέρι ο καθένας για να με τραβήξουν έξω. Βρήκα αρκετά χαρακτηριστικό της ελληνικής ιδιοσυγκρασίας το γεγονός, ότι τόσο ο οικοδεσπότης, όσο κι η οικοδέσποινα, ήταν ευδιάθετοι και λαμπεροί και ότι δεν θεώρησαν καθόλου αναγκαίο ν' αναφερθούν στον χθεσινοβραδινό πανικό. Μιλούσαν για κοινοτοπίες. Ασχολούνταν μαζί μου φτιάχνοντας ένα άνετο επίδεσμο για την πληγή μου. Με συνόδευσαν σ' ένα εξαιρετικό πρωινό το οποίο απολάμβαναν χωρίς βιασύνη, λες και δεν υπήρχε καμία σοβαρή ανησυχία, όπως π.χ. οι Ναζί.

Στο τέλος, η ανυπομονησία και η περιέργειά μου δεν μπορούσαν να συγκρατηθούν περισσότερο.

«Γιάννος», απαίτησα, «τι συνέβη; Πού είναι οι Γερμανοί που είχαν πλησιάσει χθες βράδυ;»

Ο μυλωνάς, σταμάτησε το ικανοποιημένο μάσημα του και φάνηκε να μη θυμάται ακριβώς αν είχε συμβεί κάτι ασυνήθιστο. Στη συνέχεια, το πρόσωπό του χαλάρωσε με κατανόηση.

«Ααα, γιες», είπε, σηκώνοντας του ώμους του περιστασιακά, «Γερμανός!», συμπλήρωσε κουνώντας τα χέρια του με υποτίμηση. «Γκρέκο νο φοβάται Γερμανός! Γκρέκο κάστρο, δυνατός, σκοτώνει Γερμανός, μπάι-μπάι».

Συνέχισε να απολαμβάνει το πρωινό του.

Συνάντησα τη ματιά της συζύγου του, στην άκρη του τραπεζιού.

«Νιχ Γερμανός», είπε, κοφτά. «Νix Γερμανός», και στη συνέχεια μου εξήγησαν πως όλα ήταν καλά τώρα. Δεν είχε υπάρξει ποτέ κανείς Γερμανός στο χωριό χθες το βράδυ. Σε έναν συμπατριώτη τους είχαν πει κάτι παιδιά, πως είχαν δει έναν ξένο άνθρωπο, χθες το απόγευμα. Είχαν υποθέσει ότι ήταν κάποιος Γερμανός κατάσκοπος.

«Αλλά μάλλον εννοούσαν εμένα!» Φώναξα. «Όταν έφτασα στο χωριό ήταν περίπου ηλιοβασίλεμα!»

«Φυσικά, φυσικά», αποκρίθηκε διασκεδάζοντας ακόμα. «Τώρα το ξέρουνε, αλλά χθες το βράδυ ήταν διαφορετικά. Ο συμπατριώτης τους ανησύχησε και ήρθε αμέσως να τους προειδοποιήσει», μου εξηγούσε η γυναίκα του γελώντας χαρούμενα με το σύζυγό της.

«Ο Γιάννος, ως εκ τούτου, δεν είναι και πολύ ευχαριστημένος με τον εαυτό του σήμερα το πρωί, έτσι δεν είναι άντρα μου;»

Ο Γιάννος σήκωσε το βλέμμα του από το πιάτο και χαμογέλασε συγκρατημένα.

«Ώχου, καλά», απάντησε, «δεν πρέπει διακινδυνεύουμε κιόλας, άλλωστε ήταν μια καλή άσκηση ετοιμότητας για την οργάνωση μας».

Ήταν ακόμη πολύ νωρίς το πρωί. Μόλις τελειώσαμε το πρωινό μας, ο ήλιος άρχισε ν' ανατέλλει. Τους ενημέρωσα ότι θα έπρεπε να συνεχίσω το δρόμο μου.

Η γυναίκα του Γιάννου ξεκίνησε να μου φτιάχνει φαγητό για να πάρω μαζί μου, κι εκείνος άρχισε να μου δείχνει τη διαδρομή που θα έπρεπε να ακολουθήσω για τη σωτήρια επίσκεψη μου στο Άγιο Όρος. Μου εξηγούσε, πάνω στο χάρτη της πορείας μου, τις θέσεις ελέγχου και τα μέρη που βρίσκονταν τα γερμανικά στρατόπεδα, προειδοποιώντας με ταυτόχρονα, ν' αποφεύγω ορισμένα χωριά στα οποία υπάρχουν Βούλγαροι πράκτορες αναμεμειγμένοι με τους ντόπιους. Επίσης, είχε βρει κι ένα νεαρό φίλο που θα αναλάμβανε να με οδηγήσει.

Δεν πέρασε μισή ώρα μέχρι να αποχαιρετήσω εκείνο το ηρωικό ανδρόγυνο και άρχισα να ακολουθώ, όσο πιο γρήγορα μου επέτρεπε το πόδι μου, έναν ψηλόλιγνο και εύθυμο νέο, περίπου δεκαέξι

Τα απομεινάρια του νερόμυλου, που ήταν σε λειτουργία μέχρι και το 1966 στη Μαραθούσα.

χρονών. Είχε προφανώς ενθουσιαστεί με την αποστολή που του είχε ανατεθεί, κι εφορμούσε από σπίτι σε σπίτι, κι από άκρη σε άκρη, ρίχνοντας κρυφές ματιές που φανέρωναν ότι μπορεί και να μισοήλπιζε να βρεθεί, πράγματι, ένας Γερμανός στο διάβα του. Ενόσω βρισκόταν σε συνεχή επιφυλακή, κρατούσε με θεατρική υπερένταση ένα μεγάλο μαχαίρι κρέατος που ήταν περασμένο σε ένα λεπτό ζωνάρι στη μέση του. Ο Νικ, ήταν ένας αδιαμφισβήτητος πολεμιστής. Με αυτό το στυλ, ελιχθήκαμε μέσα από έρημους δρόμους κι από ένα στενό μονοπάτι, καλυμμένο με δέντρα, που άνοιγε διάπλατα στα χωράφια έξω από το χωριό.

Εκεί, με οδήγησε σε μια γωνία και μου εξασφάλισε, τελικά, ένα μικρό γαϊδουράκι. Πάνω σε αυτό, παρά τις διαμαρτυρίες μου, γιατί μου φαινόταν πολύ μικρό για να σηκώνει το βάρος μου, συνέχισε να με οδηγεί.

Συνεχίσαμε έτσι πάνω από δύο ώρες, διαγράφοντας πρώτα ένα μεγάλο κύκλο γύρω από το χωριό, και στη συνέχεια πήραμε ένα τραχύ μονοπάτι κατά μήκος της πλευράς του βουνού. Ο Νικ, αφού με οδήγησε σε ένα στενό πέρασμα πάνω από μια κορυφογραμμή, ανάμεσα σε δύο βουνά, ξεπέζεψα και αποχαιρετιστήκαμε.

Το πέρασμα εκείνο με οδήγησε κάτω σε μια απότομη πεδιάδα. Δεν υπήρχε κανένα σημάδι ανθρώπινης παρουσίας. Ο ήλιος χτυπούσε ζεστά πάνω από τον καταγάλανο ουρανό. Πέρασα μια ευχάριστη ώρα σε ένα αφρισμένο ρέμα[20] που κατέβαινε από το βουνό στους πρόποδες της πεδιάδας κι απόλαυσα για μεσημεριανό λίγο ψωμί, ελιές και παστό ψάρι. Υπήρχαν εκατοντάδες μικρά πουλιά στα δέντρα, που γέμιζαν την περιοχή με τα τραγούδια και τη φλυαρία τους. Ήταν όλα τόσο γαλήνια και ξεκούραστα που με κυρίευε, σιγά-σιγά, μια απροθυμία να συνεχίσω. Γνώριζα καλά, όμως, ότι η νύχτα που θα ερχόταν θα ήταν ψυχρή κι έρημη, κι έτσι σηκώθηκα ξεκινώντας την αναρρίχηση στην απέναντι πλευρά του κάμπου που θα με οδηγούσε σε μία ορεινή πολίχνη, που ονομαζόταν Αρναία.

Όσο το απόγευμα έσβηνε, ο καιρός άλλαζε σταδιακά. Δεν έδειχνε να αυξάνει το κρύο, αλλά κάμποσα βαριά γκρίζα σύννεφα πλησίαζαν από τον Βορρά κι άρχιζαν να κρέμονται χαμηλά και δυσοίωνα πάνω από τους λόφους. Όταν οι πρώτες σκιές της βραδιάς συγκεντρώθηκαν στις κοιλάδες,

---

[20] Το Μεγάλο Ρέμα του Χολομώντα.

ήρθε και το χιόνι στους λόφους. Μέχρι ν' αφήσω πίσω μου την τελευταία βουνοκορφή, είχε εμφανιστεί μια λεπτή άσπρη κρούστα στο έδαφος. Τα λαμπερά φώτα της Αρναίας έλαμψαν μπρος μου μέσα απ' τις μυριάδες μαλακές νιφάδες.

Μπήκα στην Αρναία προσμένοντας έντονα ότι θα βρω καταφύγιο και τροφή. Τα πράγματα είχαν πάει πολύ καλά μέχρι τότε και ήμουν σίγουρος ότι θα πάταγα και πάλι στα πόδια μου. Αλλά, η Ελλάδα παραμένει πάντα η γη του «ποτέ δεν ξέρεις». Πόσο συχνά, εκείνες τις μέρες και τις νύχτες του ταξιδιού, είχα δει την τύχη μου να αλλάζει απότομα κι ανεξήγητα προς το χειρότερο, και τανάπαλιν! Τώρα, λοιπόν, καθώς περπατούσα ξένοιαστος στον κεντρικό δρόμο της Αρναίας, διαισθάνθηκα πως ήμουν υπερβολικά ανεπιθύμητος. Οι άνθρωποι περνούσαν και με αποστρέφονταν, και όταν τους μιλούσα, ανασήκωναν τους ώμους τους, έκλειναν περισσότερο τα παλτά τους στο στήθος κι έφευγαν μακριά κοιτώντας γύρω τους με φόβο ή περιφρόνηση.

Στην αρχή δεν μπορούσα να καταλάβω αυτή την άκαμπτη επιφυλακτικότητα τους, και σκέφτηκα ότι ίσως η ταλαιπωρημένη εμφάνισή μου να τους δημιουργούσε αποστροφή. Προχώρησα στους φωταγωγημένους δρόμους και λίγο αργότερα διαπίστωσα τη σαφή αιτία της συμπεριφοράς των κατοίκων: ένα γερμανικό φορτηγό ήταν σταθμευμένο ακριβώς πάνω στο στενό μονοπάτι του δρόμου, και γύρω απ' αυτό μπαινόβγαιναν σ' ένα παρακείμενο ταβερνείο μια ντουζίνα στρατιώτες -μπορεί και παραπάνω. Η αδιαφορία του πλήθους, για όλα, με καθησύχαζε.

Οι Γερμανοί με αγνόησαν. Φαίνονταν να διασκεδάζουν με κάποιον δικό τους, που είχε προφανώς υποτιμήσει τις συνέπειες του δυνατού ελληνικού κρασιού. Οι περισσότεροι από τους κατακτητές ήταν συνηθισμένοι μόνο στις ελαφριές μπύρες, και η κατανάλωση των ελληνικών κόκκινων κρασιών, χωρίς αραίωση, τους οδηγούσε σε εξαλλοσύνες. Καθώς, λοιπόν, ο κίνδυνος φαινόταν να ξεθωριάζει πίσω μου, άρχισα να ζηλεύω πολύ την ελευθερία τους και, ακόμη περισσότερο, εκείνα τα μεγάλα ισοθερμικά παλτά που όλοι τους φορούσαν. Αποφάσισα να συνεχίσω στο σκοτάδι, ακολουθώντας μία ασαφή διαδρομή προς το επόμενο χωριό. Μία παρέα μεγαλύτερων παιδιών, κάποιοι ντυμένοι ακόμη με τις εθνικιστικές στολές του μεταξικού καθεστώτος, με πλησίασε πριν απομακρυνθώ και πολύ από το χωριό. Ήταν όλα τους ενθουσιασμένα όταν κατάλαβαν ότι ήμουν Εγγλέζος και με πιλάτευαν να επιστρέψω μαζί τους στην Αρναία. Μόνο όταν τους είπα για την παρουσία των Γερμανών στρατιωτών εκεί μειώθηκε η επιμονή τους.

Ωστόσο, με διαβεβαίωσαν ότι στο επόμενο χωριό, που απείχε περίπου εννιά χιλιόμετρα, υπήρχε μια πατριωτική κοινότητα που θα μου παρείχε σίγουρα άσυλο. Πριν με αφήσουν να φύγω, μετά από παρότρυνση του μεγαλύτερου, έπεσαν στα γόνατά για να προσευχηθούν. Ήταν μια αξέχαστη εικόνα. Με το μαλακό χιόνι να πέφτει γύρω μας ασταμάτητα, γονάτισαν σε ένα ημικύκλιο γύρω μου μες στη μέση του δρόμου σταύρωσαν τα μικρά τους χέρια στο στήθος, σήκωσαν τα παιδικά πρόσωπά τους προς τις νιφάδες του χιονιού και τα μάτια τους έλαμψαν. Όταν τελείωσαν, με κάθε επισημότητα και σε τέλεια αρμονία, έκαναν το σημείο του σταυρού.

Μπήκα στο επόμενο χωριό²¹ κατά τις δέκα, ακριβώς την ώρα που τα εστιατόρια και τα μικρά καφενεία έκλειναν για την απαγόρευση κυκλοφορίας. Κοίταξα ανυπόμονα γύρω μου για κάποιο φιλικό πρόσωπο. Ακόμη και μεταξύ αυτού του γλυκοπιωμένου κοινού με το εγκάρδιο κι ευτυχισμένο ύφος από το κρασί, δεν υπήρχε κανένας να δείξει κάτι φιλικό, πέραν μίας απότομης αναστάτωσης μόλις συνειδητοποιούσαν ότι ήμουν Άγγλος. Κάθε ένας που πλησίαζα, μουρμούριζε κάποια επείγουσα και ακατανόητη δικαιολογία, και στη συνέχεια έφευγε.

Τελικά, όταν οι δρόμοι ησύχασαν, μία πόρτα από ένα καφενείο πάνω στο δρόμο άνοιξε, και μέσα απ' την πορτοκαλί λάμψη των φώτων, εμφανίστηκαν δύο νέοι άνδρες

---

²¹ Το Παλαιοχώρι Χαλκιδικής.

και διέσχισαν το δρόμο προς το μέρος μου. Ήταν περίπου δεκαοκτώ χρονών. Στράφηκα προς το μέρος τους κι άπλωσα το χέρι μου προς τον ψηλότερο. «Καλιμέρις», είπα, όσο πιο φιλικά μπορούσα να το προφέρω. «Καλιμέρις, ιγκό Εγγλέζι, τέλι σπίτι απόψι παραγκαλό», που ήταν η δική μου εκδοχή ευγενικής παράκλησης για μία διανυκτέρευση.

(Παραδόξως, τα παράφωνα ελληνικά μου σε συνδυασμό με τις εκφραστικές χειρονομίες που αποτύπωνα από όλους τους εκδηλωτικούς ανθρώπους που συναντούσα, με έκαναν ευκολότερα κατανοητό στον μέσο Έλληνα. Με αυτό το βασικό λεξιλόγιο και προσθέτοντας πάντα καμιά λέξη παραπάνω εδώ και εκεί, κατάφερνα να συνεννοούμαι σε ικανοποιητικό βαθμό.)

Οι δύο νεαροί πάγωσαν. Μη θέλοντας να προβούν σε κανένα χαιρετισμό, με τράβηξαν στο σκοτάδι.

«Από πού έρχεσαι και πού πηγαίνεις;» απαίτησαν να μάθουν σε σπαστά αγγλικά.

«Απ' τη Θεσσαλονίκη», απάντησα, «και σκοπεύω να πάω στην Αίγυπτο και τον αγγλικό στρατό».

«Γνωρίζεις ότι υπάρχουν Γερμανοί εδώ, σε αυτή την περιοχή, σε αυτό το χωριό;»

«Ναι, τους είδα στην Αρναία. Αλλά δεν κυνηγούν εμένα, ούτε ψάχνουν για δραπέτες. Βρίσκονται εδώ για να αγοράσουν βοοειδή και καπνό».

«Και πώς είσαι σε θέση να γνωρίζεις τις προθέσεις τους;» με ρώτησε με καχυποψία ο κοντύτερος εκ των δύο.

«Μου το είπαν κάποιοι μαθητές που οι γονείς τους αναγκάστηκαν να τους πουλήσουν μέρος του κοπαδιού τους».

«Ποιοι μαθητές;» συνέχισαν να με ανακρίνουν με απιστία και με απροκάλυπτη, πλέον, εχθρότητα. «Έχεις έρθει σε επαφή με μαθητές;»

«Δύο ώρες πριν, στο δρόμο απ' την Αρναία. Είναι όπως σας τα λέω. Τα παιδιά επέστρεφαν στην Αρναία και γύρισαν πίσω για να μου δείξουν το δρόμο προς τα 'δω».

Μελέτησαν τις απαντήσεις μου για λίγο, και μετά από μια προφανή διαφορά απόψεων, μου είπαν να τους ακολουθήσω, σε απόσταση ασφαλείας. Άρχισαν να περπατούν γρήγορα μέσα στους σκοτεινούς δρόμους και τους ακολουθούσα από περίπου είκοσι βήματα μακριά. Διαφωνούσαν ακόμα, αλλά μιλούσαν τόσο γρήγορα που μου ήταν αδύνατο να πιάσω οποιαδήποτε λέξη. Άρχισα να νοιώθω μια αόριστη δυσπιστία απέναντι τους.

Εν τω μεταξύ, είχαμε διακλαδωθεί μακριά από τον κεντρικό δρόμο και ακολουθούσαμε ένα στενό δρομάκι ανάμεσα από δύο σπίτια. Με οδήγησαν στο πίσω μέρος του αγροτικού κτηρίου και κάτω από ένα χαμηλό γείσο, το οποίο, αν και ήταν ακόμα κρύο και υγρό καταγής, δεν είχε τουλάχιστον χιόνι.

«Γιατί πηγαίνεις στην Αίγυπτο;» απαίτησε να του απαντήσω ο μικρότερος, που είχε αναλάβει σχεδόν όλη τη συνομιλία.

«Για να ενταχθώ με τον συμμαχικό στρατό και πάλι!»

«Γιατί;» ρωτούσε με θυμό, «γιατί, γιατί;»

«Για να πολεμήσουμε το γερμανικό καθεστώς», απάντησα, «και να βοηθήσω στην απελευθέρωση της Ελλάδας!»

«Οι Άγγλοι είναι ήδη τελειωμένοι. Πάει και τελείωσε. Ποτέ δεν θα βοηθήσουν την Ελλάδα. Αν έρθουν πίσω εδώ, θα είναι μόνο για να καταστρέφουν τις υποδομές μας και να κυνηγηθούν και πάλι από τους Γερμανούς!»

Αυτό το είπε με σκληρότητα και περιφρόνηση. Ήταν κάτι νέο για μένα, κάτι που θα μπορούσα να κατανοήσω εν μέρει, αλλά δεν το είχα αντιμετωπίσει μέχρι τότε, τόσο έντονα. Αυτά τα παλληκάρια, σκέφτηκα, είχαν πικραθεί απ' την ήττα. Αισθάνονταν εγκαταλελειμμένοι, πρώτον, από τους πολιτικούς τους, και εν συνεχεία από τους Άγγλους, ειδικά όταν οι ορδές που εισέβαλλαν από τον Βορρά εγκαταστάθηκαν χωρίς μεγάλη αντίσταση στην περιοχή τους.

«Δεν πρέπει να χάνουμε την πίστη μας», διαμαρτυρήθηκα. «Η Ελλάς θα γίνει και πάλι ελεύθερη, οι Σύμμαχοι θα συντρίψουν τους εχθρούς της. Πρέπει να έχουμε πίστη. Ο ΤΕΟΣ ΕΙΝΑΙ ΜΕΓΚΑΛΟΣ.»

Υπήρξε ένας κατακλυσμός φοβερών βρισιών κι από

τους δύο.

«Η πίστη κι ο Θεός να μας αφήσουν ήσυχους!» πετάχτηκε ο ψηλός, για αλλαγή, και για να δώσει έμφαση στον λόγο του, έφτυσε προς τα πόδια μου, «και οι Εγγλέζοι να πάνε από 'κει που 'ρθαν».

«Θα πληρωνόμασταν καλά άμα σε παραδίδαμε στους Γερμανούς», είπε ο κοντός, «είστε απ' την ίδια καταραμένη φυλή, Γερμανοί και Άγγλοι. Πρέπει να είστε συνεχώς κατακτητές εις βάρος μας».

Δεν ανησυχούσα πραγματικά για την απειλή αυτή. Στις μεγάλες πόλεις μερικοί πολίτες συνεργάστηκαν με τον εχθρό και τον ενημέρωναν για τους πρώην φίλους και συμμάχους τους, παραμένοντας ασφαλείς. Αλλά στα ορεινά χωριά, οι καρδιές των αγροτών χτυπούσαν με περισσότερη θέρμη και προσήλωση. Αν το έπαιζαν Ιούδες μαζί μου, θα είχαν να αντιμετωπίσουν το κυνήγι ολόκληρης της κοινότητας που θα τους έδιωχνε τελείως απ' τα βουνά.

Ξαφνικά κοίταξα το ρολόι μου. Ήταν σχεδόν έντεκα, μια ώρα μετά την απαγόρευση της κυκλοφορίας. Στράφηκα προς την άλλη πλευρά, έξω φρενών, αλλά και με πλήρη επίγνωση ότι είχα χάσει μία ευκαιρία για καταφύγιο.

«Μη φεύγεις, Εγγλέζε!» φώναξε ο κοντός, «μη φεύγεις, είμαστε φίλοι σου, ναι, φίλοι σου! Θα σου παρέχουμε εμείς καταφύγιο».

«Ναι, ναι, Εγγλέζε!» πετάχτηκε πάλι ο ψηλός, με το ένα χέρι στον ώμο μου. «Ίσως να ήμασταν λίγο αγενείς. Θα πρέπει να μας συγχωρήσεις. Θα μοιραστούμε το δωμάτιο μας μαζί σου!»

«Πάντως,» είπα, λίγο πιο ήρεμος, αλλά ακόμα δύσπιστος, «σίγουρα δεν ακουστήκατε φιλικοί. Ωστόσο, εγώ ευχαρίστως και με πολύ ευγνωμοσύνη θα δεχτώ την προσφορά σας για καταφύγιο. Είμαι μούσκεμα και παγωμένος απ' την κορφή ως τα νύχια».

Το μυαλό μου έτρεχε τρελά. Δεν μου άρεσαν, αλλά ένα άσυλο ήταν επιτακτική ανάγκη για μένα. Νομίζω, ότι θα δεχόμουν για καταφύγιο ακόμα και τη σπηλιά μιας αρκούδας εκείνο το βράδυ, παρά να μείνω έξω στο χιόνι για ακόμη μια ώρα. Προσπάθησα να ανταποκριθώ ευγενικά στην αλλαγή της στάσης τους, και, μιλώντας ήσυχα, κινηθήκαμε προς το πίσω μέρος του χωριού.

«Τι ώρα είναι Εγγλέζε;» είπε ένας από αυτούς.

«Έντεκα και δέκα», του απάντησα.

«Αποκλείεται! Είναι λίγο μετά απ' την απαγόρευση της κυκλοφορίας! Για να δω!», είπε ο ψηλός, ερχόμενος προς το μέρος μου.

Ανόητα ανυποψίαστος, άπλωσα τον καρπό μου και έδειξα το λαμπερό ρολόι μου, κάτω από το μουσκεμένο μανίκι του παλτού μου.

Σε κλάσματα του δευτερολέπτου, ο ψηλός μού άρπαξε τον καρπό, ο κοντός με κλώτσησε άγρια ανάμεσα στα πόδια και με έσπρωξαν χτυπημένο κι οι δύο μέσα στο χιόνι. Είχαν τελειώσει όλα μέσα σε μια στιγμή. Όπως στάθηκα στα πόδια μου με οδύνη και προσπάθησα να ισιώσω την πλάτη μου, άκουγα το σκληρό τους γέλιο να αντηχεί πιο δυνατά απ' τα βήματά τους καθώς έτρεχαν πάνω στο χιόνι.

Τι θα μπορούσα να κάνω; Το ρολόι μου είχε χαθεί. Ήταν ανώφελο να τρέξω πίσω τους και πολύ επικίνδυνο, ακόμη και αν το πόδι μου, μαζί με τον έντονο πόνο στη βουβωνική μου χώρα, μού το επέτρεπαν. Το μοναδικό περιουσιακό μου στοιχείο, το μοναδικό αντικείμενο που είχα στην κατοχή μου για να με παρηγορεί, χάθηκε για πάντα.

Στάθηκα στο χιόνι, απεγνωσμένος και εξαθλιωμένος. Η πίκρα και ο θυμός, ανέβαιναν με βήχα στο λαιμό μού και ξεπηδούσαν απ' τα μάτια μου.

Αστραπιαία, ο νους μου έκανε αναδρομή στη μέρα που είχα εκλεγεί πρόεδρος της μικρής επαρχιακής λέσχης μας, και ξαναείδα τον παλιό διευθυντή του κολλεγίου να μου παραδίδει το όμορφα χαραγμένο ρολόι, που έκτοτε δεν έβγαλα ποτέ από το χέρι μου. Πάνω στο αστραφτερό χιόνι, μπροστά στα μάτια μου, έβλεπα όλους μου τους φίλους που είχαν συγκεντρωθεί για την περίσταση στο σαλόνι του πατρικού μου σπιτιού και δεχόμουν τους αποχαιρετισμούς τους (διότι την επόμενη ημέρα θ' αναχωρούσαμε για τον πόλεμο).

Κανείς δεν θα μπορούσε ποτέ να εκτιμήσει τι σήμαινε για μένα το αντικείμενο αυτό, και ειδικά η απώλεια του. Και καθώς καιγόμουν από θυμό, με πλημμύρησε σα νεαρό παιδί που ήμουν, η τελική συντριβή και το αναπάντεχο συναίσθημα· δεν υπήρχε μητέρα, δεν υπήρχε αδελφός, δεν υπήρχε ένα φίλος, ούτε καν το ηλικιωμένο τσοπανόσκυλο μου, για να μπορέσω να μοιραστώ τον πόνο μου, να εμπιστευθώ τη δυστυχία μου και να λάβω λίγη παρηγοριά από κάποιον.

Γύρω μου, παντού, στροβιλιζόταν το σκοτάδι και το χωριό στεκόταν σιωπηλό και εχθρικό.

Ένιωσα απίστευτα κουρασμένος και μίζερος, αλλά κυρίως κουρασμένος. Μπήκα στον πειρασμό να ξαπλώσω κάτω και να κοιμηθώ, αλλά ήξερα τον κίνδυνο που είχε ο ύπνος στο χιόνι και ανάγκασα τον εαυτό μου να προχωρήσει προς τα εμπρός, χωρίς να με νοιάζει ιδιαίτερα προς τα πού.

Κάπως έτσι, βρέθηκα μπρος σε μια πρόχειρη ξύλινη πόρτα ενός αγροκτήματος. Απ' την άλλη μεριά διέκρινα κι άλλα κτίσματα. Το πρώτο υπόστεγο αποδείχτηκε ότι χρησίμευε για το άρμεγμα και το δεύτερο για αποθήκη στην οποία μπήκα. Έψαχνα στο σκοτάδι ελπίζοντας να βρω κάποιο σημείο με σανό για ζεστασιά, αλλά δεν τα κατάφερα. Αποφάσισα να χωθώ ανάμεσα σε κάτι στοίβες με καλαμπόκια που ήταν στοιβαγμένα σε μια γωνία. Ήλπιζα ότι θα μου πρόσφεραν λίγη ζέστη γιατί είχαν ακόμα τις φλούδες τους και ήταν στεγνά.

Τα ρούχα μου ήταν τόσο βρεγμένα που τα πέταξα όλα για να μην παγώσουν πάνω μου, αλλά μετά από το κρύο μισής ώρας στα καλαμπόκια, έψαχνα στο σκοτάδι να τα ξαναβάλω. Όσο μουσκεμένα και να ήταν, εξακολουθούσαν να διατηρούν κάποια ζεστασιά.

Η νύχτα σερνόταν οδυνηρά. Μου ήταν αδύνατο να κοιμηθώ από το κρύο. Με κανένα ρολόι να με βοηθάει, κοίταζα μέσα απ' την κατήφεια της πόρτας και προσευχόμουν θερμά για το φέγγος της αυγής.

Όταν επιτέλους μια κλεφτή γκριζάδα παρείσφρησε στο υπόστεγο, διαπίστωσα ότι εξακολουθούσε να χιονίζει βαριά. Το να σηκωθώ και να συνεχίσω ήταν εκτός συζήτησης -ο κακός μηρός και το πόδι μου είχαν γίνει σκληρά σαν σανίδα. Έτσι, σφίγγοντας τα φλύαρα δόντια μου, μετρούσα τα λεπτά, ένα προς ένα, και περίμενα να αλλάξει κάτι. Όταν φώτισε πλήρως, είδα σε ένα υπερυψωμένο σημείο της αποθήκης ένα μεγάλο σωρό από ξερό σανό. Μετά από μια καταπληκτική προσπάθεια που κατέβαλλα γιατί με δυσκόλευαν τα ογκώδη κι άβολα καλαμπόκια, αναρριχήθηκα επάνω κι έφτιαξα μια άνετη φωλιά.

Όλη εκείνη τη μέρα παρέμεινα στο υπόστεγο. Με ανακάλυψαν δύο ηλικιωμένες γυναίκες και μου έφεραν φαγητό. Η ζεστασιά του σώματός μου είχε, μερικώς, στεγνώσει τα ρούχα μου. Πέρασα μια ήσυχη νύχτα στο σανό.

Το άλλο πρωί, το φως του ήλιου έρρεε ελεύθερα απ' την ανοιχτή πόρτα του υπόστεγου. Νιώθοντας ξεκούραστος, αλλά πολύ πεινασμένος και πάλι, ξεκίνησα πάνω στο τραγανό χιόνι. Ο δρόμος μπροστά μου ανηφόριζε προς την τελευταία κορυφογραμμή. Εκείνη ήταν που έπρεπε να διασχίσω, πριν κατηφορίσω στις πεδιάδες που συνέδεαν την κεντρική μακεδονική ενδοχώρα με τη χερσόνησο του Αγίου Όρους.

Το χωριό φαινόταν συναρπαστικό καθώς έκανα την παράκαμψη γύρω του. Φαινόταν πολύ γραφικό, με τις τεμπέλικες σπείρες καπνού να αναδύουν απ' τις όμορφες στρογγυλεμένες και λευκές στέγες.

Ενώ ξανάπιανα την πορεία μου απ' την άλλη πλευρά, μία ψηλόλιγνη φιγούρα έβγαινε απ' αυτό το χωριό. Απ' την πρώτη στιγμή κατάλαβα ότι ήταν ο αχρείος τύπος που μου είχε κλέψει το ρολόι. Παρόλο που το πόδι μου δεν είχε ακόμη ζεσταθεί επαρκώς, για να μπορώ να κινηθώ γρηγορότερα, με λίγη πίεση και με ένα ξαφνικό ξέσπασμα, τον έφτασα.

«Παλιοκάθαρμα», φώναξα με κομμένη την ανάσα κι εξοργισμένος που δεν μπορούσα να σκεφτώ καμιά ελληνική βρισιά, «κατάπτυστο κλεφτρόνι, πού είναι το ρολόι μου;»

Πλησίασα για να τον αρπάξω, αλλά μου ξεγλίστρησε κι άρχισε να τρέχει πάλι προς το χωριό.

«Χα, ο Εγγλέζος», χλεύασε, σίγουρος για τον εαυτό του τώρα που κατάλαβε ότι θα μπορούσε να μου ξεφύγει εύκολα, «το βρωμερό, ζωύφιο ο Εγγλέζος, θέλεις το ρολόι σου, ε;

Θέλεις το ρολόι; Καλά, αν θέλεις το ρολόι σου, έλα να το πάρεις! Έλα μαζί μου και θα το βρεις, ξέρεις πού είναι; Η αστυνομία το 'χει! Ναι, η αστυνομία! Το έδωσα σ' αυτούς! Θα το πάρεις απ' αυτούς, βρίσκονται στην πλατεία του χωριού σήμερα και μιλάνε με τους Γερμανούς!»

Γύρισε κι έφυγε μακριά προς το χωριό, με υπερβολική έπαρση κι ευχαριστημένος με τον εαυτό του.

Η ματιά μου έπεσε πάνω σε μια μεγάλη άγρια πέτρα στην άκρη του δρόμου. Την πήρα και τρέχοντας προς το μέρος του τού την πέταξα με όλη μου τη δύναμη. Δεν ήταν και η καλύτερη ρήψη που θα μπορούσα να κάνω, αλλά η πέτρα τον πέτυχε στην πλάτη με πολύ δύναμη. Έβγαλε μια καταπληκτική κραυγή πόνου και σωριάστηκε στο έδαφος. Στη συνέχεια μαζεύτηκε κι έφυγε προς το χωριό μισο-τρέχοντας και μισο-πηδώντας.

Έμεινα ικανοποιημένος και γύρισα για να προχωρήσω προς το Άγιο Όρος. Μια μέρα, συλλογιζόμουν καθώς άφηνα το χωριό πίσω μου, μια μέρα, όσα χρόνια και να μου πάρει, θα επιστρέψω και θα βάλω την αστυνομία να βρει τους ενόχους.

Ο δρόμος διέσχισε ένα μεγάλο κάμπο κι ανέβαινε, μέσα από ένα στενό φαράγγι, κατά μήκος μιας δασώδους πλαγιάς. Παρά το χιόνι, έπιασα τον εαυτό μου να απολαμβάνει τη ζωηράδα του αέρα και τον υπέροχο χρωματισμό των καθαρών κορυφών τις πρώτες πρωινές ώρες του ουρανού. Υπήρχαν μικρές ομάδες σπιτιών αμφίπλευρα του μονοπατιού, κάποιες σχεδόν κρυμμένες από το δάσος. Θεώρησα σκόπιμο να δοκιμάσω σ' ένα από αυτά την τύχη μου για κανένα γεύμα, αλλά με το προηγούμενο χωριό να είναι ακόμα ορατό πίσω μου, θεώρησα καλύτερο να προωθηθώ ακόμα πιο ψηλά.

Λίγο μετά, το δρομάκι έπαψε να είναι ανηφορικό και κατηφόρισε απότομα. Μέσα από ένα μικρό ξέφωτο στο δάσος πήρα μια γεύση από τους χαμηλούς λόφους που κείτονταν κάτω απ' τα επίπεδα του χιονιού. Πιο πέρα απ' αυτά, μακριά στο βάθος, ήταν το γαλάζιο της θάλασσας. Μισή ώρα μετά, το χορτάρι άρχισε να ξεπηδά ενδιάμεσα απ' τα μπαλώματα του χιονιού, και άρχισα να ακολουθώ την

πορεία ενός ολοένα και αφρισμένου ρέματος που
ξετυλιγόταν προς τον κάμπο που απλωνόταν κάτω.
Ήταν μια κουραστική μέρα. Πρέπει να κάλυψα,
συνολικά, γύρω στα σαράντα χιλιόμετρα. Δεν υπήρχε
αμφιβολία ότι ήταν πάρα πολλά. Καθώς πλησίαζα ένα μικρό
ψαροχώρι, το τραυματισμένο μου πόδι, αιωρούταν και
αναπηδούσε γύρω από το καλό. Μου φάνηκε αφόρητο που
με υποδέχτηκαν αρνητικά τα τρία πρώτα σπίτια.
Πλησίασα σ' ένα άλλο. Είχε πάει αργά, μετά τις δέκα,
και ήταν αρκετά σκοτεινά. Κανείς δεν είχε έρθει καν στην
πόρτα προς απάντηση των κτυπημάτων μου -ακούστηκαν οι
συνηθισμένοι κλεφτοψίθυροι και τα σιγοπερπατήματα, αλλά
μετά από λίγο, σιωπή.
Κουρασμένος και με μεγάλη θλίψη, κάθισα στο δρόμο
και ξεκουράστηκα. Ακριβώς την ώρα που με κυρίευε ένα
αίσθημα υπνηλίας και αναρωτιόμουν αν θα μπορούσα να βρω
κάποια τουαλέτα, κάποιος σκόνταψε πάνω μου. Ήταν ένας
Έλληνας στρατιώτης, ή μάλλον ένας πρώην στρατιώτης, με
ό,τι είχε απομείνει απ' τη στολή του.
Όταν συστηθήκαμε, και του εξήγησα το χάλι μου,
αναφώνησε:
«Έλα μαζί μου. Ίσως μπορώ να σε βοηθήσω».
Με οδήγησε μακριά, σ' ένα στενό δρόμο της υπαίθρου
που οδηγούσε προς τη θάλασσα. Ακολουθήσαμε ένα
κακοτράχαλο μονοπάτι μέσα στο σκοτάδι, μέχρι που
αφήσαμε τα τελευταία σπίτια του χωριού κάνα χιλιόμετρο
πίσω. Στη συνέχεια, μέσα στην καταχνιά, εμφανίστηκε μια
μικρή καλύβα. Την προσεγγίσαμε προσεκτικά και, αφού
έβαλε ο φίλος μου το αυτί του στην πόρτα για μερικά λεπτά,
τη χτύπησε ήσυχα και ψιθύρισε:
«Μπαμπά, μπαμπά, άνοιξε. Μπαμπά. Εγώ είμαι, ο
Λάζαρος.»
Ακούστηκαν βήματα και η πόρτα άνοιξε διάπλατα
εμφανίζοντας μία πολύ γέρικη μορφή που μας έκανε νόημα
να περάσουμε μέσα στη μονόκλινη παράγκα. Οι δύο
Έλληνες αγκαλιάστηκαν θερμά, σαν να είχαν χωρίσει πολύ
καιρό πριν, και τότε ο Λάζαρος στράφηκε προς εμένα.
«Αυτός, μπαμπά, είναι Εγγλέζος. Μπορείς να τον

βοηθήσεις απόψε; Είναι άρρωστος και πεινασμένος και δεν έχει βρει καταφύγιο».

Ο γέρος δεν απάντησε αμέσως. Πήγε στο τζάκι, πασπάτεψε τα κάρβουνα για να το ξαναζωντανέψει. Έριξε λίγα ακόμα ξύλα στη φωτιά. Στη συνέχεια, άναψε μία δάδα απ' τις φλόγες και την έφερε στην σκοτεινή πλευρά του δωματίου. Την έφερε κοντά στο πρόσωπο μου και με εξέταζε από όλες τις πλευρές, μουρμουρίζοντας συνεχώς μέσα στη γενειάδα του. Τέλος, είπε στ' αγγλικά:

«Ο Θεός να 'χει καλά το Βασιλιά Γεώργιο της Αγγλίας!»

«Ο Θεός να τον έχει καλά», συμφώνησα ολόψυχα, «ώστε γνωρίζετε αγγλικά, ε;»

Ο γεράκος έμεινε εμφανώς ικανοποιημένος από το γεγονός ότι φαινόμουν αβλαβής και από το ότι μπορούσα να καταλάβω τα αγγλικά του, κι ο γιος του βαθύτατα εντυπωσιασμένος τον κοιτούσε με δυσπιστία. Ωστόσο, ο ίδιος δεν με έβαλε σε περαιτέρω δοκιμασία και, έτσι, στο υπόλοιπο της συνομιλίας μας συμπεριέλαβε κι ελληνικά. Μού είπε πως ο ίδιος είχε εργαστεί για τους Άγγλους στον Α' Παγκόσμιο Πόλεμο, και υποστήριζε ότι είχε δει το Βασιλιά Γεώργιο στη Θεσσαλονίκη, εννοώντας τον... Γεώργιο τον 5ο. Δεν έκρινα απαραίτητο να του πω ότι είχε πεθάνει.

Ο γιος του, ο Λάζαρος, δεν έμεινε μαζί μας για πολύ ακόμα. Αφού συζήτησαν με τον πατέρα του ψιθυριστά στην πόρτα επί μακρόν, με αποχαιρέτησε και γλίστρησε μέσα στη νύχτα. Ο πατέρας του έμεινε κοντά στην πόρτα για τουλάχιστον πέντε λεπτά ακόμα. Ήμουν σίγουρος ότι ο Λάζαρος ήταν φυγάς και είχε προγραμματίσει από καιρό να κάνει την επίσκεψη αυτή στον πατέρα του, και τώρα, έπαιρνε το δρόμο της επιστροφής διακινδυνεύοντας.

Τροφοδοτήσαμε τη φωτιά και φτιάξαμε ένα ζεστό ρόφημα από μερικά αποξηραμένα φύλλα που έμοιαζαν, και μάλιστα μύριζαν, σαν ένα βότανο που φυτρώνει στις Νεοζηλανδικές κοίτες των ποταμών και το ονομάζουμε «αυτί του αρνιού».[22] Μετά από μια σύντομη συνομιλία που είχαμε, έφτιαξα το κρεβάτι μου σε ένα μεγάλο σωρό από ξερά φασόλια σε μια γωνία του δωματίου και, ευχαριστημένος απ' τη ζέστη της φωτιάς, αποκοιμήθηκα.

Ο γέρος με ξύπνησε πριν ξημερώσει, μου έδωσε λίγο ακόμα από το «τσάι» και μου ζήτησε να απομακρυνθώ όσο πιο πολύ μπορούσα απ' την καλύβα του πριν ξημερώσει τελείως. Μου ζήτησε συγγνώμη για την έλλειψη τροφής, αλλά με διαβεβαίωσε ότι θα με αντιμετωπίσουν καλά οι μοναχοί του Αγίου Όρους. Καθώς τον αποχαιρετούσα και τον ευχαριστούσα στην πόρτα, με χαιρέτησε στρατιωτικά τινάζοντας το πηγούνι και τη γενειάδα του μπροστά, και φώναξε, «Ο Θεός να 'χει καλά τον Βασιλιά Γεώργιο της Αγγλίας!» Βρισκόταν σε αυτή τη στάση ακόμα, όταν γύρισα μετά από πενήντα βήματα για να τον χαιρετήσω.

Ήταν ένα υπέροχο πρωινό. Ο ήλιος ανέτειλε, σ' έναν πεντακάθαρο ουρανό με λίγες μικροσκοπικές ροζ τούφες, ακριβώς πάνω από τον ορίζοντα. Ο αέρας ήταν τονωτικός και κουβαλούσε την έντονη μυρωδιά από το ψαροχώρι. Δεν υπήρχε καμία ένδειξη γερμανικού οχήματος, και οι άνθρωποι που μίλησα μαζί τους στην παραλία της Ιερισσού δεν έδειχναν κανένα ίχνος ανησυχίας απ' την παρουσία μου. Η αμμουδιά φιλοξενούσε μερικές πολύ ωραίες βάρκες και όσο προχωρούσα προς τα κάτω για να προσεγγίσω τους ψαράδες, που ετοίμαζαν τα δίχτυα τους, οι ελπίδες μου αναπτερώνονταν.

Εντούτοις, ένας προς ένας, όλοι μου έδωσαν την ίδια απάντηση. Κουνούσαν τα κεφάλια τους με έμφαση και έλεγαν, «Πρέπει να βρεις τον Σάλο. Εμείς δεν μπορούμε να σε βοηθήσουμε. Βρες τον Σάλο» -απ' ότι κατάλαβα, ήταν κάτι σαν επικεφαλής του χωριού.[23] Εντόπισα το σπίτι του χωρίς μεγάλη δυσκολία και χτύπησα την πόρτα.

Ο Σάλος, ήταν ένας μεγαλόσωμος άνθρωπος με μια σκούρα αλλά ευχάριστη όψη. Δεν φάνηκε και πολύ

---

[22] Στην Ελλάδα αποκαλείται Βυζαντινό Στάχυ (Stachys Byzantina).
[23] Το «Σάλος» ήταν το αντιστασιακό ψευδώνυμο του ηρωικού Δασκάλου της Ιερισσού, Νικόλαου Πέτρου, που μιλούσε 5 γλώσσες, έσωσε αμέτρητους συμμάχους, και σφάχτηκε το 1944 από δύο αντάρτες, που ήταν πρώην μαθητές του!

χαρούμενος που με είδε. Μάντεψε αμέσως ότι ήμουν Εγγλέζος, πριν καν προλάβω ν' αρθρώσω λέξη. Έκλεισε την πόρτα πίσω του και με τράβηξε σε μια κλειστή αυλή στο πλάι του σπιτιού.

«Τι θέλεις;» με ρώτησε στ' αγγλικά χωρίς περιστροφές.

«Ψάχνω για βάρκα», του απάντησα, λίγο ενοχλημένος από τον τρόπο που με αντιμετώπιζε. Έμοιαζε πολύ ειλικρινής κι ευχάριστος τύπος για να έχει τόσο περίεργη συμπεριφορά. «Μία βάρκα για να με πάει στην Τουρκία. Μπορώ να πληρώσω μετρητά ένα συγκεκριμένο ποσό και θα σας δοθεί και μια επιταγή για το υπόλοιπο».

«Δεν θέλω τα χρήματά σας», μου απάντησε δύστροπα, «έχω ήδη στείλει πάνω από εκατό Εγγλέζους στη Μικρά Ασία χωρίς ανταμοιβή. Πλέον, όμως, μου είναι αδύνατο να σε βοηθήσω. Και μάλιστα πρέπει να φύγεις από εδώ αμέσως».

Διαισθανόμουν πως υπήρχε κάτι περίεργο πίσω απ' την αδιαλλαξία του. Παρόλο που η πρώτη μου σκέψη ήταν να γυρίσω και να φύγω, τον ρώτησα αν θα μπορούσε τουλάχιστον να μου εξηγήσει γιατί ενώ είχε βοηθήσει τόσους πολλούς, δεν ήθελε να βοηθήσει και μένα.

Κοντοστάθηκε για μία στιγμή. Τότε, αφού αναστέναξε και το πρόσωπό του χαλάρωσε λίγο, μου έκανε νόημα να καθίσω στο πεζούλι ενός πηγαδιού στην αυλή. Έδωσε κάποιες εντολές μέσα από ένα παράθυρο και στη συνέχεια στράφηκε σε μένα.

«Καλά, λοιπόν, θα σου πω... και τότε θα καταλάβεις και θα απομακρυνθείς από εδώ όσο πιο γρήγορα μπορείς. Είμαι αυτός που κινητοποίησα τους συμπολίτες μου στην περιοχή για να βοηθήσουμε Συμμάχους, που άρχισαν να φτάνουν εδώ ηττημένοι ζητώντας μας βοήθεια. Πολλά χωριά τους έδιωξαν, αλλά εγώ δεν μπορούσα. Ταΐζαμε τον κάθε έναν ξεχωριστά, από το υστέρημά μας και τα λίγα που είχαμε στη διάθεσή μας. Στείλαμε πάνω από εκατό στρατιώτες με δικές μας βάρκες στην Τουρκία. Έχουμε χάσει τέσσερα απ' τα καλύτερα σκάφη μας, κι έχουμε αποδεχτεί αυτές τις απώλειες στωικά, διότι ό,τι κάναμε, το κάναμε συνειδητά από χριστιανικής πλευράς. Δεν θεωρούμε ότι μας χρωστάει κανείς χάρη, και σίγουρα καθόλου χρήματα. Μας ήταν αρκετό να γνωρίζουμε ότι σώσαμε τις ζωές όλων αυτών των ανοιχτόχρωμων παλικαριών και τους στείλαμε πίσω σπίτι τους». Έκανε παύση και το πρόσωπό του έδειχνε ότι δυσκολευόταν να συνεχίσει. Οι λέξεις τού έβγαιναν με βιασύνη πέφτοντας η μία πάνω στην άλλη, και η φωνή του ανέβηκε.

«Μετά, όμως, ήρθαν *αυτοί*. Διακόσιοι από δαύτους έφτασαν εδώ ένα πρωί, οπλισμένοι μέχρι τα δόντια. Τα γουρούνια είχαν απλωθεί σ' όλο το χωριό από τα χαράματα, πριν ξυπνήσουν οι κάτοικοι. Σύντομα μάς είχαν βγάλει όλους έξω. Έμπαιναν σε όλα τα σπίτια σπάζοντας, λεηλατώντας και χτυπώντας όποιον βρισκόταν μπροστά τους. Δεν ανησυχούσα μήπως βρουν κάτι. Άλλωστε, ποτέ δεν είχαμε κρύψει φυγάδες εντός του χωριού, αλλά σε ένα κρησφύγετο πάνω στους λόφους και, σε κάθε περίπτωση, ήξερα πως είχαν περάσει αρκετές μέρες που είχε διαφύγει και η τελευταία ομάδα. Δεν ανησύχησα, σου λέω, ούτε φοβήθηκα. Τους αντιμετώπιζα με περιφρόνηση και έλεγα στους ανθρώπους μου να μην ανησυχούν. Αλλά αυτοί είναι διαβολεμένοι... διαβολεμένοι! Όταν τελείωσαν την αναζήτησή τους, με κάλεσε ο επικεφαλής τους. Απαίτησε να μάθει πού ήταν οι Βρετανοί. Αρχικά έπαιξε μαζί μου και στη συνέχεια μου είπε πως ήξερε καλά ότι τους έστελνα εκτός Ελλάδος, κι ότι βοηθούσα όλους όσους περνούσαν από εδώ. Απαίτησε να του δώσω τα ονόματα τουλάχιστον πέντε από τους νεαρούς άνδρες του χωριού που είχαν συμμετάσχει σε επιχειρήσεις μεταφοράς Άγγλων. Εγώ αρνήθηκα, αλλά είπε ότι αν μέχρι το μεσημέρι δεν έχει τα ονόματα, θα εκτελέσει όλους τους άνδρες του χωριού. Το συζήτησα με τους κατοίκους. Μερικοί από τους άνδρες, οι ανύπαντροι, προσφέρθηκαν. Έδωσα τα ονόματά τους μαζί με το δικό μου και του Ιερέα στον αξιωματικό. Ο Γερμανός γέλασε όταν είδε το όνομά μου. Είπε ότι η μεγαλύτερη τιμωρία μου, θα ήταν να με αφήσει εκτός λίστας.

«Αργότερα το απόγευμα, ο αξιωματικός μάς διέταξε όλους να πάμε στο χωράφι δίπλα στην Εκκλησία, εκεί που παίζουν τα παιδιά. Χωρίς να γνωρίζουμε τι θα ακολουθούσε πήγαμε ήσυχα ... ο αξιωματικός ήξερε ότι όλα τα αγόρια ήταν αθώα, διότι ήταν πάρα πολύ νεαρά για να κάνουν τόσο μακρινά στη θάλασσα ... όταν μαζευτήκαμε όλοι στο χωράφι τα πήραν ... ένα-ένα ... μπροστά σε όλους μας ... μπροστά στις μητέρες τους ... και τα εκτέλεσαν ... με την πλάτη στον τοίχο της εκκλησίας ... ένα προς ένα τα σκότωσαν, τα πυροβόλησαν, έτσι ώστε να σχηματίσουν σωρό, το ένα πάνω στο άλλο. Προσπαθήσαμε να τους σταματήσουμε, αλλά μας κράτησαν πίσω με τις ξιφολόγχες τους ... η κυρά-Μάρω έσπρωξε δυο Γερμανούς για να φτάσει τον Γιάννη της, που ήταν μόλις δεκαεπτά χρονών. Την τραβήξανε πίσω απ' τη φούστα ... και γελούσαν. Γελούσαν, ενώ δύο απ' τα παιδιά ήταν ήδη στο γρασίδι και τα άλλα τρία είχαν παραταχθεί για να ακολουθήσει η σειρά τους...».

Ο καημένος δε μπορούσε να συνεχίσει. Κάλυπτε το πρόσωπό του με τις παλάμες του κι άφηνε τον ένα λυγμό μετά τον άλλο να τινάζει το μεγαλόσωμο κορμί του. Πόσο μοχθηρά είχαν φερθεί οι Γερμανοί! Ο άνθρωπος αυτός, θα υπέφερε για το θάνατο εκείνων των αγοριών κάθε μέρα της ζωής του, και δεν υπήρχε χειρότερο βασανιστήριο για εκείνον απ' τις τύψεις που βίωνε.

«Κατάλαβες τώρα; Κατάλαβες;», με εκλιπαρούσε, «κατάλαβες τώρα γιατί δεν μπορώ να σε βοηθήσω;»

Ο τεράστιος κόμπος στο λαιμό μου δεν μου επέτρεπε να αρθρώσω λέξη.

«Φυσικά, Δάσκαλε, φυσικά και καταλαβαίνω. Δεν πρέπει να συμβεί ποτέ ξανά κάτι τέτοιο. Σ' ευχαριστώ για την εμπιστοσύνη σου ... κι αν σε καθησυχάζει έστω και λίγο, θέλω να σε διαβεβαιώσω ότι συμβάλλω όσο μπορώ για να έρθουν αυτοί οι δαίμονες ενώπιον της δικαιοσύνης. Μπορεί να πάρει αρκετό χρόνο μέχρι να γίνει αυτό, αλλά δεν θα ξεχάσω ποτέ την ιστορία σου».[24] Σφίξαμε τα χέρια μάλλον αδέξια πάνω από το πηγάδι της αυλής, κι έκανα να φύγω.

---

[24] Μέσω της Βρετανικής Υπηρεσίας Πληροφοριών στο Κάιρο, που γνώριζε ήδη τη δράση του θαρραλέου Δασκάλου της Ιερισσού, εστάλη η ένορκη κατάθεση του Σάντυ στη Δίκη της Νυρεμβέργης κατά των υπευθύνων Γερμανών οι οποίοι καταδικάστηκαν τελικά για το έγκλημα τους, αν και το δικαστήριο έκρινε ότι ο Σάντυ Τόμας, δεν ήταν αυτόπτης μάρτυρας. (*Pathways to Adventure, The Extraordinary Life of Sandy Thomas, 2004*).

«Θα πρέπει να πας στους πατέρες τού Όρους. Αν μπορούν αυτοί, θα σε βοηθήσουν».

«Ποια θα ήταν η καλύτερη είσοδος για τον Άθωνα, Δήμαρχε, απ' τη βόρεια ή τη νότια πλευρά;»

«Δεν υπάρχει μεγάλη διαφορά, αλλά νομίζω ότι η νότια είναι καλύτερη. Αν ακολουθήσεις ένα μικρό δρομάκι που ξεκινάει απ' την Εκκλησία και διατρέχει όλο το χωριό, θα σε περάσει από το αρχαίο κανάλι και μέχρι το μεσημέρι θα είσαι στο Όρος».

Σφίξαμε τα χέρια για ακόμα μία φορά κι άφησα το ηρωικό χωριό πίσω μου. Βρήκα το δρομάκι εύκολα και βρέθηκα σύντομα σε ένα μεγάλο αυλάκι, το οποίο εξέλαβα ως τα ερείπια ενός ιστορικού επιτεύγματος της μηχανικής. Ο Ξέρξης, με εκατοντάδες και χιλιάδες σκλάβους, κατάφερε σχεδόν να μετατρέψει την χερσόνησο του Άθω σε νησί για να μπορέσει να μεταφέρει το στόλο του στη μάχη, διότι όταν προσπάθησε την πρώτη φορά να πλεύσει γύρω από τον Άθω, τα εκατοντάδες πλοία του βυθίστηκαν και χιλιάδες Πέρσες πνίγηκαν στη θαλασσοταραχή. Ακόμα και μετά απ' τόσους αιώνες, η απότομες πλευρές του καναλιού ήταν ακόμα ορατές, αν και το νερό του καναλιού είχε αντικατασταθεί, πλέον, από εύφορα χώματα.

Μετά από λίγο, επανεμφανίστηκε η θάλασσα, κι εγώ ταλαντεύθηκα νοτιοανατολικά, κατά μήκος των πεδιάδων που διέτρεχαν τις παραλίες.

Ο ήλιος είχε χαμηλώσει στον ουρανό καθώς προσέγγιζα το χωριό του Πύργου,[25] το τελευταίο πριν το Άγιο Όρος. Πέρα από το χωριό η γη άρχισε να ανηφορίζει απότομα. Μπροστά μου, πολύ μακρύτερα, διέκρινα να αιωρείται πάνω απ' τα σύννεφα μια επιβλητική κορυφή, που δέσποζε πάνω απ' όλες τις άλλες της μακράς οροσειράς. Στους πρόποδες της κορυφής εκείνης κάτω απ' τα χιονισμένα ύψη, υπήρχαν διάσπαρτες ομάδες ασυνήθιστων οικημάτων, που αντανακλούσαν τις ακτίνες του ήλιου που έδυε. Επικρατούσε μια μυστηριώδη ατμόσφαιρα, γαλήνης και ησυχίας.

---

[25] Η Ουρανούπολη

Προχώρησα μπροστά με ανυπομονησία. Ήδη, ένιωθα ένα προαίσθημα για τις περιπέτειες που με περίμεναν μέσα στην Αγία, εκείνη, χερσόνησο. Η βαθιά ικανοποίηση ότι είχα φτάσει στον πρώτο μου στόχο, μού προκαλούσε ζέση, ενώ περπατούσα ήδη ανάμεσα στα καταπράσινα άγια χώματα.

Άγιο Όρος - ηλιοβασίλεμα
Ralph Brewster, The 6,000 Beards of Athos

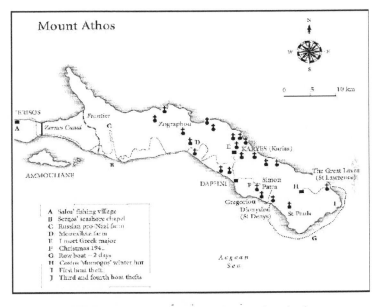

Η γενική πορεία που ακολούθησε ο Σάντυ εντός Αγίου Όρους

ΖΩΝΤΑΣ ΜΕ ΤΟΥΣ ΜΟΝΑΧΟΥΣ

Ο Άθως, το Άγιο Όρος τής Ελλάδας, είναι το ανατολικότερο απ' τα τρία δάχτυλα, που προεξέχουν νότια της Μακεδονίας. Αποτελείται από κοφτερές βουνοκορφές, που έχουν στην κυριολεξία για κορωνίδα τους, τον ίδιο τον Άθω ο οποίος, στην άκρη της χερσονήσου, υψώνεται στον ουρανό για περισσότερο από δύο χιλιόμετρα. Αυτή η αλυσιδωτή οροσειρά που σαρώνει το Αιγαίο, βουτάει μες στη θάλασσα τόσο απότομα, ώστε τα μεγάλα σκάφη της γραμμής μπορούν να πλέουν με ασφάλεια κατά μήκος των βραχωδών ακτών του μόνο όταν έχει ήρεμο καιρό, ή να κρύβονται εκεί από τον άσχημο της άλλης πλευράς, αν και δεν υπάρχουν ιδιαίτερα ρηχά σημεία για να αγκυροβολούν.

Η ιστορία αυτού του λιπόσαρκου και αποτρεπτικού βουνού ανάγεται πριν απ' τις βιβλικές μέρες, είτε ως απόμακρο καταφύγιο ληστών είτε, μετά τον δεύτερο αιώνα, ως ασκητήριο και τόπος ανάπαυσης των χριστιανών αναχωρητών. Η παράδοση έχει διατηρήσει ζωντανά τα γεγονότα που θεμελίωσαν αυτές τις παλαιές σκήτες και τα κοινόβια από τους βυζαντινούς αυτοκράτορες, αλλά και την ζωντανή ιστορία της επίσκεψης τής ίδιας της Θεοτόκου στο βουνό, εξαιτίας της οποίας, το Άγιο Όρος αφιερώθηκε στο όνομά της και τέθηκε υπό την αιγίδα της.

Το 845, κατά τη διάρκεια της βασιλείας της Θεοδώρας, οι μοναχοί του Αγίου Όρους έλαβαν ενεργό μέρος στην αποκατάσταση του ηγεμόνα τους, και κατά συνέπεια το 855, ο Βασίλειος Α', ο Μακεδών, διασφάλισε τα κεκτημένα προνόμια των και την αυτονομία της χερσονήσου για πάντα. Εκείνη την εποχή περίπου, οι λίγες, ήδη, γυναίκες που διέμεναν στην περιοχή αποχώρησαν για πάντα, και από τα χίλια χρόνια που έχουν περάσει από τότε, δεν επιτράπηκε σε καμία άλλη γυναίκα να εισέλθει στη χερσόνησο.

Προσκυνούμενη κι ευλαβούμενη απ' όλους τους καλοπροαίρετους Μονάρχες της Ρωσίας και των Βαλκανίων, η χερσόνησος αυτή άνθισε και αγαπήθηκε, όσο τίποτε άλλο, μέσα στην Ορθόδοξη Εκκλησία.

Με τα πλούτη από τους μονάρχες, και τους εργάτες που έστελναν απ' τα πολυδιάσπαρτα βασίλεια τους, το άγονο βουνό καλλιεργήθηκε και έτσι μπορούσε να προσφέρει αειφορία σε όσες περιοχές ήταν αυτό δυνατό. Όταν οι εργάτες έφυγαν, οι μοναχοί συνέχισαν με φιλοπονία να χτίζουν, πέτρα προς πέτρα, τα επιβλητικά καστρομονάστηρα, που στέκονται αγέρωχα μέχρι σήμερα κι αποτελούν παγκόσμιο παράδειγμα μηχανικής κι αρχιτεκτονικής.

Η πτώση των μεγάλων αυτοκρατόρων και βασιλιάδων, δεν άφησε ανεπηρέαστα και τα μοναστήρια. Αλλά μέσα απ' τις αντιξοότητες, οι μοναχοί, συνηθισμένοι στη λιτότητα έγιναν αποφασιστικότεροι και σταθερότεροι μέσα στις μεταβαλλόμενες εποχές. Σήμερα, υπάρχουν είκοσι μεγάλα και μικρά μοναστήρια στο Άγιο Όρος και περίπου τέσσερις χιλιάδες μοναχοί,[26] οι οποίοι έχουν αφιερώσει τη ζωή τους στην εγκράτεια, την προσευχή και τη στέρηση εκείνων των απολαύσεων που θεωρούνται απαραίτητες για τον έξω κόσμο.

Απ' τη στιγμή που διέσχισα τη σειρά των κυπαρισσιών, που σηματοδοτούσαν τα όρια του Αγίου Όρους, ένιωσα ότι πέρασα εκατοντάδες χρόνια πίσω στο χρόνο. Αφού τελείωσα την αναρρίχηση για κάνα μισάωρο, κοίταξα προς τα κάτω σε έναν κολπίσκο, και παρατήρησα ένα μακρόστενο σκάφος να κινείται γοργά πάνω στο νερό, έχοντας μια ντουζίνα ψηλούς γενειοφόρους, καλυμμένους απ' τη κορφή ως τα νύχια με μαύρα ρούχα που στέκονταν πάνω σε μακριά κουπιά και έψελναν κάτι περίεργο που μου θύμιζε μοιρολόι, σε βαρύ, ηχηρό τόνο.

Εκείνη ακριβώς τη στιγμή, εμφανίστηκε ν' ανεβαίνει απ' την αντίθετη πλευρά, άλλος ένας ρασοφόρος καθήμενος πλαγίως πάνω σε ένα μικρό γαϊδουράκι. Όταν έφτασε στο επίπεδο μου, διαπίστωσα ότι ήταν ένα νεαρό παληκάρι που

---

[26] Σήμερα στο Άγιο Όρος εγκαταβιώνουν περισσότεροι από 2.000 μοναχοί.

είχε, πάραυτα, ένα αραιό χνουδωτό γενάκι κάτω απ' τα μάγουλα και το σαγόνι του.

«Ο Θεός μαζί σας, ξένε», μου απευθύνθηκε τιθασεύοντας το γαϊδουράκι του, «προς τα πού πορεύεστε;»

Ένιωσα τον πειρασμό να απαντήσω και 'γω στην αρχαία ελισαβετιανή διάλεκτο που χρησιμοποίησε με τόση χάρη και γοητεία ο νεαρός μοναχός.

«Καλησπέρα. Είμαι Άγγλος αξιωματικός και αναζητώ καταφύγιο στους καλούς μοναχούς του Αγίου Όρους. Θα μπορούσες, ίσως, να μου δείξεις τον σωστό δρόμο για το πλησιέστερο μοναστήρι;»

«Είναι μεγάλη μου τιμή που σας γνωρίζω», είπε ο νεαρός στα σοβαρά, «Τρέφω μεγάλη εκτίμηση για τους Βρετανούς και με μεγάλη μου χαρά θα σας βοηθήσω. Αλλά, από πού έρχεστε, και σε ποια Μονή θα θέλατε να καταφύγετε;»

Δεν φαινόταν διόλου επικίνδυνο να εξηγήσω στον νεαρό οτιδήποτε θα ήθελε να μάθει, κι έτσι του είπα αρκετά απ' την ιστορία μου για να τον ικανοποιήσω. Καθόταν συνεχώς πάνω στο γάιδαρο του, κουνώντας το κεφάλι του με συμπόνια και ζητώντας μου ευγενικά να επαναλάβω τα διάφορα μέρη της ιστορίας μου που δεν καταλάβαινε αμέσως. Του είπα ότι δεν είχα κάποια προτίμηση σε ποιο μοναστήρι θα μπορούσα να καταφύγω εκείνο το βράδυ, με την προϋπόθεση να ήταν φιλικό και σε θέση να με δεχτεί.

«Είστε Χριστιανός... έτσι δεν είναι; Ορθόδοξος;» με ρώτησε, μόλις ολοκλήρωσα τη διήγηση μου.

«Σίγουρα είμαι Χριστιανός, αλλά όχι Ορθόδοξος. Εκεί που γεννήθηκα είμαστε όλοι Προτεστάντες», του είπα λίγο φοβισμένος, μήπως αυτός ο νεαρός αποδοκίμαζε ή δυσανασχετούσε με τις άλλες ομολογίες.

«Ε, οι Προτεστάντες δεν είναι κακοί. Άλλωστε, εννοείτε, ότι δεν παίζει κανένα ρόλο αυτή τη στιγμή ποια είναι τα πιστεύω σας. Χαίρομαι, πάντως, που δεν είστε Ρωμαιοκαθολικός!», είπε με στόμφο και γλίστρησε από το γάιδαρο. «Ο Θεός πάντα επιβλέπει και καθοδηγεί εκείνους που τον αγαπούν. Αν δεν σε είχα συναντήσει εδώ, νομίζω ότι θα μπορούσες κάλλιστα να διατρέξεις μεγάλο κίνδυνο σήμερα το βράδυ. Κοντά στην κορυφή αυτού του λόφου, υπάρχει ένα μετόχι που κατοικείται από μοναχούς που ανήκουν στο Ρωσικό Μοναστήρι του Αγίου Παντελεήμονος.[27] Εκεί ανήκω εγώ. Οι περισσότεροι από τους άλλους δόκιμους, είναι απ' τη Ρωσία και, μ' ελάχιστες εξαιρέσεις, θεωρούμε ότι οι Εγγλέζοι έχουν πάρει τη σωστή θέση σε αυτόν τον πόλεμο. Υπάρχουν, όμως, και κάποιοι ανώτεροι μας που έχουν εκφοβηθεί κι εκβιαστεί από τους Γερμανούς ώστε να τούς ειδοποιούν αμέσως όταν ζητάει άσυλο κανένας Εγγλέζος φυγάς. Έχουν ήδη καταδώσει έναν ευγενή άνθρωπο σαν κι εσάς, που πετούσε στους ουρανούς με ένα από 'κείνα τα παράξενα πράγματα που βλέπουμε συχνά τώρα. Καταλαβαίνετε ότι τώρα υπάρχει εντολή να μην παρέχουμε καταφύγιο πάνω από μια μέρα και μια νύχτα... και οι Γερμανοί, αν προειδοποιηθούν, μπορεί να σας περιμένουν στην πύλη, όταν θα αναχωρείτε».

«Τι, θα με συμβούλευες να κάνω, λοιπόν;»

«Ας ευχαριστήσουμε την Πρόνοια του Θεού για το ότι συναντηθήκαμε, και μετά ας με ακολουθήσετε». Γονατίσαμε δίπλα στον γάιδαρο και προσευχηθήκαμε σιωπηλά για λίγο.

Στη συνέχεια, ο νεαρός δόκιμος μοναχός, με οδήγησε κατά μήκος της διαδρομής για μερικά λεπτά, μέχρι που φτάσαμε σε μία διχάλα. Διακλαδιστήκαμε δεξιά και αρχίσαμε να κατηφορίζουμε και πάλι στην άλλη πλευρά του λόφου τον οποίον είχα ανέβει πριν. Λίγο αργότερα, φτάσαμε σε ένα ξέφωτο που βρισκόταν πάνω από έναν μικρό κι απάνεμο κόλπο. Από εκεί, φάνηκε ένα μικρό πέτρινο σπίτι, χτισμένο με γραφικότητα σ' ένα βράχο πάνω απ' τη θάλασσα. Κολλητά του, υπήρχε άλλο ένα που είχε στην κορφή του έναν μικρό μαρμάρινο σταυρό. Δέσαμε το γάιδαρο μας κάτω από μια ελιά και κατερριχηθήκαμε κάτω από ένα απότομο και βραχώδες κομμάτι.

Καθώς πλησιάζαμε τα δύο κτήρια, η πόρτα της

[27] Η Ι.Μ. Αγ. Παντελεήμονος, έχοντας χάσει την Ρωσική υποστήριξη δεκαετίες πριν, αντιμετώπιζε και την εχθρική στάση των Σοβιετικών. Η ελαστική στάση της έναντι στο νέο Ναζιστικό καθεστώς ήταν ξεκάθαρα καρπός ανασφάλειας.

εκκλησίας άνοιξε. Αρκούσε μια δέσμη από το μαλακό φως των κεριών για να διαγραφεί η φιγούρα ενός γέροντα που στεκόταν στην πόρτα. Βγήκε για να μας συναντήσει. Η λευκή του γενειάδα έφτανε, σχεδόν, στα γόνατα του.

«Ο Θεός να σας ευλογεί, φίλοι μου!», είπε κάνοντας μικρά κύματα η γενειάδα του καθώς μας μιλούσε. «Φαίνεται πως η Θεία Πρόνοια μού έστειλε παρέα γι' απόψε», αναφώνησε ευγενικά.

«Την ευχή σου, Πάτερ», απάντησε ο νεαρός. «Φοβάμαι ότι δεν μπορώ να μείνω μαζί σας περισσότερο από λίγα λεπτά γιατί, όπως γνωρίζετε, θα πρέπει να επιστρέψω στους γεροντάδες μου. Αυτός είναι ο Τόμας, Εγγλέζος φυγάς, ο οποίος επιδιώκει τη φιλοξενία και την προστασία σας».

«Καλώς όρισες, Τόμας, καλώς ήλθες σε ό,τι έχω εδώ στη διάθεση μου! Μπορεί να είναι μικρό και λιτό, αλλά ότι έχω είναι και δικά σου απόψε! Κόπιασε μέσα να φάμε», μού είπε σε αρκετά καλά αγγλικά.

Ο νεαρός μοναχός έκανε ένα σοβαρό και αρχοντικό αποχαιρετισμό και εξαφανίστηκε μέσα στο σκοτάδι. Ακολούθησα τον σεβαστό οικοδεσπότη μου μέσα στο μικρό εξοχικό σπίτι και κάθισα στον ξύλινο πάγκο που μου πρόσφερε. Έσπευσε να μου ετοιμάσει ένα νοστιμότατο πιάτο από παστά ψάρια, φρέσκα κρεμμυδάκια και ελιές, που τα συνόδευσα όλα με βαρύ ψωμί καλαμποκιού και λευκό κρασί. Ο Σέργιος, γιατί αυτό ήταν το όνομα του γέροντα, έφαγε λίγο και μόλις τελείωσε, επέμεινε να μου βγάλει τα παπούτσια και να μου δώσει ένα κουβά με ζεστό νερό για να βάλω τα πόδια μου. Στη συνέχεια, προς μεγάλη μου αμηχανία, αλλά και ανακούφιση, μιμούμενος τον Κύριο, μου έπλυνε τα πόδια, κι όταν τελείωσε, τα σκούπισε και τα πέρασε προσεκτικά με ένα πανί βουτηγμένο στο ελαιόλαδο. Η μεγάλη οδοιπορία μου, η συγκίνηση που είχα εισέλθει σε αυτή την ασυνήθιστη πολιτεία και η ανακούφιση που ένιωθα σε αυτό το οικείο καταφύγιο, με έκαναν να αισθάνομαι εφησυχασμό, κι όταν ο γέροντας μού έδειξε ένα μικρό, αλλά πεντακάθαρο δωμάτιο, κουλουριάστηκα στον ξύλινο πάγκο του και βυθίστηκα αμέσως σε ένα βαθύ και ξεκούραστο ύπνο.

Ο ήλιος είχε ανατείλει για τα καλά όταν ξύπνησα το

επόμενο πρωί και σηκώθηκα να πάω προς αναζήτηση του π. Σέργιου, τον οποίο βρήκα να πλένει τις κάλτσες μου.

«Καλημέρα, στον νέο μου επισκέπτη», αναφώνησε.

«Πιστεύω να κοιμήθηκες καλά, ε;»

«Δεν μπορώ να θυμηθώ από πότε είχε να μου τύχει μια τόσο ξεκούραστη βραδιά», του απάντησα. «Ειλικρινά πιστεύω ότι είναι η πρώτη φορά που έχω πραγματικά ηρεμήσει, εδώ και έναν σχεδόν χρόνο. Νιώθω υπέροχα τώρα. Αλλά, Σέργιος (Σέργκιος, μου έβγαινε τ' όνομα του), δεν έπρεπε να πλύνεις τις κάλτσες μου... επίτρεψε μου να το κάνω εγώ σε παρακαλώ πολύ».

«Όχι, όχι εγώ σε παρακαλώ. Είσαι επισκέπτης μου! Αποκλείεται!», απάντησε ο Σέργιος, σοκαρισμένος. «Παρακαλώ, εσύ κάτσε στον ήλιο και ξεκουράσου. Σε λίγο θα φάμε». Και όχι μόνο τελείωσε το πλύσιμο τους, αλλά αργότερα μέσα στη μέρα, καθάρισε και μπάλωσε τα ταλαιπωρημένα παπούτσια μου.

Ήταν ένα λαμπρό πρωινό. Ο ήλιος έπεφτε με θέρμη σε όλα γύρω μου και καθώς καθόμουν εντελώς αμέριμνος, τα απολάμβανα όλα. Η θάλασσα άπλωνε το υπέροχο γαλάζιο της, απ' τα αφρισμένα μικρά κυματάκια που χτυπούσαν μέσα-έξω τη φωτεινή άμμο της παραλίας κάτω, μέχρι την άκρη του καθαρού ορίζοντα πέρα. Πόσο δελεαστικό ήταν να ξεχάσω τον πόλεμο για μια στιγμή, να ξεχάσω τους Γερμανούς και την ανάγκη να φτάσω στην Αίγυπτο.

Μετά από λίγο, έλυσα την πληγή μου από τους επιδέσμους, και πήγα μέχρι την παραλία για να την βάλω στο δροσερό θαλασσινό και θεραπευτικό νερό. Όλο εκείνο τον καιρό που βρισκόμουν στο νοσοκομείο, ονειρευόμουν να κάνω ακριβώς αυτό -ήταν ο ιδανικότερος τρόπος για να θρέψουν γρηγορότερα οι τεμαχισμένοι ιστοί. Μετά απ' την τελευταία επικάλυψη που είχε δεχτεί ο μηρός μου, τον τελευταίο καιρό η πληγή είχε μολυνθεί και έτρεχε ανεμπόδιστα, αλλά το καθαρό ιωδιούχο νερό την λείαινε, την καθάριζε και την ανακούφιζε θαυμάσια, παρόλο το τσούξιμο. Ήταν ένα χαρούμενο και ξεκούραστο πρωινό.

Γευματίσαμε το μεσημέρι και όπως καθόμασταν στο τραχύ ξύλινο τραπέζι, κάτω από το φως του ήλιου, ο Σέργιος μου ζήτησε να του πω νέα από τον έξω κόσμο και τις εξελίξεις σχετικά με τον πόλεμο. Έμενε έκπληκτος ακούγοντας, για πρώτη φορά, πολλά πράγματα που βλέπαμε εμείς καθημερινά, και μετά βίας πίστευε ότι οι στρατιώτες ήταν σε θέση να πέφτουν από τον ουρανό με σεντόνια που ξετυλίγονταν κρατώντας και θανατηφόρα όπλα. Ζούσε στο Άγιο Όρος για εξήντα τρία ολόκληρα χρόνια, σαράντα απ' τα οποία, σε αυτό το σπιτάκι, και δεν είχε παρά μόνο μια θολή ανάμνηση της ζωής από τον έξω κόσμο. Προσπάθησα να του περιγράψω την ηλεκτρική ενέργεια και τον ασύρματο, αλλά συνειδητοποίησα ότι η εύπιστη ματιά που προσπαθούσε τόσο σκληρά να κρατήσει, γινόταν όλο και πιο αδιάφορη οπότε σταμάτησα. Προσπάθησα, επίσης, να ξυπνήσω στη μνήμη του τη ζωή του κάτω από τους Τσάρους της Ρωσίας, αλλά το μόνο που μπορούσε να θυμηθεί ήταν το μεγαλείο των αλόγων, τις στολές των Κοζάκων και τη μεγαλοπρέπεια των κτηρίων στη Μόσχα.

Έλουσα την πληγή μου στη θάλασσα και πάλι, λίγο πριν από το ηλιοβασίλεμα, και ο Σέργιος περίμενε στην παραλία καθώς έβγαινα.

«Αχ, παιδί μου, παιδί μου! Τι φοβερό πράγμα σου συνέβη; Ποιος μπόρεσε να σου κάνει κάτι τέτοιο;» Η μακριά του γενειάδα κυμάτιζε ταραγμένα. Του διηγήθηκα το πώς είχα τραυματιστεί και τον τρόπο με τον οποίο οι γιατροί είχαν αφαιρέσει αρκετή νεκρή σάρκα για να σώσουν το πόδι μου. Αν και του εξήγησα ότι δεν μου προξενούσε πολύ πόνο, γιατί τα νεύρα είχαν νεκρωθεί, εκείνος στενοχωριόταν.

«Πρέπει να σε πάω σ' ένα γιατρό, και μάλιστα, το συντομότερο δυνατό», φώναξε. «Τώρα έλα μέσα μαζί μου, έλα!» συνέχισε και με βοήθησε να ανέβω στην ανηφόρα, λες και είχα μόλις τραυματιστεί. Μού είπε να ξαπλώσω στο κρεβάτι και στη συνέχεια, ετοίμασε ένα φρέσκο επίδεσμο από βαμβάκι, το μούσκεψε με ελαιόλαδο, και γέμισε την κοιλότητα του τραύματος μου, καλύπτοντάς το στο τέλος με τους δικούς μου φρεσκοπλυμένους επιδέσμους. Πέρασα άλλη μία ήσυχη και ξεκούραστη νύχτα.

Αν και διαμαρτυρήθηκε, σηκώθηκα πολύ νωρίς το πρωί και πήγα μαζί του δίπλα στο μικρό εκκλησάκι για προσευχή.

Χτισμένο γερά από πελεκητή πέτρα, το εσωτερικό δεν είχε μήκος, περισσότερο από δύο μέτρα. Ήταν γεμάτο από περίτεχνα χάλκινα και επίχρυσα αντικείμενα που πλαισιώνονταν από εικόνες αγίων, με μικρά καντήλια που κρεμόντουσαν από λεπτές αλυσίδες μπροστά απ' τη καθεμιά. Ο Σέργιος έκανε μετάνοια στην εικόνα της Παναγίας και του Χριστού, και στη συνέχεια φόρεσε ένα πιο επίσημο βαρύ ράσο. Στη συνέχεια τράβηξε κι ένα μαύρο λεπτό κάλυμμα που σκέπαζε το ψηλό καπέλο και τους ώμους του. Πανηγυρικά, και με τη μεγαλύτερη δυνατή ευλάβεια, άρχισε να προσεύχεται αποτελώντας ένα ζωντανό παράδειγμα μίας αληθινής και ένθερμης λατρείας που γέμιζε τη μικρή εκκλησία με μια γαλήνια ηρεμία.

Πήραμε το πρωινό μας στον ήλιο νωρίς το πρωί, απολαμβάνοντας τον καθαρό αέρα και τα αφρισμένα κύματα από κάτω.

«Καλό μου παιδί», είπε ο Σέργιος, την ώρα που τραβούσαμε τις καρέκλες μας μακριά από το τραπέζι, «δεν με αναπαύει το θέμα με την πληγή σου. Πρέπει να σε δει γιατρός σήμερα.»

«Σε διαβεβαιώνω, Σέργιος, ότι δε νομίζω πως είναι τίποτα ανησυχητικό. Κάθε μέρα, άλλωστε, βλέπω βελτίωση. Αλλά, αν επιμένεις, θα μπορούσα να τη δείξω σε ένα γιατρό. Μερικές φορές ίσως τρέχει υπερβολικά.»

«Τότε, παιδί μου, συμφωνούμε. Θα πάμε, σήμερα το απόγευμα μέχρι το κεντρικό μοναστήρι, όπου ζει ένας μοναχός με γνώσεις ιατρικής.»

«Μα, Σέργιος, ο νεαρός φίλος μας, που με έφερε εδώ με προειδοποίησε ότι υπάρχουν στο μοναστήρι κάποιοι που θα ενημερώσουν τους Γερμανούς αν φανερωθώ εκεί. Οπότε, σίγουρα θα ήταν συνετό να κάνω γνωστή την παρουσία μου εκεί;»

«Ανοησίες, το παιδί θα πρέπει να μπει σε κανόνα και μόνο που υπονόησε κάτι τέτοιο. Κανένας άνθρωπος του Χριστού δεν συμπεριφέρεται με τέτοιο τρόπο, και σίγουρα κανείς από εκείνους που μένουν στην Ιερά Μονή στην οποία ανήκω κι εγώ», είπε μάλλον με παιδική αφέλεια.

Έτσι λοιπόν, μετά από ένα μικρό μεσημεριανό γεύμα,

κλείδωσε το σπιτάκι του με ασφάλεια, εξαφάνισε όλα τα καντήλια από το παρεκκλήσι, και ξεκινήσαμε για τον ανηφορικό δρόμο προς το μοναστήρι.

Μετά από δύσκολη ορειβασία μιας ώρας, βρεθήκαμε σε ένα τεράστιο πλάτωμα, μερικών χιλιάδων στρεμμάτων, που είχε στη μία του πλευρά έναν ψηλό πέτρινο τοίχο ο οποίος περικύκλωνε διάφορα τεράστια θολωτά κτίσματα.

«Εκεί είναι», είπε ο π. Σέργιος, σταματώντας κι εγώ για να ανακτήσω την αναπνοή μου. «Εκεί είναι το Μοναστήρι.[28] Στην ουσία, είναι παράρτημα τού κυρίως μοναστηριού, το οποίο βρίσκεται αρκετές ώρες μακριά από 'δώ. Όταν υπήρχαν πολλοί περισσότεροι μοναχοί απ' όσους υπάρχουν σήμερα, αυτά τα κτήρια είχαν αρχικά κατασκευαστεί ως νοσοκομείο. Σήμερα, ωστόσο, στεγάζει τα περίπου πενήντα μέλη της Αδελφότητας που φροντίζουν τα αγροκτήματα του μοναστηριού σ' αυτή την περιοχή».

Μετά από λίγη ακόμα ώρα, είχαμε φτάσει έξω απ' τις τεράστιες σιδερένιες πύλες που υψώνονταν από πάνω μας. Ο π. Σέργιος τίναξε μία πολύ παλιά σκουριασμένη αλυσίδα, και ακούσαμε να αντηχεί μία καμπάνα. Οι πύλες άνοιξαν και μπήκαμε μέσα χωρίς να εμφανιστεί κανείς.

Η είσοδος της Χρωμίτσας

Προχωρήσαμε ασυνόδευτοι στην μεγάλη εσωτερική αυλή. Όλες οι μαυροντυμένες φιγούρες, μπαινόβγαιναν σε διάφορες αψιδωτές πόρτες, εργατικοί και εντελώς αδιάφοροι για την άφιξή μας. Ο π. Σέργιος, με οδήγησε στην πετρόκτιστη είσοδο ενός μεγαλοπρεπούς κτηρίου. Ένας νεαρός μοναχός ανταποκρίθηκε στις παρακλήσεις του και τον πήρε μακριά, οδηγώντας τον, προφανώς, σε κάποιον ανώτερο του.

---

[28] Πρόκειται για το Μετόχι της Χρωμίτσας που ανήκει στο Ρωσικό Μοναστήρι.

Πέρασαν δέκα με είκοσι λεπτά, κι άρχισα να νιώθω όλο και πιο άσχημα που δεν επέστρεφε, κυρίως επειδή έφταναν στ' αυτιά μου διάφορες θυμωμένες φωνές. Μετά από μισή ώρα, ο π. Σέργιος επέστρεψε, κοιτάζοντάς με τρομερά λυπημένος και στενοχωρημένος, με το πηγούνι θαμμένο στη γενειάδα του. Δεν είπε ούτε λέξη, και με πήρε ήσυχα από τον αγκώνα και με οδήγησε έξω από το κτήριο, κάτω απ' τη μεγάλη αψίδα. Αφού απομακρυνθήκαμε περίπου μισό χιλιόμετρο από το μετόχι, εισήλθαμε μέσα στο δάσος και προσπάθησε να μου μιλήσει.

«Αχ, παιδί μου, πόσο αξιοθρήνητος είναι ο πόλεμος! Τόσο, ώστε, να παραμορφώνει τα μυαλά των ανθρώπων, ακόμη και των πιο ψηλά ισταμένων ακολούθων του Κυρίου! Τόσο, που υπερνικά τις ίδιες και τις αρχές των ευσεβών ανδρών και τους κάνουν να ξεχάσουν την έννοια της ευλογημένης μας Χριστιανικής πίστης!» Αναστέναξε και κούνησε το γέρικο κεφάλι του αργά, «Τόμας, παιδί μου, έχουν εκβιαστεί. Ξέχασαν το ρόλο τους σε αυτόν τον Άγιο τόπο. Φοβούνται, και δε θα σε βοηθήσουν ... θύμωσαν και μαζί μου για αυτά τα λίγα που ο Κύριος μού έδωσε τη δυνατότητα να σου προσφέρω, και λένε ότι οι Γερμανοί θα μπορούσαν να καταστρέφουν όλο το μοναστήρι, γι' αυτό το λόγο».

Κοντοστάθηκε και μουρμούρισε κάτι μέσα απ' τη γενειάδα του, με θλίψη κι αγανάκτηση. «Και», πρόσθεσε σιγά-σιγά, «μου απαγόρευσαν το δικαίωμα, και την επιθυμία μου, να συνεχίσω να σου προσφέρω στέγη και τροφή -και δεν μπορώ να μη συμμορφωθώ με την εντολή τους παιδί μου. Πρέπει να συνεχίσεις το δρόμο σου και είμαι σίγουρος πως θα βρεις καλύτερους προστάτες».

Το καημένο το γεροντάκι, φαινόταν τρομερά δυστυχισμένο. Πήρα τα χέρια του στα δικά μου και τα έσφιξα θερμά για να τον ευχαριστήσω για την φιλοξενία του, και τον ρώτησα σε ποιο μέρος πίστευε ότι θα έβρισκα ασφαλές καταφύγιο για 'κείνο το βράδυ.

«Θα πρέπει να ακολουθήσεις αυτό το μονοπάτι», μου απάντησε, δείχνοντας ένα κομμάτι που χωνόταν μέσα απ' τα δέντρα, «μέχρι να φτάσει στο τέλος αυτού του οροπεδίου.

Εκεί, θα βρεις ένα μικρότερο δρομάκι που θα σε πάει σε μια πλατιά κι απότομη κοιλάδα προς τη θάλασσα. Σε εκείνη την παραλία υπάρχουν μερικοί μοναχοί που μένουν σε ένα μικρό μετόχι που είναι η φάρμα ενός άλλου μοναστηριού, και παρόλο που δεν μπορώ να το πω με σιγουριά, πιστεύω ότι θα σε βοηθήσουν. Μετά από εκεί, φοβάμαι Τόμας, ότι θα πρέπει να περπατήσεις ακόμα τουλάχιστον τέσσερις ώρες, για να φτάσεις σε κάποιο απ' τα μεγαλύτερα, ελληνικά μοναστήρια, όπου γνωρίζω ότι οι Εγγλέζοι είναι καλοδεχούμενοι και οι Γερμανοί ξεγελιούνται ευκολότερα».

Κάναμε έναν δύσκολο και μάλλον αμήχανο αποχαιρετισμό, και ξεκίνησα για τις ελιές. Κοίταξα πίσω μετά από ένα λεπτό και τον είδα να περπατά σιγά-σιγά πίσω προς το μοναστήρι, με σκυμμένο το κεφάλι.

Μετά από δύο ώρες σταθερής οδοιπορίας, άκουγα και πάλι τα κύματα που έσκαγαν στην παραλία. Βγαίνοντας από μία γωνιακή στροφή μέσα από το δάσος φανερώθηκε μια συστάδα σπιτιών, ριζωμένα κοντά στη

Η Ρωσική Σκήτη της Θηβαΐδας σήμερα

θάλασσα. Είχε ήδη σουρουπώσει κι έτσι αποφάσισα ότι δεν υπήρχε καμία περίπτωση να κατάφερνα να φτάσω το ίδιο βράδυ, στο υποτιθέμενο φιλικό μοναστήρι. Κατά συνέπεια, πλησίασα την πόρτα που βρισκόταν στο τείχος που περιέκλειε τα σπίτια και τράβηξα τη σκουριασμένη αλυσίδα.

Ένας, μάλλον, ατημέλητος μοναχός απάντησε στο κάλεσμα μου και κινούμενος με καχυποψία, άνοιξε λίγο την πόρτα για να δει ποιος είναι.

«Είσαι Εγγλέζος!», είπε λίγο ταραγμένα και πριν καν μπορέσω να συστηθώ συνέχισε, «Δεν μπορείς να μείνεις εδώ. Φύγε ... πήγαινε μακριά!»

«Μα... είστε σίγουροι», είπα διαμαρτυρόμενος κι αιφνιδιασμένος από την προκατειλημμένη συμπεριφορά του, «δεν μπορείτε να με διώξετε, είμαι τόσα χιλιόμετρα μακριά από το πλησιέστερο καταφύγιο ... έχει σχεδόν νυχτώσει και είμαι πολύ εξαντλημένος».

«Αν είστε ακόμα εδώ το πρωί θα ειδοποιήσουμε τους Γερμανούς!» ήταν η απάντηση του, και η πόρτα άρχισε να κλείνει μπροστά μου.

Κινήθηκα αργά προς την παραλία. Βρήκα ένα εγκαταλελειμμένο υπόστεγο για βάρκες. Δεν είχε στέγη, αλλά τρεις γερούς τοίχους που το καθιστούσε ένα καλό καταφύγιο για τους ανέμους. Μάζεψα μερικά μικρά φυλλώδη κλαδιά για να τα κάνω κρεβάτι και στη συνέχεια μάζεψα όποιο θαλασσόξυλο μπορούσα να βρω στην παραλία για να ανάψω φωτιά. Την άναψα με μεγάλη προσοχή, επειδή είχα μόνο τρία σπίρτα, και σύντομα ζεσταινόμουν μπροστά σε μία χαρμόσυνη φλόγα.

Είχα μόλις ζεστάνει μια μεγάλη πέτρα, που θα κρατούσε το κρύο μακριά απ' την πλάτη μου, και σφύριζα ήσυχα τον σκοπό του κλασσικού κομματιού *Στον κήπο ενός Μοναστηριού*,[29] που ταίριαζε απόλυτα με την περίσταση, όταν άκουσα θορύβους κοντά στην ανοιχτή πλευρά. Δύο μοναχοί μπήκαν μέσα.

«Ησυχία! Ησυχία!» διαμαρτυρήθηκαν. «Θα γεμίσουμε Γερμανούς αν συμπεριφέρεσαι τόσο ανόητα. Γιατί είσαι ακόμα στα μέρη μας; Δεν σου 'παμε να φύγεις!»

Έξαλλος με το γεγονός ότι μου απευθύνθηκαν σαν να ήμουν κάποιος περιφερόμενος αλήτης, δεν σηκώθηκα καν να τους χαιρετήσω.

«Α, για κοιτάξτε καλά», τους είπα όσο πιο επιθετικά μπορούσα, «εσείς που υποτίθεται ότι είστε ορκισμένοι στην Αγία Πίστη ... αποδείξατε ήδη ότι δεν είσαστε και τόσο σωστοί Χριστιανοί. Καταλάβετε το και μετά αφήστε με μόνο ... εγώ δε φεύγω από δω απόψε. Τώρα σας παρακαλώ να με αφήσετε ήσυχο και να γυρίσετε πίσω στα ζεστά κρεβάτια και τις ανέσεις σας».

«Πρέπει να σβήσεις τη φωτιά! Δεν μπορείς να έχεις

---

[29] "In a Monastery Garden", του Albert Ketèlbey, 1915.

αναμμένη φωτιά σε αυτή την παραλία, είναι επικίνδυνο -
μπορεί κάποιο γερμανικό σκάφος να τη δει και να έρθει για
έρευνα».

«Ωχου,   εσείς   φύγετε»,   τους   απάντησα.
«Συμπεριφέρεστε πιο πολύ σαν γριές παρά σαν γέροντες.
Εγώ δεν έχω ούτε κουβέρτα κι αν είναι να παραμείνω
ζωντανός εδώ έξω που είμαι, εξαιτίας της σκληροκαρδίας
σας, θα πρέπει να είμαι κοντά σε φωτιά».

Επέμειναν για λίγα λεπτά ακόμα, και κατόπιν έφυγαν
απρόθυμα, χρησιμοποιώντας γλώσσα η οποία ήταν ίσως
ανήκουστη για το Άγιο Όρος.

Αναθέρμανα την πέτρα μου, τροφοδότησα τη φωτιά
μου, και ξάπλωσα κάτω για να κοιμηθώ, έχοντας τα αστέρια
από πάνω μου για στέγη. Κοιμήθηκα σπασμωδικά,
ξυπνώντας κάθε περίπου μισή ώρα για να ρίχνω
περισσότερα ξύλα στη φωτιά.

Σηκώθηκα περίπου στις πέντε το πρωί και, καθώς οι
πρώτες ακτίνες της αυγής άρχισαν να φωτίζουν τον θαλάσσιο
ορίζοντα, απομακρύνθηκα κινούμενος κατά μήκος της ακτής
προς την κατεύθυνση του επόμενου μοναστηριού.

Το μονοπάτι μετακινήθηκε προς τα μέσα και μετά από
λίγο άρχισε να ανεβαίνει απότομα. Λίγο μετά την ανατολή
του ηλίου κι ενώ έπαιρνα μία στροφή, είδα ένα θέαμα που
ταίριαζε περισσότερο με τις πρώτες μου εντυπώσεις από το
Άγιο Όρος. Πλησιάζοντας μέσα απ' τα δέντρα, με πλησίασε
ένας ευπαρουσίαστος μαυρογένης μοναχός καβάλα πάνω σε
ένα άλογο απ' τα πιο όμορφα που είχα δει ποτέ. Ήταν ένα
άσπρο, καλοστεκούμενο και καλλωπισμένο Αραβικό. Τα
μαύρα γυαλισμένα γκέμια και η στολισμένη με ασήμι και
κοσμήματα σέλα, ολοκλήρωναν την ωραία εικόνα. Έσκυψα
καθώς πλησίαζαν κι ο όμορφος επιβήτορας τίναξε πίσω το
κεφάλι και τη χαίτη του χλιμιντρίζοντας, καθώς ο μοναχός
το χαλιναγώγησε.

«Ο Θεός να σε ευλογεί και να σε καθοδηγεί, ξένε», είπε
ο μοναχός, με τα λευκά δόντια του ν' αστράφτουν μέσα στη
γενειάδα του, «και προς τα πού, αν μου επιτρέπετε να
ρωτήσω, πηγαίνετε;»

Τον συμπάθησα αμέσως. Του είπα για τις ελπίδες μου

να βρω καταφύγιο με τελικό στόχο να αποδράσω για την
Μικρά Ασία. Εκείνος κατέβηκε και με οδήγησε σε ένα
ηλιόλουστο ξέφωτο, λίγο μακρύτερα από το μονοπάτι.
Έδεσε το άλογο και κάθισε στον κορμό ενός πεσμένου
δέντρου.

«Φίλε μου», είπε σε καλά αγγλικά, όταν κάθισα άνετα
δίπλα του, «Είμαι πολύ χαρούμενος που σε συνάντησα. Θα
ήθελα να μου κάνεις την τιμή να πάρουμε ένα μικρό πρωινό
μαζί, ενώ θα μπορούσες, ίσως, να μου πεις και λίγα
παραπάνω λόγια για τις περιπέτειές σου».

Επειδή ήμουν πολύ πεινασμένος, εκτίμησα ιδιαίτερα το
λίγο ψωμί, τις ελιές και το τυρί, που είχε φτιάξει μόνος του.
Του είπα για την καλοσύνη του Γέρο-Σέργιου και στη
συνέχεια για τους αφιλόξενους μοναχούς του γειτονικού
κόλπου, γεγονός που τον έκανε έξαλλο. Σήκωσε και μου
έδειξε την ανοιχτή του παλάμη ανάποδα, προφανώς
κάνοντας μία χειρονομία που δεν μπορούσα να καταλάβω.
Του ζήτησα να μου εξηγήσει.

«Εεε, σίγουρα θα ξέρεις σημαίνει αυτό», είπε,
επαναλαμβάνοντας τη χειρονομία. «Σου δείχνω τα δάχτυλα
του χεριού μου ... και βλέπεις ότι, ενώ είναι όλα δάχτυλα,
δεν είναι όλα ίδια. Μερικά, είναι μικρότερα απ' τα άλλα, και
κάποια ακόμα πιο μικρά. Το ίδιο συμβαίνει και με τους
ανθρώπους. Ενώ είμαστε όλοι άνθρωποι, μερικοί είναι
καλοί, και κάποιοι όχι τόσο. Το ίδιο συμβαίνει σε κάθε φυλή,
είτε πρόκειται για Εγγλέζους, Έλληνες, ή ακόμα και για
Γερμανούς. Πάντως στεναχωριέμαι, νεαρέ μου φίλε, που
σου φέρθηκαν έτσι και θεωρώ καθήκον μου να φέρω αυτούς
τους λιπόψυχους φοβητσιάρηδες ενώπιων των ευθυνών τους
και των πρεσβυτέρων τους».

Όταν τελειώσαμε, έκοψε το υπόλοιπο ψωμί σε δύο
άνισα κομμάτια και μου έδωσε το μεγαλύτερο. Στη συνέχεια
καβάλησε το άλογο του κι έκανε να συνεχίσει την πορεία
του.

«Au revoir, Τόμας», μου φώναξε. «Θα τα πούμε και
πάλι σύντομα. Συνέχισε το δρόμο σου και μέχρι το τέλος της
μέρας, θα συναντήσεις καλύτερους Χριστιανούς και
πραγματικούς Μοναχούς. Μέχρι τότε, ο Θεός να σε

συνοδεύει».
«Ο Θεός να συνοδεύει και σένα, Πάτερ», του απάντησα και χωρίσαμε προς διαφορετικές κατευθύνσεις.

Ο δικός μου δρόμος ακολουθούσε το μήκος μίας χαμηλής πλαγιάς σ' ένα μικρότερο λόφο, ανηφορίζοντας και κατηφορίζοντας στην πλάτη απότομων γκρεμών που έσκυβαν πάνω από άγριους, αλλά γραφικούς κολπίσκους. Λίγο μακρύτερα μπροστά μου, φαινόντουσαν κάποιες εξίσου απότομες και θαμνώδης κορυφογραμμές, με μικρά ξέφωτα διάστικτα με ελιές και κυπαρίσσια, που δήλωναν πως ήταν αγροκτήματα και αμπελώνες κάποιου μοναστηριού. Λίγο μετά το μεσημέρι, περπατούσα ξανά στις παραλίες, αλλά βρέθηκα και πάλι σ' ένα πολύ απότομο και τραχύ μονοπάτι. Αντιλήφθηκα ότι το πόδι μου δεν ήταν και στην καλύτερη κατάσταση του κι έτσι έβγαλα τους επιδέσμους για το βάλω στη θάλασσα. Τρομοκρατήθηκα όταν ανακάλυψα ένα αποκρουστικό κίτρινο χρώμα να έχει εμποτίσει πλήρως το βαμβάκι. Ξέπλυνα τους επιδέσμους προσεκτικά στη θάλασσα, έβαλα ολόκληρο τον μηρό μου στο θαλασσινό νερό και στη συνέχεια το επίδεσα όσο πιο γρήγορα μπορούσα. Πανικοβλημένος, κατάλαβα ότι είχε πάει προς το χειρότερο, ίσως διότι δεν είχα χρησιμοποιήσει αποστειρωμένους επιδέσμους, κι τώρα έπρεπε να βιαστώ για να βρω κάποιον που θα μπορούσε να μου παρέχει βοήθεια σε περίπτωση που αναπτυσσόταν γάγγραινα.

Πάνω στη βιασύνη που με κατέλαβε, έκανα κάτι πολύ ανόητο. Ενώ το μονοπάτι μπροστά μου ήταν ορατό, και μπορούσα να δω ότι ακολουθούσε την ακτή με λίγες απότομες αναβάσεις πάνω από τους όρμους και τους κολπίσκους, αποφάσισα να μην το ακολουθήσω αν και έδειχνε να είναι ένας από τους κύριους δρόμους πεζοπορίας. Επέλεξα να δοκιμάσω μία ενδεχομένως συντομότερη διαδρομή κατά μήκος του βραχώδους αιγιαλού που συνέχιζε μπροστά μου.

Πράγματι, κατά τη διάρκεια της πρώτης ώρας, περίπου, βρήκα τη διαδρομή πιο σύντομη, διότι τα νερά είχαν τραβηχτεί λίγο πίσω απ' τη μικρή παλίρροια του Αιγαίου, και η απόσταση της μίας παραλίας απ' την άλλη ήταν μόνο καμιά τρακοσαριά μέτρα από βράχια, τα οποία όμως ξεπερνούσα.

Πάραυτα, βρέθηκα σύντομα σε δύσκολη κατάσταση, γιατί έπρεπε να γλιστράω σε απότομες ρωγμές και να πηδάω πάνω από ανησυχητικά κενά, με τα κύματα από κάτω να σκάνε στα βράχια θυμωμένα.

Ήρθα στα συγκαλά μου και αποφάσισα να μην το τραβήξω άλλο και είπα να ξεπεράσω ένα τελευταίο εμπόδιο για να επανασυνδεθώ με το μονοπάτι. Πάτησα πάνω σε έναν ασταθή βράχο, έχασα την ισορροπία μου και έπεσα άσχημα κάτω με τον μηρό μου. Προσγειώθηκα με την πληγή μου πάνω σ' έναν άγριο βράχο, καλυμμένο με μύδια. Για κάνα δυο δευτερόλεπτα με έπιασε σκοτοδίνη κι ένιωσα αρρωστημένα αδύναμος. Καθώς προσπαθούσα απεγνωσμένα να σταθώ και πάλι στα πόδια μου, έκανα εμετό. Αισθανόμουν το μηρό μου εντελώς μουδιασμένο και πριν ολοκληρώσω πενήντα, επώδυνα, μέτρα ένιωθα το αίμα να κυλάει μέχρι το παπούτσι μου.

Άφησα την παραλία και βρήκα το μονοπάτι, προχωρώντας αργά, τρομοκρατημένος ότι μπορεί να είχε ανοίξει τόσο μεγάλη αιμορραγία που δεν θα είχα τη δύναμη να φτάσω πουθενά εγκαίρως για βοήθεια.

Η προηγούμενη πρόοδος που είχα κάνει, είχε μεταβληθεί τώρα σε μερικά δεκάμετρα ξεσπάσματα απελπισίας, που διακόπτονταν μάλιστα, από διαστήματα ξεκούρασης. Όταν κατάφερα να φτάσω όπως-όπως στην άκρη του επόμενου λόφου, ανακάλυψα πως υπήρχε φωλιασμένο, από κάτω, ένα μεγάλο πέτρινο σπίτι κολλητό σε μια εκκλησία, έχοντας για θέα έναν πλατύ γραφικό κόλπο. Έβλεπα, μάλιστα, και αρκετούς μοναχούς που κάθονταν στα ξύλινα παγκάκια της μεγάλης πλακόστρωτης αυλής.

Κατέβηκα το δρομάκι που οδηγούσε προς τα 'κεί, σχεδόν κουτρουβαλώντας και αφού συγκέντρωσα όλη μου την αποφασιστικότητα, έκανα τα τελευταία δέκα-δώδεκα βήματα που μου απέμεναν για την αυλή. Όλοι οι μοναχοί που βρισκόντουσαν εκεί γύρισαν προς το μέρος μου, ενώ εγώ κινήθηκα προς εκείνον που θεώρησα ηγούμενο τους, έναν ξασπρισμένο γενειοφόρο γέροντα που καθόταν σε μια διακεκριμένη γωνιακή θέση. Συναισθηματικά φορτισμένος και με μια ακούσια παρορμητικότητα, έγινα κι εγώ μέρος αυτής της γαλήνιας εικόνας. Πριν καλά-καλά το καταλάβω, βρισκόμουν στα γόνατά και ασπαζόμουν το χέρι του. Κανείς από τους παρευρισκομένους δεν βρήκε την κίνηση μου αυτή ασυνήθιστη, καθ' οποιονδήποτε τρόπο. Ο Γέροντας εκείνος, έβαλε τα χέρια του στο πρόσωπο μου και πριν μιλήσει, έγειρε απαλά το μέτωπο μου προς τα πίσω.

«Ο Θεός να σε ευλογεί και να μας επιτρέψει να σε βοηθήσουμε, παιδί μου», είπε ήσυχα. «Βλέπω ότι βρίσκεσαι σε μεγάλη ανάγκη. Από πού έρχεσαι και τι θα ήθελες από εμάς;»

«Ω, Πάτερ...», ξεκίνησα για να του εξηγήσω, όταν ένας από τους νεότερους μοναχούς αναφώνησε τρομαγμένος δείχνοντας το μπατζάκι του παντελονιού μου. «Κοιτάξτε-κοιτάξτε!» φώναξε. «Έχει πολύ αίμα. Αυτός ο άνθρωπος είναι σοβαρά τραυματισμένος ... κοιτάξτε εκεί τα μουσκεμένα ρούχα του και τους λεκέδες πάνω στις πέτρες που γονατίζει ... Είναι πολύ πληγωμένος σας λέω!»

Επήλθε μια μικρή αναταραχή γεμάτη από φρικιαστικά σχόλια και οδηγίες, αλλά μέσα σε λίγα λεπτά, έσπευσαν να με μεταφέρουν στο εσωτερικό πάνω σε ένα κρεβάτι με καθαρά σεντόνια, κι άρχισαν να περιποιούνται την πληγή μου και να περιδένουν σφιχτά το μηρό μου. Δύο από τους νεότερους μοναχούς, με παρακολουθούσαν με αγωνία εκατέρωθεν του ξύλινου κρεβατιού στο οποίο με τοποθέτησαν. Συστηθήκαμε κι έμαθα ότι τον ένα τον έλεγαν Νικόλα και τον άλλο Λεωνίδα. Τους είπα, συνοπτικά, για τις περιπέτειες μου και τους ρώτησα σε ποια μεγάλη Μονή ανήκουν.

«Είμαστε δόκιμοι μοναχοί της Ιεράς Μονής του Αγίου Διονυσίου», απάντησε ο Νικόλας, ως μεγαλύτερος από τους δύο, «και έχουμε τοποθετηθεί σ' αυτά τα μοναστηριακά κτήματα για τα δύο χρόνια της δοκιμής μας, πριν γίνει η τελική μας κουρά. Βρίσκεσαι στους φημισμένους αμπελώνες του Μονοξυλίτη, το αγρόκτημα που παράγει το ομώνυμο κρασί που κοσμεί και το τραπέζι της Αυτού Μεγαλειότητας στην Αθήνα.»

Ο Νικόλας μιλούσε αρκετά καλά αγγλικά. Μού είπε ότι είχε σπουδάσει πολλά χρόνια πριν, στο Αμερικανικό Πανεπιστήμιο της Θεσσαλονίκης. Ήταν ένας μικροκαμωμένος και ήσυχος άνθρωπος, με ένα μικρό κατάμαυρο μούσι που ερχόταν σε αντίθεση με τα μπλε μάτια του. Έδειχνε έντονο ενδιαφέρον για την ιστορία μου και έβλεπα ότι ήθελε να με βομβαρδίσει με ερωτήσεις.

Ο φίλος του, Λεωνίδας, ήταν εξίσου περίεργος σχετικά με το τι γινόταν στον έξω κόσμο, όσο και όλοι οι άλλοι μοναχοί που είχα γνωρίσει μέχρι τότε.

Το Μετόχι του Μονοξυλίτη

Ο Λεωνίδας, πέρναγε σε ύψος τον Νικόλα, κατά περίπου ένα κεφάλι, και είχε μεγαλύτερο γένι από τον συνασκητή του. Όταν χαμογελούσε, και το έκανε αρκετά συχνά, φαίνονταν τα μεγάλα δόντια του τα οποία είχαν μπόλικη δόση χρυσαφιού.

Όταν ξεκουράστηκα, μου έφεραν ένα χορταστικό γεύμα από οστρακοειδή, μαγειρεμένα με ελαιόλαδο, και φρέσκο ψωμί. Στη συνέχεια, με μεγάλη περηφάνια, εμφάνισαν μια μεγάλη νταμιτζάνα από το φημισμένο κρασί τους. Αυτό το κρασί, μου είπαν, ήταν πάρα πολύ δυνατό και πολύ πλούσιο για να το πιει κάποιος χωρίς αραίωση. Έβαλαν, ίσως και πέντε εκατοστά στο ποτήρι μου και γέμισαν το υπόλοιπο μέχρι πάνω με φρέσκο νερό. Καθάριζε και ευχαριστούσε το στόμα, έσβηνε τη δίψα, γαργαλούσε τον ουρανίσκο και διοχέτευσε μια ζεστή λάμψη στις φλέβες μου. Έπινα μεγάλες γουλιές απολαμβάνοντάς το, τόσο πολύ, που μου δημιουργούσε την αίσθηση ότι αυτό το υπέροχο καταπραϋντικό ποτό, θα ήταν ικανό να αντικαταστήσει ακόμα και το αίμα που είχα χάσει.

Εκείνο το βράδυ, όλοι οι μοναχοί εκτός του ηγουμένου,

συγκεντρώθηκαν στο δωμάτιο που ήμουν ξαπλωμένος. Κάθισαν όλοι στους χοντρολαξευμένους ξύλινους πάγκους γύρω από το τεράστιο τζάκι. Λίγο αργότερα, τέσσερις μοναχοί έφεραν ένα κομμάτι κορμού, που είχε τουλάχιστον εβδομήντα εκατοστά διάμετρο και ενάμιση μέτρο μήκος. Όλοι έσπευσαν να βοηθήσουν και να το τοποθετήσουν στο πίσω μέρος του τζακιού, όπου σιγά-σιγά άρχισε να καίει. Μου είπαν ότι ένας τέτοιος κορμός, καίει ως «απόθεμα» για αρκετές μέρες· τα πρωινά, για να ξαναπάρει μπρος, απαιτείται μόνο απόξεση και λίγο φύσημα.

Οι περιπέτειες μου και τα νέα από τον έξω κόσμο μονοπώλησαν το πρώτο μέρος της συζήτησης, αλλά μετά από λίγο γενικεύτηκε και έμεινα κατάπληκτος από το μεράκι και την αυτοθυσία που συνόδευαν της αφηγήσεις απλών στιγμιότυπων της ημέρας. Οι διάφοροι συνομιλητές αποτελούσαν, ένα εξαιρετικό μείγμα, τόσο από πλευράς ηλικίας όσο και τύπου, αλλά όταν ο καθένας από τους έντεκα έλεγε την δική του ιστορία, οι υπόλοιποι τον άκουγαν με πραγματικό ενδιαφέρον κι ευχαρίστηση. Ένας, έλεγε για τις επίπονες προσπάθειες που έκανε για να ψαρέψει με δίχτυα στον κόλπο και τα απογοητευτικά αποτελέσματα που είχε, ένας άλλος για έναν ιδιόμορφο κορμό κλήματος, που βρήκε την ώρα που κλάδευε τα αμπέλια, κι έμοιαζε με ανθρώπινο κεφάλι, ενώ κάποιος τρίτος για την επιμονή του μουλαριού του να ροκανίζει τα άχυρα στο τέλος κάθε οργώματος. Ο φαρδύς μοναχός με τα παχιά λιπαρά και σγουρά μαλλιά που κρεμόντουσαν μισό μέτρο στην πλάτη του, έλεγε για ένα μεθυσμένο αρουραίο που είχε πιαστεί κατά τον έλεγχο των μεγάλων βαρελιών κρασιού στο κελάρι, και τον κουρασμένο μάγειρα που αποκάλυψε πως παραλίγο να βάλει για βραδινό στον ηγούμενο μια πατάτα που είχε ένα μεγάλο σκουλήκι στο κέντρο της. Και συνέχισαν. Ήταν πολύ εύκολο να διαπιστώσει κάποιος ότι εκείνοι οι άνθρωποι ήταν πολύ ικανοποιημένοι από το δικό τους μικρόκοσμο.

Αποσύρθηκαν νωρίς για ύπνο. Ο πανικός και η ανησυχία που είχα αισθανθεί το προηγούμενο απόγευμα, είχε αντικατασταθεί από μια θαυμάσια αίσθηση άνεσης και ασφάλειας. Απ' έξω ερχόντουσαν στ' αυτιά μου οι ήχοι απ'

τα πιτσιλίσματα των γάργαρων νερών ενός μικρού ρυακιού κι
από το βάθος του δάσους, οι συντροφικές κλήσεις που
απεύθυνε ένα νυχτοπούλι.

Κοιμόμουν πολύ βαθιά, όταν αρκετές ώρες αργότερα
άκουγα στον ύπνο μου κάτι ελαφρείς χτύπους που
προσπαθούσαν να παρεισφρήσουν στα όνειρα μου. Το
υποσυνείδητο μου με πήγε πίσω στα μαθητικά θρανία, όταν
ως άτακτοι νεαροί κάναμε ένα παρόμοιο θόρυβο με τους
χάρακες πάνω στα θρανία μας για να αγανακτούμε τους
δασκάλους μας. Τοποθετούσαμε τον ξύλινο χάρακα έτσι
ώστε να εξέχει σχεδόν ολόκληρος απ' την άκρη θρανίου, και
τον χτυπούσαμε για να βγάλει ένα βαθύ ήχο, κι ανάλογα με
το σημείο που τον χτυπούσαμε, ο ήχος γινόταν ή πιο ψιλός ή
πιο υπόκωφος. Με αυτόν τον τρόπο, βγάζαμε ήχους που
έμοιαζαν με το μαρτύριο της σταγόνας που έσταζε από
κάποια χαλασμένη βρύση, αλλά μπορούσαμε να μιμηθούμε
και σχεδόν οποιοδήποτε άλλο ήχο. Τώρα, όμως, στον
παράξενο αυτό αρχαίο κόσμο που είχα βρεθεί, οι ίδιοι
ξύλινοι χτύποι, έπαιζαν μέσα στη συνείδηση μου και
ανάδευαν μια παράξενη εναλλασσόμενη ακολουθία από
ψηλές και χαμηλές νότες. Ξύπνησα για να διαπιστώσω ότι ο
υποσυνείδητος θόρυβος που άκουγα, ήταν αληθινός. Έξω
από το παράθυρο μου, στο μαύρο σκοτάδι, ένας μοναχός
ταλαντευόταν απ' τη μια άκρη της αυλής μέχρι την άλλη
βαρώντας κάτι ξύλα σε φρενήρη ρυθμό.

Εκείνη την ώρα, ένας προς ένας, οι μοναχοί άρχισαν να
ανακατεύονται στο δωμάτιο και κάποιος ανάδευσε τη φωτιά
για να ξαναζωντανέψει. Μου είπαν ότι ο παράξενος αυτός
ήχος ήταν το κάλεσμα τους για τη Μεσονύχτια ακολουθία,
και αφού τακτοποίησαν τα ρούχα τους, βγήκαν όλοι έξω.
Λίγα λεπτά αργότερα, το χτύπημα του τάλαντου έσβηνε
μακριά, ολοκληρώνοντας το έργο του με τρία δυνατά
διακεκριμένα χτυπήματα. Καθώς με έπαιρνε ο ύπνος και
πάλι, άκουγα μονοφωνικές ανάμεικτες ψαλμωδίες με τις
οποίες συνόδευαν οι μοναχοί τις προσευχές τους στον
Κύριο.

Το πρωί ένιωθα πολύ καλύτερα, αν και είχα ακόμα
αρκετό πονοκέφαλο που συνοδευόταν κι από ένα βαρύ

συναίσθημα απάθειας. Η πληγή, που αποτελούσε άλλωστε και το κύριο μέλημα μου, ήταν άνετη και ζεστή μέσα στους σταθερούς επιδέσμους της. Σκέφτηκα ότι θα μπορούσα να σηκωθώ αρκετά εύκολα και να κινούμαι με προσοχή, αλλά οι μοναχοί δεν ήθελαν καν να το ακούσουν. Μάλιστα, επί πέντε ολόκληρες μέρες με κρατούσαν στο κρεβάτι και με αντιμετώπιζαν σαν έναν διάσημο ασθενή ή σαν το τιμώμενο πρόσωπο, προσφέροντας μου το καλύτερο φαγητό που μπορούσαν να βρουν και εξυπηρετώντας με σαν να ήμουν ακόμα απελπιστικά άρρωστος.

Ένα πρωί, ακούστηκε μια χαρούμενη φωνή που συνοδευόταν από το ποδοβολητό ενός αλόγου στην πέτρινη αυλή. Τόσο ο Νικόλας όσο κι ο Λεωνίδας πήδηξαν όρθιοι και βγήκαν έξω. Άκουγα τις ενθουσιώδεις υποδοχές τους προς κάποιον. Λίγες στιγμές μετά, μπήκαν όλοι στο δωμάτιο κι μοιράστηκα τον ενθουσιασμό τους, όταν είδα ότι ο επισκέπτης ήταν ο καβαλάρης μοναχός που μού είχε προσφέρει πρωινό, όταν τον είχα συναντήσει στο λευκό αραβικό άλογο του, περίπου τέσσερις μέρες πριν.

«Ααα, ο Τόμας, ο Εγγλέζος φίλος μου από το μονοπάτι!» αναφώνησε διασκελίζοντας απ' την άλλη άκρη του δωματίου προς το μέρος μου με τα χέρια απλωμένα και με τα μακριά μαύρα ράσα του να ανεμίζουν πίσω του. «Πολύ χαίρομαι που σε βλέπω! Ο Θεός είναι πραγματικά μεγάλος που κανόνισε να ξανασυναντηθούμε και πάλι τόσο σύντομα».

Με αγκάλιασε όπως καθόμουν στο κρεβάτι, και με ασπάστηκε δύο φορές. Ο Νικόλας και ο Λεωνίδας στάθηκαν πιο πίσω χαμογελώντας για την πληθωρικότητα του.

«Άρα, έχετε συναντήσει τον ευγενή αδελφό μας», του είπε γελώντας ο Νικόλας. «Είναι απίστευτο το πώς γνωρίζει τους πάντες και έχει τόσους πολλούς φίλους!»

«Και αυτό που είναι πιο εκπληκτικό ακόμα», πετάχτηκε ο Λεωνίδας χαμογελώντας πειρακτικά στον καλοντυμένο επισκέπτη, «είναι ότι όλοι όσοι τον συναντούν στο δρόμο, τον συμπαθούν αμέσως ... ακόμα και στα μέρη που ξέρω ότι δεν είναι ιδιαίτερα δημοφιλής. Ε, π. Σίμωνα, έτσι δεν είναι;»

Και οι τρεις τους ξέσπασαν σε εγκάρδια γέλια. Ρώτησα τον Νικόλα να μου εξηγήσει το λόγο για τον οποίο γελούν.

«Λοιπόν», απάντησε ο Νικόλας, ρίχνοντας μια διασκεδαστική ματιά στον μοναχό Σίμωνα, «ο φίλος μας εδώ, είναι όπως βλέπετε ένας άνθρωπος ορισμένου επιπέδου σε σχέση με εμάς τους ταπεινούς. Έχει τη δυνατότητα ν' αγοράσει τα καλύτερα άλογα της Μακεδονίας και να φορά τα πιο ποιοτικά ρούχα στο Άγιο Όρος, διότι προέρχεται από μια πλούσια και διάσημη ελληνική οικογένεια η οποία, μάλιστα, είναι και γαλαζοαίματη. Οι περισσότεροι από μας, είμαστε περήφανοι που επέλεξε τη ζωή του μοναχού, όταν είχε στη διάθεση του τόσες άλλες επιλογές -αλλά υπάρχουν κι εκείνοι που δεν τον συμπαθούν ιδιαίτερα. Στη Μονή του κρατά συνήθως ψηλές θέσεις λόγω των επιτευγμάτων του, αλλά αρκετά συχνά τον κυριεύει η απείθαρχη γλώσσα του, οπότε, ή τον υποβιβάζουν σε μικρότερες θέσεις ή τον κανονίζουν, δηλαδή, του βάζουν κανόνα. Αυτή τη στιγμή εκτίει ποινή εξορίας και δεν έχει το δικαίωμα να εισέλθει στο μοναστήρι του για τρεις μήνες».

«Θεέ μου, αυτό είναι τρομερό, Σίμωνα!» είπα. «Και τί θα κάνεις τώρα;»

«Αχ, μην ανησυχείς, φίλε μου», μου απάντησε, ενώ τα μάτια του χόρευαν από διασκέδαση. «Πάντα ανυπομονώ για κάτι τέτοιες περιόδους εξορίας. Αποτελούν μια εξαιρετική ευκαιρία να επισκέπτομαι όλους μου τους φίλους στο Όρος. Μην ξεχνάς, ότι υπάρχουν είκοσι μεγάλα μοναστήρια εδώ, καθώς κι αμέτρητα πλούσια αγροκτήματα που μπορώ να επισκεφθώ και να απολαύσω τη διαμονή μου. Δεν έχω κανένα παράπονο!»

Συγκεντρώθηκαν κι οι τρεις τους γύρω από το κρεβάτι μου και έπιασαν να συζητούν για το ποιος θα ήταν ο καλύτερος τρόπος να με βοηθήσουν να ξεφύγω. Προς έκπληξή μου, όλοι ήξεραν για το υποβρύχιο *Παπανικολής*, και ανάφεραν ότι είχε παραλάβει αρκετούς Έλληνες αξιωματικούς από διάφορους μοναχικούς όρμους του Αγίου Όρους, σε αρκετές περιπτώσεις.

Ο Σίμωνας, μάλιστα, είχε δει ζωντανά το μακρύ μαύρο σκαρί να βγαίνει στην επιφάνεια μαζί με τον πυργίσκο του, σ' έναν κοντινό κόλπο.

Κατέστρωσαν ένα σχέδιο να έρθουν σε επαφή με τον

καπετάνιο και, αργά το απόγευμα, ο Σίμωνας έφυγε γεμάτος αισιοδοξία να το εκτελέσει. Κανονικά, θα έπρεπε να είχε επιστρέψει σε δύο-τρεις μέρες, αλλά δεν τον ξαναείδα ποτέ. Μια σειρά από αγγελιοφόροι έφταναν εκ μέρους του κατά τη διάρκεια της παραμονής μου εκεί. Όλοι τους έρχονταν με μία θεατρική μυστικότητα, αλλά μου έφερναν πάντα τις ίδιες αρνητικές ειδήσεις. Οι ελπίδες μου μεταβλήθηκαν και πάλι σε μία ενοχλητική απόγνωση, χωρίς να παραβλέπω το γεγονός ότι οι χειμερινές θύελλες που αλώνιζαν το Αιγαίο δεν βοηθούσαν διόλου την κατάσταση.

Μετά από πέντε μέρες στο κρεβάτι, πέρασα κι άλλες πέντε στο αγρόκτημα για να ανακτήσω τις δυνάμεις μου. Οι μοναχοί δε δεχόντουσαν επ' ουδενί χέρι βοήθειας στις καθημερινές τους εργασίες, αλλά με άφηναν να πηγαίνω μαζί τους έξω στα χωράφια για παρέα. Ο καιρός δεν ήταν πολύ κακός κι έτσι, ήμουν σε θέση να κάθομαι στον ήλιο τις περισσότερες μέρες και να τους παρακολουθώ. Πάντα παίρναμε τα γεύματά μαζί μας γιατί δεν τρώγανε πρωινό, και το πρώτο γεύμα της ημέρας ήταν ψωμί με ελιές και λίγο κρασί το μεσημέρι.

Η εργασία τους, εκείνη την εποχή, ήταν το κοντό κλάδεμα των γυμνών αμπελιών. Οι μοναχοί, εκτελούσαν τις δουλειές τους με τα μακριά ράσα και τα μαύρα καπέλα τους - δεν θα μπορούσε να υπάρχει πιο ακατάλληλη ενδυμασία για τη δουλειά αυτή, ειδικά σε ένα μαλακό και λασπωμένο έδαφος. Είχαν παλιομοδίτικα εργαλεία, όπως μακριά γαμψά πριόνια και δεν πλησίαζαν το κάθε αμπέλι πριν το μελετήσουν σκωπτικά πρώτα. Δεν αμφέβαλλα καθόλου ότι η δουλειά που έκαναν ήταν απ' τις πιο ποιοτικές που θα μπορούσαν να γίνουν, αλλά δεν είχα ξαναδεί ποτέ μία εργασία να εκτελείται με τόσο επίπονο και αντιοικονομικό τρόπο. Ένας μάλλον αγαθός μοναχός, φορούσε ένα καλυμμαύχι που ήταν μερικά μεγέθη μικρότερο από το κεφάλι του. Κάθε φορά που έσκυβε να κλαδέψει, το καλυμμαύχι τού έφευγε και τα μακριά μαλλιά του να έπεφταν μπροστά στο πρόσωπο του. Δεν νομίζω ότι προβλεπόταν να το αφήσει στην άκρη για λίγο, διότι ο χρόνος δε σήμαινε απολύτως τίποτα για αυτόν, ούτε και για την αδελφότητα του. Το μάζευε υπομονετικά κάθε φορά, μάζευε και τα μαλλιά του και συνέχιζε.

Εκτίμησα ιδιαίτερα τη φιλοξενία των μοναχών και τη διορατικότητα που μου προσέφερε η απλή κι ευτυχισμένη ζωή τους. Όταν, τελικά, ήρθε η ώρα να τους αποχαιρετήσω, φεύγοντας νωρίς ένα πρωί από το αγρόκτημα, είχα πάρει μία πρώτη σοβαρή γεύση απ' τη μεγάλη αξία που έχει η ζωή ενός μοναχού στο Άγιο Όρος.

Εκείνη τη μέρα, κατάφερα και διένυσα μια καλή απόσταση είκοσι χιλιομέτρων, πάνω στο τραχύ βουνίσιο έδαφος της χερσονήσου. Κατά το σούρουπο, έφτασα στις πύλες ενός μεγάλου μοναστηριού και έγινα δεκτός με την παρουσίαση ενός σημειώματος του Νικόλα. Ήταν η Μονή του π. Σίμωνα,[30] κι όταν είπα στον καλόγερο που μου προσέφερε κάτι να γευματίσω στ' αρχονταρίκι ότι τον γνωρίζω, ζωντάνεψε από ενδιαφέρον και μου ζήτησε να του πω όλα όσα ήξερα σχετικά με τον άσωτο αδελφό τους. Ο Σίμωνας είχε εξελιχθεί, προφανώς, σε θρύλο ανάμεσα στην αδελφότητα του.

Η πορεία μου, το επόμενο πρωί, με ανέβασε στην πλευρά του βουνού, μέσα από δύσβατους ελαιώνες, μέχρι που έφτασα στο σημείο να κοιτάζω κάτω μακριά, τον απέραντο γαλάζιο ορίζοντα του Αιγαίου. Σε μακρινή απόσταση φαινόταν το νησί της Λήμνου, που αναδυόταν μέσα απ' τη θάλασσα με ένα θολό περίγραμμα, ενώ στο προσκήνιο τα λευκά πανιά των διαφόρων αλιευτικών και εμπορικών σκαφών, λικνίζονταν πέρα δώθε. Λίγο μετά το μεσημέρι, ένα μεγάλο γερμανικό μεταγωγικό με τα μεγάλα μαύρα διακριτικά του στο πλάι της ατράκτου, αργοπετούσε πάνω απ' τη σέλα της κορυφογραμμής και χανόταν σιγά-σιγά μες στην ομίχλη που περιτριγύριζε την Λήμνο.

Αργά το απόγευμα έφτασα στο υψηλότερο σημείο του δρόμου που καβαλούσε τη ράχη και ξετυλιγόταν γύρω απ' την πρωτεύουσα της Αθωνικής Πολιτείας, τις Καρυές, και κατέφυγα στο λιπόσαρκο μοναστήρι που βρισκόταν εκεί

---

[30] Η Ι.Μ. Κωσταμονίτου.

κοντά.[31] Δεν το συζήτησαν καν. Για αυτούς, ο φόβος των Γερμανών ήταν πολύ πιο άμεσος απ' ότι στα άλλα μοναστήρια. Στρατιώτες και ναύτες περιπολούσαν και το επισκέπτονταν συχνά επειδή ήταν πέρασμα απ' τη μία πλευρά της χερσονήσου στην άλλη. Φημολογείτο, μάλιστα, ότι στις Καρυές, εκείνη την εποχή, βρισκόταν μία μεγάλη ομάδα Γερμανών που έψαχνε όλες τις Μονές για δραπέτες κρατουμένους. Μου συνέστησαν, να δοκιμάσω τα σπίτια που ήταν ψηλότερα στην πλαγιά του βουνού, πάνω από το δρόμο. Μετά από πολύωρη αναρρίχηση, σε φαινομενικά απροσπέλαστους γκρεμούς, δοκίμασα την τύχη μου σε μια σειρά από μικρά σπίτια, αλλά είχα πάντα το ίδιο ανεπιτυχές αποτέλεσμα.

Είχα αρχίσει να ανησυχώ αρκετά. Έτρεξα κάτω στην πλαγιά του βουνού και πάλι, μπαίνοντας μέσα στο σιωπηλό δάσος με φόβο γιατί άκουγα από κάποια απόσταση τις πένθιμες κραυγές των λύκων. Μάλιστα, ένα από αυτά τα φρικτά πλάσματα πέρασε πραγματικά ξυστά δίπλα μου και χάθηκε μέσα στο σκοτάδι. Για το επόμενο μισάωρο, υπέθετα ότι το άγριο ζώο είχε στραφεί προς το μέρος μου και πάλι, διότι άκουγα κλαδιά να σπάνε κοντά μου και έβλεπα τις σκιές που δημιουργούσε το φως του φεγγαριού να ζωντανεύουν.

Με την ψυχή στο στόμα, κυριευμένος από το κρύο και τη μοναξιά, άρχισα να κάνω μια φρενήρη διαδρομή μέσα στα δέντρα, όταν έξω απ' τις σκιές, ήρθα κατά μέτωπο με ένα μικρό γαϊδουράκι και τον μουστακαλή καβαλάρη του. Έσφιξα το προσφερόμενο χέρι του ξένου ανυπόμονα.

«Α, μάλιστα», είπε ο ξένος, ξεπεζεύοντας από το ζώο κι επιτρέποντας του να προπορευτεί για λίγο. «Έπεσα πάνω σ' Εγγλέζο! Και για πού το 'χεις βάλει;»

«Είχα σκοπό να διανυκτερεύσω σε κάποια από αυτές τις φάρμες εδώ γύρω και να φύγω το πρωί μακριά απ' τις Καρυές», του απάντησα, «αλλά εδώ οι μοναχοί είναι πολύ φοβισμένοι και μου λένε ότι η περιοχή είναι γεμάτοι

---

[31] Η Ι. Μ. Κουτλουμουσίου.

Γερμανούς.»
«Πράγματι, γι' αυτό δε νομίζω να πρέπει να πας προς τις Καρυές ούτως ή άλλως, απόψε. Δε μου φαίνεσαι και πολύ καλά. Είσαι;»
«Η πληγή μου, έχει υποστεί αρκετά για σήμερα. Εσύ πού πιστεύεις ότι θα μπορούσα να βρω καταφύγιο; Νομίζω ότι πρόκειται να χιονίσει σύντομα και υπάρχουν πάρα πολλοί λύκοι εδώ γύρω για τα γούστα μου.»
«Αυτοί εδώ γύρω θα 'πρεπε να σε είχαν δεχτεί, αλλά ξέρω καλά τί είδους γιαγιάδες μπορεί να γίνουν μερικές φορές κάτι γέροντες. Άστο, καλύτερα να έρθεις μαζί μου.»
Λέγοντάς το αυτό, έστριψε το γαϊδούρι ανάποδα κι επέμενε να κάτσω εγώ πάνω του, οπότε βοηθώντας με ν' ανέβω, φύγαμε. Κινηθήκαμε κατηφορικά, πλαγιά την πλαγιά.
Κατά κάποιο περίεργο τρόπο, ένιωθα οικεία με αυτόν τον μεγαλόσωμο και γεμάτο αυτοπεποίθηση ξένο. Περπατώντας δίπλα μου και κρατώντας σταθερή τη σέλα μου με το μεγάλο χέρι του, μού είπε ότι ήταν κι ο ίδιος φυγάς, αλλά με μία διαφορά. Εκείνος δεν προσπαθούσε να φύγει απ' την Ελλάδα, απλά προσπαθούσε να οργανώσει δυνάμεις αντίστασης, εντός της. Ήταν Ταγματάρχης του Ελληνικού Τακτικού Στρατού, και είχε σπουδάσει χρόνια στην Γαλλική Στρατιωτική Ακαδημία.
Είχε συλληφθεί από τους Γερμανούς βόρεια της Θεσσαλονίκης, αλλά δραπέτευσε αμέσως μετά τη συνθηκολόγηση. Είχε διοργανώσει, μάλιστα, μια επιτυχημένη δολιοφθορά σε μία σημαντική γέφυρα του ποταμού Στρυμόνα. Εξαιτίας αυτού, υπήρχε επικήρυξη για το κεφάλι του και γι' αυτό κρατούσε χαμηλό προφίλ για λίγο.
Μετά από τουλάχιστον τρεις ώρες, η διαδρομή εξομαλύνθηκε και φτάσαμε στη θάλασσα, βλέποντας διάφορα οικήματα υπό το αδύναμο φως του φεγγαριού.[32] Ο Ταγματάρχης, έδεσε το γαϊδουράκι του κάτω από ένα δέντρο. Παρεισφρήσαμε σ' ένα αρκετά μεγάλο σπίτι, όσο πιο προσεκτικά μπορούσαμε ανάμεσα από θάμνους και

---

[32] Είχαν προσεγγίσει την περιοχή της Δάφνης, το κεντρικό λιμάνι του Αγίου Όρους.

χαμηλή βλάστηση, και μπήκαμε μέσα σ' ένα σκοτεινό και στεγνό δωμάτιο.

Ο Έλληνας φυγάς ένιωθε σαν το σπίτι του εκεί, κι αφού κλείσαμε και ασφαλίσαμε το παράθυρο, από το οποίο είχαμε σκαρφαλώσει, άναψε ένα κερί και το στερέωσε στην άκρη ενός τραπεζιού. Δεν υπήρχαν άλλα έπιπλα. Μου εξήγησε χαμηλόφωνα, ότι το μέρος αυτό ήταν ένας από τους πολλούς ξενώνες που υπήρχε για τους μοναχούς που μετέβαιναν από προσκύνημα σε προσκύνημα, καθώς και για τους οδοιπόρους γενικά. Δεν ήθελε να ενημερώσει τον υπεύθυνο μοναχό ότι είχε κουβαλήσει κι έναν Εγγλέζο μαζί του για διανυκτέρευση, αλλά θα πήγαινε να ζητήσει μερικά σκεπάσματα για να τα μοιραστούμε.

Εκτός από κουβέρτες, έφερε μαζί του και λίγο ζεστό ζωμό με ψωμί, κάμποσα βαμβάκια και καθαρά πανιά για την πληγή μου. Κοιμηθήκαμε στο πάτωμα.

Το πρωί, ο Ταγματάρχης, μ' έβγαλε κρυφά έξω από το οίκημα και με οδήγησε σε κάτι κοντινά δέντρα. Μου έφερε κι ένα καλό γεύμα για να συντηρηθώ όλη μέρα.

Τον ευχαρίστησα εγκάρδια και τον άφησα, κόβοντας πάλι για το βουνό, με κατεύθυνση το μοναστήρι που μου συνέστησε να καταφύγω, τη Μονή Σίμωνος Πέτρας. Μετά από δύσκολη αναρρίχηση αρκετής ώρας, έφτασα σε ένα οροπέδιο που είχε, και στις τρεις του πλευρές, απόκρημνα βράχια. Στην περιοχή επικρατούσε μια περίεργη ησυχία που τη διέκοπτε μόνο ο ήχος ενός καταρράκτη. Το χείλος του γκρεμού από το οποίο έπεφτε το νερό πάνω στους μεγάλους ογκόλιθους, ήταν περίπου δεκαπέντε μέτρα ψηλότερα. Ήταν πρωί της 24ης Δεκεμβρίου του 1941 και δεν θα μου έπεφτε κι άσχημα να έκανα ένα μπάνιο, με αφορμή την παραμονή των Χριστουγέννων.

Προχώρησα μέσα στο καταρράκτη και πρόσφερα στον εαυτό μου ένα καλό πλύσιμο.

Παρόλα αυτά, και παρότι βρισκόμουν στο πιο χριστιανικό, ίσως, μέρος της Γης, υπήρχε μία αντίθεση που παρεμπιπτόντως, δεν με ξένιζε ιδιαίτερα. Στο Άγιο Όρος, δεν θεωρούσαν πως έπρεπε να γιορτάσουν Χριστούγεννα την επόμενη μέρα. Ακολουθούσαν ένα παλαιότερο ημερολόγιο, σαν κι εκείνο της Βίβλου, που είχε αποδειχτεί αρκετά αξιόπιστο για τους προγόνους των μοναχών. Η ημερομηνία τους ήταν πάντα δεκατρείς μέρες πίσω από εκείνη του έξω κόσμου, οπότε είχαν ακόμα να διανύσουν δύο βδομάδες νηστείας πριν γιορτάσουν τη Γέννηση του Χριστού.

Έτρεφα μεγάλες προσδοκίες ότι θα κατάφερνα να περάσω την ερχόμενη νύχτα σε κάποιο άνετο καταφύγιο.

Κάποια στιγμή, έφτασα σε μία απ' τις απότομες κορφές και βρέθηκα αντιμέτωπος με την εκπληκτική θέα τού μοναστηριού για το οποίο ορειβατούσα.

Η Ι.Μ. Σίμωνος Πέτρας, το πρώτο, πολυόροφο, αντισεισμικό κτήριο στον κόσμο

Δεν είχα ξαναδεί ποτέ και πουθενά στη ζωή μου ένα κτήριο που προκαλούσε τόσο δέος, όσο αυτό που κειτόταν μπροστά μου.

Ήταν στερεωμένο ακριβώς στο χείλος ενός τριαντάμετρου βράχου, κάτω από τον οποίο το έδαφος υποχωρούσε προς τη θάλασσα, διαγράφοντας συνολικά ένα γκρεμό περίπου τριακοσίων μέτρων. Η πρώτη εντύπωση που μου δημιουργήθηκε ήταν μία τρομερή ανασφάλεια, επειδή έδινε από μακριά την εντύπωση, ότι θα ανατρεπόταν κάτω στα βράχια με το παραμικρό φύσημα του ανέμου. Καθώς κοίταζα τα μεγάλα τείχη που υψώνονταν από πάνω του και είχαν φόντο τα κυματιστά λευκά σύννεφα, σκεφτόμουν το πόσο κοντά ήταν η εικόνα που είχα αντικρύσει ξαφνικά, σε σχέση με εκείνη που είχα πλάσει με την παιδική μου φαντασία, για το πώς θα ήταν τα κάστρα των παραμυθιών.

Απ' την κορφή που βρισκόμουν, η Μονή φαινόταν να είναι σε ευθεία αρκετά κοντά, περίπου δυο χιλιόμετρα. Αλλά στην πραγματικότητα, με χώριζαν απ' την Σιμωνόπετρα τουλάχιστον δέκα χιλιόμετρα οδοιπορίας, καθότι ο δρόμος ήταν φιδίσιος και μπαινόβγαινε μέσα στις εσοχές του βουνού, μέχρι που κατέληγε σε μία στενή και βραχώδη κατηφόρα. Στο τέλος αυτής της κατηφόρας, στηριζόταν ένα καλντερίμι που αποτελούσε τη μοναδική πρόσβαση στον βράχο πάνω στον οποίο ήταν χτισμένο το μοναστήρι.

Είχε για είσοδο τις συνήθεις τεράστιες διπλές πόρτες, που ήταν διάσπαρτες με βίδες και είχαν σχέδια από σφυρήλατο σίδηρο. Τις βρήκα μισάνοιχτες, οπότε τράβηξα το σχοινί του κουδουνιού και περίμενα ακριβώς από μέσα.

Μετά από λίγο, επειδή δεν υπήρξε καμία απάντηση στις περιοδικές κλήσεις μου, ελίχθηκα μέσα στο λιθόστρωτο δρομάκι, ανάμεσα από κάτι ψηλούς τοίχους, μέχρι που έφτασα σε μια μεγάλη αυλή, περικυκλωμένη από τετραώροφα και πενταώροφα παλαιά πέτρινα κτήρια. Δεν υπήρχε κανείς, ούτε κι εκεί, κι έτσι κίνησα προς το πιο ωραίο κτήριο απ' όλα, και μπήκα μέσα σ' ένα ψηλοτάβανο διάδρομο.

Καθώς προχωρούσα, τα έπιπλα και οι κουρτίνες γινόντουσαν όλο και πιο εξαίσια, ώσπου μετά από μια γωνία του διαδρόμου, αποκαλύφθηκε ένα σκηνικό, απ' τα πιο εντυπωσιακά που είχα ποτέ συναντήσει ποτέ. Και οι δύο τοίχοι, ήταν επενδυμένοι με μαγευτικές ταπετσαρίες, τουλάχιστον έξι μέτρα ψηλές επί δεκαπέντε μήκος, ενώ το βαθύ κόκκινο χαλί στο οποίο πατούσα -με τα λασπωμένα παπούτσια μου- ρουφούσε τα πόδια αρκετά εκατοστά. Πολυθρόνες με παλαιομοδίτικο βελούδινο και χρυσοκέντητο ύφασμα, σοβαρές και με ψηλή πλάτη, ήταν τοποθετημένες κατά διαστήματα ανάμεσα στις καμάρες των βυζαντινών παραθύρων, που ήταν στολισμένα από υπέροχες κουρτίνες. Η θέα έξω ήταν μαγευτική. Ο εξωτερικός τοίχος ήταν σύριζα με την άκρη του γκρεμού, κι όταν κοίταζες κάτω, σου φαινόταν σα να ήσουν σε αεροπλάνο ατενίζοντας ανεμπόδιστα την απεριόριστη έκταση της θάλασσας.

Μεθυσμένος από όλη εκείνη τη μεγαλοπρέπεια, και νιώθοντας αταίριαστος εξαιτίας της ατημέλητης εμφάνισης μου, αποφάσισα να πάω προς τα πίσω, όταν δύο μοναχοί με πλησίασαν από το τέλος του διαδρόμου. Δεν ξαφνιάστηκαν ιδιαίτερα που ανακάλυψαν έναν απρόσκλητο Εγγλέζο αξιωματικό αιφνιδιαστικά στο μοναστήρι τους και, αφού με καλωσόρισαν πολιτισμένα, με οδήγησαν να συναντήσω τον ανώτερο τους.

Ο Ηγούμενος[33] ήταν μία πολύ γοητευτική προσωπικότητα. Έστειλε να μας φέρουν καφέ και καθίσαμε να τον πιούμε μαζί, σε ένα ξύλινο μπαλκόνι που κρεμόταν επικίνδυνα στο κενό από τον εξωτερικό τοίχο. Μου εξήγησε, εξαρχής, ότι δεν θα μπορούσε με τίποτα να με φιλοξενήσει μες στο μοναστήρι τους, για οποιοδήποτε χρονικό διάστημα.

«Οι Γερμανοί μας απαγόρευσαν», μου είπε σοβαρά, «να συνδράμουμε οποιονδήποτε Εγγλέζο φυγά. Ένας Ταγματάρχης της Βέρμαχτ, που ήταν εδώ πριν λίγες μέρες μάς είπε ότι πρέπει να επιλέξουμε, μεταξύ του να συνεχίσουμε την ειρηνική μας αποστολή εδώ, ή του αφανισμού μας. Ο αξιωματικός, μάλιστα, μας απείλησε ότι αν ανακαλύψουν ότι περιφρονούμε τις εντολές τους, θα στείλει απλά ένα βομβαρδιστικό αεροπλάνο για να μας γκρεμίσει κάτω στη θάλασσα».

Κοίταξα, άθελα μου, πάνω απ' την άκρη του μπαλκονιού προς τα κάτω τους αφρισμένους βράχους της θάλασσας. Δεν ήταν δύσκολο να φανταστεί κανείς τη διαβολική απόλαυση που θα είχε ένας πιλότος Στούκας, απέναντι σε έναν τόσο θεαματικό στόχο. Ωστόσο, έσπευσα να καθησυχάσω τον Ηγούμενο. «Σίγουρα κανείς», είπα απολογητικά, «δε θα

---

[33] Γέρων Χαραλάμπης, εκ Βούρλων Μ. Ασίας. Ηγουμένευσε από το 1941 έως την κοίμηση του, το 1973. Διακρινόταν για την απλότητα, το φιλακόλουθο, την ασκητικότητα και την υπομονή του, (Μον. Μωϋσή «Μικρασιάτες Ηγούμενοι»).

ήταν τόσο ποταπός ώστε να καταστρέψει αυτό το πανάρχαιο ιερό μέρος, και με τον τρόπο αυτό να σκοτώσει ανυπεράσπιστους μοναχούς».

Ο Ηγούμενος, πάντως, διατηρούσε τις δικές του συγκεκριμένες απόψεις για τις ικανότητες των Ναζί. «Παιδί μου», είπε, «μην προσπαθείς να μου διδάξεις τ' οτιδήποτε για αυτούς τους άντρες. Χρόνια πριν καν σκεφτείς να αφήσεις τη μακρινή σου χώρα, υπέθαλπα εδώ ανθρώπους ανεξαρτήτως θρησκείας, που είχαν εγκαταλείψει τις ειρηνικές εστίες τους στην Ευρώπη επειδή ήταν κυνηγημένοι απ' αυτούς τους ανθρώπους. Πίστεψε με, δεν είσαι σε θέση να γνωρίζεις καμία απ' τις τραγικές ιστορίες που συνάντησα εδώ, γι' αυτό δεν είσαι σε θέση ν' αντιληφθείς πως αυτοί οι Ναζί, δεν σταματούν μπροστά σε τίποτα όταν θέλουν ν' αποδείξουν κάτι».

Μετά απ' όλα αυτά, τον ρώτησα αν θα μπορούσε να μου προσφέρει καταφύγιο κάπου αλλού.

«Δεν με αφήνει αδιάφορο», μου απάντησε, «ότι αύριο είναι Χριστούγεννα για εσάς. Γερμανοί ξε-Γερμανοί, δεν μπορώ ν' αφήσω κανέναν τη μέρα των Χριστουγέννων μόνο του έξω στην ύπαιθρο. Για να μη διακινδυνεύσω το μοναστήρι προσφέροντας σου κάποιο δωμάτιο εντός, θα χαιρόμουν, αν προτιμούσες, να μείνεις εξίσου άνετα απόψε σ' ένα απ' τα οικήματα μας που βρίσκονται εκτός Μονής».

Έτσι λοιπόν, βρέθηκα σε ένα μεγάλο πέτρινο κτήριο, σχετικά κοντά στο στενό ικρίωμα που οδηγούσε στο μοναστήρι. Εκεί υπήρχαν άλλοι δύο άνδρες, επίσης οδοιπόροι, που καθόντουσαν σ' ένα μεγάλο τζάκι. Έκαναν χώρο και για μένα, χωρίς ιδιαίτερο ενθουσιασμό, και μετά από λίγο ένας μοναχός έφερε και στους τρεις μας γεύμα. Καθώς περνούσε η ώρα, απλωθήκαμε στο πάτωμα μπροστά απ' τη φωτιά και μετά από μια ασυνάρτητη συνομιλία, στρωθήκαμε για ύπνο. Ξαφνικά, πριν αποκοιμηθώ τελείως, μία αποικία από ψείρες εμφανίστηκε πάνω μου, προφανώς λόγω της ασυνήθιστης ζέστης απ' τη φωτιά, κι άρχισε να πραγματοποιεί εξόρμηση στο στήθος και την πλάτη μου.

Τα Χριστούγεννα του 1941, ξεκίνησαν με διαύγεια και κρύο. Τηρώντας το δικό μου μέρος της συμφωνίας με τον

Ηγούμενο της Σιμωνόπετρας, έφυγα λίγο πριν ξημερώσει για ένα άλλο σπίτι, στο οποίο θα μπορούσα να περάσω την ιερή εκείνη μέρα. Μετά από καμιά ώρα περπάτημα, ο ουρανός πάνω από τον Άθωνα, είχε αποκτήσει εκείνο το απαλό ροζ του σολωμού, διαχέοντας τις ελαφρές αποχρώσεις του στους χιονισμένους γκρεμούς και στα σύννεφα που περιτριγύριζαν την κορυφή του. Ήταν τόσο όμορφα γύρω μου, που μού κοβόταν η ανάσα. Βγήκα λίγο έξω απ' την πορεία μου για ν' ανεβώ σ' ένα φυσικό βωμό που πήρε το μάτι μου. Εκεί, αφού γονάτισα ταπεινά μπροστά στο ιερό βουνό, άρχισα να σκέφτομαι το νόημα των Χριστουγέννων και οι σκέψεις μου διακτινίστηκαν ακαριαίως στο πατρικό μου σπίτι, που βρισκόταν ακριβώς στην άλλη γωνιά της Γης. Εκεί όπου οι γονείς μου θα είχαν ήδη σηκωθεί νωρίς στο αγρόκτημα μας και θα ετοιμάζονταν, για να φτάσουν εγκαίρως στην εκκλησία του χωριού και να μεταλάβουν.

Οι μοναχοί μού είχαν πει πως δεν θα υπήρχε κανείς στο μικροσκοπικό, μονόχωρο σπίτι όταν θα έφτανα. Θα υπήρχε, όμως, ένας μεγάλος σωρός από ξύλα έτοιμα μπροστά από το τζάκι και πάνω σ' ένα μικρό τραπέζι, θα με περίμενε μια κανάτα κρασί και μια μερίδα φαγητό. Δεν ήμουν καθόλου, μα καθόλου, δυσαρεστημένος για την εξυπηρέτηση που δεχόμουν, ειδικά κάτω απ' τις περιστάσεις. Άναψα τη φωτιά και βολεύτηκα για να περάσω τα πιο μοναχικά, αλλά αρκετά ζεστά Χριστούγεννα της ζωής μου. Αφιέρωσα τον περισσότερο χρόνο του απογεύματος στον έλεγχο, σπιθαμή προς σπιθαμή, όλων των ρούχων μου και μείωσα με μεγάλη επιτυχία την αποικία των ψειρών μου.

Την επομένη των Χριστουγέννων, συνέχισα νωρίς το πρωί την πορεία μου ακολουθώντας μία διαδρομή που ξετυλιγόταν εκατέρωθεν μιας κορυφογραμμής, κατά μήκος της νότιας ακτής της χερσονήσου. Το βράδυ, με βρήκε μπροστά απ' τις πύλες της μικρής αλλά ξακουστής Μονής του Αγίου Διονυσίου. Πλησίασα στο δωματιάκι του κλειδοκράτορα, που βρισκόταν ακριβώς απέναντι απ' τις κύριες πύλες το μοναστηριού, και είπα στον ηλικιωμένο μοναχό ότι ήμουν γνώριμος και καλός φίλος με την αδελφότητα της Μονής που βρισκόταν στο μετόχι τους, το Μονοξυλίτη. Χάρηκε πολύ που έμαθε διάφορα νέα τους και με κάλεσε να πιούμε παρέα ένα φλιτζάνι καφέ. Εν τω μεταξύ, πήγε μέσα στο μοναστήρι για να ζητήσει άδεια φιλοξενίας. Επέστρεψε σε λίγα λεπτά, αρκετά ταραγμένος.

«Πρέπει να ξαπλώσεις!» είπε βιαστικά. «Ξάπλωσε εδώ στον πάγκο. Πρέπει να μοιάσεις σαν άρρωστος, καταλαβαίνεις; Σαν πολύ άρρωστος!»

Ι. Μ. Αγίου Διονυσίου

«Μα, καλέ μου Πάτερ», διαμαρτυρήθηκα, «νιώθω καλά σήμερα. Κοιμήθηκα καλά χθες το βράδυ και αισθάνομαι το τραύμα μου σε καλή κατάσταση!»

«Το...τραύμα σου; ... Τι εννοείς, είσαι τραυματισμένος; Πού; Είναι άσχημο;» Πιάστηκε από το γεγονός ότι ήμουν τραυματίας με τόση προφανή ανακούφιση, που δεν ήταν δύσκολο να μαντέψεις τη λεπτή θέση που βρισκόταν, και αμέσως μετά μού ομολόγησε, κάπως δειλά, «Βλέπεις, καλό μου παιδί, ήθελα να σιγουρέψω ότι θα σε δεχόταν το μοναστήρι και... τους είπα ένα μικρό ψέμα. Σε περιέγραψα ως άρρωστο στον Ηγούμενο μας, κι αυτός στέλνει τώρα τον π. Δημήτριο, τον γιατρό μας, να σ' εξετάσει. Αλλά... επειδή είσαι πράγματι τραυματίας, τελικά, ούτε εγώ είπα ψέματα αλλά κι εσύ θα μπορέσεις να μείνεις μαζί μας, απ' ότι φαίνεται».

Γέλασα με την ωμή και παιδική παραδοχή του, και συμπάθησα αμέσως εκείνο τον γέροντα μοναχό.

Σε λίγα λεπτά έφτασε ένας νεαρότερος μοναχός, με έναν αέρα σπουδαιότητας κρατώντας μια ιατρική τσάντα. Σύντομα και με σοβαρότητα, έβαλε την παλάμη του στο μέτωπό μου, πήρε τον σφυγμό μου και κοίταξε τη γλώσσα μου, κάνοντας τα όλα αυτά με πολύ επαγγελματισμό.

«Είναι πολύ τραυματισμένος», του είπε ο φύλακας, «ρίξε μια ματιά στο πόδι του γιατί είμαι σίγουρος ότι τον ταλαιπωρεί πολύ».

Ο νεαρός μοναχός ξετύλιξε τον επίδεσμο γύρω από το μηρό μου και στάθηκε πίσω με έκπληξη. Πάντα απολάμβανα το δύσπιστο ύφος που έπαιρνε όποιος αντίκριζε για πρώτη φορά το ταλαιπωρημένο και βαθύ τραύμα μου. Ο πορτάρης, κοίταξε πάνω από τον ώμο του συνασκητή του κι έμεινε άφωνος με το στόμα ορθάνοιχτο.

Με αυτόν τον τρόπο, η πληγή μου έγινε η κάρτα εισαγωγής μου στην ασφάλεια και

Γέρων Γαβριήλ Διονυσιάτης
(1886-1983)

την άνεση. Εντός ολίγου, με πήραν βιαστικά μέσα στο μοναστήρι και με έβαλαν σ' ένα κρεβάτι, στο δωμάτιο που χρησιμοποιούσαν ως νοσοκομείο. Ο Ηγούμενος[34] ήρθε κάτω για να με δει, καθώς μου έδεναν προσεκτικά το μηρό. Ήταν ένας επιβλητικός άντρας, όχι ιδιαίτερα νέος. Εισήλθε ακτινοβολώντας ένα θερμό καλωσόρισμα, φορώντας ένα μεγάλο ξύλινο εγκόλπιο, διακριτικό της θέσης του.

Οι μοναχοί στο Άγιο Όρος, βρίσκονταν εν τω μέσω της δικής τους νηστείας για τα Χριστούγεννα που θα γιόρταζαν δεκατρείς μέρες μετά από εκείνα της Δύσης, και στου Αγίου Διονυσίου έτρωγαν κανονικά μόνο το μεσημέρι, καθώς την

---

[34] Πρόκειται για τον Γέροντα Γαβριήλ Διονυσιάτη (κατά κόσμον Γεώργιο Καζάζη,), που υπήρξε μία απ' τις σημαντικότερες μορφές του Αγίου Όρους, κατά τον 20° αιώνα. Διετέλεσε Ηγούμενος της Μονής, από το 1934-1975. Στο τελευταίο του βιβλίο, μάλιστα, Αναμνήσεις και Νοσταλγίαι, που έλαβε το 1° Βραβείο του Υπουργείου Προεδρίας το 1954, αναφέρεται κι ο ίδιος στην περίπτωση του Σάντυ Τόμας αναλυτικά. Η Βασίλισσα της Αγγλίας του απένειμε παράσημο επειδή είχε βοηθήσει να διασωθούν πάρα πολλοί Άγγλοι στρατιώτες, αλλά εκείνος τής το επέστρεψε μετά τα γεγονότα της ΕΟΚΑ στην Κύπρο.

υπόλοιπη μέρα την έβγαζαν μόνο με ελιές, παξιμάδια και νερό. Τηρούσαν με ευχαρίστηση, αλλά και τυπικότητα τη διατροφή αυτή. Παρόλα αυτά, όμως, ο Ηγούμενος αποφάνθηκε με μία δόση διασκέδασης ότι, ως προτεστάντης και τραυματίας ανάμεσά τους, δε θα έπρεπε να υποστώ αναγκαστικά τις δικές τους συνειδητές στερήσεις.

Έτσι, απολάμβανα φρέσκα ψάρια, μύδια, ακόμα και χταπόδι. Μαγειρεμένα εις τύπον στιφάδου, έμοιαζαν πάρα πολύ με αρνίσιο κρέας. Οι μοναχοί στη Διονυσίου, είχαν υιοθετήσει τον κοινοβιακό τρόπο ζωής, σε αντίθεση με τα περισσότερα μοναστήρια που ήταν ιδιόρρυθμα και οι μοναχοί ζούσαν ξεχωριστά, χωρίς να εξαρτάται ο ένας από τον άλλο. Το Κοινοβιακό τυπικό στο Άγιο Όρος, μου είπαν, δεν προβλέπει την κατανάλωση οποιασδήποτε μορφής κρέατος. Ο Χριστός, μου εξήγησαν, τρεφόταν μόνο με τους καρπούς της γης και τα ψάρια, και ως γνήσιοι ακόλουθοι του, έκαναν κι εκείνοι το ίδιο. Το χταπόδι, λοιπόν, ήταν ένα απ' τα αγαπημένα τους φαγητά, και ευχαριστιόντουσαν ιδιαίτερα όταν έπιαναν στη διάρκεια της νηστείας.

Ένα απ' τα πρώτα βράδια μετά την άφιξή μου, ήρθε και με βρήκε ένας κοντός μεσήλικας μοναχός και μου μίλησε στ' αγγλικά με μια καταπληκτική αμερικανική προφορά. Τον έλεγαν Ιωάννη, αλλά εγώ τον αποκαλούσα Τζων. Είχε ζήσει στην Αμερική από παιδί μέχρι λίγο πριν τον πόλεμο, όταν μετά τον θάνατο της συζύγου του αποσύρθηκε στο Άγιο Όρος για ηρεμία και απομόνωση. Μέσα από πολλές ευχάριστες ώρες συνομιλιών μαζί του, απέκτησα μια καλή εικόνα της μοναστικής ζωής.

Μετά τις τρεις πρώτες μέρες στο κρεβάτι μού επέτρεψαν να σηκωθώ, με την προϋπόθεση ότι δεν θα το παράκανα, κι έτσι πήγαινα μόνο μέχρι το μικρό κελί του Τζων. Είχε φέρει απ' την Αμερική χρώματα και κουρτίνες κι είχε διακοσμήσει το κελάκι του έτσι ώστε να του θυμίζει λίγο την καμπίνα του *Queen Mary*, με το οποίο είχε ταξιδέψει για την Ευρώπη. Οι τοίχοι ήταν βαμμένοι άσπροι και μπλε, ο ξύλινος πάγκος που είχε για κρεβάτι ήταν χτισμένος πίσω από κουρτίνες για να μοιάζει με κουκέτα και το παράθυρο είχε αντικατασταθεί από ένα χοντρό κομμάτι ξύλου, στο κέντρο του οποίου είχε τοποθετηθεί ένα μεγάλο φινιστρίνι. Δεδομένου ότι το δωμάτιο του έβλεπε κατευθείαν στη θάλασσα, και η στεριά δε φαινόταν πουθενά, το αποτέλεσμα ήταν πολύ ρεαλιστικό.

«Καλημέρα, πώς είσαι σήμερα;» ήθελε να μάθει όταν πήγα να τον δω. «Καλώς ήλθες στην καμπίνα μου, κάνει πιο ζέστη εδώ απ' ότι πάνω στο κατάστρωμα», και είχε δίκιο. Η «καμπίνα» του, όπως ο ίδιος την αποκαλούσε, ήταν μακράν το θερμότερο δωμάτιο του μοναστηριού, κι ενώ έξω χιόνιζε βαριά, αποτελούσε ένα άνετο καταφύγιο. Περάσαμε ώρες, συζητώντας για την ιστορία του Άθω και για τις αρχές της μοναστικής ζωής.

«Στο Άγιο Όρος υπήρχαν σοφοί άνδρες, προ αμνημονεύτων χρόνων», μου είπε. «Πριν απ' την έλευση του Κυρίου μας, υπήρχαν φιλόσοφοι που έζησαν εδώ ως ερημίτες και μελετούσαν τα θαύματα της φύσης και τις ευλογίες του Θεού. Προαισθανόντουσαν τον ερχομό του Κυρίου».

«Κάποια στιγμή, χρόνια μετά το Γολγοθά, μεγάλοι άνδρες της Εκκλησίας και μαθητές του Κυρίου μας, έφτασαν εδώ και ίδρυσαν τα μοναστήρια που στέκονται ακόμα και σήμερα στην Αθωνική χερσόνησο. Όπως γνωρίζεις, υπάρχουν σήμερα είκοσι μοναστήρια διάσπαρτα γύρω από τον Άθω και, μερικές χιλιάδες μοναχοί.

«Κάθε ένα απ' αυτά τα μοναστήρια διοικείται σήμερα με τον ίδιο ακριβώς τρόπο, όπως συνέβαινε δεκάδες αιώνες πριν. Δώδεκα από τους πιο άξιους μοναχούς διορίζονται και αντιπροσωπεύουν τους δώδεκα μαθητές του Χριστού, αναλαμβάνοντας τις θέσεις τους. Κάθονται σαν κυβέρνηση γύρω από ένα τραπέζι στο οποίο μία δέκατη τρίτη θέση έχει μείνει κενή, έτσι ώστε να αποφασίσουν για τον καταλληλότερο Ηγούμενο του μοναστηριού τους.

«Κάθε ένα απ' τα μοναστήρια διορίζει έναν εκπρόσωπο του στην Κεντρική Διοίκηση στις Καρυές, κι από αυτούς επιλέγονται τέσσερις που με τη σειρά τους εξασκούν την καθημερινή επιστασία. Το Άγιο Όρος είναι ένα αυτόνομο κράτος, και η υπόσταση του είναι αναγνωρισμένη απ' τα Δικαστήρια των Αθηνών και από όλες τις μεγάλες δυνάμεις της Γης, εκτός, φυσικά, από τους Ναζί και τους φίλους τους. [35] Απλά εμείς, δεν πληρώνουμε φόρους, ούτε άλλα τέλη για τυχόν αντικείμενα που εισέρχονται ή εξέρχονται. «Κάποτε, τα μοναστήρια ήταν πολύ πιο πλούσια, πέρα από κάθε φαντασία. Οι Τσάροι της Ρωσίας κι όλοι οι Ορθόδοξοι Άρχοντες των Βαλκανίων, έδιναν κάθε χρόνο μυθικά ποσά σε κάθε μοναστήρι, ικανά να τροφοδοτήσουν μια μεγάλη πόλη. Εκείνες τις εποχές, υπήρχαν πολλοί περισσότεροι από μας εδώ, και στον Άθω άνηκε σχεδόν όλη η Θράκη.

«Σταδιακά, κα μετά από πολέμους κι επαναστάσεις περιοριστήκαμε στην χερσόνησο μας. Οι τουρκικές ορδές μάς πολιορκούσαν στα γύρω βουνά και εμείς αντιστεκόμασταν χτίζοντας κάστρα και τείχη γύρω απ' τις εκκλησίες μας και πολεμούσαμε τους Οθωμανούς με το σπαθί και τη φωτιά, με πίσσα και βραστό νερό, μέχρι να εγκαταλείψουν τις προσπάθειες τους. Χάσαμε, όμως, πολλά ανεκτίμητα κειμήλια απ' τις λεηλασίες τους, και μερικές απ' τις πιο παλιές εκκλησίες μας ισοπεδώθηκαν. Τα ερείπια τους φαίνονται μέχρι σήμερα.

«Μετά το Μεγάλο Πόλεμο, που για σας τους Δυτικούς μπορεί να τελείωσε το 1918, αλλά για την Ελλάδα το 1922, δώσαμε το σύνολο, σχεδόν, της εύφορης γης που είχαν τα μοναστήρια στους Έλληνες πρόσφυγες της Μικράς Ασίας, η οποία παραχωρήθηκε στην Τουρκία απ' τις Μεγάλες Δυνάμεις. Οι πρόσφυγες απ' τη Σμύρνη κατέφτασαν τόσο άποροι κι εξαθλιωμένοι που μόνο η φιλανθρωπία του Αγίου Όρους και της Εκκλησίας τούς κράτησαν ζωντανούς απ' την πείνα και τη λήθη.

«Απ' τότε ζούμε με τους δικούς μας πόρους, από τους ελαιώνες, τους αμπελώνες, και τους μικρούς σιτοβολώνες που μπορούμε να καλλιεργούμε. Η Ρωσική Επανάσταση, μάς έκοψε τη μεγαλύτερη πηγή εσόδων, διότι οι Τσάροι

---

[35] Τελικά ο Χίτλερ πείσθηκε απ' την διπλωματία των Μοναχών, και «προστατέψε» το Άγιο Όρος, υπό τον κίνδυνο να το οικειοποιηθούν οι Βούλγαροι, κάτι το οποίο θα σήμαινε την πλήρη βεβήλωση και σλαβοποίηση του.

ήταν πάντα οι πιο γενναιόδωροι.

«Αλλά, όπως έχεις διαπιστώσει κι εσύ, δε μας λείπει τίποτε απ' όλα εκείνα που είναι απαραίτητα για μια απλή ζωή προσευχής κι αφοσίωσης. Μερικές φορές, μάλιστα, νομίζω ότι τώρα είμαστε ακόμα καλύτερα επειδή πρέπει να κοπιάζουμε περισσότερο για τον *άρτον τον επιούσιον* και τον *οίνον που ευφραίνει την καρδίαν*».

Μια μέρα τον ρώτησα, από πού έρχονται όλοι οι μοναχοί, τί τους ώθησε να ασπαστούν μία ζωή απομόνωσης, και τι περιέχει ο όρκος αφοσίωσης που δίνουν.

«Οι άνθρωποι που θέλουν να ακολουθήσουν τον μοναχισμό», είπε, «αφήνουν τον έξω κόσμο για πολλούς λόγους. Κάποιοι έχουν την κλίση αυτή εκ γενετής, ενώ σε άλλους η αφορμή για την ενεργοποίηση αυτής της κλίσης, είναι ένα θλιβερό ή δυσάρεστο γεγονός της ζωής τους. Υπάρχουν άλλοι που ξυπνούν μες στη νύχτα, ή ξαφνικά κι ανεξήγητα, σταματούν να θέλουν να τον ίδιο τρόπο ζωής, κι αρχίζουν να σκέφτονται βαθύτερα το νόημα της ύπαρξής τους σ' αυτόν τον κόσμο. Αντιλαμβάνονται για πρώτη φορά, ότι οι επιδιώξεις οι οποίες τους φαίνονταν σημαντικές μέχρι πρότινος, ήταν στην ουσία ανώφελες και πολύ λιγότερο χρήσιμες, για 'κείνους, απ' ό,τι νόμιζαν. Αμέσως, τα παράτησαν όλα, όπου και αν βρίσκονταν, Αμερική, Αυστραλία, ή εδώ στην Ελλάδα και, σαν τον άσωτο υιό της παραβολής τού Κυρίου, έρχονται ταπεινά στο Όρος για να εμβαθύνουν περαιτέρω στην πνευματική ζωή. Παρόλ' αυτά, δεν γίνονται όλοι όσοι έρχονται δεκτοί, ως μοναχοί. Η πλειοψηφία, πάντως, εκείνων που γίνονται μοναχοί το αποφασίζει σε νεαρή σχετικά ηλικία, και προέρχεται από πιστές Ορθόδοξες οικογένειες, από διάφορα μέρη του κόσμου, που είχαν και προγόνους μοναχούς ή ιερείς.

«Επί πολλούς αιώνες, παλαιότερα, υπήρχε το έθιμο μία οικογένεια να προσφέρει συνήθως το πρώτο ή το δεύτερο παιδί της στην Εκκλησία -κάποιοι πρόσφεραν ακόμη και το μοναχοπαίδι τους. Οι περισσότεροι, ακόμα και σήμερα, επισκέπτονται το Άγιο Όρος σε εφηβική ηλικία. Όσοι έχουν την απαραίτητη κλίση για τον μοναχισμό, κι αισθάνονται μέσα τους ότι υπάρχει και η κλήση του Θεού, εκπαιδεύονται σύμφωνα με τους τρόπους και τις διδασκαλίες του Γέροντα στον οποίον αναπαύονται. Όταν θεωρηθούν ώριμοι, κατηχούνται, κι αν κριθούν κατάλληλοι, καλούνται να αποποιηθούν τις απολαύσεις και τις ιδιοτροπίες του έξω κόσμου, και να γίνουν μέλη στην ειρηνική αδελφότητα κάποιας Μονής. Πολύ λίγοι είναι εκείνοι που αποτυγχάνουν. «Τι να σημαίνει τώρα ο όρκος της αποποίησης; ... Ε, αυτό διαφέρει ανάλογα με τον άνθρωπο που τον δίνει. Ένα είναι σίγουρο: ότι αρνείται να έχει πρόσβαση στους καθημερινούς κοσμικούς πειρασμούς. Το πώς θα υπηρετήσει ένας μοναχός καλύτερα το μοναστήρι δια της υπακοής του στον Γέροντα, διαφέρει για τον καθένα ανάλογα με τις δυνατότητες και το ζήλο του.

«Γνωρίζεις ότι κάθε χρόνο τα μοναστικά καθήκοντα μοιράζονται μεταξύ μας.[36] Εκτός απ' αυτό, κάθε μοναχός μπορεί να προτείνει κι ο ίδιος, ανάλογα με τις επιθυμίες και τις ικανότητές του, μία διακονία π.χ. ως φύλακας στο βουνό, ή ως εργαζόμενος στους αμπελώνες, ή ως ψαράς ... ή αν, απ' την άλλη πλευρά, θέλει να μάθει την αγιογραφία, να μελετά τη θεολογία ή την ιστορία. Σε άλλους φαίνεται, απ' την αφοσίωση τους, ότι προορίζονταν να υπηρετήσουν το Χριστό στο θυσιαστήριο, οπότε τους παρέχεται προσεκτική καθοδήγηση για τον δύσκολο δρόμο της ιεροσύνης.

«Σε όλους μας υπάρχει η ικανοποίηση μιας ζωής αφιερωμένης στον Κύριο, ο οποίος ήταν και ο πρώτος μοναχός, κι προσπαθούμε καθημερινά κι ακατάπαυστα να εργαζόμαστε όλοι μαζί σύμφωνα με τον θέλημα Του, για να δημιουργούμε μια ευτυχισμένη αδελφότητα. Κι όταν γερνάμε, και δεν μπορούμε να είμαστε πια το ίδιο χρήσιμοι, αποσυρόμαστε στην πτέρυγα των γεροντότερων, όπου οι ηλικιωμένοι φροντίζονται με τη δέουσα ευλάβεια και σεβασμό, από τους νεότερους μοναχούς».

Κάποια στιγμή, ο Τζων με πήγε να δω τους γεροντότερους μοναχούς. Είκοσι απ' αυτούς, καθόντουσαν σε ένα δωμάτιο το οποίο ήταν, επιεικώς, υπερθερμασμένο.

---

[36] Τα Διακονήματα, δηλ. οι ευθύνες που αναθέτονται σε κάθε μοναχό στη Μονή.

Ο νεότερος ήταν τουλάχιστον εβδομήντα χρόνων, και ο γηραιότερος, ένας βετεράνος χωρίς δόντια, ενενήντα πέντε. Δύο ή τρεις απ' αυτούς ήταν λίγο μεμψίμοιροι -ένας έκλαιγε πικρά όταν μπήκαμε- αλλά ως επί το πλείστον, δεν μπορούσα να μην μείνω εντυπωσιασμένος απ' την ατμόσφαιρα στο δωμάτιο τους.

Προέρχονταν από όλα τα μετερίζια ... δύο παλαιοί ιερείς, ένας καλλιεργημένος αστρονόμος, κάποιοι εντυπωσιακά μορφωμένοι άνδρες, καθώς επίσης κι ένας πρώην φούρναρης, ένας πρώην μάγειρας κι ένας πρώην γεωργός. Πάντως, όλοι φαίνονταν να βρίσκονται σε πολύ καλή κατάσταση. Ένας ψηλός και μάλλον μυώδης γέροντας, τουλάχιστον ογδόντα χρόνων, έδειξε να 'χει το μεγαλύτερο ενδιαφέρον για το ότι είχα φτάσει εκεί απ' την κάτω πλευρά του πλανήτη. Μέσ' από ένα μεγάλο ντουλάπι στον τοίχο ξετρύπωσε μία παλιά υδρόγειο σφαίρα πάνω στην οποία ήταν ζωγραφισμένες οι Ήπειροι. Επέδειξε στους λιγότερο μορφωμένους το πού ήταν η Ελλάδα και μου ζήτησε να τους δείξω τη Νέα Ζηλανδία. Προς απογοήτευση μου, δεν υπήρχε καν πάνω στην υδρόγειο, αλλά δεν υπήρχε ούτε κι η Αυστραλία, οπότε σκέφτηκα ότι θα φαινόμουν λίγο ξυπνάκιας αν τους εξηγούσα ότι η υδρόγειος που είχαν εκεί, ήταν κατά μερικούς αιώνες ξεπερασμένη. Ωστόσο, ο ψηλός γέροντας με πρόλαβε αποφασιστικά. Είχε ταξιδέψει στο εξωτερικό όταν ήταν στα νιάτα του, κι απ' την πρώτη στιγμή που είχε δει την υδρόγειο, ήξερε πως ήταν ελλιπής. «

Η Αυστραλία και η Νέα Ζηλανδία, εξήγησε στο κοινό του, είναι μάλλον πολύ μικρά μέρη, για να εμφανίζεται σε όλους τους χάρτες...», είπε κλείνοντάς μου το μάτι.

Παρέμεινα στο Μοναστήρι του Αγίου Διονυσίου συνολικά εννιά μέρες. Ήξερα ότι ο Ηγούμενος ήταν κάτι περισσότερο από πρόθυμος στο να μου επιτρέψει να περάσω το μεγαλύτερο μέρος του χειμώνα μαζί τους, παρά τον ξεκάθαρο και συνεχή κίνδυνο να ανακαλυφθώ από τους Γερμανούς, αλλά ανησυχούσε, επίσης, και για το τραύμα μου. Μια μέρα, μού είπε ότι ήθελε να πάω στο Μοναστήρι της Μεγίστης Λαύρας, όπου ένας παλιός φίλος του ήταν εξειδικευμένος γιατρός. Ο μοναχός Δημήτρης, ο γιατρός, πληγώθηκε λίγο θα 'λεγα, αλλά στήριξε την άποψη του ηγουμένου του. Μου είπαν να προετοιμαστώ για το ταξίδι, το οποίο θα γινόταν δια θαλάσσης, για να γλυτώσω πολλά χιλιόμετρα δύσκολης διαδρομής.

Πήγα μέχρι τον Τζων και την «καμπίνα» του, για να τον αποχαιρετήσω. Του ήταν πολύ δυσάρεστο το γεγονός ότι έπρεπε να φύγω, γιατί του άρεσε πολύ που κουβεντιάζαμε στ' αγγλικά. Τον ρώτησα στα σοβαρά, πριν φύγω, με ποιο τρόπο θα μπορούσα να πάω δια θαλάσσης προς την Τουρκία, όταν ο καιρός υποχωρούσε.

«Οι μοναχοί της Λαύρας είναι πολύ πλούσιοι», είπε, «και έχουν πολλές άκρες. Νομίζω ότι θα προσπαθήσουν να σε βοηθήσουν. Θα σου δώσω κι εγώ ένα σημείωμα προς τον ίδιο γιατρό που κι ο Ηγούμενος μας σου συνέστησε, και θα του ζητάω να κάνει όλα όσα περνούν από το χέρι του για να σε βοηθήσει. Και να θυμάσαι, ότι ακόμα κι αν όλα τα άλλα αποτύχουν, εδώ, θα είσαι πάντα ευπρόσδεκτος».

Όταν μάζεψα τα λιγοστά μου υπάρχοντα, όλοι οι φίλοι μου μοναχοί με συνόδευσαν έξω απ' τις πύλες, κάτω στις απότομες σκάλες που οδηγούσαν προς τη θάλασσα. Εκεί, περιμένοντας να με αποχαιρετήσει, ήταν κι ο ίδιος ο Ηγούμενος με το ξύλινο σκήπτρο στο χέρι. Δύο μοναχοί που ήταν μέσα σε μια μεγάλη βάρκα με κουπιά, προσπαθούσαν να την κρατήσουν μακριά από τον λαξευμένο βράχο, που εκτελούσε χρέη προβλήτας. Πριν επιβιβαστώ στη βάρκα, γονάτισα με τους αστραγάλους μου να είναι εκτεθειμένοι στα στροβιλιζόμενα κύματα, κι ο Ηγούμενος τοποθέτησε το ένα του χέρι στο κεφάλι μου και με ευλόγησε.

Όταν μπήκα στη βάρκα και κάθισα στην πρυμιά θέση, οι δύο μοναχοί που στέκονταν ώμο με ώμο στραμμένοι προς τα εμπρός, άρχισαν να κωπηλατούν με τα μακριά κουπιά που στηρίζονταν πάνω σε ξύλινα πιρούνια, μισό μέτρο ψηλότερα απ' τις κουπαστές.

Το μακρύ ταξίδι κράτησε συνολικά δύο μέρες. Την πρώτη μέρα, φτάσαμε στην άκρη της χερσονήσου και πλεύσαμε κάτω απ' τα απόκρημνα βράχια και τις απαγορευτικές κορυφογραμμές του Άθω. Για πάνω από τρεις ώρες διασχίζαμε κατά μήκος μια τεράστια κατολίσθηση, όπου ένα τεράστιο κομμάτι του βουνού είχε γκρεμιστεί στη θάλασσα. Μεγάλες πλάκες των βράχων ξεμυτούσαν έξω απ' τη θάλασσα, στη βάση του Άθω, αλλά υπήρχαν πολλά εκατομμύρια τόνοι από πάνω, που έμοιαζαν έτοιμοι να πάρουν τον κατήφορο. Έμεινα άφωνος, όταν είδα ψηλά ένα καλά σηματοδοτημένο μονοπάτι να διατρέχει τους χαλαρούς και ανακατωμένους ογκόλιθους.

Αργά το δεύτερο απόγευμα, περιπλεύσαμε ένα ογκώδες ακρωτήριο και φτάσαμε σε ένα μεγάλο κόλπο από τον οποίο ξεκινούσε η πιο εύφορη και καλλιεργήσιμη κοιλάδα που είχα δει μέχρι τότε στην ιερή χερσόνησο. Στο κέντρο αυτής της κοιλάδας, μερικά δεκάδες μέτρα πάνω απ' τη βραχώδη παραλία, βρισκόταν μια καλά οχυρωμένη μονή. Την περιτριγύριζαν τέλειοι και πλούσιοι αμπελώνες κι ελαιώνες, έχοντας εδώ και 'κει εντυπωσιακά κυπαρίσσια, ηλικίας αρκετών αιώνων.

«Η Μεγίστη Λαύρα!» ανακοίνωσε ένας από τους βαρκάρηδες, που στηριζόταν στο κουπί του για να απολαύσει το θέαμα περισσότερο. «Έχουν περάσει χίλια χρόνια κι εξακολουθεί να είναι ένα απ' τα πιο εντυπωσιακά κτήρια στο Άγιο Όρος».

Καθώς πλησιάζαμε μέσα στο φυσικό λιμάνι, ένα πέτρινο μονοπάτι φάνηκε να περνάει ανάμεσα από τους ελαιώνες. Το ενδιαφέρον μου επικεντρώθηκε ξαφνικά σε τρεις φιγούρες με γκριζοπράσινα ρούχα, που έσπευδαν να φτάσουν στην πέτρινη προβλήτα πριν από μας.

«Ωχ Θεέ μου, Γερμανοί!» φώναξα στ' αγγλικά και τινάχτηκα προς την πλώρη της βάρκας για να ακινητοποιήσω τους κωπηλάτες.

«Δεν είναι Γερμανοί», είπε ο ένας, διασκεδάζοντας με την ανησυχία μου. «Είναι αστυνόμοι. Και μάλιστα καλοί. Αυτός εκεί είναι ο Φίλιππος με τους δύο βοηθούς του. Δεν είναι μόνο καλοί φίλοι των μοναχών, αλλά και των Εγγλέζων. Δεν έχεις κανένα φόβο, είσαι σε πολύ καλά χέρια».

Ο αρσανάς της Μεγίστης Λαύρας

Λίγο πιο μετά, με συνέστησαν στον Φίλιππο, έναν μεγαλόσωμο Έλληνα με ωραία στολή. Μου έσφιξε το χέρι σταθερά και μού είπε χαμογελώντας, «Λοιπόν, Τόμας, χαιρόμαστε πολύ που σε βλέπουμε. Είχαμε ακούσει ότι ήσουνα στον Άθω κι αναρωτιόμασταν πότε θα ερχόσουν απ' τα μέρη μας. Δεν φανταζόμουν, βέβαια, ότι θα σας έβλεπα όλους να κωπηλατείτε τόσο απροκάλυπτα στην περιοχή μου. Είμαι σίγουρος ότι ο Ηγούμενος τού Αγίου Διονυσίου έχει μεγαλύτερη διάκριση. Αν είχατε φτάσει λίγο μετά το σκοτάδι, θα αισθανόμουν πολύ πιο άνετα, αλλά σε κάθε περίπτωση είστε ευπρόσδεκτοι. Έλα να ξαποστάσεις, να φας λίγο φαΐ και να πιεις μια γουλιά κρασί».

Αποχαιρέτησα τους δύο ανήσυχους βαρκάρηδες που ήθελαν να πάρουν το συντομότερο το δρόμο της επιστροφής, και στη συνέχεια με οδήγησαν σε ένα πέτρινο κτήριο που έμοιαζε με μικρό κάστρο. Δύο ακόμα αστυνόμοι ξεπήδησαν σε προσοχή και ένδειξη σεβασμού προς τον ανώτερο τους, κι όλοι μαζί καθίσαμε διατεταγμένα γύρω από ένα μεγάλο ξύλινο τραπέζι. Όλο το σκηνικό μού θύμιζε τόσο πολύ στρατώνα, που δεν μου ήταν δύσκολο να προσαρμοστώ αμέσως.

Η Ιερά Μονή Μεγίστης Λαύρας

Πριν κάνει την εμφάνιση του το φαγητό, ένας από τους βοηθούς είχε σταλεί στο μοναστήρι με ένα γραπτό μήνυμα από τον Φίλιππο, με το οποίο ρωτούσε αν μου επέτρεπαν την είσοδο. «Μα το στομάχι μου!» αναφώνησε ένας από τους νεότερους αστυνομικούς όταν έφτασε τελικά το γεύμα, «το πόσο θα χαρώ όταν οι μοναχοί τελειώσουν τη νηστεία τους δε λέγεται! Από τότε που ξεκίνησε, το φαγητό άρχισε να μειώνεται, συνεχώς. Επειδή εκείνοι παλεύουν να μη το χρειάζονται, δεν καταλαβαίνω γιατί πρέπει να κάνουν κι εμάς να πεινάμε!»

«Αν ήσουν καλός Χριστιανός, Νίκο, δε θα σε πείραζε και θα νήστευες μ' ευχαρίστηση», είπε ο Φίλιππος, χαμογελώντας.

«Αυτό, ίσως έχει αρκετή δόση αλήθειας», απάντησε ο νεότερος, «αλλά έχω και να καλύψω κάθε μέρα σαράντα χιλιόμετρα περιπολίας σε αυτό το βουνό, και γι' αυτό ισχυρίζομαι πως είναι διαφορετικά για ένα μοναχό, που το μόνο που κάνει κάθε μέρα είναι να προσεύχεται, κι αλλιώς για μένα». Γύρισε προς το μέρος μου: «Ο Τόμας, έφτασε στην κατάλληλη στιγμή, πάντως. Γι 'αυτόν, υπάρχει τώρα μόνο καλοπέραση, καλό φαΐ και κρασί!»

Μετά από καμιά ώρα, ο αγγελιαφόρος ήρθε πίσω, φέρνοντας μαζί του κι ένα μεγάλο μουλάρι. Με το Φίλιππα να κρατά τα ηνία, διέσχισα το πολυκαιρισμένο καλντερίμι που οδηγούσε στην είσοδο της Λαύρας. Την ώρα που ο ήλιος βυθιζόταν στη θάλασσα, οι μεγάλες καμπάνες σήμαιναν το τέλος της μέρας. Φτάσαμε σε μία ψηλή καμάρα κάτω απ' τα τείχη. Ο πορτάρης μάς είδε κι άνοιξε. Μόλις περάσαμε μες στη μεγάλη αυλή, οι τεράστιες πύλες ανακοίνωσαν βαρύγδουπα το σφράγισμα του Μοναστηριού.

Η αδιαμφισβήτητη προστάτης του Άθω και των κατοίκων του

ΠΑΡΑ ΤΡΙΧΑ

«Έχω μελετήσει καλά το όλο θέμα», είπε ο Παυλίδης, ο χαμηλόφωνος και καλλιεργημένος γιατρομόναχος της Μεγίστης Λαύρας, «και έχω να σου κάνω διάφορες προτάσεις, αλλά όχι τώρα. Ας απολαύσουμε πρώτα το γεύμα που οικονόμησε ο Κύριος και σήμερα».

Καθήσαμε σε ένα μικρό τραπέζι στο δωμάτιο του καλού γιατρού, έχοντας μπροστά μας ένα νόστιμο γεύμα από μακαρόνια με λευκό τυρί. Διάνυα, ήδη, τη δέκατη μέρα στο μοναστήρι κι αυτή ήταν η πρώτη φορά που «μου έκαναν το τραπέζι» εκτός νοσοκομείου, διότι συνήθως ήμουν υποχρεωμένος να διαμένω και να τρώω εκεί. Οι μοναχοί της Μεγίστης Λαύρας διέφεραν από του Αγίου Διονυσίου διότι ζούσαν Ιδιόρρυθμα, δηλαδή, περισσότερο απομονωμένα μεταξύ τους. Ένα απ' τα χαρακτηριστικά αυτού του τρόπου ζωής ήταν ότι δεν δειπνούσαν μαζί ως αδελφότητα. Απ' την άλλη μεριά, τούς επιτρέπονταν δύο μεγάλα προνόμια. Πρώτον, μπορούσαν μεταξύ νηστειών να τρώνε ακόμα και κόκκινο κρέας αν ήθελαν και, αφετέρου, μπορούσαν να φέρουν μαζί τους στο μοναστήρι, και να συνεχίσουν να κατέχουν, κοσμικό πλούτο. Αυτό, επέτρεπε σε κάποιους να ζουν σε καλά επιπλωμένα δωμάτια, και να καταβάλλουν ένα μισθό σε νεότερους μοναχούς για να τους εξυπηρετούν.

«Λοιπόν, τώρα Παυλίδη», τον επανέφερα στο θέμα όταν ολοκληρώσαμε το γεύμα μας, «ποιες είναι οι ειδήσεις που μου φέρνεις; Ποιες είναι οι προτάσεις που, όπως μού είπες πριν, θα με βοηθούσαν να πραγματοποιήσω τον μεγάλο μου πόθο και να μεταβώ στην Αίγυπτο;»

«Μην περιμένεις από μένα να σου παρουσιάσω ένα απλό σχέδιο ή να σου δώσω οποιοδήποτε είδος απάντησης στις προσευχές σου. Μπορώ όμως να προσπαθήσω να σου δείξω, ποιες είναι οι δυνατότητες που υπάρχουν.

«Αντιλαμβάνεσαι, πως τα σκάφη σε αυτήν την περιοχή ή οπουδήποτε αλλού στην Ελλάδα, αποτελούν τα μόνα βιοποριστικά μέσα πολλών ανδρών -ιδιαιτέρως τη σημερινή εποχή που στερούνται σχεδόν τα πάντα.

Ως εκ τούτου, είναι δύσκολο να περιμένεις από κάποιον, όσο πατριώτης και να είναι, ότι θα σου έδινε μια βάρκα για το τίποτα. Απαιτείται ένα μεγάλο χρηματικό ποσό και υποθέτω πως εσύ δεν κατέχεις περισσότερες από μερικές δραχμές».

Στην πραγματικότητα, είχα περίπου οκτώ χιλιάδες δραχμές, τις περισσότερες εκ των οποίων τις είχα κερδίσει σε εκείνο το θριαμβευτικό παιχνίδι, την τελευταία μου μέρα στο στρατόπεδο αιχμαλώτων της Θεσσαλονίκης. Του είπα ακριβώς τα πράγματα όπως είχαν.

«Αυτό είναι τουλάχιστον κάτι», απάντησε ατάραχος, «αλλά δεν θα σε πάει και πολύ μακριά σήμερα. Οι οκτώ χιλιάδες δραχμές θ' αντιστοιχούσαν κανονικά σε πενήντα λίρες, αλλά σήμερα έχουν κρατήσει, μόνο το ένα εκατοστό της προηγούμενης αξίας τους. Πρέπει να καταλάβεις ότι οι Γερμανοί έχουν πλημμυρίσει τη χώρα με χαρτονομίσματα. Κάποια στιγμή, όλοι είχαν τρελαθεί με τις χαμηλές τιμές που επικρατούσαν για τα πάντα, αλλά στη συνέχεια ανακαλύψαμε ότι ήταν απλά ένα καλά οργανωμένο κόλπο για να λεηλατηθεί η χώρα. Σήμερα χρειάζονται εκατό χιλιάδες δραχμές για να αγοράσει κάποιος έστω ένα μικρό σκάφος».

Μόλις το άκουσα αυτό απελπίστηκα, κι ο Παυλίδης πρέπει να πρόσεξε τις λυπημένες μικροεκφράσεις του προσώπου μου. Γέμισε το ποτήρι μου πάλι και είπε, «Ωστόσο, μην ανησυχείς πολύ. Δεν είσαι χωρίς φίλους στο μοναστήρι. Θα σε βοηθήσω κι εγώ, με όσα λίγα έχω, αλλά κι ο παπα-Γρηγόρης που μου εμπιστεύτηκε ότι θα ρίσκαρε κι όλη του την περιουσία για να σε βοηθήσει. Και νομίζω ότι ο παπα-Γρηγόρης έχει μεγάλη περιουσία».

Αυτή, ήταν η καλύτερη είδηση που θα μπορούσα ν' ακούσω. Πέραν της οικονομικής πλευράς του θέματος, ευχαριστήθηκα που άκουσα ότι κι ο παπα-Γρηγόρης με εμπιστευόταν. Επρόκειτο για έναν γιγαντιαίο άνδρα, σκουρόχρωμο, με βαριά χαρακτηριστικά, διεισδυτικά καστανά μάτια, που αποτελούσε το φόβο όλων των μικρότερων μοναχών. Απ' την πρώτη κιόλας μέρα που έφτασα στη Λαύρα, μού είχε φερθεί περισσότερο από φιλόξενα στέλνοντας κάτω στο νοσοκομείο τον βοηθό του, τον μοναχό μικρο-Φίλιππα, δύο φορές τη μέρα με νόστιμα πιάτα για να συμπληρώνει τις, ούτως ή άλλως, επαρκείς μερίδες μου. Στα νιάτα του είχε πάει στην Αμερική, όπου είχε μάθει κάποια αγγλικά, ενώ έκανε μεγάλη περιουσία από το εμπόριο σίτου. Αποφάσισε να μονάσει λίγο μετά τα τριάντα του χρόνια, κι αφού έφερε μαζί όλες του τις οικονομίες στον Άθω, εγκαταστάθηκε σ' ένα μικρό αγρόκτημα κοντά στη Λαύρα κι αποφάσισε να σπουδάσει θεολογία. Τώρα, μετά από χρόνια επιμονής, ήταν ένας πλήρως συγκροτημένος ιερέας κι ένας από τους πιο σεβάσμιους πατέρες στο μοναστήρι.

«Πότε, λοιπόν, πιστεύεις ότι θα μπορούσα να ήμουν σε θέση να φύγω;» τον ρώτησα, γιατί δε φαινόταν να υπάρχει κάποιο άλλο εμπόδιο.

«Αυτό παιδί μου, εξαρτάται από δύο πράγματα», απάντησε ο Παυλίδης. «Πρώτον, απ' τις καιρικές συνθήκες. Κανένας Έλληνας που γνωρίζει το Αιγαίο δε θα έπεφτε στη θάλασσα με αυτό το καιρό. Να θυμάσαι ότι στο μόνο που μπορείς να ελπίζεις, είναι ένα μικρό αλιευτικό σκάφος, ίσα-ίσα για να χωράει τέσσερις ή πέντε άνδρες, κι ένα τέτοιο σκάφος δεν θα σας πάει σε μια νύχτα εκεί που θέλετε. Δεύτερον, θα πρέπει να βρείτε κάποιον που θα αναλάβει να σας οδηγήσει, γιατί μην θεωρείς εύκολο επίτευγμα να πλεύσετε από εδώ ως τα παράλια της Μικράς Ασίας».

«Έχετε κάποιον στο μυαλό σας;» ρώτησα.

«Υπάρχουν διάφοροι πολίτες που εργάζονται στο Άγιο Όρος σε διάφορες θέσεις. Ένας από αυτούς είναι ο καλός μου φίλος Κώστας Μομογός και, παρόλο που ο ίδιος δεν είναι ναυτικός, πιστεύω πως θα είναι σε θέση να μας βρει έναν.»

«Πού μπορεί να είναι τώρα αυτός ο Μομογός; Στο μοναστήρι;» ρώτησα ανυπόμονα, έτοιμος να τον αναζητήσω επί τόπου.

«Όχι, διαμένει περίπου τρεις ώρες από εδώ. Μας επισκέπτεται, όμως, τουλάχιστον μια φορά το μήνα και μπορεί να φανεί από μέρα σε μέρα».

Σηκωθήκαμε από το μικρό τραπέζι για είχε πάει αργά. Είπα να τον αποχαιρετήσω με τις ευχαριστίες μου, ωστόσο ο Παυλίδης δεν είχε καμία πρεμούρα να αποσυρθεί ακόμα. Με τράβηξε έξω σε ένα μικρό μπαλκόνι. «Αυτή είναι η πιο ξεκούραστη θέση του κελιού μου», είπε χαμογελώντας. «Εδώ δουλεύω, όταν δεν κάνει πολύ κρύο, και κάνω τις βιβλιοδεσίες μου. Δεν είναι μια πανέμορφη θέα για ν' αγναντεύει ένας γέρος στα τελευταία χρόνια της ζωής του;»

Το φεγγάρι, γεμάτο κατά τρία τέταρτα, έλαμπε μέσα από διάσπαρτα σύννεφα απλώνοντας ένα ασημί θαλάσσιο μονοπάτι που ξεκινούσε από τον ορίζοντα, μέχρι και τις χιονισμένες βραχώδεις ακτές. Το γαλανόλευκο χιόνι που έφτανε μέχρι την ακτή, έκανε όλες τις ελιές και τα κυπαρίσσια να μοιάζουν σαν ομοιόμορφα στρογγυλεμένα αγάλματα που έριχναν τις μεγάλες σκιές τους προς το μέρος μας. Τα πάντα γύρω μας αδρανούσαν εν πλήρη ησυχία και τάξη, κι ο μόνος ήχος που ακουγόταν ήταν εκείνος των κυμάτων που μετέφερε το ισχνό αεράκι.

Συμμετείχαμε και οι δύο στη σιωπή, για λίγα λεπτά

Μετά από λίγο, ο Παυλίδης την διέκοψε λέγοντας, «Αμέτρητοι άνθρωποι του Πνεύματος και της Πίστης έχουν σταθεί σ' αυτό το μπαλκόνι τα τελευταία χίλια χρόνια, και δεν υπάρχει αμφιβολία ότι κάποιοι απ' αυτούς βασάνισαν πολύ το μυαλό τους για το πώς θα βοηθούσαν κι άλλους κατατρεγμένους να διαφύγουν μέσα απ' αυτές τις θάλασσες. Νομίζω ότι τα πράγματα θα πάνε όπως τα θέλουμε, αν και για σένα το πιο χρήσιμο κι απαραίτητο πράγμα, είναι η υπομονή».

Ευχαρίστησα τον Παυλίδη και κίνησα για το νοσοκομείο μέσα από τους στενόμακρους διαδρόμους που υποφωτίζονταν από τις μεγάλες ακτίνες του φεγγαριού, και κατέβηκα τη σκάλα που έβγαζε στην αυλή.

Ένας άλλος φίλος, ο π. Χρυσόστομος, είχε στήσει καρτέρι για να με συναντήσει μόλις θα επέστρεφα στην καλοδιατηρημένη αίθουσα που ήταν αφοσιωμένη στους ασθενείς. Είχε ενθουσιαστεί τόσο πολύ από το γεγονός του δείπνου με τον γιατρό, έναν εκ των «ανωτέρων» της Μονής, που ήταν ανυπόμονος να μάθει τα πάντα για αυτό. Με πίεζε για λεπτομέρειες, όπως το τι φάγαμε, αν μας περιποιήθηκαν, πώς μας σέρβιραν τα φαγητά, αν ήταν νόστιμα κτλ. Ο π. Χρυσόστομος ταίριαζε επαρκώς με την ιδέα που είχα για τους μοναχούς, πριν έρθω στο Άγιο Όρος. Παχουλός κι ευχάριστος, με τα ράσα του δεμένα γύρω απ' τη μεγάλη κοιλιά του με μία τεράστια ζώνη. Είχε ακόμη και την απαραίτητη φαλάκρα που ολοκλήρωνε την εικόνα. Και εννοείται πως ήταν ένας καταξιωμένος μάγειρας και, φυσικά, είχε και τις ανάλογες διατροφικές ανάγκες. Αν και η εύσωμη μορφή του μαζί με την απύθμενη όρεξη του, τον είχαν μετατρέψει σε μασκότ και σημείο αναφοράς για πειράγματα, απαντούσε σε όλους ετοιμόλογα και με χιούμορ, χαρακτηριστικά που τον καθιστούσαν τον πιο δημοφιλή απ' όλους τους πατέρες στο μοναστήρι. Όλοι μιλούσαν γι' αυτόν με στοργή και συμπάθεια.

Σε μένα είχε συμπεριφερθεί με αξιοθαύμαστη ευγένεια από την ώρα που έφθασα στο νοσοκομείο, το οποίο είχε άλλωστε υπό την εποπτεία του. Νομίζω ότι ευχαριστιόταν πολύ την παρέα με κάποιον που απολάμβανε εξίσου το καλό, και το πολύ, φαγητό όσο κι εκείνος, επειδή στη Λαύρα δεν είχε την ευχέρεια να τρώει παρέα με κάποιον άλλο.

Του είπα ό,τι μπορούσα να θυμηθώ για το εξαιρετικό φαγητό και το κρασί που είχα απολαύσει με τον γιατρό και, στη συνέχεια, κουρασμένος κι αρκετά ικανοποιημένος, αποκοιμήθηκα παρέα με τα ευχάριστα όνειρα για την πιθανή ευόδωση των σχεδίων μου.

Η μοίρα, πάραυτα, επιφύλασσε κάτι συναρπαστικό το επόμενο πρωινό. Όλα έδειχναν ότι θα κυλούσε ακριβώς όπως όλα τα άλλα, αλλά είχα ένα αόριστο προαίσθημα ότι κάτι απρόσμενο θα συνέβαινε.

Καθόμουν στον ήλιο, μπροστά στο μοναδικό παράθυρο του νοσοκομείου, και συνέχιζα τη μελέτη της ελληνικής γλώσσας σε ένα απ' τα βιβλία που μου είχε δώσει ο παπά-Γρηγόρης. Ο Χρυσόστομος τριγύριζε, ως συνήθως, στα διάφορα καθήκοντά του και επιδιδόταν ταυτόχρονα στο αγαπημένο του χόμπι, να μαλώνει τον βοηθό του τον π. Ισίδωρο. Ο κακομοίρης ο Ισίδωρος ήταν αρκετά πρόθυμος, αλλά και πάντα υπερβολικός στις αντιδράσεις του διότι είχε, αναμφίβολα, κάποιο διανοητικό πρόβλημα. Έκανε όλα τα χατίρια του Χρυσοστόμου, εκτός κι αν ήταν η ώρα του φαγητού, οπότε κι έβγαινε τελείως εκτός ελέγχου. Τα μάτια του διογκώνονταν από το χνουδωτό του πρόσωπό φανερώνοντας μία κραυγαλέα λαιμαργία, κι άρχιζε μία ασυγκράτητη γκρίνια και ανυπομονησία. Υπήρχε πάντα άφθονο φαγητό για αυτόν -ο Χρυσόστομος του έδινε πάντα πολύ περισσότερο φαγητό από ό,τι προέβλεπε η σίτιση, αλλά μέχρι να πάρει το πιάτο στα χέρια του ξεσήκωνε τον κόσμο, και μετά έπεφτε με τα μούτρα να το καταβροχθίσει με μεγάλες μπουκιές, παρά το γεγονός ότι δεν είχε ούτε ένα δόντι στο σαγόνι του.

Το στομάχι του πρέπει να ήταν από σίδερο. Σπανίως, όταν θα είχε καλή διαγωγή, ο Χρυσόστομος του επέτρεπε να φάει μερικές απ' τις γιγάντιες κόκκινες καυτερές πιπεριές που ήταν κρεμασμένες σε μακριές σειρές, από τα βαριά ξύλινα δοκάρια της κουζίνας του νοσοκομείου. Τότε, ο Ισίδωρος πέταγε σαν πουλί με ενθουσιασμό και πέφτοντας πάνω τους με ανυπομονησία, έκοβε τουλάχιστον μια ντουζίνα από δαύτες, μονομιάς. Οι πιπεριές ήταν μεγάλες σαν ντομάτες, και μία ντουζίνα, αρκούσε να καλύψει τις μηνιαίες ανάγκες μιας κανονικής οικογένειας, αλλά εκείνος ο απλούς μοναχός τις κομμάτιαζε, τις έριχνε όλες στη σούπα του και τις κατανάλωνε μέσα σε λίγα λεπτά. Μου ήταν αδιανόητο, το πώς δεν έβγαιναν φλόγες από το στόμα του όταν τις κατάφερνε όλες, αφού για μένα, ακόμα κι ένα μικρό κομμάτι μίας καυτερής πιπεριάς, ήταν ικανό να μου δημιουργήσει εσωτερικό έγκαυμα.

Εκείνο το συγκεκριμένο πρωί, ωστόσο, ο Ισίδωρος ήταν πολύ εριστικός κι ο Χρυσόστομος έχασε την υπομονή μαζί του. Αφού τον προειδοποίησε αρκετές φορές, του έδωσε τελικά να καταλάβει την αγανάκτηση του πετώντας του ένα καρβέλι ψωμί στο κεφάλι. Ο Ισίδωρος αφού ούρλιαξε από αποδοκιμασία, μάζεψε το καρβέλι που είχε πέσει κάτω από ένα κρεβάτι και δραπέτευσε έξω στο χιόνι. Ο Χρυσόστομος συνέχισε τη δουλειά του κι εγώ επέστρεψα στη μελέτη μου.

Για κάνα μισάωρο επικράτησε ειρήνη και ησυχία, μέχρις ότου ακούσαμε τις αλάνθαστες φλυαρίες του Ισίδωρου να φτάνουν από μακριά. Κάποια στιγμή μπήκε μέσα, σκοντάφτοντας στην πόρτα, πολύ αναστατωμένος. Έτρεξε κατά μήκος της αίθουσας και προσπαθούσε μάταια να μας πει κάτι που φαινόταν πολύ σημαντικό, αλλά δεν το καταλαβαίναμε με τίποτα. Αγανακτισμένος απ' την απάθεια μας, εξαγριώθηκε στα αλήθεια. Με άρπαξε από το ένα μπράτσο κι από την μέση, έτσι όπως καθόμουν στην άκρη του κρεβατιού, με σήκωσε και ξεκίνησε να με σέρνει προς την πόρτα. Όταν αντιστάθηκα και προσπάθησα να τον ηρεμήσω γιατί ήταν σε μεγάλη έξαψη, έχωσε το πρόσωπο και τη γεμάτη ψίχουλα γενειάδα του στο σβέρκο μου κι άρχισε να γκαρίζει μες στο αυτί μου, παριστάνοντας ότι μου έδινε διαταγές.

Ο Χρυσόστομος, ο οποίος ήταν ο μόνος που κατάλαβε κάτι απ' τις ασυναρτησίες του, κοκάλωσε αμήχανα για λίγα δευτερόλεπτα, και στη συνέχεια, τινάχτηκε τρομαγμένος σε δράση.

«Κατάλαβα!», φώναξε, ορμώντας να κλειδώσει την πόρτα. «Γερμανοί! Έρχονται Γερμανοί! Ο Ισίδωρος τους είδε, και προσπαθεί να μας το πει. Έτσι δεν είναι Ισίδωρε;»

Ο Ισίδωρος, ανακουφισμένος που επιτέλους έγινε κατανοητός, κούνησε το κεφάλι του έντονα και έδειχνε προς τη θάλασσα.

Άρχισα να μαζεύω αμέσως τα πράγματα μου για να φύγω γρήγορα, ενώ ο Χρυσόστομος διέτρεξε όλη την αυλή για να μάθει αν ο Ισίδωρος είχε δίκιο, κι αν είχε, σε τι απόσταση βρισκόντουσαν οι Ούννοι. Έτρεξε με πρωτοφανή ευελιξία για τα κιλά του και γύρισε γρήγορα ξεφυσώντας.

«Πρέπει να εξαφανιστείς!» ψέλλισε, «είναι πάνω από δέκα και οπλισμένοι σαν αστακοί. Πλησιάζουν στην ακτή τώρα που μιλάμε. Τρέξε και χώσου στο δάσος πάνω από το μοναστήρι και θα έρθω να σε ψάξω όταν καταλαγιάσουν τα πράγματα».

Με ένα καρβέλι ψωμί στη μία μασχάλη και δύο κουβέρτες στην άλλη, έτρεχα ολοταχώς έξω στην αυλή. Με την ψυχή στο στόμα, καταριόμουν την αμεριμνησία που μας είχε συνεπάρει και αντιμετωπίζαμε ξαφνικά αυτόν τον κίνδυνο. Φυσικά, εγώ ήμουν αυτός που έπρεπε να ήμουν σε συνεχή εγρήγορση και να είχα προετοιμαστεί για μια τέτοια επείγουσα κατάσταση, αν και ο μόνος τρόπος για κάτι τέτοιο θα ήταν να έχω στραμμένο το πρόσωπό μου προς τη θάλασσα όλο το εικοσιτετράωρο. Ωστόσο, ήμουν αποφασισμένος ότι η ταχύτητα δράσης θα μπορούσε να με σώσει, αρκεί να κατάφερνα να απομακρυνόμουν αρκετά από το μοναστήρι πριν φτάσουν οι εχθροί.

Οι μεγάλες πύλες του εξωτερικού τείχους ήταν ανοικτές. Σκοντάφτοντας στο παγωμένο χιόνι, πέρασα κάτω απ' την αψίδα. Ο πορτάρης, τρομαγμένος απ' την αναταραχή είχε αρχίσει να κλείνει τις πύλες προληπτικά μέχρι να μπορέσει να καταλάβει τι συμβαίνει. Βγήκα έξω λίγο πριν κλείσουν εντελώς.

Δεν είχα διανύσει τα πρώτα πενήντα μέτρα, όταν μία αναμαλλιασμένη και εξαντλημένη φιγούρα εμφανίστηκε από το μονοπάτι που κατέβαινε προς τη θάλασσα. Ήταν ένας από τους αστυνόμους, ο οποίος στράγγιζε κάθε μυ του σώματός του για να φτάσει στο μοναστήρι όσο πιο γρήγορα μπορούσε. Σταμάτησα, αναποφάσιστος για το αν θα έπρεπε να τον περιμένω. Με είδε κι άρχισε να κουνάει τα χέρια του μανιωδώς. Προσπάθησε να μου φωνάξει κάτι, αλλά απ' την κομμένη του αναπνοή δεν του έβγαινε φωνή. Σύντομα έφτασε κοντά μου και, παρά την λαχανιασμένη κατάσταση του, με έσυρε πίσω προς το μοναστήρι.

«Είναι πολύ αργά ... δεν μπορείς να φύγεις τώρα ... έρχονται απ' όλες τις πλευρές», μου εξήγησε ξεφυσώντας συνέχεια. «Ο Φίλιππος λέει, ότι πρέπει να κρυφτείς μέσα στο μοναστήρι!»

«Μα, αυτό θα είναι μοιραίο. Θα πιαστώ σαν το ποντίκι στη φάκα!» είπα με έντονη αντίρρηση, προσπαθώντας να αντισταθώ και να τον πείσω. «Σίγουρα θα έχω μεγαλύτερο εύρος κινήσεων χωμένος στο δάσος εκεί πέρα.»

«Πρέπει να υπακούσεις στις εντολές ... Ο Φίλιππος ξέρει καλύτερα ... δεν μπορείς να κρυφτείς στο δάσος! Θα τους οδηγήσεις κατευθείαν επάνω σου γιατί αφήνεις αποτυπώματα στο χιόνι και θα σε βρουν αμέσως! Κοίτα εκεί

πάνω!»
Μόλις συνειδητοποίησα τι μου έλεγε, κοίταξα προς την κατεύθυνση που μου έδειχνε κι ανατριχιασμένος ένοιωσα την καρδιά μου να χάνει ένα κτύπο. Πάνω απ' τη λεπτή γραμμή των θάμνων προς την οποία θα κατευθυνόμουν, είχαν ήδη κάνει την εμφάνιση τους τρεις στολές με φαρδιά κράνη που ξεχώριζαν στο φόντο του χιονιού. Έριξα ακόμα μία γρήγορη ματιά προς την μοναδική εναλλακτική κρυψώνα που υπήρχε στον λόφο πιο πάνω. Από εκεί, στα τριακόσια μέτρα, είδα άλλους δύο ένστολους να κινούνται προς τη Μονή. Πεπεισμένος πλέον, γύρισα για να βοηθήσω τον γενναίο αστυνομικό στο σφυροκόπημα που έκανε πάνω στις κλειστές πόρτες. Ο πορτάρης, ενήμερος για το επείγον της κατάστασης έφτασε εγκαίρως και μας έβαλε μέσα.

Κατευθυνθήκαμε πίσω στο νοσοκομείο όπου η είσοδος μας, όπως ήταν φυσικό, προκάλεσε μία έκρηξη ανησυχίας. Δεν υπάρχει αμφιβολία ότι οι μοναχοί είχαν συγκεντρωθεί εκεί από ώρα και είκαζαν για το πού θα μπορεί να είχα κρυφτεί στο δάσος, και μόλις με είδαν μπροστά τους ξαφνικά, σοκαρίστηκαν. Ο γιατρός Παυλίδης, ο παπα-Γρηγόρης, ο π. Χρυσόστομος και οι υποτακτικοί τους ήταν αποσβολωμένοι και κι από το ανοιχτό τους στόμα, τα σηκωμένα φρύδια και τα παγωμένα βλέμματα τους, φαινόταν ότι η κατάσταση τους ξεπερνούσε.

Κανενός η στάση όμως, δεν έδειχνε με οιονδήποτε τρόπο ότι ανησυχούσαν για τον εαυτό τους. Υπήρχε κατάπληξη, αλλά καθόλου φόβος, αν και όλοι τους γνώριζαν τις συνέπειες μιας ενδεχόμενης σύλληψης μου από τους Γερμανούς, μες στη Λαύρα.

Ο αστυνομικός, που είχε σταλεί για να με ειδοποιήσει, ρίχτηκε σε μια καρέκλα σπογγίζοντας το μέτωπο του από τον ιδρώτα.

«Ο Φίλιππος λέει ... ο Τόμας πρέπει να μείνει εδώ ... το μοναστήρι είναι περικυκλωμένο ... είπε ... κάτω στα παλιά κελάρια ίσως ... οι Γερμανοί δεν τον βρουν!»

«Αυτό είναι το μέρος που θα ψάξουν πρώτα», διέκοψε ο παπά-Γρηγόρης αποφασιστικά, αναλαμβάνοντας τον πρωταγωνιστικό ρόλο. «Πρέπει να πας σε κάποιο μέρος που δεν είναι ύποπτο και προφανές. Εν τω μεταξύ, θα πρέπει να σε μεταμφιέσουμε σε όσο το δυνατόν λιγότερο Εγγλέζο γίνεται. Πόσο χρόνο έχουμε;» «Το πολύ δέκα λεπτά», απάντησε ο αστυνομικός. «Ζήτησα από τον φύλακα να τους καθυστερήσει όσο πιο πολύ μπορεί όταν θ' αρχίσουν να γαυγίζουν για να μπουν μέσα.» «Ωραία! Αυτό μας είναι αρκετό. Τώρα, π. Χρυσόστομε, εμείς πρέπει να μεταμφιέσουμε τον Τόμας σε μοναχό -κάτι που έπρεπε να έχουμε κάνει καιρό πριν, φυσικά. Πηγαίνετε μέχρι το δωμάτιο μου και φέρτε μερικά απ' τα ράσα μου. Εν τω μεταξύ, νεαρέ μου φίλε, ξεφορτώσου όλα τα δικά σου ρούχα. Και όσο για σας», συνέχισε ο παπα-Γρηγόρης στρεφόμενος προς τον αστυνομικό που στεκόταν πίσω με θαυμασμό απέναντι σε αυτόν τον πανύψηλο και αρχηγικό μοναχό, «κάνατε το καθήκον σας με αυτοθυσία. Ο Τόμας μπορεί στο τέλος να σας χρωστά τη ζωή του. Σας είμαστε όλοι ευγνώμονες. Τώρα, όμως, πρέπει να ανασυγκροτηθείτε και να κινήστε στο μοναστήρι με τουπέ εξουσίας. Πρέπει να συνειδητοποιήσετε τι θα κάνουν αυτά τα σκυλιά και σ' εσάς τους ίδιους, αν ανακαλύψουν ότι είστε συνένοχοι σε υπόθαλψη Βρετανού αξιωματικού!»

Ο παπα-Γρηγόρης έδινε τις οδηγίες του με ηρεμία κι αποφασιστικότητα. Μετά από λίγο, ο αστυνομικός είχε βγει έξω στην αυλή με τον Ισίδωρο και προέβαινε σε έλεγχο των προσωπικών του αντικειμένων, ο γιατρός Παυλίδης είχε απομακρυνθεί για να κρύψει κάπου όλα μου τα ρούχα κι ο π. Χρυσόστομος, έβαζε τις τελευταίες πινελιές στο μοντάρισμα των μακριών μαύρων ράσων που τώρα φορούσα. Ο παπα-Γρηγόρης, τοποθέτησε ένα μαύρο καπέλο στο κεφάλι μου και στη συνέχεια του κρέμασε ένα επιπλέον μαύρο ύφασμα, το κουκούλι, έτσι ώστε να πέφτει προς τους ώμους μου και να κρύβει ακόμα περισσότερο το πρόσωπό μου.

Όταν έμεινε ικανοποιημένος από το αποτέλεσμα, με οδήγησε ψύχραιμα μακριά από το νοσοκομείο μέσα από ένα μακρύ διάδρομο, και στη συνέχεια σε μία πέτρινη σκάλα. Καθώς τα ανεβαίναμε, τα έπιπλα κι ο διάκοσμος αραίωναν και είδα ότι είχαμε βρεθεί στις σοφίτες του τετραώροφου κεντρικού κτηρίου. Δοκάρια τουλάχιστον εξήντα εκατοστών διέτρεχαν όλο το μήκος της οροφής, η οποία βρισκόταν μόνο μία παλάμη πάνω απ' τα κεφάλια μας και, μάλιστα, σε ορισμένες περιπτώσεις έπρεπε και οι δυο να σκύψουμε για να περάσουμε κάτω από αυτά.

Περάσαμε μαζί μια σειρά από μικρές τοξωτές πέτρινες καμάρες και, ρίχνοντας μια ματιά προς τα κάτω, είδα ότι στην ουσία είχαμε διασχίσει τις δύο πλευρές του περιμετρικού κτηρίου που περιέκλεινε την κεντρική αυλή και τώρα βρισκόμασταν απέναντι απ' τις κύριες πύλες που είχαν αρχίσει να ανοίγουν αργά. Σταματήσαμε κι οι δύο αυθόρμητα για να δούμε τι συμβαίνει.

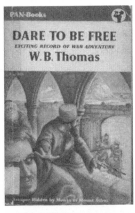

Το εξώφυλλο της 1ης έκδοσης του 1954 είχε ως θέμα τη σκηνή αυτή

Τρεις φιγούρες με τετράγωνα κράνη ξεπήδησαν με ανυπομονησία μέσα απ' τις μισάνοιχτες πόρτες, έχοντας τις ημιαυτόματες καραμπίνες τους σε ετοιμότητα και σπεύδοντας να πάρουν θέσεις για να καλύψουν τα παράθυρα και τις καμάρες που είχαν θέα στην αυλή. Ένα λεπτό αργότερα, ακολούθησαν άλλοι δύο που ευθυγραμμίστηκαν στις δύο πλευρές των πυλών, ενώ ένας έκτος έσπευσε να ανέβει τα στενά σκαλοπάτια πάνω απ' την πύλη και να καταλάβει τη θέση του πορτάρη. Αφού έθεσαν την αυλή υπό έλεγχο, ο ένας από τους φρουρούς της πύλης φώναξε κάποιο μήνυμα και σε απάντηση εισήλθε ένας νεαρός Λοχίας, ακολουθούμενος απ' την υπόλοιπη περίπολο.

Συνολικά, υπήρχαν δεκαπέντε Γερμανοί, υπερφορτωμένοι με πολυβόλα, τουφέκια και χειροβομβίδες, λες και περίμεναν να καλύψουν ένα μικρό στρατό. Ο Λοχίας άρχισε να ξελαρυγγιάζεται απευθύνοντας διαταγές προς τους ανέκφραστους μοναχούς που συγκεντρώνονταν όσο πιο αργά μπορούσαν στις πύλες.

Ο παπά-Γρηγόρης κι εγώ, σπεύσαμε αυτομάτως

μπροστά.

Είχαμε εισέλθει σ' ένα μέρος του μοναστηριού, όπου κανείς δεν είχε βρεθεί για πολλά χρόνια. Σε αντίθεση με τα υπόλοιπα κτήρια που διατηρούνταν πεντακάθαρα, στα δάπεδα της σοφίτας υπήρχε ένα παχύ στρώμα σκόνης και δύο-τρεις μεγάλοι αρουραίοι ψαχούλευαν τις γωνίες τους. Μία μυρωδιά μούχλας τρυπούσε τα ρουθούνια βίαια και δυσάρεστα. Τελικά, ο παπα-Γρηγόρης έφτασε στον τόπο που είχε κατά νου για να με κρύψει. Μπήκαμε σε μία σειρά πολύ μικρών δωματίων που έμοιαζαν με κελιά. Μερικές είσοδοι, είχαν χτιστεί με τούβλα, ορισμένες είχαν σιδερένιες πόρτες και σε άλλες δεν υπήρχαν πόρτες καθόλου. Όλα εκεί μέσα φαίνονταν απομονωμένα, ζοφερά κι άχαρα, αλλά δεν υπήρχε αμφιβολία ότι αποτελούσαν την πιο κατάλληλη κρυψώνα για μένα, ιδιαίτερα όταν μου τόνισε ο Γρηγόριος ότι όλα αυτά τα δωμάτια, θεωρητικά συνδέονταν μεταξύ τους, απ' την εξωτερική πλευρά, μέσω των φεγγιτών τους. Θα μπορούσα δηλαδή, να σκαρφαλώσω έξω στη μολυβένια σκεπή από το ψηλό παράθυρο του ενός δωματίου και να εισέλθω σε ένα άλλο από το δικό του φεγγίτη.

«Τώρα είναι στο χέρι σου», μου ψιθύρισε ο καλός μοναχός σφίγγοντας με στα μπράτσα για να μού δώσει αυτοπεποίθηση. «Θα πρέπει να ανέβεις στην οροφή, να βρεις από τους φεγγίτες ένα απ' τα δωμάτια που έχουν χτισμένες πόρτες και να μπεις εκεί μέσα. Κανείς δεν θα σε εντοπίσει εκεί, με την προϋπόθεση ότι θα κάνεις απόλυτη ησυχία. Εγώ τώρα πάω πίσω για να παραστήσω τον θυμωμένο οικοδεσπότη!»

«Σας ευχαριστώ, παπα-Γρηγόρη, νομίζω ότι θα είμαι αρκετά ασφαλής εδώ. Αλλά αυτοί οι Ούννοι, είναι τόσο αηδιαστικά αποτελεσματικοί, που αν είχαν κάποια σαφή πληροφορία ότι είμαι εδώ, είναι ικανοί να παραμείνουν μέχρι να με βρουν. Και μετά τι θα γίνει;»

«Αυτό νομίζω ότι είναι μάλλον απίθανο. Ωστόσο, φοράς ράσα, και μπορούμε να ισχυριστούμε ότι είσαι ψυχοπαθής και επικίνδυνος. Αν βρεθείς, θα πρέπει να παίξεις το δικό σου ρόλο, ακόμα και αν πρέπει να δεθείς μ' εκείνες τις αλυσίδες», μου απάντησε δείχνοντας κάτι παλιές σκουριασμένες αλυσίδες, στερεωμένες στους τοίχους. Κατάλαβα ότι είχαν να χρησιμοποιηθούν αιώνες για τον προσωρινό περιορισμό σχιζοφρενών. Μια φρικτή σκέψη πέρασε από το μυαλό μου και, παρά την προφανή ανυπομονησία του να φύγει, τον ρώτησα, «Γιατί είναι μερικά απ' τα δωμάτια χτισμένα, και άλλα όχι;»

«Γιατί, ε;» άρχισε να μου εξηγεί, χάνοντας λίγο τη συνήθη ψυχραιμία του, «έτσι τα βρήκαμε κι εμείς. Πριν από πάρα πολλά χρόνια ίσως να είχαν εκτυλιχθεί δυσάρεστες καταστάσεις που απαιτούσαν τη σφράγιση αυτών των δωματίων για να μην ξαναχρησιμοποιηθούν. Τώρα δεν είναι η ώρα να συζητήσουμε κάτι τέτοιο. Θα σου τα πω μια άλλη φορά, όταν έχουμε περισσότερο χρόνο. Τώρα, κινήσου γρήγορα και ασφαλίσου!»

Δεν ήταν καθόλου εύκολο να σκαρφαλώσω στην οροφή του κτηρίου, μέσα από ένα στενό φεγγίτη με τα μακριά, μαύρα ράσα να μπλέκονται γύρω απ' τα πόδια μου. Και η πρώτη φορά που το κατάφερα ήταν μάταιη, γιατί μού έπεσε το καπέλο με το κουκούλι πίσω στο πάτωμα. Στο τέλος κατάφερα να βρεθώ πάνω στην μολυβένια στέγη του μοναστηριού, η οποία είχε ευτυχώς μία επίπεδη προέκταση κι έκρυβε αρκετά την παρουσία μου εκεί πάνω.

Προχωρώντας προσεκτικά, κοίταξα μέσα στον επόμενο φεγγίτη. Θυμόμουν ότι ανήκε σε ένα απ' τα χτισμένα δωμάτια. Το σκουριασμένο σιδερένιο πλαίσιο του φεγγίτη φαινόταν κολλημένο, αλλά με ανακούφιση είδα ότι οι προσπάθειές μου να το ανοίξω διάπλατα έπιασαν τόπο. Αμέσως μόλις το άνοιξα, πετάχτηκε από το δωμάτιο μια αηδιαστική δυσωδία από μολυσμένο αέρα και περιττώματα αρουραίων. Τραβήχτηκα πίσω, πιστεύοντας ότι θα ήταν τα λείψανα κάποιου μοναχού αιώνες νεκρού που περίμενα να βρω αλυσοδεμένο μέσα στο δωμάτιο. Παρόλα αυτά, κρεμάστηκα γρήγορα όσο πιο πολύ μπορούσα και αφέθηκα να πέσω στο πάτωμα. Μια τρομακτική σκιά που κινήθηκε σε μία απ' τις σκοτεινές γωνίες, μου πάγωσε το αίμα. Τρομοκρατημένος απ' τα τριξίματα, ανακάλυψα ότι τελικά επρόκειτο για έναν μεγάλο καφέ αρουραίο που είχε ήδη χαθεί μέσα σε μία απ' τις πολλές τρύπες του τοίχου.

Μετά από μία γρήγορη αναζήτηση στο δωμάτιο, δεν ανακάλυψα ούτε σκελετό ούτε κρανίο, κι έτσι σύντομα προσαρμόστηκα στην μελαγχολία του χώρου. Επέλεξα ένα σαρακοφαγωμένο σκαμνί και κάθισα να εξετάσω πόσες πιθανότητες θα είχα να μη μ' ανακαλύψουν. Μετά από λίγο έκλεισα το φεγγίτη, σε περίπτωση που θα μπορούσε να τραβήξει την προσοχή. Δεν έμεινε και πολύ οξυγόνο στην ατμόσφαιρα του δωματίου, ήταν αφόρητα μουχλιασμένα και άρρωστα, αλλά ήμουν προετοιμασμένος να τα υποστώ όλα αυτά, προκειμένου να διαφυλάξω την ελευθερία μου.

Στην αρχή όλα μου φαίνονταν πολύ ήσυχα έξω. Περιστασιακά, έφτανε ο ήχος από διάφορες φωνές και ποδοβολητά. Από εκεί που ήμουν, δεν ήξερα ότι ο Λοχίας είχε διατάξει όλους τους μοναχούς να βγουν στην κεντρική αυλή με σκοπό να ξεκινήσει μία πρώτη πρόχειρη έρευνα μέσα στα κτήρια για να βεβαιωθεί ότι η διαταγή του είχε εισακουσθεί. Προφανώς, μόλις πείσθηκε ότι όλοι οι μοναχοί ήταν παρόντες, ο νεαρός Λοχίας, έβαλε να ανακρίνουν και να ψάξουν για όπλα, κάθε έναν έκαστο από τους εκατοντάδες ιδιόρρυθμους μοναχούς. Τους πήρε τρεις ολόκληρες ώρες να ολοκληρώσουν την έρευνα, και ήταν προφανές ότι οι στρατιώτες έμειναν απογοητευμένοι απ' την απουσία ευρημάτων.

Όταν ολοκληρώθηκε εκείνη η διαδικασία, ο Λοχίας, απευθύνθηκε στην αδελφότητα με στόμφο λέγοντάς τους ότι η Βέρμαχτ απαιτούσε τη συνεργασία όλων τους με τη νέα τάξη πραγμάτων στην Ευρώπη, κι ότι έπρεπε να απόσχουν από οποιαδήποτε υπόθαλψη Βρετανών κρατουμένων ή πολιτικών φυγάδων. Είπε ότι είχε ακούσει από αξιόπιστες πηγές, ότι πολλά απ' τα μοναστήρια προσέφεραν συμπαράσταση σε πρώην αιχμαλώτους, και μάλιστα, ανέφερε το γεγονός ότι ένας Εγγλέζος αξιωματικός είχε καταφύγει στο νοσοκομείο του Αγίου Διονυσίου, για αρκετό καιρό. Τον έχασαν για λίγες ώρες, και δήλωσε πως από τότε τον ψάχνουν σε κάθε μοναστήρι ξεχωριστά.[37]

---

[37] Πράγματι, όπως μαρτυρεί κι ο Ηγούμενος Γαβριήλ Διονυσιάτης σε βιβλιό του,

Κάλεσε όλους τους μοναχούς να καταδώσουν το εγγλέζικο γουρούνι σε περίπτωση που βρισκόταν στη Μονή της Λαύρας, και θα τους προσέφερε ένα κάρο ανταλλάγματα. Όταν διαπίστωσε ότι δεν του απαντούσε κανένας, έδωσε εντολές για ένα δεύτερο κύμα ενδελεχούς έρευνας.

Εδώ, ο Γερμανός, έκανε ένα ανόητο λάθος. Αντί να κρατήσει όλους τους μοναχούς μαζεμένους στην αυλή, κατά τη διάρκεια της έρευνας, τους άφησε ελεύθερους. Σε λίγα λεπτά, όλοι οι διάδρομοι και οι κύριοι χώροι του μοναστηριού, ήταν γεμάτοι από ενθουσιώδης και περίεργους μοναχούς, που εμπόδιζαν άθελά τους, την έρευνα με όποιο τρόπο μπορούσαν.

Όπως είχε προβλέψει ο παπα-Γρηγόρης, πήγαν πρώτα να ελέγξουν προσεκτικά όλα τα υγρά υπόγεια και το εκτεταμένο δίκτυο κελαριών κάτω από το μοναστήρι, το οποίο τους πήρε πάνω από μια ώρα να τα ελέγξουν. Επισκέφθηκαν κάθε κελί μοναχού, επιμένοντας ακόμα να μπουν και στα οστεοφυλάκια όπου φυλάσσονται οι κάρες και τα οστά των αμέτρητων κεκοιμημένων μοναχών. Μετά από τα υπόγεια, επισκέφθηκαν τα παρεκκλήσια, το νοσοκομείο κι όλο το ισόγειο, τσεκάροντας κομμάτι-κομμάτι όλο το κτήριο μέχρι το σκοτεινό πατάρι, όπου βρισκόμουν εγώ.

Όταν κάποια στιγμή άκουσα να έρχονται από το διάδρομο προς τα κελιά, βαριά πέλματα από τουλάχιστον μισή ντουζίνα άντρες, είχαν περάσει τουλάχιστον έξι ώρες απ' την άφιξη των Ναζί στη Μονή και είχε αρχίσει να σκοτεινιάζει. Έφτασαν και στον όροφο μου. Εισήλθαν σε όλα τα δωματιάκια που είχαν πόρτες και τους άκουσα να μπαίνουν και στα δύο που βρίσκονταν εκατέρωθεν του δικού μου. Σταμάτησαν έξω από το χτισμένο στο οποίο βρισκόμουν. Ανέπνεα όσο πιο αραιά και ήσυχα μπορούσα ακούγοντας μια συζήτηση που ήταν σε εξέλιξη μεταξύ τριών στρατιωτών. Φαντάστηκα πως δε θα ήθελαν να αφήσουν ανεξερεύνητο ένα τέτοιου είδους κρησφύγετο κι όταν τους ένιωσα να σφυροκοπούν το σοβά και τα τούβλα, σηκώθηκα

οι Γερμανοί έφτασαν στη Μονή Διονυσίου λίγο μετά την αναχώρηση του Σάντυ!

αγχωμένος και φοβισμένος για να βγω από το φεγγίτη.

Όμως, προς μεγάλη μου ανακούφιση, τα παράτησαν γρήγορα, προφανώς ικανοποιημένοι από το συμπαγές των αρχαίων σοβάδων, και προσπάθησαν να βρουν κάποιο μυστικό άνοιγμα χτυπώντας τους τοίχους απ' την έξω πλευρά σε διάφορα σημεία. Μετά από λίγο κουράστηκαν και τους άκουσα να απομακρύνονται στο διάδρομο συνομιλώντας. Χαλάρωσα.

Κανείς δεν τόλμησε να με επισκεφτεί εκείνο το βράδυ. Κοιμήθηκα σπασμωδικά, απλωμένος στο πάτωμα, διώχνοντας συνεχώς τα ποντίκια που τριγύριζαν με θράσος γύρω στο δωμάτιο. Είχα επίσης το φόβο των μεγάλων αραχνών, και του ενδεχόμενου να προσγειωθεί μία από αυτές στο πρόσωπο μου κατευθείαν απ' την οροφή. Πριν σκοτεινιάσει, είχα προσέξει ότι η στέγη ήταν καλυμμένη από ένα τεράστιο πέπλο από ιστούς, το οποίο κρεμόταν ανενόχλητο για αμέτρητα χρόνια... κι έτρεφα πάντα μία ιδιαίτερη αντιπάθεια προς τις αράχνες. Όταν είδα το πρώτο φώτισμα του ουρανού το πρωί, ξύπνησα με χαρά.

Η επόμενη μέρα πέρασε χωρίς επιπλοκές, αν και λίγο μετά το μεσημέρι άκουσα μια βολή και αναρωτήθηκα τι θα μπορούσε να σημαίνει. Αργά το απόγευμα, άκουσα τα πρώτα βήματα να πλησιάζουν και επιτέλους ανακουφισμένος άκουσα τον παπα-Γρηγόρη να με καλεί χαμηλόφωνα σ' ένα δωμάτιο περίπου τρεις-τέσσερις πόρτες παρακάτω. Χτύπησα ελαφρώς τον τοίχο και πλησίασε πιο κοντά.

«Είσαι εντάξει, καλό μου παιδί;» ρώτησε. «Βγες έξω για λίγο -νομίζω ότι είμαστε αρκετά ασφαλείς αυτή τη στιγμή. Σου έχω φέρει και λίγο φαΐ. Μόνο κάνε πολύ ησυχία, διότι βρίσκονται ακόμα στο μοναστήρι.»

Ήμουν τρομερά πεινασμένος και κορακιασμένος απ' τη δίψα. Μου πήρε ελάχιστο χρόνο να διασχίσω την οροφή αντίστροφα και να βρεθώ πάλι στον διάδρομο έξω απ' τα μικρά δωμάτια. Είχε ένα μπολ με αχνιστό χταπόδι στιφάδο, λίγο ψωμί και μια μεγάλη κανάτα κρασιού. Μαζί του για να τον βοηθήσει με τη μεταφορά του φαγητού ήταν ο υποτακτικός του, ο Φίλιππος, τον οποίο αποκαλούσαν «μικρο-Φίλιππο» για να αποφεύγεται η σύγχυση με τον

συνονόματο Αστυνόμο. Ήπια μία μεγάλη γουλιά κρασί και
ζήτησα από τους προστάτες μου να μου πουν για τις
εξελίξεις.

«Είναι ακόμα εδώ», απάντησε Γρηγόριος με αρκετό
αυθορμητισμό, «αλλά δεν είναι και ιδιαίτερα επικίνδυνοι
αυτή τη στιγμή. Έλα να ρίξεις μια ματιά σε μερικούς από
δαύτους!»

Τον ακολούθησα σε μία απ' τις καμάρες που έβλεπαν
στην αυλή. Βγάζοντας προσεκτικά το μισό μου πρόσωπο
προς τα έξω, είδα τέσσερα μέλη της «Αρείας Φυλής»
αραδιασμένους πάνω στο χιόνι -ήταν μεθυσμένοι και σχεδόν
ανίκανοι να σταθούν όρθιοι. Την στιγμή, μάλιστα, που τους
κοιτούσα, ο ένας από αυτούς έβγαλε ένα περίστροφο
Λούγκερ και κουνώντας το άσκοπα στον αέρα,
εκπυρσοκρότησε και η σφαίρα εξοστρακίστηκε επικίνδυνα
στους πέτρινους τοίχους γύρω μας, αναγκάζοντάς μας να
τραβηχτούμε πίσω τρομαγμένοι.

«Ο Λοχίας, είναι επίσης μεθυσμένος;» ρώτησα, γιατί αν
ήταν, θα είχαν πολλά να φοβηθούν απ' αυτόν.

«Όχι. Χθες βράδυ ήταν ζαλισμένος και σήμερα
προσπαθεί να ξεμεθύσει τους άνδρες του. Αυτοί, όμως, δεν
πολυανέχονται διαταγές από έναν τόσο νεότερο τους κι έτσι,
αντιμετωπίζει τώρα πολλά προβλήματα. Του γύρισε
μπούμερανγκ, κατά τη γνώμη μου, του χρειαζόταν λίγη
ταπείνωση. Εχθές, είχε το θράσος να πει στον Ηγούμενο ότι
ήταν δυσαρεστημένος μαζί του και διέταξε όλοι οι μοναχοί
να του κάνουν υπόκλιση καθώς περνούσε. Είναι όλοι τους
ίδιοι. Όλα αυτά τα ψευτοκορδωμένα θρασύδειλα
στρατιωτάκια, έχουν μεθύσει απ' την εφήμερη εξουσία
τους».

Ο Γρηγόριος και ο μικρο-Φίλιππος, έφυγαν όταν
έσβησα τελείως τη δίψα μου και κατανάλωσα το πλούσιο
γεύμα μου. Δεν ξαναπροσπάθησα να πάω πίσω στο δωμάτιο-
φάντασμα, αλλά πέρασα μια ήσυχη νύχτα στο διάδρομο,
σκεπασμένος με ζεστές κουβέρτες που είχε στείλει ο
Χρυσόστομος.

Κατά το μεσημέρι της επόμενης μέρας, όταν τα ρολόγια
του Αγίου Όρους έδειχναν έξι το απόγευμα, ο Χρυσόστομος

και ο γιατρός Παυλίδης ανέβηκαν να με δουν φέρνοντάς μου και κάτι φαγώσιμο. Ενώ ήμασταν οι τρεις μας, κατέφθασε ο μικρο-Φίλιππος με την είδηση ότι η περιπολία αναχωρούσε. Σπεύσαμε στα βυζαντινά παράθυρα να κοιτάξουμε κάτω στην πλατεία.

Αντιδρώντας με ατημελησία στον εξαγριωμένο τρόπο του νεαρού Λοχία, η περίπολος προσπαθούσε να συνταχτεί στη χιονισμένη αυλή. Μόνο δύο ή τρεις ήταν αρκετά νηφάλιοι ενώ οι υπόλοιποι ήταν στουπί στο μεθύσι προσπαθώντας να στηριχθούν ο ένας πάνω στον άλλο, χωρίς να μπορούν να συγκρατήσουν τα όπλα στον ώμο τους. Αναλογιζόμουν τις εντυπωσιακές ιστορίες που είχα ακούσει για την σιδερένια γερμανική πειθαρχία.

«Πω, πω Θεέ μου!» Αναρωτήθηκα φωναχτά. «Μ' αρέσει όλη αυτή η βαβούρα ενός τέτοιου όχλου. Με λίγη τύχη θα μπορούσα να τους ξεκάνω όλους μόνος μου!»

«Μπράβο Τόμας!» αναφώνησε ο γιατρός, τρομοκρατημένος. «Εδώ είναι ιερός τόπος και δεν πρέπει να βεβηλώνεται με βία. Μήπως είσαι και συ τόσο κακός όσο εκείνοι; Αχ, αναρωτιέμαι μήπως εσείς οι στρατιώτες είστε όλοι το ίδιο!»

Επιτέλους, ο Λοχίας τους διέταξε να βαδίσουν. Η παραπαίουσα σειρά κίνησε αδέξια προς τις κύριες πύλες. Ο Λοχίας έριξε μια ματιά γύρω και είδε πρόσωπα να τον κοιτούν από κάθε καμάρα και παράθυρο. Τους κοίταξε λίγο ντροπιασμένος και στη συνέχεια ακολούθησε τους άνδρες του, βράζοντας στο ζουμί του. Οι πύλες έκλεισαν πίσω τους.

Εκείνο το βράδυ όλοι όσοι είχαν ασχοληθεί με την επιτυχή απομόνωση μου, συγκεντρώθηκαν στο νοσοκομείο. Είχαμε από λίγο κρασί για να κάνουμε πρόποση σε όσους είχαν παίξει τους κυριότερους ρόλους. Ο λοχίας της αστυνομίας, ο «μεγάλος Φίλιππος», ήταν κι αυτός εκεί με τον αστυνομικό που είχε σταλεί να μας προειδοποιήσει, καθώς κι όλοι οι υπόλοιποι μοναχοί. Το επίκεντρο του κεφιού ήταν τα ράσα μου και αρκετά πειράγματα είχαν ως θέμα την απουσία μιας αξιοπρεπούς γενειάδας. Ήταν μια πολύ ευχάριστη συνάντηση.

Πριν χωρίσουμε, ωστόσο, ο παπα-Γρηγόρης μού

ανακοίνωσε ότι η Γεροντία της Μονής, πίστευε ότι δε θα ήταν συνετό για κανέναν, να παραμείνω στο νοσοκομείο. Όντας κι ο ίδιος ένας από τους «Δώδεκα», είχε εκφράσει τις αντιρρήσεις του, οι οποίες όμως είχαν υπερκεραστεί. Φαινόταν, στ' αλήθεια στενοχωρημένος, αλλά η ουσία ήταν ότι είχε έρθει η ώρα ν' αναχωρήσω από τη Μεγίστη Λαύρα, αμέσως μόλις ο καιρός το επέτρεπε.

Οι Μοναχοί της Μεγίστης Λαύρας που βοήθησαν τον Σάντυ: (από αριστερά) π. Ισίδωρος, π. Χρυσόστομος, Παπα-Γρηγόρης, Γιατρός Παυλίδης, π. Δημήτρης, μικρο-Φίλιππος. (1946 Σ.Τ.)

ΚΩΣΤΑΣ ΜΟΜΟΓΟΣ

Καθώς ανεβαίναμε, οι υγρές νιφάδες του χιονιού στροβιλίζονταν παντού γύρω μας. Τα ρούχα μου ήταν μουσκεμένα και κολλημένα στο δέρμα μου, και τα παπούτσια μου σκούζανε από το νερό σε κάθε μου βήμα. Δεν κρύωνα καθόλου, αντιθέτως, το πρόσωπο και το σώμα μου άχνιζαν από τον ιδρώτα.

Λίγο πιο μπροστά από μένα, προπορευόταν χωμένος μέσα στην ομίχλη, ο μικροκαμωμένος Κώστας Μομογός. Πιέζοντας κάθε μυ του σώματος μου για να μην τον χάσω, έβρισκα ολοένα και πιο αντιπαθητικό αυτόν τον ασυνήθιστο σκουρόχρωμο Έλληνα που συμφώνησε, τη μέρα εκείνη, να με σύρει μακριά απ' την άνεση της Λαύρας.

«Πόσο απέχει ακόμα; Δεν πρέπει να φτάνουμε όπου να 'ναι;» του φώναξα αγκομαχώντας, ελπίζοντας ότι θα σταματήσει για να ανακτήσω την αναπνοή μου.

«Δεν είναι πολύ μακριά, το πολύ τρεις ώρες» ακούστηκε η φωνή της κινούμενης φιγούρας.

Με διαπέρασε ένα κύμα απόγνωσης. Ήμουν σίγουρος ότι πριν ξεκινήσουμε, μου είχε πει ότι ολόκληρο το ταξίδι θα διαρκούσε τρεισήμισι ώρες και ήμασταν ήδη δύο μέσα σε αυτόν τον καταιγισμό. Με ταλαιπωρούσε, στο πίσω μέρος του κεφαλιού μου κι ένας λογισμός αβεβαιότητας ως προς το άτομο του, μη τυχόν και προσπαθούσε να με κουράσει ώστε να με προδώσει ευκολότερα στους Γερμανούς. Έμπηξα ακόμη μία φορά τη ράβδο μου στο χιόνι και οργισμένος προσπάθησα να παραμείνω κοντά του.

Ο Κώστας Μομογός, είχε εμφανιστεί στο μοναστήρι τρεις μέρες, περίπου, μετά την άξαφνη εμφάνιση των Γερμανών. Είχε έρθει στο νοσοκομείο διατάζοντας τον Χρυσόστομο με έναν υπεροπτικό τρόπο, ενώ δεν έκρυβε τον εκνευρισμό του για τον φτωχό Ισίδωρο. Είχε κάτσει απρόσκλητος στο κρεβάτι μου και μου απευθυνόταν με αγένεια προσβλητικά, λες και έκανε κήρυγμα σε λαοσύναξη. Κατάλαβα αμέσως ότι είχε έρθει να με ζυγίσει, να δει αν «άξιζα τον κόπο», και κάτι τέτοιο δεν μου άρεσε καθόλου. Μου απεύθυνε ερωτήσεις λες και ήταν ανακριτής, σχολιάζοντας τις απαντήσεις μου περιφρονητικά και με δυσπιστία. Συνομιλούσαμε μ' αυτό τον τρόπο για καμιά ώρα, όταν ξαφνικά σηκώθηκε και είπε, «Εντάξει, ας πάμε. Έχουμε πάνω από τρεις ώρες περπάτημα κι όσο πιο γρήγορα φύγουμε, τόσο το καλύτερο».

«Τι; Πού θέλεις να με πας;» φώναξα, ανήσυχος για τον απότομο τρόπο του, αλλά προσέχοντας μην τον ενοχλήσω διότι αποτελούσε, θεωρητικά, τη μόνη πιθανή επαφή μου με κάποιον βαρκάρη.

«Ο Γιατρός Παυλίδης μού είπε να σε πάρω μακριά. Είναι πάρα πολύ επικίνδυνο για σένα να μείνεις άλλο εδώ. Πρέπει να φύγουμε αμέσως.»

«Μα ... χιονίζει βαριά! ... Δεν έχω καν παλτό ... και, εκτός αυτού, πρέπει να αποχαιρετήσω και τους φίλους μου που μου φέρθηκαν τόσο καλά».

«Φεύγουμε αμέσως. Αν θέλεις να ξαναδείς την πατρίδα σου και πάλι, τώρα είναι η ώρα. Αυτή τη στιγμή. Δεν έχω άλλο χρόνο! Δε θέλω κανείς από τους λεγόμενους φίλους σου να ξέρει πού θα πας!»

Τα έβαλα κάτω γρήγορα. Δεν υπήρχε καμία αμφιβολία ότι ο Κώστας εκπροσωπούσε τη μοναδική μου ευκαιρία προς την ελευθερία. Έπρεπε να επιλέξω, απλά, μεταξύ της άνεσης μου κι αυτού του παράξενου ανθρώπου. Αποφάσισα με πολύ απροθυμία να τον ακολουθήσω, ψάχνοντας ν' αποχαιρετήσω, τουλάχιστον, τον Χρυσόστομο. Μετά από μία λεπτομερή αναζήτηση απέτυχα να τον εντοπίσω κι έτσι, χωρίς παλτό, και με μια πολύ κακή διάθεση βγήκαμε από το μοναστήρι κι ακολούθησα τον Μομογό μέσα στη στροβιλιζόμενη χιονοθύελλα.

Ακολουθήσαμε μια χιονισμένη πίστα κάτω στην βραχώδη ακτή, διασχίσαμε διάφορα πλημμυρισμένα ορεινά ρυάκια, και τώρα κάναμε αναρρίχηση στην απότομη πρόσοψη μίας κορυφής. Δεν είχα, σε καμία περίπτωση, προετοιμαστεί καταλλήλως για μια τέτοια ανάβαση, και κάθε μου βήμα αποτελούσε μια καινούργια προσπάθεια. Ωστόσο, στο τέλος, φτάσαμε σ' ένα μικρό πλάτωμα κι όταν η ομίχλη αραίωσε προσωρινά, ο Κώστας μου έδειξε μια μικρή ομάδα σπιτιών στην πλαγιά του βουνού.

«Δέκα λεπτά ακόμα», είπε εν συντομία και έσπευσε προς τα μπρος.

Το σπίτι ήταν ένα διώροφο κτίσμα από ακατέργαστες πέτρες και ήταν εντελώς παγωμένο όταν μπήκαμε. Ακόμα κι ένα μισοτελειωμένο πιάτο με σούπα πάνω στο τραπέζι είχε γίνει παγάκι. Δεν μπορούσα να φανταστώ τίποτε πιο άχαρο. Ευτυχώς πιάσαμε δουλειά αμέσως και ανάψαμε φωτιά σε μία πέτρινη μεγάλη σόμπα που βρισκόταν, σοφά, στο κέντρο του δωματίου. Ποτέ δεν συμπάθησα αυτό το είδος θέρμανσης, όπου το συναντούσα στην Ελλάδα. Είχε μόνο ένα μικρό άνοιγμα για να δέχεται ξύλα και η θερμότητα που περιείχε μέσα της, υποτίθεται ότι έπρεπε να εκπέμπεται μέσα απ' την πέτρα και το σοβά της σόμπας. Επίσης, ήταν πάντα λευκές με διάφορα διακοσμητικά και η γενική εμφάνιση τους ήταν κρύα και απαρηγόρητη, κρύβοντας τη ζεστασιά μιας ανοικτής σχάρας. Χρειάστηκαν πολλές ώρες για να ζεσταθεί, χωρίς μπορείς να αισθανθείς ίχνος θερμότητας κατά την πρώτη ώρα, αλλά για να είμαι δίκαιος, πρέπει να ομολογήσω πως όταν ζεστάθηκε θέρμαινε όλο το χώρο με τον πιο ικανοποιητικό και οικονομικό τρόπο.

Στο δωμάτιο, υπήρχε μόνο ένα κρεβάτι και μόνο ένα χαλί. Προς μεγάλη μου έκπληξή, όταν είπαμε να κοιμηθούμε, ο Κώστας επέμεινε πεισματικά να πάρω το κρεβάτι. Αυτή η χειρονομία του ήταν η πρώτη απ' τις πολλές κατά τις επόμενες ημέρες που θα μου αποκάλυπταν, σιγά-σιγά, την πραγματική αξία αυτού του παράξενου και απότομου ανθρώπου. Πριν περάσει ένας ολόκληρος μήνας μαζί του, είχα συνειδητοποιήσει ότι ήταν ο πιο ανιδιοτελής και γενναίος άνθρωπος που είχα συναντήσει κατά τη διάρκεια της περιπέτειας μου. Με εξαίρεση δύο μεγάλες εξορμήσεις που κάναμε στις γύρω περιοχές, έμεινα με τον Κώστα Μομογό μέχρι το τέλος του χειμώνα. Το χιόνι έπεφτε ακόμα βαρύτερα, απ' όσο μπορούσα να θυμηθώ, και μέρα με τη μέρα υπερφόρτωνε τα παλιά ελαιόδεντρα τόσο πολύ που πολλά κλαδιά τους λύγιζαν κι έσπαγαν από το βάρος του. Ακριβώς από κάτω μας, το Αιγαίο Πέλαγος ξέσπαγε και εκτόνωνε τη χειμερινή οργή του.

Οι μέρες εκείνες, περνούσαν οδυνηρά αργά. Τον περισσότερο χρόνο τον περνούσαμε γύρω απ' τη σόμπα αναρωτώμενοι, αν το χιόνι θα σταματούσε ποτέ. Ο Κώστας έφερνε φαγητό από το κυρίως μοναστήρι, το οποίο συνέλεγε μια φορά την εβδομάδα, αφήνοντας με μόνο για μια μέρα. Ήταν ενδιαφέρον να για μένα να παρατηρώ ότι οι μοναχοί, είχαν επί αιώνες, σχεδόν ακριβώς την ίδια οργάνωση και όλες τις παραμέτρους που τηρούσε κι ο στρατός, εν καιρώ πολέμου.

Η συμπάθεια μου μεγάλωνε για τον Κώστα Μομογό, αλλά ήταν, χωρίς αμφιβολία, ένας πολύ ασυνήθιστος χαρακτήρας. Με κράταγε μέσα στο σπίτι όλη τη βδομάδα, και στη συνέχεια, αφού τον πίεζα, συμφωνούσε να πάμε για μια εξόρμηση. Ντυνόμασταν όσο πιο βαριά μπορούσαμε. Φορούσα ράσα, μοναχικό σκουφάκι και ημίψηλες γαλότσες. Καθώς βγαίναμε από το σπίτι, ο Κώστας έλεγχε με καχυποψία αριστερά και δεξιά, μήπως και τα χιονισμένα δέντρα έκρυβαν τίποτα εκατοντάδες Γερμανούς αλπινιστές, κι έπειτα προχωρούσαμε κατά μήκος του βουνού, με τη μεγαλύτερη δυνατή μυστικότητα.

Όταν βρισκόμασταν κοντά σε κάποιο άλλο σπίτι, ο Κώστας έβαζε το δείκτη του κάθετα στα χείλη του για να μου υποδείξει να μη μιλάω ψιθυρίζοντας μου ότι μπορεί να ήταν κάποια ιδιαίτερα επικίνδυνη και εχθρική εστία. Την προσπερνούσαμε κάνοντας ένα μεγάλο κύκλο μέσα στο βαθύ χιόνι με πολλή μεγάλη δυσφορία. Μόνο όταν θα είχαμε απομακρυνθεί αρκετά, μου επέτρεπε να αναδιπλώνω το μαύρο κάλυμμα γύρω από το πρόσωπό μου και να μιλάω ελεύθερα.

Με αυτόν τον τρόπο προσπερνούσαμε μια σειρά από οκτώ ή εννέα μοναστικά κελιά. Αν μας παρακολουθούσε κανείς μπορούσε κάλλιστα να μας περάσει για εξειδικευμένους ιχνηλάτες ή κλέφτες που προσπαθούσαν να ξεγλιστρήσουν απ' τα χέρια της αστυνομίας.

Δεν με πείραζαν όλα αυτά τα προληπτικά μέτρα, τα οποία ούτως ή άλλως ήταν προς το συμφέρον μου, αλλά η ασυνέπεια του Κώστα. Όταν τελικά φτάναμε στο σπίτι για το οποίο είχαμε ξεκινήσει, δεχόταν το κρασί και τη φιλοξενία με τέτοιο ενθουσιασμό, που ψιλομεθούσε αμέσως κι άρχιζε να μας διασκεδάσει με τους θεατρινισμούς του. Στη συνέχεια, μετά από δύο ή τρεις ώρες, αποφάσιζε ξαφνικά, ότι υπήρχαν και άλλοι φίλοι που έπρεπε να επισκεφθεί και, σέρνοντας με ξωπίσω του, πήγαινε σε κάποιο απ' τα σπίτια που είχαμε προσεκτικά προσπεράσει. Ήταν μάταιο να διαμαρτύρομαι.

«Μα, Κώστα, αυτό εδώ δεν είναι το σπίτι, που σήμερα το πρωί μού είπες ότι ζούσε ένας πράκτορας των Γερμανών;»

«Όχι βέβαια!» απαντούσε με αγανάκτηση, και κάποια δυσκολία στη γλώσσα του. «Αυτό είναι το σπίτι ενός πολύ καλού μου φίλου. Πολύ πατριώτη. Μη σου ξεφύγει και τον πεις πράκτορα γιατί δεν θα του αρέσει καθόλου. Έλα, πάμε να τον συναντήσουμε!»

Και καγχάζοντας με μία ευθυμία που ήταν εντελώς ξένη με τη συνηθισμένη κατήφεια και τον απότομο τρόπο του, έκοβε δρόμο και χτυπούσε την πόρτα του σπιτιού με μεγάλη βεβαιότητα ότι θα τύχει καλής υποδοχής από τους φιλόξενους μοναχούς, οι οποίοι, παρά την εύθυμη κατάσταση του, έδειχναν πραγματική συμπάθεια για τον Μομογό. Η ασυνέπεια του με ξεπερνούσε, και υπέμενα τη βόλτα μας κάθε βδομάδα, κρύβοντας την αγανάκτησή μου και προσέβλεπα μόνο στην επιστροφή μου στο σπίτι.

Κατά τη διάρκεια αυτής της περιόδου υπήρχαν διαπραγματεύσεις, σχεδόν σε εβδομαδιαία βάση, με βαρκάρηδες σχετικά με τη δυνατότητα περάσματος στην Τουρκία, ή ακόμα και στην Ίμβρο. Υπήρχαν πολλές υποσχέσεις και συμφωνίες, που δεν κατέληξαν πουθενά. Ακόμα κι όλα τα χρήματα που θα μπορούσα να συγκεντρώσω από τους φίλους μου στη Μεγίστη Λαύρα δεν θα έκαναν την παραμικρή διαφορά για αυτούς τους ανθρώπους. Όταν η συμφωνημένη μέρα έφτανε και τους προσέγγιζα, πάντα μου έλεγαν ότι ο καιρός δεν άφηνε κανένα περιθώριο πλεύσης προς την Τουρκία με ασφάλεια, ή ότι υπήρχαν πολλά γερμανικά περιπολικά σκάφη γύρω. «Όχι σήμερα. Ίσως αύριο ή μεθαύριο!» μου έλεγαν, και όταν προσπαθούσα να αποσπάσω κάτι πιο συγκεκριμένο, σήκωναν τους ώμους τους κάνοντας εκείνη τη χαρακτηριστική ελληνική χειρονομία, που σημαίνει, «Τι να κάνουμε, δεν εξαρτάται από μένα».

Το πιο ενοχλητικό ήταν, όταν ο καιρός έκανε διαλλείματα δύο ή και τριών ημερών μεταξύ των καταιγίδων, και η θάλασσα ερχόταν σε τέτοια κατάσταση που αύξανε κατακόρυφα τις πιθανότητες για ένα γρήγορο ταξίδι απέναντι. Σε εκείνες τις περιπτώσεις, επισκεπτόμουν κάποιον Λάζαρο που είχε ένα εξαιρετικό ιστιοφόρο. Η διστακτικότητα του έφευγε όταν του έδειχνα το ρολό με τα χαρτονομίσματα, αλλά ποτέ δεν έκανε κάτι πέρα από αυτό.

Όταν εμφανίστηκε η πρώτη νύξη της άνοιξης, στις αρχές Μαρτίου, μετακομίσαμε σε ένα άλλο μικρότερο σπίτι, κοντά στη θάλασσα, έτσι ώστε να μπορώ να έχω πιο συχνή επαφή με τους ψαράδες. Αυτό το σπίτι είχε ένα ανοικτό τζάκι και μου ήταν, από πολλές απόψεις, πολύ πιο οικείο από ό,τι το άλλο. Εδώ τρεφόμασταν καλά με ψάρια και άλλα περίεργα τρόφιμα, όπως σαλιγκάρια. Αυτά τα σαλιγκάρια ήταν μεγάλα σαν μικρές πατάτες, και τα μαζεύαμε με τους κουβάδες νωρίς το πρωί μετά από κάθε βροχή. Τα βγάζαμε από το καβούκι τους και στη συνέχεια τα κάναμε στιφάδο σε ζωμό από λαχανικά και λίγο ελαιόλαδο. Τα τρώγαμε με ψωμί και κρασί και ήταν πράγματι πεντανόστιμα.

Ένα άλλο ασυνήθιστο γεύμα ήταν οι βολβοί λουλουδιών που μεγάλωναν εν αφθονία στο δάσος. Τους μαζεύαμε σε μεγάλες ποσότητες και τους αφαιρούσαμε το φλοιό. Έμοιαζαν, με λουλούδια του κήπου, όπως οι νάρκισσοι, μύριζαν όμως πίκρα και θα ήταν αναμφίβολα πολύ δυσάρεστα αν τα μαγείρευε κάποιος με το συνηθισμένο τρόπο. Ο Κώστας μού έδειξε πώς μπορούσαν να μετατραπούν σε ένα πολύ νόστιμο πιάτο. Πρώτα τα έβραζε τουλάχιστον πέντε φορές, με καινούργιο νερό κάθε φορά, για να χάσουν όλη τους την πίκρα και τη δηλητηριώδη γεύση τους, αφήνοντας ένα λευκό γλόμπο που είχε γεύση κρεμμυδιού.

Ο μεγάλος κίνδυνος του να είμαστε κοντά στη θάλασσα, ήταν ο αριθμός των επισκεπτών που είχαμε. Μόλις και μετά βίας περνούσε μια μέρα χωρίς δύο ή τρία άτομα, μοναχούς ή λαϊκούς να μας επισκέπτονται, είτε για να περάσουν τη μέρα τους, είτε για να ζητήσουν κάτι να δροσιστούν. Κατά συνέπεια, δεν εξεπλάγην ιδιαίτερα, όταν μία μέρα έφθασε ο αστυνόμος, ο Φίλιππος, μαζί με τον υπαστυνόμο του, τον Ζαχαρία. Έφερε τη δυσάρεστη είδηση, ότι είχε λάβει εντολές από τους Γερμανούς στη Θεσσαλονίκη, να αναζητήσει έναν Εγγλέζο αξιωματικό που είχε ακουστεί ότι κρυβόταν στην περιοχή. Ήταν προφανώς θέμα χρόνου να μετακινηθώ και πάλι. Ο Φίλιππος και ο Κώστας συζήτησαν για το πού θα μπορούσα να μεταβώ με ασφάλεια, μέχρι να καταστρώσουν κάποιο σχέδιο φυγάδευσης μου στην Τουρκία.

«Το βρήκα», είπε ο Φίλιππος στο τέλος. «Πρέπει να πάμε στο βουνό, στον Ελισαίο! Κανείς δε θα μπορέσει να τον βρει εκεί, και αν τυχόν πλησιάσουν Γερμανοί, θα μπορέσει να τους δει χιλιόμετρα πριν, και να φύγει από το σπίτι».

«Μμμ, ναι», συμφώνησε ο Κώστας με λίγη αμφιβολία, «αν και δε μου αρέσει ο Ελισαίος και πολύ. Συν το ότι δε νομίζω να θέλει κάποιον να μείνει μαζί του.»

«Θα κάνει ό,τι του πούμε εμείς», είπε ο Φίλιππος με βεβαιότητα.

Και έτσι, κανονίστηκαν όλα.

Το επόμενο πρωί, φορτωμένος με διάφορα καλούδια από τους φίλους μου, ξεκίνησα να ανεβαίνω μία-μία τις πλαγιές του Άθω. Ήταν ένα λαμπρό πρωινό και ένιωθα απροθυμία που απομακρυνόμουν και πάλι απ' την ιδιαίτερα ελκυστική θάλασσα. Καθώς το υψόμετρο αυξανόταν κι ο ορίζοντας μάκραινε, στο βάθος μπορούσα να δω την Ίμβρο ανάμεσα στη Λήμνο και τη Σαμοθράκη. Ανηφόριζα σταθερά όλη τη μέρα. Αργά το απόγευμα, μπήκα σε μία ζώνη από πανύψηλα κι επιβλητικά δέντρα ακολουθώντας τη διαδρομή ανάμεσα τους, και λίγο πριν σκοτεινιάσει, έφτασα σε ένα μικρό ξέφωτο. Εκεί, πρόσεξα σκαρφαλωμένο σε έναν χιονισμένο βράχο στην άκρη του μονοπατιού, ένα μεγάλο πέτρινο κελί μαζί με το παρεκκλήσι του. Προχώρησα εμπρός και σύντομα χτύπησα τη βαριά πόρτα.

Ο Ελισαίος δεν ευχαριστήθηκε και πολύ που με αντίκρισε. Ζούσε, όχι απλά σαν μοναχός, αλλά σαν... ολομόναχος εδώ και δεκαπέντε χρόνια πάνω σε αυτό το απομακρυσμένο σημείο, και ποτέ δεν του άρεσαν οι επισκέπτες που έφταναν εδώ για προσκύνημα, πόσο μάλλον για κρύψιμο. Μου έδειξε με απροθυμία ένα δωμάτιο και μου έδωσε λίγο ψωμί και ελιές για γεύμα.

Το δωμάτιο που ήταν να μείνω, ήταν απερίγραπτα βρώμικο. Εκτός απ' την υγρασία και τη λάσπη που υπήρχε στο πάτωμα, οι τοίχοι ήταν καλυμμένοι με δέρματα ζώων που είχαν σχεδόν πετρώσει. Όλα μαζί, ανέδυαν μια αηδιαστική μυρωδιά που ήταν σχεδόν αφόρητη. Συν τοις άλλοις, κάτω από κάθε προβιά ζώου κατοικούσαν ολόκληρες αποικίες από φρικτά σκουληκάκια, ενώ η στέγη ήταν καλυμμένη με άπειρους ιστούς αράχνης.

Πέρασα μία δύσκολη νύχτα, νοσταλγώντας την καθαρή άνεση του μικρού σπιτιού που ήμουνα με τον Κώστα.

Το πρωί, έπιασα να κάνω το δωμάτιο λίγο πιο κατοικήσιμο. Έξυσα τη λάσπη, τράβηξα όλα τα δέρματα και γενικά τα έβγαλα όλα έξω σε μία αποθήκη. Στη συνέχεια, άναψα μία ζωηρή φωτιά στην πέτρινη σόμπα για να αποξηράνω τους τοίχους και το δάπεδο. Μέχρι να φτάσει το βράδυ είχα αποκτήσει και πάλι μία άνετη και καθαρή γωνιά, η οποία ήταν αρκετά ικανοποιητική. Ο Ελισαίος παρακολούθησε το σύνολο των δραστηριοτήτων μου με μία σιωπηρή αποδοκιμασία, αλλά παρατήρησα ότι ήρθε στο δωμάτιό μου το βράδυ για να ζεσταθεί κι ο ίδιος πριν πάει στο δικό του.

Δεν ήταν κακός, ο Ελισαίος, σε καμιά περίπτωση. Όσο τον γνώριζα καλύτερα, καταλάβαινα ότι ήταν ένας απλός άνθρωπος, διόλου εγωιστής, απλά συνηθισμένος να ζει εντελώς μόνος του. Τρεφόταν από το κυνήγι του, και το γεγονός ότι είχε τη μοναχική ιδιότητα, ήταν απλώς συμπτωματικό σε σχέση με την κυνηγητική του δεινότητα. Οι μόνες φορές που μπήκε στο εκκλησάκι κατά τη διάρκεια της παραμονής μου εκεί, ήταν οι περιπτώσεις κατά τις οποίες βλέπαμε έναν ιερέα να ανεβαίνει προς το μέρος μας από το μοναστήρι. Τότε θα ξεσκόνιζε βιαστικά το Ιερό, θα σκούπιζε το πάτωμα και θα άναβε όλα τα καντήλια μπροστά απ' τις εικόνες. Όταν ο ιερέας θα έφτανε, έπρεπε να του ανοίξω την πόρτα και να τον οδηγήσω στο παρεκκλήσι όπου ο Ελισαίος θα ακουγόταν να προσεύχεται δυνατά.

Τις περισσότερες μέρες, έφευγε στο δάσος με το κυνηγόσκυλο του. Δεν τον είδα ποτέ να επιστρέφει με άδεια χέρια. Μερικές φορές έφερνε άγρια πουλερικά και πιο σπάνια, κάνα αγριογούρουνο ή ελάφι. Αν το θήραμα ήταν πολύ μεγάλο, θα το φόρτωνε και θα το έσερνε χρησιμοποιώντας ένα γέρικο μουλάρι.

Υπό αυτές τις συνθήκες, η τροφή μας δεν ήταν τίποτε άλλο παρά κρέας. Υπήρχε διαθέσιμο ψωμί στο μοναστήρι, αλλά ο Ελισαίος δεν έμπαινε στον κόπο να πάει κάτω για αυτό. Κατά συνέπεια, είχαμε τρία βαριά γεύματα κάθε μέρα από χοιρινό, μοσχάρι ή άγρια πτηνά, και ανακάλυψα ότι αυτή η βαριά διατροφή έκανε την πληγή μου να τρέχει περισσότερο. Τα καλύτερα μέρη του κρέατος τα παστώναμε και τα στέλναμε κάτω στο μοναστήρι. Για τον εαυτό μας, κρατούσαμε τα συκώτια, τα εντόσθια και τα κεφάλια.

Σε κάποιο κυνήγι, ήρθαν μαζί και τέσσερις αστυνομικοί, και παρά το γεγονός ότι είχαν σύγχρονα όπλα και μακρύκανες καραμπίνες μαζί τους, ο Ελισαίος ήταν ο μόνος που έπιασε κάτι. Σκότωσε ένα νεαρό αγριογούρουνο στο δάσος, αρκετά μακριά από το σπίτι, και η παρέα του, το έφερε πίσω για να το γιορτάσουμε.

Παρακολούθησα τον τρόπο με τον οποίον το καθάρισαν, ή μάλλον το προετοίμασαν για φαγητό, γιατί σίγουρα δεν το καθάρισαν με τον τρόπο που το αντιλαμβανόμουν εγώ. Εναντιώθηκα όταν είδα το κεφάλι του να κόβεται με τσεκούρι, να βυθίζεται για λίγο στο ρέμα που έτρεχε κοντά στο σπίτι και στη συνέχεια να τοποθετείται με τη γλώσσα όπως ήταν σε ένα μεγάλο τηγάνι. Λίγες ώρες αργότερα ενοχλήθηκα, ωστόσο, ακόμα περισσότερο όταν το ίδιο κεφάλι τέθηκε μπροστά μου για να το φάω. Διαμαρτυρήθηκα μάταια γιατί επέμεναν όλοι πως ήταν το καλύτερο μέρος του ζώου κι ότι έπρεπε να το φάω οπωσδήποτε. Πάντα έλεγα στον εαυτό μου, κατά τη διάρκεια των ταξιδιών μου, ότι δεν θα είχα την πολυτέλεια να απορρίπτω την τροφή που θα μου προσφερόταν, αλλά αυτό μού φαινόταν εξωπραγματικό. Από αμηχανία στην επιμονή τους, πήρα το μαχαίρι μου και προσεκτικά έκοψα το αγκαθωτό μάγουλο. Δύο γυάλινα μάτια με κοίταζαν λυπημένα, σχεδόν παροτρύνοντας με να συνεχίσω. Και τότε η γλώσσα γλίστρησε έξω από το πλάι του στόματος. Μου ήρθε αναγούλα, αλλά συνέχισα. Ο Ελισαίος έσπευσε να με βοηθήσει και αφαίρεσε προσεκτικά την εξωτερική πέτσα για να αποκαλύψει ένα πολύ εύγευστο κομμάτι κρέατος, αλλά η αρχική ευγνωμοσύνη μου μού πέρασε γρήγορα όταν έβγαλαν τα δύο μάτια και τα έβαλαν μπροστά μου για να τα φάω. Ήμουν τρομοκρατημένος γιατί δεν έβλεπα πώς θα μπορούσα να την σκαπουλάρω.

«Είναι νόστιμα ... πολύ νόστιμα ... είναι υπέροχα!» Είπε ένας αστυνομικός. «Είναι αναμφίβολα το καλύτερο μέρος του ζώου».

«Ε, τότε, παρακαλώ φάτε τα», φώναξα με απόγνωση. Αλλά με πίεσαν μέχρι που έβαλα ένα απ' τα αντιαισθητικά πράγματα στο στόμα μου. Δεν προσπάθησα να το καταπιώ, αλλά υποκρίθηκα ότι το μάσησα με ευχαρίστηση και με την πρώτη ευκαιρία το έφτυσα με τρόπο στο χέρι μου και το πέταξα κάτω από το τραπέζι.

Για κακή μου τύχη, ο μεγάλος γάτος, που συνήθως καθόταν αρκετά ήσυχος και βαριόταν να παίξει με τ' οτιδήποτε, επέλεξε εκείνη τη στιγμή να ασχοληθεί με το μάτι. Ένας βρυχηθμός από γέλια κατέκλυσε σύντομα ολόκληρο το δωμάτιο καθώς η γάτα έπαιζε μπάλα με το μάτι απ' την μία πλευρά του δωματίου μέχρι άλλη. Μετά από αυτό, πάντως, δεν με ξαναπίεσαν να φάω κεφάλι αγριογούρουνου. Υπήρχε όμως και το θέμα των ποδιών. Σε μία απ' τις εξορμήσεις του, ο Ελισαίος, μου είχε αφήσει τέσσερα πολύ αποκρουστικά κι αρκετά βρώμικα ποδαράκια, γεμάτα με πετρωμένη λάσπη. Σίγουρα αποτελούσαν μία καλή λιχουδιά, ειδικά για ένα φυγά, αλλά εγώ δεν μπορούσα να το δω έτσι. Είχα γίνει φίλος με το τεράστιο κυνηγόσκυλο και επειδή ο Ελισαίος το είχε αφήσει πίσω, του έδωσα τα ποδαράκια. Το μεγάλο σκυλί καταβρόχθισε με ευχαρίστηση τα κόκαλα αναμασώντας τα όλη μέρα. Η εξαπάτηση μου όμως δεν πήγε και πολύ μακριά διότι το επόμενο πρωί, όταν έπρεπε να πάει για κυνήγι, ο σκύλος κάθισε στο κατώφλι και αρνιόταν να κουνηθεί. Ο Ελισαίος, σάστισε για λίγα λεπτά. «Έδωσες φαγητό στο σκύλο;» ζήτησε να μάθει, κάνοντας την πρώτη συνομιλία για αρκετές μέρες. Του είπα τι είχα κάνει και έφυγε εξαγριωμένος για κυνήγι χωρίς το σκύλο. Προφανώς, όσο σκληρό κι αν φαίνεται, τα κυνηγετικά σκυλιά πρέπει να κρατιόνται όσο πιο πεινασμένα γίνεται, ώστε να αποδίδουν τα μέγιστα στο κυνήγι. Ωστόσο, είχα κάνει ένα καλό φίλο στο σπίτι· κατά την υπόλοιπη διαμονή μου, καθόταν πάντα δίπλα στα πόδια μου.

Έμεινα με τον Ελισαίο συνολικά δεκαπέντε μέρες. Κατά το μεγαλύτερο μέρος αυτών ήμασταν μέσα λόγω των κακών καιρικών συνθηκών, αλλά τις καλές μέρες πήγαινα έξω στο δάσος για να μεταφέρω με το μουλάρι καυσόξυλα και στη συνέχεια να τα κόβω σε κατάλληλα μήκη. Μια απ' τις μέρες την πέρασα κατασκευάζοντας με τον μίζερο οικοδεσπότη μου ένα νέο προστατευτικό πλαίσιο για τα αμπέλια του, τα οποία είχαν αρχίσει να βλασταίνουν. Αυτό το μικρό αγρόκτημα, στα όρια του χιονισμένου επιπέδου, ήταν ξακουστό για την παραγωγή ενός ιδιαίτερα καλού κρασιού, τις χρονιές που οι παγετοί επέτρεπαν στα αμπέλια να αναπτυχθούν. Κάτω από το σπίτι, υπήρχαν κελάρια με βαρελίσιες δεξαμενές, τόσο μεγάλες όσο ένα σαλόνι σπιτιού.

Ξεχείλιζαν όλες απ' την ωρίμανση του οίνου. Ο Ελισαίος, συχνά με καλούσε προς βοήθεια τα βράδια στην παραγωγή τσίπουρου, μίας εύγευστης απόσταξης, με ή χωρίς γλυκάνισο, απ' τη ζύμωση των υπολειμμάτων των πατημένων σταφυλιών.

Λίγο μετά το σούρουπο ένα βράδυ, έφτασε ένας από τους αστυνομικούς της Μεγίστης Λαύρας. Μετέφερε ένα επείγον μήνυμα για μένα από τον Κώστα Μομογό, που έλεγε να επιστρέψω αμέσως, καθώς υπήρχε μια ευνοϊκή ευκαιρία για το ταξίδι στην Τουρκία. Ήμουν συνεπαρμένος όταν το έλαβα. Ήθελα να φύγω αμέσως, αλλά ο Ελισαίος μου επεσήμανε πολύ σωστά, ότι δεν θα έβρισκα το δρόμο ποτέ μέσα από το σκοτεινό δάσος. Δεν κοιμήθηκα καθόλου εκείνο το βράδυ. Πριν ξημερώσει ήμουν ήδη ντυμένος.

Ο Ελισαίος, διαπίστωσα, ότι ήταν συγκινημένος όταν του εξέφρασα τις ευχαριστίες μου και του είπα αντίο. Ήταν ένας συνειδητά μοναχικός άνθρωπος, αλλά εκτιμούσε να βρίσκει μια αναμμένη φωτιά κι ένα ζεστό σπίτι, όταν επέστρεφε από το κυνήγι. Αποδείχτηκε αρκετά επίπονο να αποτρέψω το κυνηγόσκυλο του να με ακολουθήσει. Η αυγή χάραξε μόλις χωνόμουν μέσα στα μεγάλα πεύκα.

Δεν σταμάτησα στη Μεγίστη Λαύρα καθώς περνούσα. Η μέρα ήταν τέλεια και η θάλασσα λάδι, οπότε πεζοπόρησα ολοταχώς έχοντας τη σκέψη ότι θα μπορούσα να αναχωρήσω το ίδιο βράδυ. Πράγματι, παρατήρησα τον εαυτό μου να τρέχει σε μερικά κομμάτια -τόσο απεγνωσμένος ήμουν να φτάσω στον Κώστα και να μάθω ποια ήταν τα καλά νέα. Σε κάποια φάση, είδα ένα μεγάλο ιστιοπλοϊκό σκάφος μερικά μίλια απ' την ακτή να έχει πορεία ανατολικά και πανικοβλήθηκα μήπως ήταν ήδη πολύ αργά.

Λίγο μετά το μεσημέρι, ανέβηκα τη μικρή ανηφόρα που οδηγούσε μέχρι το ξέφωτο που ήταν το σπίτι του Μομογού. Με χαιρέτησε θερμά και με πήρε μέσα, όπου είχε ετοιμάσει σούπα με ζωμό για την άφιξή μου. Ήμουν τρομερά κουρασμένος, μετά από μία τόσο μεγάλη πορεία, κι ο ζωμός μου φάνηκε ιδιαίτερα αναζωογονητικός. Με μία μικρή ανυπομονησία περίμενα από τον Κώστα να μου πει πότε θα μπορούσα να φύγω.

«Λοιπόν, τώρα, πρέπει να σου πω τα νέα», ξεκίνησε να μου λέει κάποια στιγμή, όταν το ελληνικό δραματικό ταμπεραμέντο του είχε ικανοποιηθεί, κι εγώ είχα φτάσει στο απόγειο της περιέργειας μου. «Υπάρχει ένα σκάφος σε μία ακτή του Αγίου Όρους. Εκεί κρύβονται σαράντα Έλληνες αξιωματικοί που επιθυμούν να αποδράσουν για την Αίγυπτο. Θέλουν να ενταχθούν στην Ιερή Ταξιαρχία για να υπηρετήσουν το Βασιλιά. Ένα από αυτά τα μέλη είναι γνωστός μου. Ήρθε εδώ για να μάθει αν υπάρχουν νεότερα για τις κινήσεις των γερμανικών περιπολικών σκαφών κι συμφώνησε κι ο ίδιος ότι, εάν ήταν εφικτό, θα μπορούσες να πάρουν κι εσένα μαζί τους. Στην ουσία, θεωρούσε ότι ένας Άγγλος αξιωματικός θα του ήταν μεγάλο πλεονέκτημα σε τυχόν διαπραγματεύσεις, όταν έφθασαν όλοι με το καλό στην Τουρκία. Για πες μου, δεν είναι αυτά καλά νέα;»

«Όχι μόνο καλά, αυτά είναι υπέροχα, Κώστα», απάντησα, χωρίς μεγάλο ενθουσιασμό, ωστόσο, διέκρινα μια κάποια ασάφεια στην ιστορία, κάτι με το οποίο ήμουν αρκετά εξοικειωμένος. «Αλλά πού είναι αυτός ο Έλληνας αξιωματικός τώρα; Θα ήθελα να του μιλήσω. Και το σκάφος, πού βρίσκεται; Και πότε σκοπεύουν να φύγουν για την Τουρκία;»

«Σιγά-σιγά, σιγά-σιγά, φίλε μου Τόμας. Πρέπει να έχεις υπομονή. Θα έρθει πάλι εδώ, τις επόμενες μέρες. Μπορεί να έρθει ακόμη και αύριο ή μεθαύριο».

Μόλις εκστόμισε ο Κώστας, με κάθε σοβαρότητα, εκείνες τις δύο θανατηφόρες λέξεις «ΑΥΡΙΟ-ΜΕΘΑΥΡΙΟ», κατάλαβα ότι το θαυμάσιο αυτό σχέδιο, θα κατέληγε σε αποτυχία. Ο Κώστας Μομογός, παρέμεινε αισιόδοξος μέχρι το πικρό τέλος, και με εξόργιζε κάθε βράδυ των επόμενων ημερών, λέγοντας, «Λοιπόν, αύριο-μεθαύριο, θα 'ναι εδώ».

Τουλάχιστον, αυτή η ιστορία είχε συνέχεια, σε αντίθεση με την πλειονότητα των προηγούμενων απογοητεύσεων μου. Ο Φίλιππος, μας επισκέφτηκε μία εβδομάδα περίπου αφότου είχα επιστρέψει από τον Ελισαίο, φέρνοντας τη σοβαρή είδηση ότι οι Γερμανοί είχαν πραγματοποιήσει μία μεγάλη επιχείρηση-σκούπα στο μικρό ψαροχώρι της Ουρανούπολης. Είχαν εντοπιστεί πάνω από τριάντα Έλληνες αξιωματικοί και Άγγλοι δραπέτες που ετοιμάζονταν να διαφύγουν με ένα μεγάλο αλιευτικό καΐκι. Δεν υπήρχε καμία αμφιβολία, είπε ο Φίλιππος, ότι οι Γερμανοί είχαν λάβει γνώση για τα σχέδιά τους απ' την αρχή, και περίμεναν αυτάρεσκα την κατάλληλη στιγμή που θα έβγαιναν όλοι οι δραπέτες απ' τις κρυψώνες τους για να συγκεντρωθούν στην ακτή, και να τους πιάσουν. Πολύ λίγοι κατάφεραν να ξεφύγουν.

Δικαιολογώντας όλη την ασυνέπεια του, ο Κώστας, μόλις άκουσε αυτή την είδηση γύρισε με ικανοποίηση προς το μέρος μου και σχεδόν με κατακεραύνωσε.

«Δεν είσαι χαρούμενος που δεν ήρθες σ' επαφή μ' αυτούς;» είπε. «Θυμήσου το πόσο ανυπόμονος ήσουν να πας να τους βρεις. Το ήξερα ότι κάτι δεν πήγαινε καλά. Θα πρέπει να είσαι πολύ χαρούμενος που διέφυγες τη σύλληψη».

Ο Φίλιππος, είχε και κάτι άλλο κατά νου εκείνο το απόγευμα. Είχα αντιληφθεί μία ανησυχία που είχε, σαν να ήθελε να μας πει κάτι το οποίο δεν ήμουν προετοιμασμένος να ακούσω.

«Τόμας, σου έχω και μία άσχημη είδηση», άρχισε, και το δυνατό πρόσωπο του άρχισε να ρυτιδιάζει από τα έντονα συναισθήματα, «Οι Ιάπωνες έχουν καταφέρει φοβερές νίκες στον Ειρηνικό. Κάποιοι λένε ότι όλα αυτά μπορεί να είναι γερμανική προπαγάνδα, αλλά μας είπαν ότι δύο μεγάλα θωρηκτά σας, το *Prince of Wales* και το *Repulse* βυθίστηκαν από τους Καμικάζι και, ακόμα χειρότερα, ότι κατελήφθη η Σιγκαπούρη ... και υπάρχουν μισό εκατομμύριο κρατούμενοι.»

«Η Σιγκαπούρη;» Εξερράγην δύσπιστα. «Μα, αυτό είναι αδύνατο, Φίλιππος! Οι Βρετανοί έχουν βάση εκεί, όπως στο Γιβραλτάρ. Δεν θα μπορούσε ποτέ να καταληφθεί. Νομίζω ότι όλα αυτά παραπέμπουν στον Γκαίμπελς!»

«Πιθανόν, να είναι κι έτσι», απάντησε ο Φίλιππος

κουρασμένα, «αλλά τις τελευταίες μέρες, οι εφημερίδες ήταν γεμάτες από αυτά τα νέα. Προβλέπουν ότι τίποτα δεν μπορεί να σταματήσει τους Ιάπωνες, ότι η Αυστραλία θα συνθηκολογήσει πολύ σύντομα και ότι ... και ότι ... η Νέα Ζηλανδία είναι ήδη υπό πολιορκία».

Γύρισα απ' την άλλη και άφησα τον Κώστα, ο οποίος ήταν κι εκείνος έκπληκτος που τα άκουγε όλα αυτά, να ξεπροβοδήσει τον Φίλιππο. Προσπάθησα να πείσω τον εαυτό μου ότι ήταν όλα ανοησίες, αλλά κάτι μέσα μου υποστήριζε ότι ήταν αλήθεια και με κυρίευσε ένα αίσθημα φρίκης αναμεμιγμένο με πανικό, μήπως οι άνθρωποι μου στην άλλη πλευρά του πλανήτη βρισκόντουσαν σε κίνδυνο, ή ίσως να πάλευαν για τη ζωή τους όσο εγώ σάπιζα σε μία μακρινή χερσόνησο. Ο Κώστας, είχε περιέργεια να μάθει περισσότερα για τους Ιάπωνες και του είπα μερικά πράγματα σε σχέση με τη σκληρότητα τους, την παγωμάρα τους και τον αφύσικο τρόπο ζωής τους. Εκείνο το βράδυ, μείναμε, ως επί το πλείστον, σιωπηλοί κοιτάζοντας τη φωτιά. Το μυαλό μου έτρεχε και εξέταζε κάθε δυνατό τρόπο για να φτάσω μέχρι την Τουρκία.

Αρκετή ώρα αφότου ο Κώστας έπεσε για ύπνο, έβγαλα ήσυχα απ' τις φωλιές τους τις βαριές ξύλινες ράβδους που ασφάλιζαν την πόρτα και γλίστρησα έξω. Η νύχτα ήταν ακόμα ειρηνική. Δεν υπήρχε φεγγάρι, αλλά ένας καθαρός ουρανός γεμάτος με άστρα που φεγγοβολούσαν. Περπάτησα κατά μήκος του μονοπατιού, κοιτάζοντας προς τα κάτω για τη θάλασσα και στη συνέχεια προς τα πάνω μέχρι τα αστέρια, προσπαθώντας να μεταβάλλω την απελπισία μου σε έμπνευση.

Μετά από κάνα δίωρο, γύρισα πίσω μ' ένα σταθερό σχέδιο στο μυαλό μου. Τώρα, που είχε μπει πλέον η Άνοιξη και η θάλασσα ήταν πιο δεκτική, δεν θα είχα ενδεχομένως, την ανάγκη από κανέναν ναυτικό να με περάσει απέναντι. Έτσι, ακόμα κι αν μία καλή προσπάθεια να αγοράσω ένα σκάφος αποτύγχανε, θα είχα τη συμπαράσταση της συνείδησής μου, ότι στα πλαίσια της άσκησης των καθηκόντων μου δεν θα μου έμενε άλλη επιλογή από το να κλέψω ένα, και να επιχειρήσω το ταξίδι είτε μόνος μου, είτε με όποιον θα μπορούσα να βρω που θα είχε λόγο να έρθει μαζί μου. Εάν το έβρισκα απαραίτητο, θα κωπηλατούσα μέχρι απέναντι. Παρεισέφρησα ξανά στο μικρό σπίτι, ενθουσιασμένος πλέον, με την προοπτική του σχεδίου μου. Δεν ήταν δύσκολο να προβλέψει κανείς τις δυσκολίες που θα είχε ένα τέτοιο εγχείρημα, αλλά το κυνήγι της ελευθερίας μου και η επιτακτική ανάγκη να έρθω σε επαφή με την οικογένεια μου, το συντομότερο δυνατόν, δικαιολογούσαν το οποιοδήποτε ρίσκο.

'Pay Costos Momogos the sum of Ten "Pounds" Sterling.' Drawn by 9234 Lieutenant Walter Babington Thomas, Prisoner of War, Greece. (Agion Oros, Salonika), to procure funds for escape to Turkey. Address 'Dehra Doon' Riwaka, Nelson, New Zealand.

Τραπεζική Επιταγή Δέκα Λιρών Αγγλίας που δόθηκε στον Κώστα Μομογό έναντι τής βοήθειας που παρείχε. Επιταγές όπως αυτή, επιστράφηκαν στην εκδότρια Τράπεζα μετά τον πόλεμο, κι αργότερα πληρώθηκαν στους δικαιούχους απ' την κυβέρνηση της Νέας Ζηλανδίας.

ΣΥΝΑΞΗ ΠΑΡΑΝΟΜΩΝ

«Ε, λοιπόν, είναι πολύ ευχάριστο να μπορείς να επικοινωνείς με κάποιον στη γλώσσα σου και πάλι», είπε το ψηλό, γεροδεμένο παλληκάρι που εμφανίστηκε στην πόρτα και τέντωσε το δεξί του χέρι για να με χαιρετίσει. «Με λένε Τζων, Λοχίας Τζων Κουτ, των Κομάντος της Μέσης Ανατολής, και είμαι σίγουρα πολύ ευτυχής που σε γνωρίζω!»

Συστηθήκαμε μαζί με τον Κώστα κι εντός ολίγου βολευτήκαμε γύρω απ' τη φωτιά και μιλούσαμε ακατάπαυστα σαν δύο παλιοί φίλοι. Στο βάθος, ο Κώστας έσφυζε με την προετοιμασία τού λιγοστού φαγητού που υπήρχε στη διάθεση μας και συνομιλούσε στα ελληνικά με τον Φίλιππο ο οποίος είχε οδηγήσει τον Τζων σε εμάς.

Είχαν περάσει τρεις μέρες από τότε που είχα αποφασίσει να πιέσω την κατάσταση κι αν δεν έβρισκα άλλη λύση, να καταφύγω στην κλοπή ενός σκάφους. Ο Κώστας, προς έκπληξή μου, είχε μαντέψει τις προθέσεις μου και αποτελούσε τη σημαντικότερη βοήθεια. Μου είχε επισημάνει πολύ σωστά, ότι θα ήταν σχεδόν αδύνατο να φέρω εις πέρας αυτό το σχέδιο μόνος μου, και γι' αυτό, είχε λάβει την πρωτοβουλία να μάθει ο ίδιος από τον Φίλιππο μήπως γνώριζε κι άλλους επίδοξους δραπέτες με τους οποίους θα μπορούσα να συγκροτήσω μία κατάλληλη ομάδα. Ο Φίλιππος τού αποκάλυψε απρόθυμα τα ίχνη άλλων, τουλάχιστον, δέκα Ελλήνων και Άγγλων, που συγκεντρώνονταν σιγά-σιγά για να καταρτίσουν ένα επιχειρησιακό σχέδιο απόδρασης.

Ο Τζων δεν ήταν υπέρ της οποιασδήποτε περαιτέρω απόπειρας για αγορά σκάφους: ήταν άνθρωπος της δράσης και η εκπαίδευσή του στους καταδρομείς τού είχε δώσει μια δυναμικότητα που την έβρισκα πολύ ελπιδοφόρα.

Καθώς τακτοποιούμασταν εκείνο το βράδυ, σκέφτηκα ότι μ' έναν τόσο σκληροτράχηλο συνάδελφο, θα μπορούσαμε να καταφέρουμε σχεδόν τα πάντα.

Ο Κώστας καταπιάστηκε στο να μας βοηθήσει αμέσως με μεγάλο ενθουσιασμό. Φοβόταν ότι κανείς από τους δυο μας δεν ήταν ικανός να καπετανεύσει μία βάρκα και μας προειδοποιούσε για την απίστευτη μανία των ανοιξιάτικων καταιγίδων του Αιγαίου. Γι' αυτό, άρχισε να κάνει έρευνες την επόμενη μέρα και μέχρι το βράδυ η παρέα μας είχε αποκτήσει άλλο ένα μέλος. Ήταν ο Αλέξης, Έλληνας του Πόντου. Η οικογένεια του είχε καταφύγει στην Αθήνα μετά την Κομμουνιστική Επανάσταση. Ήθελε να φτάσει στο Κάιρο, για τους δικούς του λόγους, και ισχυριζόταν ότι ήξερε καλή ιστιοπλοΐα. Διατηρούσαμε εξ αρχής αμφιβολίες για τις πραγματικές δυνατότητες του, γιατί ήταν ένα παλληκαράκι το πολύ δεκαοκτώ ετών. Αφεθήκαμε, όμως, στην πειθώ τού υπέρμετρου ενθουσιασμού του και της υπερκινητικότητάς του. Ολόκληρη την πρώτη νύχτα, μας διασκέδαζε με τις εξαιρετικά απίθανες ιστορίες απ' την προηγούμενη ζωή του στην Αθήνα, όπου ισχυριζόταν ότι όλες οι όμορφες γυναίκες ήταν ερωμένες του.

Το επόμενο πρωί, αποχαιρετίσαμε και οι τρεις μας τον Κώστα. Προσωπικά, ήμουν πολύ φορτισμένος συναισθηματικά κι ευχαρίστησα εκτενώς τον παλιό μου συγκάτοικο για όλα όσα είχε κάνει για μένα. Ήμουν σίγουρος, καθώς τον χαιρετούσα για τελευταία φορά από την κορυφή της ανηφόρας, πάνω απ το σπίτι του, ότι ο Κώστας θα ήταν σίγουρα ένας από τους Έλληνες που θα αναζητούσα οπωσδήποτε μετά τον πόλεμο, αν επιβίωνα.[38]

Για να κρατηθούμε μακριά απ' τα κύρια μονοπάτια, κόψαμε ψηλότερα μέσα από το δάσος και διασχίσαμε κάμποσες βουνοκορφές, ακριβώς κάτω απ' τα χιονισμένα επίπεδα του Άθω. Περάσαμε αρκετά κοντά από το μοναχικό σπίτι του Ελισαίου, αλλά σκέφτηκα ότι δεν ήταν σκόπιμο να τον αναστατώσουμε. Περάσαμε εκείνο το βράδυ σε ένα άδειο μικρό καλύβι στο δάσος, τρώγοντας το φαγητό που

---

[38] Ο Κ. Μομογός ήταν δυστυχώς νεκρός, όταν τον αναζήτησε ο Σάντυ μετά τον πόλεμο.

μας είχε δώσει μαζί ο Κώστας.

Λίγο μετά το μεσημέρι της επόμενης ημέρας, φτάσαμε πάνω από μία σκήτη, και ενώ ο Τζων και εγώ κρυβόμασταν στα δέντρα, ο Αλέξης στάλθηκε να προσφέρει το μεγάλο ρολό με τα χρήματα που είχαμε συγκεντρώσει, σε έναν υποψήφιο πωλητή ενός μικρού σκάφους. Όπως ακριβώς είχαμε προβλέψει, επέστρεψε πίσω σε περίπου μισή ώρα λέγοντας μας ότι ο ιδιοκτήτης ήθελε τρόφιμα ή χρυσό σε αντάλλαγμα για το σκάφος του, διότι το ρολό με το χαρτί τού ήταν παντελώς άχρηστο.

Πραγματοποιήσαμε ένα γρήγορο στρατηγικό συμβούλιο. Ο Κώστας μου είχε πει για ένα καρνάγιο που άνηκε σε κάτι Ρώσους μοναχούς και δεν απείχε πολύ απ' τη σκήτη που βρισκόμασταν.[39] Εκείνη τη στιγμή, η συνείδηση μου μού έκανε ένα μικρό δωράκι και μού θύμισε ότι οι Ρώσοι μοναχοί, για τους δικούς τους λόγους, είχαν δηλώσει ότι δεν θα εναντιώνονταν στους Γερμανούς, ποντάροντας με το μέρος του νικητή, αν ο πόλεμος κατέληγε σε γερμανική κυριαρχία. Κάνοντας μία γρήγορη αναγνώριση, διαπιστώσαμε ότι ο συγκεκριμένος ταρσανάς[40] φυλασσόταν από δύο μοναχούς, που ζούσαν σε ένα μικρό σπίτι πάνω από ένα υπόστεγο που προφανώς βρισκόταν κάποιο είδος αλιευτικού σκάφους. Η περιοχή, όμως, ήταν αρκετά μοναχική, και αν καταφέρναμε με κάποιο τρόπο να αποσπάσουμε την προσοχή των μοναχών από εκεί, θα ήμασταν σε θέση να διαρρήξουμε το υπόστεγο χωρίς ιδιαίτερο κόπο. Δεν αποδέχτηκα, όμως, με τίποτα την πρόταση να πληγούν οι μοναχοί με οποιονδήποτε τρόπο.

Ο ιδανικός χρόνος για την κλοπή, όπως μου είχε εξηγήσει ο Κώστας, ήταν κατά τη διάρκεια του Πάσχα διότι εκείνη τη νύχτα, όλοι οι μοναχοί μεταβαίνουν στον κεντρικό ναό της Σκήτης, όπου συγκεντρώνονται όλες οι αδελφότητες για την αγρυπνία του Μεγάλου Σαββάτου. Φαινόταν κατάπτυστο να επωφεληθούμε από ένα τέτοιο γεγονός, αλλά ήταν τόσα πολλά που διακυβεύονταν, και ήταν τόσο

---

[39] Στα παραθαλάσσια μέρη τής περιοχής Προβάτας, στον ΝΑ Άθω.
[40] Ταρσανάς ή Αρσανάς λέγεται το μικρό καρνάγιο που είναι συνήθως και οίκημα.

επιτακτική η ανάγκη να φτάσω στον προορισμό μου, ώστε αποφάσισα να δικαιολογήσουμε την πράξη μας. Ο Τζων κι εγώ, δουλέψαμε πάνω στο ποια θα ήταν η καλύτερη προσέγγιση της τοποθεσίας και ποια τακτική θα έπρεπε ν' ακολουθήσουμε σε περίπτωση που το υπόστεγο ήταν κλειδωμένο ή άδειο. Σε συνεργασία με τον Αλέξη, καταλήξαμε στο συμπέρασμα ότι θα χρειαζόμασταν τουλάχιστον δύο άνδρες ακόμα, τόσο για το γρήγορο ρίξιμο του σκάφους στη θάλασσα, όσο και για το μακρύ ταξίδι. Ο Αλέξης επεσήμανε πως ο χειρισμός των πανιών και μόνο θα απαιτούσε την αφοσίωση τριών ανδρών, και ότι από πέντε ή έξι άτομα θα μπορούσε να διατηρηθεί μία σταθερή ταχύτητα κωπηλασίας, σε περίπτωση άπνοιας.

Έτσι λοιπόν, αποφασίστηκε ότι θα έπρεπε να παραμείνουμε επί τόπου για να παρατηρήσουμε τη ρουτίνα των μοναχών στον ταρσανά, ενώ ο Τζων θα έφευγε με αποστολή να προσπαθήσει να βρει έναν Άγγλο δεκανέα που είχε γνωρίσει πρόσφατα και θα μπορούσε να έρθει μαζί μας. Ενάντια στην, μάλλον, ωριμότερη κρίση μου, ο Αλέξης πήγε προς μία άλλη κατεύθυνση για να ζητήσει τη βοήθεια ενός φίλου του που ήταν έμπειρος ναυτικός. Κανονίσαμε να συναντηθούμε σε ένα σπίτι στα περίχωρα της σκήτης, που ανήκε σ' έναν, προφανώς, αμφιλεγόμενο μοναχό, που θα μας βοηθούσε να κλέψουμε ένα σκάφος από τους Ρώσους συνασκητές του. Θα συναντιόμασταν εκεί την επόμενη νύχτα · το Μεγάλο Σάββατο.

Αφού οι άλλοι δύο έφυγαν, ανηφόρησα προς μία άλλη μικρή ομάδα κελιών στα οποία κατοικούσαν Έλληνες μοναχοί. Ήξερα ότι ανήκαν κι εκείνοι στη Μεγίστη Λαύρα. Εκεί έγινα αποδεκτός με θέρμη. Δεν τους έδωσα καμία υποψία ότι δεν ήμουν μόνος και ότι σκόπευα μαζί με άλλους να κλέψω μια βάρκα από το «αντίπαλο» μοναστήρι τους.

Ήταν Μεγάλη Παρασκευή, κι όλοι οι μοναχοί ετοιμάζονταν για την ολονύχτια αγρυπνία την οποία ήμουν αναγκασμένος να παρακολουθήσω. Η εκκλησία ήταν μεγάλη και είχε γύρω-γύρω κόγχες. Βαριές επιχρυσωμένες πέτρινες κολόνες οδηγούσαν σε ένα λαμπρό θόλο από τον οποίο κρεμόταν ένας γυαλισμένος μπρούτζινος πολυέλαιος. Σε όλο το μήκος της κύριας όψης, βρίσκονταν εικόνες Αγίων φωτιζόμενες από ένα μικρό καντήλι ελαιόλαδου, που κρεμόταν με μια λεπτή αλυσίδα από ψηλά. Ο μεγάλος κυκλικός πολυέλαιος με τα φυσικά κεριά, πλημμύριζε τον εσωτερικό χώρο με ένα αμυδρό φως.

Ο κάθε μοναχός, που εισερχόταν στον κατανυκτικό ναό, ασπαζόταν πρώτα την εικόνα τής Βρεφοκρατούσας, κάνοντας λίγες μετάνοιες μπροστά της, και μετά του Αγίου που έφερε το όνομα ο ναός. Στη συνέχεια γονάτιζε για λίγες στιγμές στο κέντρο προς τις τέσσερις κατευθύνσεις, λες και ζητούσε συγνώμη απ' όλους τους παρισταμένους, κι άναβε ένα απ' τα μυριάδες μικρά καντήλια μπροστά από τους Αγίους. Εν συνεχεία, έπαιρνε ένα μακρύ κερί από έναν ιερέα και πήγαινε σε μια συγκεκριμένη θέση στο ναό, σύμφωνα με την προκαθορισμένη τάξη. Βρέθηκα κοντά στα καθίσματα των ιερέων, όπου με σοβαρότητα μου ζητήθηκε να κάνω το σημείο του σταυρού μετά από κάθε προσευχή και ύμνο.

Σιγά-σιγά, η εκκλησία γέμισε. Στην απέναντι πλευρά φαινόντουσαν οι νεαρότεροι δόκιμοι ή μοναχοί, και στο πλάι μου οι γεροντότεροι και νεαρότεροι ιερείς. Με νόημα του οικοδεσπότη μου, που ήταν ο *Δικαίος* της Σκήτης, δηλαδή ο υπεύθυνος για τη διοίκηση της, τα κεριά στον μεγάλο πολυέλαιο έσβησαν ένα προς ένα και η εκκλησία παρέμεινε με καμία εκατοστή τρεμάμενα καντήλια που έριχναν τις περίεργες σκιές τους στους τοίχους και τις κολώνες. Σύμφωνα με την παράδοση εκεί, κανείς δεν ήθελε να κάθεται κατά τη διάρκεια της ολονυχτίας στο στασίδι του, αν και μπορούσαν να ακουμπούν τα χέρια τους πάνω στις ξύλινες προεξοχές που ήταν κατασκευασμένες στο ύψος των αγκώνων για το σκοπό αυτό. Απ' ότι κατάλαβα, πολλοί μοναχοί μπορούσαν να παίρνουν και σύντομους ύπνους σε αυτή τη στάση, και παρατηρούσα με λίγη διασκέδαση έναν γέροντα ιερέα δίπλα μου που ενώ είχε αποκοιμηθεί, το κεφάλι του έγερνε σταδιακά προς το κερί του μπροστά και το μαύρο κουκούλι του κινδύνευε να λαμπαδιάσει σε δευτερόλεπτα. Τον έσωνε, σκουντώντας τον, κάθε φορά ένας από τους συνασκητές του, ο οποίος εισέπραττε κάθε φορά την επίπληξη του γεροντότερου.

Εγώ αποχώρησα κάποια στιγμή λίγο μετά τα μεσάνυχτα. Ήμουν λίγο δυσαρεστημένος με τη σκέψη ότι θα έχανα το υπόλοιπο εκείνης της κατανυκτικής ακολουθίας, αλλά έπρεπε να ξεκουραστώ και να μαζέψω λίγες δυνάμεις για την πολύ άδικη, αλλά αναγκαστική, επιχείρηση της επόμενης μέρας. Κατάφερα και κοιμήθηκα καλά, πάραυτα.

ΘΕΪΚΗ ΠΑΡΕΜΒΑΣΗ

Όταν έφτασα στο προκαθορισμένο ραντεβού, λίγο μετά το δειλινό της επόμενης μέρας, ανησύχησα λόγω της μεγάλης συγκέντρωσης ατόμων που βρήκα εκεί. Ο ψηλόλιγνος ιδιοκτήτης του σπιτιού είχε μία ξεκάθαρα άπληστη φυσιογνωμία, και έδειχνε σαν ο χειρότερος κακοποιός. Ένιωσα αμέσως μεγάλη αποστροφή όταν τον αντίκρισα, πόσο μάλλον και λόγω της εξόφθαλμης φιλοχρηματίας σχετικά με τις προμήθειες που του ζητούσαμε. Του καταβάλλαμε κάτι περισσότερο από πέντε λίρες ο καθένας -που ήταν αποτέλεσμα στυγνού εκβιασμού. Ο Τζων ήταν μες στην καλή χαρά, παρά τη ελαφρά ελονοσία που τον είχε προσβάλλει. Μαζί του ήταν ένα κοντό, σκούρο παλληκάρι που μας συστήθηκε ως Δεκανέας Φρανκ Τζωρτζ. Είχε δραπετεύσει από μια ομάδα καταναγκαστικής εργασίας στη Θεσσαλονίκη την ώρα πο μάζευε τα σκουπίδια κάτω από μία Λέσχη Γερμανών Αξιωματικών. Συνάντησε μια πλούσια ελληνική οικογένεια στο διάβα του κι έμεινε μαζί τους για δύο ή τρεις μήνες. Από εκεί του είχαν μείνει και τα καλά ρούχα που φορούσε, τα οποία φάνταζαν εξαιρετικά αταίριαστα ανάμεσα στα πρόχειρα δικά μας. Οι Έλληνες τον είχαν βαπτίσει «Νίκ», επειδή το μικρό πρόσωπο του, έμοιαζε με εκείνο του Αγίου Νικολάου.

Μαζί τους, επίσης, ήταν κι ένας σκούρος μεγαλόσωμος τύπος, ο Δημήτρης, Έλληνας αξιωματικός του Πυροβολικού και φίλος του Νίκ, που επιθυμούσε να επανασυνδεθεί με τη μονάδα του στην Αίγυπτο. Ο Δημήτρης, ήταν ένας καλά εκπαιδευμένος και ταυτόχρονα ευχάριστος τύπος, και σκέφτηκα ότι πιθανότατα να μπορούσε να μας προσφέρει σημαντική βοήθεια στο ταξίδι.

Ο Αλέξης, είχε φέρει μαζί του κι έναν ακατάστατο μοναχό, προφανώς εκείνον που πήγε ν' αναζητήσει την προηγούμενη μέρα. Τον σύστησε μ' ενθουσιασμό ως Σιμωνίδη -δεν κατάλαβα ποτέ αν ήταν το μικρό του όνομα ή το επίθετο του- έναν πρώην ιστιοπλόο πρωταθλητή που ήθελε να έρθει μαζί μας γιατί είχε κουραστεί ως μοναχός και προτιμούσε να δοκιμάσει και πάλι την κοσμική ζωή. Τον παρατήρησα. Ήταν ένας γιγαντιαίος τύπος, περίπου δύο μέτρα ψηλός με πολύ ασυνήθιστη φυσιογνωμία. Είχε μια μάζα από φωτεινά κόκκινα μαλλιά που κρέμονταν ατάκτως γύρω από τους ώμους του κι ανταγωνίζονταν στο μήκος τη γενειάδα του. Δεν μου άρεσε ο τρόπος που τα μάτια του φωτίζονταν στην αναφορά του Καΐρου. Έκρινα πως αυτός ο τύπος δεν είχε κανένα κίνητρο να συνδράμει το σκοπό μας: ήταν εκεί, μόνο για τους δικούς του ιδιοτελείς σκοπούς θέλοντας ν' αποφύγει τον ιερό όρκο του, καταπατώντας όλα όσα είχε υποσχεθεί σε Θεό κι ανθρώπους. Ωστόσο, το μόνο καλό που θα μπορούσε να προσφέρει, ήταν οι πιθανές γνώσεις του για τη θάλασσα, και μόνο γι' αυτό αναγκάστηκα να τον αποδεχθώ ως μέλος της ομάδας.

Ζητήσαμε από τον οικοδεσπότη ν' αποχωρήσει από το δωμάτιο για να κάνουμε μια γρήγορη σύσκεψη. Συμφωνήσαμε όλοι, ότι η επιχείρηση έπρεπε να ξεκινήσει με την επίταξη ενός σκάφους, κι ότι ο Αλέξης θα αναλάμβανε το ρόλο του καπετάνιου. Περίπου στις εννέα το βράδυ ξεκινήσαμε να κατηφορίζουμε στην απότομη πλαγιά γύρω απ' τη Σκήτη, σε ομάδες των δύο, και στη συνέχεια προχωρήσαμε ακόμα πιο κάτω προς τον μικρό βραχώδη κόλπο όπου βρισκόταν το μικρό καρνάγιο.

Παραλίγο να μας πάρουν χαμπάρι, όταν σε μία απ' τις στροφές του κατηφορικού μονοπατιού, πέσαμε σχεδόν επάνω σε έναν ηλικιωμένο μοναχό που ανέβαινε αργά προς τα πάνω. Ο Τζων κι εγώ, που είχαμε το προβάδισμα, πέσαμε κατευθείαν στο έδαφος, ενώ φοβήθηκα ότι ο Αλέξης με τον κοκκινομάλλη γίγαντα που ακολουθούσαν πιο απρόσεκτα πίσω μας δεν θα προλάβαιναν να κρυφτούν, αλλά τελικά πρόλαβαν και χώθηκαν μέσα σε κάτι χαμόκλαδα. Συνειδητοποιήσαμε την ώρα που μας προσπερνούσε, ότι ήταν ο ένας από τους δύο μοναχούς που έμεναν πάνω από το καρνάγιο.

Την ώρα που φτάναμε στην βραχώδη παραλία, υπήρχε ακόμα ένα φως αναμμένο στο σπίτι. Τοποθέτησα τον Νικ και τον Έλληνα αξιωματικό στην αρχή της κατηφόρας, πάνω στο λόφο, και είπα στον Αλέξη και τον φίλο του να πάνε πέρα από το σπίτι για να παρακολουθούν την άλλη πλευρά, ενώ ο Τζων κι εγώ πλησιάσαμε κοντά.

Ακουγόταν κάποιος να μιλάει από μέσα. Υπό την κάλυψη των ελαιόδεντρων στην αυλή, στήσαμε αυτί με τις καρδιές μας να τυμπανίζουν από ενθουσιασμό. Με ανακούφιση διαπιστώσαμε ότι ο άνθρωπος που βρισκόταν μέσα, απευθυνόταν σε έναν μικρό σκύλο που του απαντούσε γαβγίζοντας χαρούμενα.

Ο Τζων ήθελε να κάνει ένα γρήγορο ρεσάλτο μες στο σπίτι, να ακινητοποιήσει τον μοναχό και να τον δέσει, αλλά εγώ τον συγκρατούσα. Γνώριζα ότι δεν είχαμε να κάνουμε με στρατιώτες ή με εχθρούς, κι όσο ήταν δυνατόν, θα έπρεπε ν' αποφύγουμε κάθε μορφή βίας. Έτσι, αποφάσισα να περιμένουμε καμιά ώρα μέχρι να φύγει ο ρασοφόρος.

Δεν χρειάστηκε να περιμένουμε τόσο πολύ. Ο ασκητής εμφανίστηκε σύντομα στη βαριά πόρτα, κι αφού την έκλεισε, την κλείδωσε και κίνησε ν' απομακρυνθεί αργά, ακολουθώντας το μονοπάτι του βουνού. Μέσα, είχε μείνει να κλαψουρίζει το σκυλί που, χωρίς αμφιβολία, είχε αντιληφθεί την παρουσία μας και τις κινήσεις που κάναμε για να κρυφτούμε αφήνοντας τον μοναχό να απομακρυνθεί.

Για να αφήσουμε ακόμα μεγαλύτερο περιθώριο ασφαλείας, όσο ακούγαμε τον μοναχό να ανεβαίνει, ξοδέψαμε με τον Τζων τα επόμενα είκοσι λεπτά εξερευνώντας προσεκτικά τα παράθυρα και τις πόρτες του οικήματος. Όλα τα ανοίγματα του κελιού ήταν καλά ασφαλισμένα με σιδερένιες ράβδους που φώλιαζαν βαθιά μες στα πέτρινα κουφώματα, κι επειδή δεν είχαμε άπλετο χρόνο στη διάθεση μας, σκεφτήκαμε ότι θα ήταν αδιαπέραστα. Απ' την πλευρά της θάλασσας, υπήρχαν δύο βαριές πόρτες που ασφάλιζαν το υπόστεγο κι από όπου μία καλά φτιαγμένη ράμπα κατέληγε στη θάλασσα, ανάμεσα σε μια φυσική εγκοπή των βράχων. Οι πόρτες ήταν τόσο ερμητικά κλειδωμένες, για να φυλάσσουν καλά τον χώρο από κάτι τύπους σαν κι εμάς, που γρήγορα απογοητευτήκαμε πως δεν θα καταφέρναμε να τις ανοίξουμε ποτέ. Η μόνη εναλλακτική είσοδος, ήταν η πόρτα απ' την οποία είχε βγει ο μοναχός. Ήταν στο ανώγειο του κτίσματος κι οδηγούσε σε ένα πέτρινο επίπεδο που συνδεόταν με το ισόγειο μέσω μίας πέτρινης σκάλας. Η εξώπορτα ήταν τόσο χοντρή και σταθερή, που άρχισα να μετανιώνω που δεν άκουσα τη συμβουλή του Τζων να περιορίζαμε τον μοναχό, όταν ήταν ακόμα μες στο σπίτι.

Είχα την αίσθηση ότι θα τα καταφέρναμε να την διαρρήξουμε με κάποιο τρόπο, ακόμα κι αν χρειαζόταν να κάνουμε το τόπο κομμάτια. Ο κόλπος βρισκόταν πολλές δεκάδες μέτρα χαμηλότερα απ' την Σκήτη και δεν μας ανησυχούσε ιδιαίτερα ο θόρυβος που μπορεί να κάναμε. Η μόνη έννοια μας ήταν ότι, σε περίπτωση κινδύνου, δεν ξέραμε καμία άλλη έξοδο διαφυγής από κει, πέραν εκείνης απ' την οποία κατεβήκαμε. Με τόσα βράχια γύρω μας, εικάζαμε πως δεν θα ήταν δύσκολο να παγιδευτούμε σαν τα ποντίκια εκεί κάτω.

Ζητήσαμε από τον Νικ και τον Αλέξη να αφήσουν τους άλλους δύο να φυλάνε τσίλιες και να έρθουν προς βοήθεια. Απ' την πρώτη μας προσπάθεια -που οδήγησε το σκυλί σε ένα ξέφρενο διαπεραστικό γάβγισμα- διαπιστώσαμε ότι την πόρτα συγκρατούσε μία τεράστια κλειδαριά στη μέση, καθώς και κάποιο είδος μπάρας από το πάτωμα μέχρι την κορυφή. Τι ήταν αυτό το τελευταίο, δεν μπορούσαμε να φανταστούμε μέχρι που ο Νικ, εντελώς τυχαία, βρήκε ένα μάνταλο κρυμμένο σε ένα απ' τα παράθυρα με τα κάγκελα. Αυτό, τραβούσε κάποιο σπάγκο ή σύρμα που σήκωνε τη μπάρα από μέσα. Ήταν προφανώς κάποιο είδος κρυφής κλειδαριάς, την οποία οι δύο μοναχοί χρησιμοποιούσαν, όταν δεν ήταν απαραίτητο να κλειδώνουν. Η κύρια κλειδαριά στη μέση ήταν πολύ χοντρή και το σφυρηλάτημα με το τσεκούρι που της άσκησε ο Αλέξης απέβη άκαρπο, χωρίς να την πτοήσει καθόλου. Εν τω μεταξύ, το γάβγισμα του σκύλου από μέσα, μας δημιουργούσε πανικό.

Μετά από μια ώρα εναλλάξ προσπαθειών, ο Τζων πρότεινε τη χρήση ενός πολιορκητικού κριού. Μετά από μια γρήγορη αναζήτηση γύρω, βρέθηκε ένας κορμός, περίπου έξι μέτρα μήκος και σχεδόν μισό πάχος. Ήταν πολύ βαρύς, ακόμα και για τους τέσσερις μας, οπότε απέσυρα και τους τελευταίους δύο φρουρούς για να βαστάμε και οι έξι τον κορμό κατά μήκος του. Με τον Τζων επικεφαλής για να δίνει τις κατευθύνσεις, τραβηχτήκαμε πίσω και στη συνέχεια χτυπήσαμε τον κορμό, όσο πιο δυνατά μπορούσαμε, πάνω στην κλειδαριά. Η πρώτη προσπάθεια, μαζί με τις επόμενες δέκα ή δώδεκα, δεν έκαναν σχεδόν καμία διαφορά. Ολόκληρο το κτήριο φαινόταν να σείεται, αλλά ο κριός αναπηδούσε και πάλι πίσω. Σύντομα, όμως, η τεράστια ορμή του φυσικού όπλου άρχισε να επιδρά στα μπουλόνια και τις βίδες που συγκρατούσαν την κλειδαριά. Ο Τζων, ανακοίνωνε θριαμβευτικά τη δημιουργία κενού μισής ίντσας, μετά μίας ίντσας, και, στο τέλος, η πόρτα άνοιξε διάπλατα, ρίχνοντας μας όλους στο έδαφος από τη φόρα που είχαμε πάρει.

Σταθήκαμε γρήγορα όρθιοι κι αρχίσαμε να σκοντάφτουμε στο σκοτάδι του δωματίου. Ένα μικρό σπανιέλ, πολύ φοβισμένο τώρα, δεν έκανε τίποτα περισσότερο από το να κλαψουρίζει γύρω απ' τα πόδια μας. Ανάψαμε γρήγορα ένα κερί και ανακαλύψαμε την καταπακτή που οδήγησε στο υπόστεγο. Εδώ, χωρίσαμε τις δυνάμεις μας. Ο Νικ παρέμεινε να φρουρεί την πόρτα, μη τυχόν και παρουσιαστούν τίποτε δυσάρεστες εκπλήξεις, ο Δημήτρης με τον Σιμωνίδη θα έψαχναν για τρόφιμα και νερό για το ταξίδι, ενώ ο Τζων με τον Αλέξη κι εμένα θα κατεβαίναμε κάτω για να επιλέξουμε ένα απ' τα δύο σκάφη και να ανοίξουμε τις πόρτες του υπόστεγου από μέσα.

Σε λιγότερο από δέκα λεπτά, είχαμε επιλέξει ένα πεντάμετρο ανοιχτό αλιευτικό σκάφος, με ένα χοντρό κατάρτι και καλά πανιά, και είχαμε ανοίξει τις πόρτες για να γλιστρήσει έξω απ' την ράμπα. Εν τω μεταξύ, ο Δημήτρης είχε βρει ψωμί, ελιές και παστά ψάρια, καθώς κι ένα μεγάλο δοχείο με νερό. Ο κοκκινομάλλης Σιμωνίδης, εμφανίστηκε με αρκετές φιάλες κόκκινο κρασί το οποίο, παρά τα αποδοκιμαστικά σχόλια μου, τις φόρτωσε στο σκάφος. Πάτησα πόδι, όμως, όταν τόσο ο Αλέξης, όσο κι ο

Σιμωνίδης, πήγαν να κάνουν και δεύτερο πλιάτσικο παίρνοντας ρούχα, μπότες και μικρά τιμαλφή. Επέμεινα ότι θα τους άφηνα εκτός. Έπρεπε να πάρουμε μόνο όσα θα μας ήταν απολύτως απαραίτητα για το ταξίδι, και όχι λάφυρα σαν συνηθισμένοι κλέφτες.

Βάζοντας όλοι από ένα χεράκι, σπρώξαμε το ψαράδικο στη ράμπα μέχρι την άκρη του νερού. Τα κύματα εμπόδιζαν το ξύλινο σκαρί να πλεύσει καλά στη θάλασσα, αλλά τρεις από εμάς καταφέραμε και το βάλαμε για τα καλά στο νερό. Προσεγγίσαμε τους πλαϊνούς βράχους προσεκτικά, ώστε να μπουν κι οι υπόλοιποι. Ακριβώς την ώρα της επιβίβασης, το μικρό σκυλί που τώρα μας θεωρούσε φίλους του, έκανε ένα σάλτο και βρέθηκε στο κέντρο του πλεούμενου. Πάνω στη σύγχυση και τον ενθουσιασμό της στιγμής, κανείς μας δε σκέφτηκε να τον αφήσει πίσω στην ξηρά. Προσωπικά, δέχτηκα μία σουβλιά από τύψεις όταν σκέφτηκα το πόσο πολύ μπορεί ν' αγαπούσαν οι μοναχοί εκείνοι το κατοικίδιο τους, αλλά εκείνη την στιγμή μας χτύπησε στο μέσο του πλοίου ένα μεγάλο κύμα κι έστρεψα την προσοχή μου για να βοηθήσω τον Αλέξη να κουμαντάρει το σκάφος.

Ήταν περασμένα μεσάνυχτα, όταν βγήκαμε στην ανοιχτή θάλασσα και λόγω των κυμάτων και του δυσμενούς ανέμου, αποφασίσαμε να πλεύσουμε κατά μήκος της ακτής μέχρι το τέλος της χερσονήσου. Θα κρυβόμασταν κάπου εκεί μέχρι το μεσημέρι της επόμενης μέρας, και θα αποπλέαμε για Τουρκία το απόγευμα. Έτσι, αν ήταν να μας καταδιώξει κανείς, θα αξιοποιούσαμε το προβάδισμα μας για να παραμείνουμε μπροστά μέχρι να πέσει το σκοτάδι και στη συνέχεια θα προσπαθούσαμε να φτάσουμε μέχρι το επόμενο πρωί στην Ίμβρο. Λίγο πριν ξημερώσει, τραβήξαμε για ένα προστατευμένο και μοναχικό κόλπο, που δεν βρισκόταν και πολύ μακριά από εκεί που διέμενα με τον Κώστα Μομογό. Καλύψαμε το σκάφος με κλαδιά και κρυφτήκαμε στα δέντρα.

Το πρωί προέκυψαν διαφωνίες, σχετικά με το ποιος θα είναι επικεφαλής και το ποιος θα δίνει τις εντολές. Είχα κάνει τον Αλέξη καπετάνιο κι ο Σιμωνίδης, που ήταν φίλος του, έφερνε αντιρρήσεις. Ο φυγάς μοναχός Σιμωνίδης, δεν

είχε δείξει κανέναν ιδιαίτερο ζήλο για βοήθεια καθ' όλη τη
διάρκεια της προηγούμενης νύχτας, κι έτσι συμφωνήσαμε με
τον Νικ ότι θα έπρεπε να τον αφήσουμε πίσω. Σε αυτή την
απόφαση, πέραν του ότι η βάρκα ήταν πολύ μικρή για έξι,
μας διευκόλυνε ο ίδιος. Πριν το μεσημέρι μας δήλωσε ότι
επρόκειτο να έρθει καταιγίδα κι ότι δεν ήθελε να έρθει μαζί
μας. Ισχυρίστηκε, επίσης, πως δεν θα ήθελε να πιαστεί
αιχμάλωτος στον κόλπο που βρισκόμασταν κι έτσι, κάνοντας
αυτές τις δηλώσεις, μας άφησε.
Λίγο μετά το μεσημέρι, τραβηχτήκαμε από τον κόλπο
και κατευθυνθήκαμε ανατολικά. Είχε βουβό κύμα, αλλά
κωπηλατήσαμε δυνατά με τα τέσσερα μεγάλα κουπιά και
ήμασταν όλοι πολύ αισιόδοξοι και χαρούμενοι.
Ήμασταν μόλις ένα μίλι απ' την ακτή, όταν πήραμε την
πρώτη μας τρομάρα. Ένα γρήγορο γερμανικό περιπολικό
σκάφος πέρασε από πίσω μας κι επιτάχυνε στέλνοντας προς
το μέρος μας τα απόνερα του. Οι χαλύβδινοι κρανοφόροι
επιβαίνοντες του, ελάχιστα μας κοίταξαν καθώς περνούσαν
σε λιγότερο από διακόσια μέτρα μακριά. Μετά από λίγα
λεπτά, το περιπολικό είχε χαθεί απ' τα μάτια μας πίσω από
τον επόμενο κάβο.
Καθώς κυλούσε το απόγευμα, ο άνεμος δυνάμωνε, και
υψώσαμε το πανί αποκτώντας ένα σημαντικό πλεονέκτημα.
Ενώ η επιβλητική κορυφή του Άθω υψωνόταν πάνω από τη
θάλασσα πίσω μας, μπροστά μας, τα χαρακτηριστικά κτήρια
της Λήμνου είχαν αρχίσει να διαγράφονται με σαφήνεια. Για
εμάς, η πλοήγηση ήταν το άλφα και το ωμέγα. Δεν είχαμε
άλλη επιλογή από το να πλεύσουμε μεταξύ Σκύλλας και
Χάρυβδης· της Λήμνου, όπου είχαν ισχυρές δυνάμεις οι
Γερμανοί, και της βουλγαροκρατούμενης Σαμοθράκης, που
ήταν πλήρως επανδρωμένη και σε επιφυλακή ώστε να
ασκείται πίεση στην Τουρκία. Πέρα από το μπουγάζι,
ανατολικότερα, βρισκόταν η Ίμβρος.
Ήμασταν πολύ ευχαριστημένοι με την πλέουσα πρόοδο
μας -το σούρουπο μπορούσαμε να δούμε τα σπίτια της
Ίμβρου έχοντας καλύψει περίπου σαράντα μίλια απόσταση.
Τραγουδούσαμε ό,τι τραγούδι μπορούσαμε να σκεφτούμε
και απολαμβάνοντας, ταυτόχρονα, τις ναυτικές επιδόσεις

μας. Πίσω μας, όμως, και πέρα απ' τη μικροσκοπική, πλέον, Αθωνική κορυφή, μια μεγάλη μαύρη συννεφιασμένη μάζα, πλησίαζε προς το μέρος μας ύπουλα. Μαζί της ερχόταν κι ένας ισχυρός άνεμος και σύντομα καταλάβαμε ότι ζυμωνόταν καταιγίδα. Όταν η μαύρη μάζα άρχισε να μας καλύπτει, η θάλασσα είχε ήδη αρχίσει να καλπάζει και να σηκώνει τεράστια και επικίνδυνα κύματα.

Ο Αλέξης καπετάνευε στην αρχή με επινοητικότητα. Έπλεε στη σκοτεινή θάλασσα με μια ταχύτητα περίπου δέκα κόμβους κι έδινε οδηγίες στον Τζων και σε μένα να σφίγγουμε το ένα σχοινί ή να χαλαρώνουμε το άλλο, και στον Δημήτριο να βοηθάει με ένα κουπί το σκάφος να στρίβει. Αλλά πολύ σύντομα κατέστη φανερό ότι δεν είχαμε πλέον τον έλεγχο του σκάφους, διότι ο άνεμος είχε γίνει πολύ πιο ισχυρός από το πανί μας.

Όταν είδα το παλληκάρι τρομοκρατημένο επειδή δεν μπορούσε να κουμαντάρει πλεούμενο, αλλά ούτε και τον εαυτό του τού πρότεινα να μαζέψουμε το πανί. Το κεφάλι του τινάχτηκε συμφωνώντας μετά μανίας και μαζί με τον Τζων καταβάλλαμε κάθε δυνατή προσπάθεια για να μαζέψουμε τη μαΐστρα. Σαν κι αυτή, δεν είχα ξαναδεί ποτέ μου. Η πάνω της πλευρά είχε μία μακριά μπούμα που υψωνόταν σε μια μεγάλη γωνία σχηματίζοντας ένα μικρό βραχίονα που προεξείχε του ιστίου, κοντά στην κορυφή, ενώ το πανί δενόταν πάνω της. Ενώ ήταν σχετικά εύκολο να σηκώσεις το πανί, εκείνη τη στιγμή, ήταν αδύνατον να το μαζέψεις. Η μπούμα μάς χτύπησε κάμποσες φορές καθώς ο Αλέξης έστριβε το σκάφος, και παραλίγο να πέσουμε στη θάλασσα. Τελικά αποφασίσαμε ότι το μάζεμα του πανιού ήταν πέρα απ' τις δυνάμεις μας. Το σκάφος συνέχισε να πλέει μέσα στο σκοτάδι.

Εν των μεταξύ, η θάλασσα είχε μεταβληθεί σε αφρισμένα κύματα, τόσο μεγάλα, σαν μικροί απότομοι λόφοι που ανταγωνίζονταν από πίσω μας ποιος θα μας καταπιεί πρώτος. Τη μια στιγμή σηκωνόμασταν τόσο ψηλά στον αέρα, ώστε βλέπαμε μίλια λευκών αφρών στο σκοτάδι, και την άλλη, βρισκόμασταν τόσο χαμηλά σαν να ήμασταν μέσα σε μία τάφρο περιστοιχισμένη από μαύρους υγρούς τοίχους που σφύριζαν από όλες τις πλευρές. Τόσο ο άνεμος, όσο και τα κύματα ήταν πρύμα μας και παρά την ταχύτητα μας, ήμασταν συχνά καβάλα στην κορφή του ίδιου κύματος, το οποίο μας πέταγε με τη σειρά του μπροστά, ακόμα πιο γρήγορα. Όταν συνέβαινε αυτό, ο Αλέξης αγωνιζόταν να κρατήσει τη μυτερή πρύμη μας όσο πιο ψηλά γινόταν στο κύμα που μας κατέτρεχε, κι αν το κατάφερνε αυτό, κατεβαίναμε ομαλά κι ο αφρός απλά έγλυφε τις πλευρές του σκάφους. Όταν, όμως, αποτύγχανε ακόμα και στον παραμικρό βαθμό να μείνει ψηλά, η κορφή του κύματος προσγειωνόταν πάνω στο σκάφος και μας πλημμύριζε.

Αδειάζαμε όλοι τα νερά μανιωδώς, ο Τζων κι εγώ με κουβάδες και οι άλλοι με καπέλα, κούπες, ή οτιδήποτε άλλο μπορούσε να χωρέσει νερό μέσα του. Κι όλα αυτά, μέχρι να σκάσει το επόμενο κύμα και το νερό να ξαναφτάσει τις δύο παλάμες ύψος στον πάτο του σκάφους. Μας ήταν αδύνατο να το αδειάζουμε ακατάπαυστα. Δουλεύαμε όσο πιο ξέφρενα μπορούσαμε γιατί είχαμε καταλάβει ότι αρκούσαν δύο μόνο διαδοχικά κύματα για να βυθίσουν το σκάφος.

Άρχισε να βρέχει πολύ έντονα. Μεγάλες σταγόνες βροχής, ανακατεύονταν με τον αφρό μαστιγώνοντάς στο πρόσωπο και τυφλώνοντάς μας ενώ προσπαθούσαμε με φρενήρεις ρυθμούς να κρατάμε το επίπεδο του νερού όσο πιο χαμηλά γινόταν. Ο σκύλος, σε άθλια και τρομοκρατημένη κατάσταση, ισορροπούσε άβολα σε ένα απ' τα εγκάρσια καθίσματα από όπου λουζόταν από το κάθε κύμα που έσκαγε στο κέντρο του σκάφους.

Τα πράγματα όδευαν ασταμάτητα προς κλιμάκωση. Οι πιθανότητές μας να καβαλικεύσουμε την καταιγίδα, ολοένα και λιγόστευαν. Ο Νικ, φθαρμένος και βασανισμένος απ' τη ναυτία, κατέρρευσε πρώτος πάνω στη μικρή κουπαστή που κάλυπτε την πλώρη και προσκολλήθηκε εκεί ανήμπορος. Ο Αλέξης, που σήκωνε το μεγαλύτερο βάρος της ευθύνης, έσπασε, όταν μία ξαφνική κι ανεξήγητη αντίθετη ριπή ανέμου σάρωσε τη μπούμα και του πήρε τα σχοινιά απ' τα χέρια· νόμισε ότι το ιστίο έσπασε κι άρχισε να ουρλιάζει σε κατάσταση πανικού. Το σκάφος ταλαντεύτηκε μεθυσμένα και πριν έρθει και πάλι σε ισορροπία, άφησε το τιμόνι ελεύθερο και το κύμα που μας ακολουθούσε πέρασε από μέσα μας. «Είναι άσκοπο ... είναι άσκοπο!» Ούρλιαξε. «Είμαστε χαμένοι, δεν μπορούμε να τα βγάλουμε πέρα! Καλύτερα να πηδήξουμε στη θάλασσα για να τελειώσει πιο γρήγορα αυτό το μαρτύριο!» συμπλήρωσε καταρρέοντας στο κάθισμα που ήταν ο σκύλος, με λυγμούς, γκρίνια και προσευχές.

Αμέσως μετά, το σκάφος προσγειώθηκε και απογειώθηκε, λικνίστηκε ζαλισμένα στην πλευρά ενός κύματος και εν ριπή οφθαλμού βρόντηξε στην επόμενη τάφρο. Με κάθε ρανίδα ενέργειας που μου είχε απομείνει, έπεσα πάνω στο τιμόνι. Βαρύ και σχεδόν κατακλυσμένο από νερό, το σκάφος αντέδρασε νωθρά παρά την ταχύτητά μας, μέχρι το επόμενο κύμα να σκάσει στην πρύμνη μας και να μας στρέψει σε μια λιγότερο επικίνδυνη γωνία. Ακόμα κι έτσι, όμως, ένα μεγάλο υγρό τείχος που κόχλαζε, συνετρίβη πάνω μας παρασέρνοντας όλα τα χαλαρά αντικείμενα στη θάλασσα κι αναγκάζοντας μας να κρεμαστούμε απ' έξω για να σωθούμε.

Έχοντας πριν έναν έμπειρο ναύτη στο τιμόνι, οι υπόλοιποι πέντε άνδρες άδειαζαν το νερό. Τώρα, με έναν εντελώς αρχάριο κι άτσαλο να τιμονεύει με ένα κουπί, μόνο ο Τζων κι ο Έλληνας αξιωματικός είχαν απομείνει να άδειαζουν νερά. Έδειχνε να είναι μάταιο. Ο Τζων συνέχισε να αδειάζει με όλες του τις δυνάμεις, σταματώντας κάθε λίγα λεπτά, μόνο και μόνο για να βρίσει τους άλλους μήπως και κάνουν κάτι. Ο Έλληνας αξιωματικός άρχισε να προσεύχεται φωναχτά καθώς άδειαζε νερά και οι προσευχές του αναμείχτηκαν με τις βρισιές του Τζων, την τάση για εμετό του Νικ, και τα αναφιλητά του νεαρού Αλέξη.

Μεταξύ των τεράστιων κυμάτων, υπήρχε μια σύντομη ανάπαυλα που μου προσέφερε μισή στιγμή για προβληματισμό. Κάθε φορά, ζύγιζα τις πιθανότητές μας. Στην αρχή, σκεφτόμουν πολύ εγωιστικά κι εξέταζα το πώς θα μπορούσα να μην πνιγώ, όταν το σκάφος θα πήγαινε στον πάτο. Για παράδειγμα, τα μισοάδεια δοχεία νερού θα μπορούσαν να κρατήσουν στην επιφάνεια ένα άτομο, αν κατάφερνε να προσδεθεί σε αυτά. Τότε σκέφτηκα ότι κάτι τέτοιο δε θα κρατούσε για πολύ. Ίσως θα ήταν καλύτερα να

βουτάει και να ξαναβουτάει κανείς κάτω απ' τα κύματα,
στραγγίζοντας και την τελευταία του σταγόνα θέλησης μέχρι
να καταρρεύσει. Κάπου είχα διαβάσει ότι αυτός ήταν ένας
ανώδυνος θάνατος. Μετά από λίγο, ωστόσο, αυτές οι σύντομες στιγμές
προβληματισμού κόπασαν και παραιτήθηκα. Όλα επρόκειτο
να εξελιχθούν πολύ απλά, αλλά... πόσο άδικο θα ήταν αυτό
για τους αγαπημένους μου πίσω στο σπίτι! Ποτέ δε θα
μάθαιναν -κανείς δε θα μάθαινε ποτέ- το πώς είχα χαθεί. Θα
ανησυχούσαν και θα προσεύχονταν για μένα χρόνια, μήπως
και επανεμφανιστώ. Πόσο καλύτερα θα ήταν να είχα απλά
σκοτωθεί στην Κρήτη. Ευτυχώς που είχα γράψει εγκαίρως
στην Αντέλ απ' την Κοκκινιά, να μη με περιμένει γιατί όλες
οι πιθανότητες επιβίωσης ήταν εναντίον μου. Αυτές ήταν οι
μόνες σκέψεις, πλέον, που κυριαρχούσαν στο μυαλό μου.

Μας κατέκλυσε μια πλαϊνή ομοβροντία κυμάτων, κι ο
Τζων κάθισε κάτω εξουθενωμένος από το άδειασμα. Με
κοίταξε από κοντά στο πρόσωπό. Του μίλησα, αλλά μια ριπή
ανέμου οδήγησε τις λέξεις πίσω στο στόμα μου. Το
κατάλαβε και μου απάντησε κάτι χαμογελώντας. Ο Έλληνας
αξιωματικός είχε παραιτηθεί από το άδειασμα του νερού και
έπιασε να προσεύχεται γονατίζοντας στον πάτο του σκάφους
και στηρίζοντας τους αγκώνες του στο κεντρικό κάθισμα,
ενώ το νερό που στροβιλιζόταν γύρω από το στήθος του τον
παρέσερνε απ' την μία πλευρά του σκάφους στην άλλη. Εγώ
ήμουν απ' τη μέση και κάτω ολοκληρωτικά μέσα στο νερό.

Ο σκύλος κολύμπησε μέσα στη βάρκα απ' την πλώρη,
όπου είχε καταφύγει με τον Νικ και σκαρφάλωσε επάνω
στην αγκαλιά μου, γκρινιάζοντας φοβισμένα από το κρύο. Ο
Τζων, τεντώθηκε για να το χαϊδέψει και εισέπραξε ένα
ευχαριστήριο γλείψιμο στα χέρια ως αντάλλαγμα.

Σήκωσα το πρόσωπό μου προς τη βροχή και
προσευχήθηκα σιωπηλά. Ο αρχικός πανικός και ο φόβος
μου είχαν περάσει —είχα παραιτηθεί ειρηνικά, κι ανέμενα.
Δεν ήταν για κάποια θαυματουργική λύτρωση που
προσευχόμουν, αλλά μάλλον για να προετοιμάσω τον εαυτό
μου για τον επερχόμενο κι αναπόφευκτο θάνατο.
Περισσότερο σαν μια χειρονομία καλής θέλησης, παρά σαν

κάποια ουσιαστική βοήθεια, ο Τζων, ανέλαβε το κουπί που χρησιμοποιούσα για να τιμονεύω. Είπε κάτι που δεν μπόρεσα να αντιληφθώ, λόγω του ανέμου, και στη συνέχεια παρέμεινε ήσυχος και περίμενε...

Με τη στάθμη του νερού να βρίσκεται τώρα μόνο πέντε-δέκα πόντους κάτω από εκείνη του πελάγους, το σκάφος κινιόταν νωθρά παρά την αμείωτη μανία του ανέμου. Το ψηλό κατάρτι μαζί με το πανί θα καταστρεφόταν σύντομα, γιατί η πίεση που δέχονταν ήταν τρομακτική.

Κάθε τόσο, κάθε περίπου έβδομο κύμα, η μανιασμένη θάλασσα μας έσπρωχνε βίαια δεκάδες ή εκατοντάδες μέτρα μπροστά. Όταν θα μας πετύχαινε στο πλάι, θα ερχόταν το τέλος μας επί τόπου γιατί δε θα μπορούσαμε με τίποτα να επαναφέρουμε το βαρύ αναποδογυρισμένο σκάφος.

Και ξαφνικά, έγινε το αναπόφευκτο. Ένας βίαιος πλαϊνός άνεμος έγειρε το σκάφος σχεδόν ολοκληρωτικά στη μία του πάντα, και τη στιγμή που το κατάρτι ήρθε σε επαφή με τα κύματα, ακούστηκε ένας δυνατός κρότος. Το τεράστιο σπάσιμο του ιστίου, ξέσχισε το πανί στα δύο μπροστά στα μάτια μας, και στη συνέχεια μετατράπηκε σε αμέτρητα κουρελιασμένα νήματα.

Αυτή ήταν η στιγμή που περιμέναμε. Ετοιμαστήκαμε διανοητικά και περιμέναμε το σκάφος να πάρει την τελική ευθεία προς το χαμό του. Ένα απ' τα τεράστια έβδομα κύματα, ήρθε από πίσω μας κι ένιωσα το σκυλί άκαμπτο στην αγκαλιά μου. Κάποιος ούρλιαξε. Για άλλο ένα κλάσμα του δευτερολέπτου ο Τζων κι εγώ περιμέναμε το τέλος.

Το γιγαντιαίο κύμα μάς ισορρόπησε, και παρά τη μανία και την ταχύτητα του, φάνηκε να συγκρατεί, αργά και σκόπιμα, την κοχλάζουσα κορυφή του λίγο πριν ξεσπάσει πάνω μας, λες και ήθελε να μας βασανίσει κι άλλο. Ένας ορυμαγδός αφρισμένου νερού με χτύπησε στο κεφάλι και στους ώμους, κι ένιωσα το σκάφος να τρέμει από κάτω μου. Έκλεισα τα μάτια μου. Στ' αυτιά μου ερχόταν από παντού γύρω, ένα δυνατό βουητό απ' την περιδίνηση του νερού, αλλά δεν είχα παρασυρθεί ακόμα απ' τη θέση μου.

Τότε ένιωσα τον εαυτό μου να συνθλίβομαι στο κάτω μέρος του σκάφους, σπάζοντας το κάθισμα και πέφτοντας πάνω στον Τζων και τον σκύλο. Ενώ αγωνιζόμουν να βγάλω το κεφάλι μου έξω από το νερό, ο χρόνος φάνηκε να σταματάει και περίμενα σχεδόν με ανυπομονησία το τέλος μου. Δεν είχα καμία αίσθηση φόβου ή πανικού, όπως φανταζόμουν από πάντα ότι θα συνέβαινε τη στιγμή του θανάτου μου. Το σώμα μου στριφογύριζε και αγωνιζόταν ενώ αισθανόμουν τον εαυτό μου να παραμένει πρωτόγνωρα απαθής. Ένα κόκκινο γάνωμα εμφανίστηκε μπροστά στα μάτια μου και αναρωτήθηκα αν αυτή, ήταν η αρχή της μετάβασης μου στον άλλο κόσμο.

Από πολύ μακριά άκουσα να φωνάζουν το όνομά μου, και ένιωσα αμέσως μια ικανοποίηση που κάποιος με ήξερε στον άλλο κόσμο. Στη συνέχεια, όλα έγιναν μαύρα αν και συνέχιζα να ακούω ισχνά το όνομά μου. Είχαν όλα τελειώσει.

Στη συνείδηση μου επέπλεαν τα λόγια, «Κύριε Τόμας, κύριε Τόμας. Κύριε! Μην τα παρατάτε! Μιλήστε μου!»

«Θεέ μου», σκέφτηκα, «πρέπει να είναι ο Τζων! Είναι αστείο να μου φέρεται σαν ανώτερο, ακόμα και μετά θάνατον!»

Ξαφνικά το μυαλό μου καθάρισε. Άνοιξα τα μάτια μου και βρήκα τον εαυτό μου στο δεξί χέρι του Τζων· με το αριστερό, δούλευε το τιμόνι εξαγριωμένα. Η καταιγίδα δεν είχε σε καμία περίπτωση υποχωρήσει, αλλά κάτι είχε αλλάξει. Εννοείται πως δεν υπήρχε πια πανί, υπήρχε όμως πολύ λιγότερο νερό μες στη βάρκα. Διερωτώμενος πώς να είχε συμβεί αυτό, κατάλαβα ότι το απότομο χτύπημα που είχε δεχτεί το σκάφος από το πλάι, είχε πετάξει έξω τον περισσότερο όγκο νερού. Τη στιγμή εκείνη ήμασταν καβαλημένοι σ' ένα μεγάλο κύμα και ίσα που μας πιτσίλιζε η θάλασσα. Εκτινάχθηκα σε δράση.

«Νόμιζα ότι τελειώσατε, κύριε», μού είπε ο Τζων χαμογελώντας, καθώς έφευγα από κοντά του. «Νομίζω ότι είμαστε καλύτερα χωρίς το πανί. Τώρα τα κύματα μας σηκώνουν πάνω τους, αντί να μας τραβούν μέσα τους. Όσο θα μπορούμε να κρατάμε αυτή την παλιό-πρύμη μπροστά απ' τα μεγαθήρια, ίσως και να παραμείνουμε ζωντανοί σήμερα το βράδυ!»

Ανέλαβα το τιμόνι και μ' ένα κουπί κρατούσα τη μυτερή πρύμνη σε ευθεία με τα μεγάλα κύματα, προσπαθώντας μες στο σκοτάδι να διατηρήσω μία σταθερή κατεύθυνση από την αίσθηση του ανέμου που είχα στο μάγουλο.

Εν τω μεταξύ, ο Τζων καταπιάστηκε και πάλι με τον κουβά, ενώ μόλις τον είδαν και οι άλλοι έσπευσαν να τον βοηθήσουν με αναπτερωμένες ελπίδες. Με ικανοποίηση παρατήρησα, ότι το νερό είχε πέσει αρκετά χαμηλότερα απ' το επίπεδο των καθισμάτων, περίπου στη μισή παλάμη ύψος.

Κάρφωσα τα μάτια μου στην βροχή και κοίταζα ψηλά στο σκοτάδι. Αν και δεν μπορούσα να εκφραστώ επαρκώς, αισθάνθηκα την ίδια επίγνωση του Θείου που είχα νιώσει λίγο πριν την κορύφωση της καταιγίδας. Διότι, ήταν ένα αληθινό θαύμα αυτό που είχε συμβεί και όφειλα να το αναγνωρίσω. Ωστόσο, μόνο η βροχή κατέβαινε μέσα απ' τη σκοτεινή μαυρίλα. Συνειδητοποίησα ότι η Θεία Παρουσία που είχε βάλει το χέρι της, θα είχε πλέον ολοκληρώσει το έργο της, επειδή ήμουν και πάλι σε θέση να συνεχίσω με τις δικές μου δυνάμεις. Καθώς πάλευα με το κουπί και το πηδάλιο όλη τη νύχτα, η υπενθύμιση της Θεϊκής παρέμβασης μου προκαλούσε μία ζεστή ψυχική αγαλλίαση, και με γέμιζε πίστη κι ευλάβεια.

Η νύχτα δεν έλεγε να τελειώσει και η αυγή φαινόταν να μας είχε ξεχάσει. Μετά από μια ατέρμονη περίοδο αναμονής, που μετριόταν μόνο σε κύματα, εμφανίστηκε ένα μικρό σπάσιμο στο σκοτεινό ουρανό, και έτσι αρχίσαμε να βλέπουμε γύρω μας σε κάποια απόσταση, κυρίως όταν καβαλούσαμε κάποιο κύμα. Η πρώτη αντίδραση μας ήταν, περίεργως, να αυξηθεί ο φόβος μας, γιατί τα κύματα που μαχόμασταν όλη νύχτα φαινόντουσαν τώρα πολύ πιο τρομακτικά βλέποντας τα να έρχονται από μακριά και να σκάνε οι κατσαρές κι αφρισμένες κορφές τους.

Μέχρι να έρθει το μεσημέρι η βροχή είχε χαλαρώσει κι ο άνεμος είχε αρχίσει να μειώνεται, αν και για κάποιο χρονικό διάστημα, δεν υπήρξε αισθητή αλλαγή στο ύψος των κυμάτων. Ο Έλληνας αξιωματικός, που κοίταζε μακριά με το βλέμμα στο άπειρο, ξαναζωντάνεψε.

«Στεριά!» φώναξε με ενθουσιασμό. «Κοιτάξτε εκεί,

ακριβώς στον ορίζοντα, μία μικρή μαύρη κορυφή!» Και χωρίς πολλά-πολλά η κορφή επιβεβαιώθηκε απ' όλους μας.

Εκτιμήσαμε ότι ήταν καμία τριανταριά μίλια βορειότερα από εμάς κι αναρωτηθήκαμε ποιο μέρος θα μπορούσε να είναι. Όλοι εξέφρασαν ιδέες για διαφορετικά νησιά του Αιγαίου, που απείχαν εκατοντάδες μίλια μεταξύ τους. Ο Αλέξης κι ο Δημήτρης έπιασαν από ένα κουπί στις δυο πλευρές και ξεκίνησαν να βοηθούν τον Τζων κι εμένα. Έστρεφα την πλώρη του σκάφους, όσο πιο κοντά μπορούσα προς το νέο στόχο μας. Είτε επρόκειτο για Ιταλικό, Γερμανικό, Ελληνικό ή Βουλγάρικο έδαφος, δεν είχαμε άλλη επιλογή από το να πάμε και να δοκιμάσουμε την τύχη μας εκεί.

Το απόγευμα πια, απείχαμε κοντά στα δέκα μίλια απ' τη στεριά εκείνη που φαινόταν τώρα ολόκληρη να αναδύεται μέσα απ' τη θάλασσα και το σχήμα της δεν άφηνε καμία αμφιβολία. Με βαριά καρδιά αναγνωρίσαμε

Ο Άθως, όπως φαίνεται απ' τα Δυτικά

για μία ακόμη φορά, τα γνώριμα χαρακτηριστικά του Άθω.

Η καταιγίδα πρέπει να μας είχε βγάλει τουλάχιστον πενήντα μίλια εκτός πορείας και τώρα μη έχοντας άλλες εναλλακτικές λύσεις, πορευόμασταν και πάλι προς το σημείο της χερσονήσου από το οποίο είχαμε ξεκινήσει.

Μετά από συνεχή κωπηλασία, τα ασυνήθιστα χέρια μας, είχαν γεμίσει φουσκάλες και στο τέλος ξεφλούδισαν τελείως. Ειδικά τα χέρια του Τζων, που δεν σταματούσε με τίποτα να κωπηλατεί, αιμορραγούσαν άσχημα. Φυσικά, μας ήταν αδιανόητο να κινήσουμε και πάλι προς τα ανατολικά, ακόμη κι αν ο καιρός το επέτρεπε.[41]

---

[41] Ο Σάντυ, συνειδητοποίησε αργότερα, πως το γεγονός ότι δεν κατάφεραν να φτάσουν στην Ίμβρο, ήταν μέρος τής Θεϊκής παρέμβασης, διότι υπό τον φόβο γερμανικής ή

Ο μόνος επιβάτης, που ήταν ιδιαίτερα ευτυχής που ξαναέβλεπε το ιερό βουνό ήταν ο σκύλος, που είχε επιζήσει ως εκ θαύματος εκείνη τη νύχτα. Στάθηκε στην πλώρη με φλυαρία και περίμενε με ενθουσιασμό τη στεριά που πλησίαζε όλο και πιο κοντά.

Είχε σκοτεινιάσει για τα καλά, όταν ήρθαμε απ' την υπήνεμη πλευρά των μεγάλων βράχων, του ανατολικότερου άκρου της χερσονήσου, και ήμασταν πολύ ανήσυχοι για το αν θα καταφέρναμε να ελλιμενίζαμε το σκάφος με τέτοια θάλασσα. Το να βρεθεί κάποιος όρμος, φαινόταν σχεδόν αδύνατο και τα τεράστια εκείνα κύματα ήταν έτοιμα να μας συντρίψουν στα βράχια. Δεν τολμούσαμε να πλησιάσουμε κοντά στην ακτή, για να μην δοκιμάσουμε την οργή τους.

Είπα σε όλους ότι θα έπρεπε να χαλαρώσουν τα ρούχα τους και να βγάλουν τα παπούτσια τους, γιατί φοβόμουν ότι μάλλον θα έπρεπε να κολυμπήσουμε για να πατήσουμε τη στεριά. Ο Τζων, προσφέρθηκε να βοηθήσει τον Νικ κι εγώ τον Αλέξη, που ισχυριζόταν ότι δεν ήξερε καθόλου κολύμπι.

Ένα ισχυρό ρεύμα που ήρθε απ' την κατεύθυνση των κυμάτων έστειλε το σκάφος ολοταχώς προς τα βράχια. Κωπηλατήσαμε σταθερά για να αποκτήσουμε και πάλι τον έλεγχο στο τιμόνι και, μετά από πολλές προσπάθειες να μπούμε σε κάποιο μικρό άνοιγμα στεριάς, βρεθήκαμε μέσα σε έναν μικρό κι υπήνεμο κολπίσκο. Με κάθε ουγγιά ενέργειας που μπορεί να μας είχε μείνει,

Κολπίσκος στο Άγιο Όρος
(Γ. Καλαφάτης)

αγωνιζόμασταν ενάντια στο αντιμάμαλο που προσπαθούσε να μας σπρώξει έξω ξανά, και βρεθήκαμε κάτω από ένα

βουλγαρικής εισβολής, οι Τούρκοι κάτοικοι εκεί, δεν θα τηρούσαν καμία ουδετερότητα απέναντι τους.

τεράστιο βράχο. Κινηθήκαμε προσεκτικά κατά μήκος του και βρήκαμε έναν πέτρινο ταρσανά που είχε φτιαχτεί έξω από ένα μεγάλο οίκημα που βρισκόταν στο σκοτάδι, καμιά δεκαπενταριά μέτρα απ' την προβλήτα.[42] Ήμασταν τρομερά αδύναμοι απ' τη μεγάλη δοκιμασία, και δέσαμε το σκάφος όπως-όπως. Συρθήκαμε στη στεριά και προσεγγίσαμε το σπίτι. Όταν διαπιστώσαμε ότι ο τόπος ήταν έρημος και η πόρτα κλειδωμένη, ξαπλώσαμε έξω στην πέτρινη αυλή για να ξεκουραστούμε, πριν μπορέσουμε να κάνουμε οτιδήποτε άλλο.

Όταν συνήλθαμε στοιχειωδώς, ο Τζων, μας ενημέρωσε ότι η κλειδαριά ήταν πολύ βαριά για να παραβιαστεί και καταφύγαμε στις ίδιες πολιορκητικές τακτικές που είχαμε εφαρμόσει και την προηγούμενη φορά. Η πόρτα ενέδωσε αρκετά εύκολα και σύντομα ανάψαμε μία ζωηρή φωτιά και αξιοποιήσαμε τις τροφές που βρήκαμε στο κελάρι. Πριν περάσει μία ώρα, είχαμε απλώσει τα μουσκεμένα ρούχα μας γύρω να στεγνώσουν, και καταρρεύσαμε όλοι πάνω σε ένα χαλί γύρω απ' τη φωτιά για να παραδοθούμε στον ύπνο.

---

[42] Ο όρμος «Μορφωνού» της Μεγίστης Λαύρας.

ΟΙ ΤΡΕΙΣ ΣΩΜΑΤΟΦΥΛΑΚΕΣ

Η περίοδος που ακολούθησε την κλοπή του σκάφους, ήταν γεμάτη από συναδελφικότητα και περιπέτεια. Εγκαταλείψαμε το παραλιακό σπιτάκι λίγο πριν ξημερώσει και κινήσαμε ψηλά για το βουνό ώστε να απομακρυνθούμε απ' την περιοχή. Εκεί, χώρισα την ομάδα μας σε δύο δυνάμεις, με τον Δημήτριο και τον Αλέξη να κατευθύνονται προς τη Μεγίστη Λαύρα, και με εμάς τους τρεις ξένους, κατά μήκος της χερσονήσου. Από κάτω μας, η θάλασσα συνέχισε να ξεσπά φουρτουνιασμένη.

Κόψαμε δρόμο μέσα απ' τις ορεινές σκήτες, επισκεπτόμενοι όποιον φίλο γνωρίζαμε και ξοδεύοντας όλα τα χρήματα που είχαμε συγκεντρώσει σε καλό φαγητό. Σπάνια μέναμε περισσότερο από μία νύχτα σε οποιοδήποτε μέρος διαδίδοντας ψεύτικες πληροφορίες σχετικά με τους προορισμούς μας, διότι η είδηση της κλοπής του σκάφους είχε διαδοθεί γρήγορα μεταξύ των Μονών.

Αφού κινηθήκαμε σταθερά προς τα Βόρεια για καμιά βδομάδα, φθάσαμε σε μια περιοχή την οποία τόσο ο Τζων, όσο κι ο Νικ, γνώριζαν πολύ καλά. Ένα πρωί, αμέσως μετά την αυγή, πλησιάσαμε σιωπηλά ένα μικρό σπίτι που στεκόταν μόνο του στην άκρη ενός ξέφωτου. Ο Τζων ήταν βέβαιος ότι αυτό το σπιτάκι θα αποτελούσε ιδανική βάση για εξορμήσεις προς αναζήτηση σκαφών. Ήμασταν αποφασισμένοι, μόλις μας ξαναδινόταν η ευκαιρία, να επαναλάβουμε την τακτική μας, αλλά σίγουρα όχι πριν σταθεροποιηθεί λίγο ο καιρός.

Από μια προσεκτική αναγνώριση που κάναμε, διαπιστώσαμε ότι δεν υπήρχε κανείς στο σπίτι, και πλησιάσαμε. Η πόρτα ήταν ασφαλισμένη βαριά και είχε μια χοντρή αλυσίδα που αγκάλιαζε την ίδια και το πέτρινο κούφωμα της.

Η διάρρηξη έδειχνε ότι θα χρειαζόταν μία ιδιαίτερα επίπονη επιχείρηση.

«Δεν σκόπευα ποτέ να μπω απ' την πόρτα, κύριε», διευκρίνισε ο Τζων. «Απλά ήθελα να βεβαιωθώ για το αν είχε επισκεφτεί κανείς το μέρος απ' την τελευταία φορά που ήμουν εδώ, γιατί είναι πολύ πιθανό η καλύβα να περιέχει φρέσκα τρόφιμα. Τώρα θα σας δείξω πώς οι Κομάντος εισβάλλουν σε ένα τέτοιου είδους οίκημα». Χαμογελώντας αόριστα, άρχισε να έρπεται σαν σκουλήκι ανάμεσα στα μεγάλα λίθινα θεμέλια κάτω από το σπίτι.

Παρακολουθώντας τον, είδαμε ότι προσπαθούσε να ξεκαρφώσει τις ξύλινες τάβλες του πατώματος, μέχρι που μία από αυτές τού έκανε τη χάρη. Την έσπρωξε επάνω. Μετά από λίγο, είχαμε και οι τρεις παρεισφρήσει μέσα στο δωμάτιο. Ο Τζων περιφέρθηκε στο σκοτάδι και άναψε ένα κερί. Τότε είδαμε ότι ήμασταν σε ένα μικρό τετράγωνο δωμάτιο που είχε ένα μεγάλο τζάκι με ένα κούτσουρο έτοιμο για φωτιά το οποίο ανάψαμε αμέσως και καθίσαμε στο πάτωμα για να ζεσταθούμε.

«Είχα μείνει εδώ το περασμένο καλοκαίρι με έναν μοναχό», είπε ο Τζων, «και μια μέρα, ενώ εργαζόταν στα χωράφια παρακάτω, χαλάρωσα λίγες σανίδες. Ήξερα ότι επρόκειτο να ξεχειμωνιάσει πίσω στο μοναστήρι οπότε σκέφτηκα ότι το μέρος ήταν ιδανικό για καλή κρυφώνα. Αναρωτιέμαι αν έχει αφήσει τίποτα στο κελάρι του», είπε καθώς κινήθηκε να πάει προς το μέρος που βρισκόταν. Μετά από λίγη ώρα, επέστρεψε αφού είχε ξετρυπώσει μερικές πατάτες και παστά ψάρια. Λίγο πριν ολοκληρώσει την ετοιμασία του ευπρόσδεκτου γεύματος, μας ενημέρωσε ότι αναγκάστηκε να χρησιμοποίησε για μαγείρεμα το ελαιόλαδο που περιείχαν τα σβηστά καντήλια στο παρακείμενο παρεκκλήσιο.

Την ώρα που σερβίραμε το, κυριολεκτικά ευλογημένο, φαΐ κι ετοιμαζόμασταν να το απολαύσουμε, ακούσαμε ένα βαρύ βηματισμό έξω στη βεράντα. Κοιτάξαμε ο ένας τον άλλο με απογοήτευση και στη συνέχεια αρπάξαμε στα γρήγορα μερικές μπουκιές φαγητού, σε περίπτωση που θα έπρεπε να του δίνουμε.

Εν τω μεταξύ, οι βαριές αλυσίδες απ' έξω κροτάλιζαν κι

ένα τεράστιο κλειδί είχε αρχίσει να ξύνει την τεράστια κλειδαριά.

Η πόρτα άνοιξε σιγά-σιγά προς τα μέσα.

Μείναμε εντελώς ακίνητοι, έχοντας το φαγητό αγκαλιά και τα κεφάλια μας στραμμένα προς τον εισβολέα.

Η μικρή σιλουέτα ενός ηλικιωμένου και σκυφτού μοναχού διαγράφηκε στην είσοδο της πόρτας. Εισήλθε αργά μέσα στο δωμάτιο σιγοψέλνοντας κάποιον εκκλησιαστικό μονοφωνικό ύμνο.

Η φωτιά είχε χαμηλώσει αρκετά και παρόλο που πρόδιδε εμφανώς τις φιγούρες μας, ο γέροντας μοναχός δεν μας αντιλήφθηκε με την πρώτη, αλλά πήγε κατευθείαν στο παρεκκλήσι, απ' όπου ακουγόταν να κάνει μικροδουλειές.

Κάποια στιγμή, το μουρμούρισμα του σταμάτησε και ακούστηκε ένα επιφώνημα έκπληξης.

«Ανακάλυψε ότι δεν υπάρχει λάδι στα καντήλια», ψιθύρισε ο Τζων φοβισμένα και, πιθανόν, με λίγες τύψεις. Ο γέροντας επανεμφανίστηκε στην μεσόπορτα, μουρμουρίζοντας μέσα στη γενειάδα του.

Εκείνη ήταν και η στιγμή ήταν που μας εντόπισε. Το σαγόνι του έπεσε ανοιχτό από έκπληξη κι έμεινε για λίγες στιγμές άφωνος.

«Όλα καλά Παπά», είπε ο Τζων σε σπαστά ελληνικά. «Φίλοι, φίλοι -θέλουμε ζέστη και φαΐ μόνο. Τίποτ' άλλο, φαΐ και ζέστη -όχι κακό, εμείς καλοί». Ο γέροντας, σίγουρα δεν ανησυχούσε. Ενθουσιάστηκε που μας βρήκε και διασκέδασε με την ευφυή είσοδο μας στο σπίτι. Πριν ξανακλειδώσει την πόρτα κι επιστρέψει πίσω στο μοναστήρι, μας έβρασε ένα απολαυστικό ρόφημα με αποξηραμένα βότανα.

Αξιοποιήσαμε πλήρως εκείνη την καλύβα. Ο ηλικιωμένος μοναχός μας επισκεπτόταν τακτικά και, είτε ήμασταν εκεί είτε όχι, μας άφηνε πάντα καλάθια με φρέσκα τρόφιμα. Αρκετά συχνά, ενώ ήμασταν μέσα, ανέβαιναν στη βεράντα περαστικοί, οι οποίοι αναμφίβολα προσελκύονταν από τον καπνό και δοκίμαζαν την πόρτα. Οι βαριά κλειδαριά και οι αλυσίδες που ήταν τοποθετημένες απ' έξω τους απέτρεπαν πάντα, και έτσι δεν επέμεναν για πολύ.

Η Ιερά Μονή Αγίου Παύλου

Άλλο ένα απ' τα κρησφύγετα που χρησιμοποιήσαμε,
ήταν ένα απ' τα οικήματα της Μονής του Αγίου Παύλου, για
το οποίο υπεύθυνος ήταν ο μοναχός Γεώργιος[43] που γνώριζε
τον Νικ. Ήταν ο γερο-Γεώργιος που μας έφερε νέα για
κάποιο πλεούμενο. Έμαθε ότι ένας ψαράς από το μικρό νησί
της Αμουλιανής, βρισκόταν σε διαπραγματεύσεις για ένα
συμβόλαιο με τους μοναχούς κοντά στη Νέα Σκήτη. Είχε
φτάσει με ένα πολύ καλό σκάφος, το οποίο άφηνε κάθε
βράδυ στη μέση μια παραλίας, κάτω απ' τη σκήτη. Αν και
εφόσον πετυχαίναμε μία σκοτεινή βραδιά, δεν βρίσκαμε το
λόγο να μην εξυπηρετηθούμε. Κατά συνέπεια, το ίδιο βράδυ
που μας δόθηκε αυτή η πληροφορία, φύγαμε από το οίκημα
και βαδίσαμε δύο ώρες προς τον κόλπο που ο π. Γεώργιος

---

[43] Γερο-Γεώργιος Αγιοπαυλίτης (1910-1997). Για την ενεργή συμμετοχή του στην
περίθαλψη στρατιωτών, φυλακίστηκε στο στρατόπεδο απ' το οποίο απέδρασε ο Τόμας
στη Θεσσαλονίκη και καταδικάστηκε σε θάνατο από τους Ναζί. Δραπέτευσε
θαυματουργικά πηδώντας πάνω σε ένα δέντρο, από τον 3ο όροφο του Νοσοκομείου
όπου νοσηλευόταν, κι επέστρεψε αγρατζούνιστος στον Άθω, (Απ' την Ασκητική και
Ησυχαστική Αγιορείτικη Παράδοση, Άγιο Όρος 2011). Δεν αποδέχτηκε, υποδενί, τη
μεγάλη αποζημίωση και τη σημαντική σύνταξη που του προσέφερε η Κυβέρνηση της
Νέας Ζηλανδίας μετά τον πόλεμο.

μάς είχε αναφέρει. Χωρίς ιδιαίτερη προσπάθεια κατεβήκαμε το απότομο μονοπάτι που διέτρεχε γύρω τις παρυφές της σκήτης, και με μυστικότητα φτάσαμε στην παραλία.

Με πολλή αυτοπεποίθηση, κρυμμένο στα βράχια, βρισκόταν ένα μεγάλο ψαράδικο το οποίο θα ήταν υπερεπαρκές για το ταξίδι μας. Δεν είχε κατάρτι, αλλά είχαμε αποφασίσει ότι, ακόμη κι αν μας έπαιρνε ένα μήνα, ήμασταν έτοιμοι να κωπηλατήσουμε όλη την απαιτούμενη απόσταση. Τα βρήκαμε σκούρα μέχρι να ρίξουμε όλο το σκάφος στο νερό, λόγω του βάρους του. Τελικά όμως, αφού έπλευσε γυρίσαμε την πλώρη του προς τα νότια-ανατολικά και ξεκινήσαμε την κωπηλασία. Δεν προσέξαμε κανένα είδος συναγερμό απ' τη σκήτη πάνω, παρά ακούγονταν μόνο ήχοι από εύθυμες συζητήσεις.

Ο καιρός όλες τις προηγούμενες μέρες ήταν τέλειος και η θάλασσα ακίνητη σαν γυαλί, και γι' αυτό τρέφαμε μεγάλες ελπίδες ότι θα είχαμε ένα σταθερό ταξίδι προς τα ανατολικά. Εφοδιαστήκαμε με προμήθειες δύο-τριών ημερών. Η μοίρα όμως ήταν σίγουρα κατά της θαλάσσιας εξόρμησης μας, διότι, καθώς περνούσαμε την νότια άκρη της χερσονήσου, πέσαμε πάνω σε ένα ισχυρό ρεύμα που άρχισε να φουσκώνει σταθερά τη θάλασσα. Διστακτικά, και με βαριά καρδιά, τραβήξαμε σε ένα βραχώδη όρμο και κρύψαμε το σκάφος, προσευχόμενοι η επόμενη μέρα να μας φέρει κάποια βελτίωση του καιρού.

Το επόμενο πρωί, ωστόσο, τα κύματα με τη συνεργασία του ανέμου, ανέπτυξαν μια πλήρους κλίμακας θύελλα που σάρωνε όλο τον κόλπο. Προς κατάπληξη μας, τα κύματα άρχισαν να θέτουν σε κίνδυνο και το ίδιο το σκάφος, που είχε αρχίσει να χτυπάει πάνω στους βράχους που το είχαμε προσδέσει. Μετά από σκέψη, αποφασίσαμε να το προσαράξουμε στην παραλία. Δεδομένου ότι αυτό θα σήμαινε να εκτεθούμε στην κοινή θέα των ασκητών που βρίσκονταν μερικές δεκάδες μέτρα πάνω από τον κόλπο,[44]

συνειδητοποιήσαμε πως δύσκολα θα τη βγάζαμε καθαρή από κάτι τέτοιο.

Και πράγματι, αμέσως μετά την ασφαλή προσάραξη του σκάφους, είδαμε μία ομάδα ενόπλων αστυνομικών που κατέβαιναν την απότομη πλαγιά προς το μέρος μας. Είχαμε την επιλογή να πέσουμε στη θάλασσα αμέσως, όσο αφιλόξενη κι αν ήταν, ή να αποδράσουμε με τα πόδια μέσα από ένα απότομο μονοπάτι στην αθέατη πλευρά του κόλπου. Με απογοήτευση που θα εγκαταλείπαμε εκείνο το σκαρί, η τελευταία οδός διαφυγής φαινόταν σοφότερη, κι έτσι το σκάσαμε από εκεί όσο πιο γρήγορα μπορούσαμε.

Το μονοπάτι εκείνο, που φαινόταν ελάχιστα χρησιμοποιημένο, μας οδήγησε σε κάτι πολύ επικίνδυνες χαράδρες, και στη συνέχεια σε κάτι γιγαντιαίους βράχους που είχαν το μέγεθος σπιτιών και οι οποίοι είχαν κάποτε κατολισθήσει. Περάσαμε τη νύχτα μας εκεί, σε μία μεγάλη είσοδο ενός σπηλαίου.

Δεν ήμασταν οι μόνοι ένοικοι του σπηλαίου, το οποίο, διείσδυε βαθιά μέσα στην πλαγιά του βουνού. Λίγο μετά απ' την άφιξη μας ποδοπατηθήκαμε από ένα κοπάδι μεγάλων κατσικιών που έσπευσαν να μπουν στο σπήλαιο και να εξαφανιστούν στο σκοτάδι του. Τα βοσκούσε ένας ηλικιωμένος μοναχός που σκαρφάλωσε αργά και μας πλησίασε.

Δεν έμεινε και ιδιαίτερα έκπληκτος που μας βρήκε εκεί. Μας είπε ότι το σπήλαιο χρησιμοποιούταν για αιώνες από οδοιπόρους και ότι, πριν απ' τη μεγάλη κατολίσθηση, το κύριο μονοπάτι περνούσε έξω ακριβώς απ' την είσοδο του. Μας έδειξε ένα καλά σκαμμένο πηγάδι και κάτι σιδερένιες θήκες πάνω στους βραχώδεις τοίχους, που χρησίμευαν για να στερεώνονται δάδες. Ο μοναχός επέμεινε να μοιραστεί το φαΐ του μαζί μας και, καθώς είχε μία πολύ καλή ψαριά εκείνη τη μέρα, τύχαμε μιας γενναίας μοιρασιάς. Εμείς ανάψαμε τη φωτιά στο πάτωμα του σπηλαίου και ψήσαμε τα ψάρια στα κάρβουνα.

Το επόμενο πρωί, αποχαιρετήσαμε τον γέροντα και συνεχίσαμε την πορεία μας. Είχαμε οδοιπορήσει μόνο μία ώρα, όταν βρεθήκαμε σε μια βουνοκορφή που κοίταζε προς τα κάτω σε ένα μεγάλο βραχώδη κόλπο. Αναγνωρίσαμε αμέσως το μέρος· ήταν εκείνο από όπου είχαμε κλέψει την πρώτη βάρκα.

«Τι νομίζετε, θα μπορούσαμε να πάρουμε και πάλι ένα σκάφος από εδώ;» αναρωτήθηκα δυνατά. «Θα μπορούσαμε να το φέρουμε βόλτα οι τρεις μας, τώρα που έχουμε μια μικρή εμπειρία».

«Εγώ είμαι μέσα», είπε ο Τζων. «Ας πάμε κάτω να δούμε τι κατάσταση επικρατεί».

Βλέπαμε τους δύο μοναχούς που εργάζονταν στην αυλή του σπιτιού. Ο ένας από αυτούς γύρισε και μας είδε.

«Ψυχραιμία. Δεν ξέρει ποιοι είμαστε», είπε ο Τζων. «Δεν δείχνει να είναι καθόλου καχύποπτος».

«Τότε θα πάμε κατευθείαν κάτω στο σπίτι και στη συνέχεια θα ρίξουμε μία ματιά γύρω», είπα, «κι αν τα πράγματα φαίνονται ευνοϊκά, θα ξανανέβουμε στο δάσος απ' την άλλη πλευρά και θα περιμένουμε μέχρι να σκοτεινιάσει».

Πήγαμε λίγο πιο κοντά.

«Κοιτάξτε!» είπε ο Νικ, με ενθουσιασμό. «Κοιτάξτε, είναι το μικρό σκυλί που είχε έρθει μαζί μας».

«Πρέπει να τους τον επέστρεψε η αστυνομία μαζί με το σκάφος», είπε ο Τζων. «Ελπίζω ο μούργος να συνήλθε μετά το ταξίδι».

Οι δύο μοναχοί μας κοιτούσαν, αλλά εξακολουθούσαν να μην φαίνονται ανήσυχοι.

Εκείνη τη στιγμή, όμως, συνέβη κάτι το απρόβλεπτο. Κάτι που άλλαξε την κατάσταση και μας εξέθεσε τόσο πολύ στους μοναχούς, όσο το να τους είχαμε παραδεχτεί ποιοι ήμασταν.

Το μικρό σκυλί που είχε πέσει στα πόδια του γέροντα μοναχού, ξαφνικά σήκωσε το βλέμμα του προς την κατεύθυνσή μας. Με μία κίνηση πετάχτηκε έξω απ' την αυλή κι έτρεχε φλύαρα προς το μέρος μας. Στην αρχή, νομίζαμε ότι απλώς ήθελε να μας καλωσορίσει με κάποιο γαύγισμα. Αλλά ο μικρός μούργος είχε κατενθουσιαστεί τόσο πολύ που μας είδε και πάλι, που πήδηξε στην αγκαλιά μας με τη σειρά, γλείφοντας τα πρόσωπά μας μέσα σε έναν παροξυσμό αναγνώρισης και χαράς. Δεν θα μπορούσε να υπάρξει χειρότερη προδοσία.

Οι δύο μοναχοί κοιτούσαν με ανοιχτό το στόμα για λίγα δευτερόλεπτα και στη συνέχεια κάλεσαν το σκυλί. Ξαφνικά, ο ένας από τους δύο κατάλαβε τον λόγο της αναγνώρισης του σκύλου και φώναξε κάτι στον άλλο. Έφυγαν βιαστικά απ' την αυλή και μπήκαν στο σπίτι, μέσα από το οποίο τους ακούγαμε να χτυπούν πόρτες και να ασφαλίζουν σύρτες. Ήταν πανικοβλημένοι.

«Τώρα μάλιστα», είπε ο Τζων, χαμογελώντας, παρά το πισωγύρισμα. «Ο μικρός ζητιάνος τους υπηρέτησε καλύτερα από ποτέ».

«Ας φύγουμε από 'δω», είπε ο Νικ, κοιτάζοντας φοβισμένος γύρω από τον κόλπο. «Έχω την αίσθηση ότι δεν είμαστε ευπρόσδεκτοι, άσε που αυτοί οι γέροντες μπορεί να έχουν και κάνα όπλο!»

«Τι θα γίνει με το σκυλί;» ρώτησε ο Τζων, κρατώντας το παιχνιδιάρικα στην αγκαλιά του. «Να το πάρουμε;»

«Όχι, σίγουρα όχι», τον προειδοποίησα. «Αυτός ο σκύλος είναι σίγουρο ότι σημαίνει πολλά για αυτούς τους ανθρώπους. Βάλε τον κάτω και άσε τον να τρέξει πίσω στο σπίτι».

Μετά από αυτό, ήμασταν υπό στενή παρακολούθηση κάθε φορά που πλησιάζαμε τη θάλασσα. Διάφοροι φίλοι μάς προειδοποιούσαν για το ότι είχαν επικηρυχθεί πολύ ακριβά τα κεφάλια μας, κι ότι οι Γερμανοί είχαν φάει τον τόπο να μας βρουν. Προφανώς, έπρεπε να εγκαταλείψουμε τη ιερή χερσόνησο που μας ευεργέτησε και μας διαφύλαξε τόσο καιρό.

Πεζοπορώντας βόρεια για δύο μέρες, περάσαμε τον ισθμό μετά το χωριό της Ουρανούπολης και εισήλθαμε στον κόσμο για μια ακόμη φορά.

ΥΠΗΚΟΟΙ ΤΗΣ ΑΥΤΟΥ ΜΕΓΑΛΕΙΟΤΗΤΑΣ

«Ε, τί στο καλό!» είπε ο Τζων, γυρνώντας προς το μέρος μου ενθαρρυντικά. «Δεν νομίζω ότι είναι και μεγάλο το ρίσκο! Δεν βλέπω και πολλούς Γερμανούς εδώ γύρω ... και παρόλο που δεν θα μπορούσαμε να τα βγάλουμε πέρα με πολλούς Ούνους μαζί, νομίζω πως λίγους χωρικούς τους καταφέρνουμε. Άλλωστε, σε τρεις ώρες θα είναι σκοτάδι». Κοιτάζαμε το πολυσύχναστο παραθαλάσσιο σκηνικό έχοντας για κάλυψη κάμποσα φρύγανα που ήτανε μπροστά μας. Σε όλη την έκταση της μεγάλης, καθαρής παραλίας, υπήρχαν μικρές ομάδες ανδρών και γυναικών που έκαναν τις συνήθεις δουλειές ενός ψαράδικου χωριού. Κάποιοι επιδιόρθωναν δίχτυα κρεμάμενοι από κάτι ψηλά ξύλινα κάγκελα, άλλοι έτριβαν βάρκες και μερικοί καθάριζαν ψάρια. Όλοι τους ήταν πλήρως απασχολημένοι. Δέκα μέτρα από το νερό της θάλασσας, και σε απόσταση ασφαλείας απ' την πλησιέστερη ομάδα ανθρώπων, ήταν αραγμένο στην άμμο το τελειότερο ιστιοπλοϊκό σκάφος που είχαμε δει ποτέ.

Καταπιαστήκαμε όλο εκείνο το απόγευμα, με το αν θα ρισκάραμε να πάμε με θράσος προς την παραλία για να αρπάξουμε το εξαιρετικά δελεαστικό ιστιοφόρο.

Είχαν περάσει αρκετές μέρες από τότε που είχαμε περάσει τα σύνορα του Αγίου Όρους και μετακινούμασταν προσεκτικά μέσα από κάτι μικρά ψαροχώρια ψάχνοντας για μια καλή βάρκα. Είχαμε φτάσει σχεδόν στα όρια τής αθωνικής με τη μεσαία μεγάλη χερσόνησου του Λόγγου, χωρίς να βρούμε κάτι κατάλληλο, αλλά εδώ είχαμε ανακαλύψει το πιο ελπιδοφόρο σκάφος. Υπήρχε κάτι τόσο παράτολμο και ριψοκίνδυνο στο όλο σκεπτικό τού να κλέψουμε ένα σκάφος κάτω απ' τα βλέμματα τόσων ανθρώπων, που ήταν ακαταμάχητα ελκυστικό. Κοιτάξαμε ο ένας τον άλλο σιωπηλά για λίγα λεπτά χαμογελώντας σαν μαθητούδια που ήταν έτοιμα να λεηλατήσουν κάποιο περιβόλι, παρά το φόβο ότι οι συνέπειες μπορεί να ήταν καταστροφικές, ιδιαίτερα αν υπήρχαν εκεί γύρω Γερμανοί σε απόσταση βολής. Τελικά, η αίσθηση της περιπέτειας επικράτησε μέσα μας, κι έτσι ενορχηστρώσαμε την κάθοδο μας προς την παραλία.

Μερικά απ' τα κορίτσια που ασχολούνταν με τα δίχτυα, μας κοίταζαν άπραγα καθώς περνούσαμε, και μάλιστα ο Τζων έκλεισε και το μάτι σε μια μελαχρινή κοπέλα. Πάντως, η γενικότερη παρουσία μας, δε φάνηκε να προκαλεί κανένα ιδιαίτερο σχόλιο. Από απόσταση ασφαλείας, φαινόμασταν σαν τρεις τραχείς ναυτικοί, ξένοι ίσως, αλλά και πάλι τα ψαροχώρια ήταν συνηθισμένα σε επισκέπτες.

Καθώς πλησιάζαμε το σκάφος, είδαμε πεταμένα γύρω του στην άμμο τα τέσσερα μεγάλα κουπιά, και το πανί του τυλιγμένο ολόκληρο στο μεγάλο κατάρτι.

Μόλις φτάσαμε γύρω του, σηκώσαμε τα κουπιά, τα πετάξαμε πρόχειρα μέσα και χωρίς περαιτέρω καθυστέρηση, ξεκινήσαμε να το σπρώχνουμε στην κατηφορική άμμο που οδηγούσε στο νερό. Δεν ήταν εύκολο κάτι τέτοιο, γιατί επρόκειτο για πολύ βαρύ σκαρί, αλλά σε λίγα λεπτά το είχαμε ρίξει στη θάλασσα και είχαμε επιβιβαστεί με ασφάλεια. Καθώς γλιστρήσαμε ένα ζευγάρι κουπιά στους σκαρμούς, κοίταξα με αγωνία την παραλία κατά μήκος της, αλλά κανείς δεν φαινόταν κανένας να δείχνει το παραμικρό ενδιαφέρον για μας. Κωπηλατήσαμε καμιά διακοσαριά μέτρα και ξεδιπλώσαμε το καραβόπανο που γέμισε αμέσως από ένα απαλό στεριανό αεράκι το οποίο μας έδωσε αμέσως δρόμο.

«Μου φαίνεται ότι έχουμε γεμίσει με κάμποσο νερό», είπε ο Νικ, που ως απελπιστική περίπτωση ναυτικού, είχε ήδη αρχίσει να πρασινίζει. Ο ίδιος, άλλωστε, μας είχε εξομολογηθεί κάποτε πως τον έπιανε συχνά ναυτία ακόμα κι όταν έκανε κωπηλασία στον Τάμεση.

«Ε... ξεκίνα να αδειάζεις», του είπε ο Τζων που καθόταν στο τιμόνι. «Πιθανότατα, επειδή το σκαρί λιαζόταν στον ήλιο όλη μέρα, να έχουν πιτσικάρει τίποτα ενώσεις. Τώρα με την υγρασία του νερού θα κλείσουν από μόνες τους», ήταν η εξήγηση που έδωσε.

Όπως θα αποδεικνυόταν περίτρανα, μετά από λίγο, η άποψη αυτή δεν είχε καμία σχέση με την πραγματικότητα. Η στάθμη του νερού ανέβαινε αργά αλλά σταθερά, παρά τις προσπάθειες που έκανε ο Νικ με το μικρό κουβά. Όταν ξεπέρασε τους αστραγάλους μας, κοιτάξαμε ο ένας τον άλλο με κατάπληξη. Κάτι δεν πήγαινε καλά.

«Αμάν, τι είναι τούτο;» είπε ο Νικ, αφού στάθηκε όρθιος μετά το άδειασμα, δείχνοντας μία ξύλινη σφήνα που επέπλεε μπροστά από το κάθισμα. Είχε και ένα λαστιχένιο δαχτυλίδι περίπου στη μέση της, προφανώς για να σφηνώνει καλύτερα σα φελλός.

«Τι στο καλό!» Φώναξε ο Τζων, πιτσιλώντας όλο το σκάφος για να το αρπάξει. «Λείπει το πώμα. Να γιατί έχουμε γεμίσει νερό».

Πέσαμε όλοι σε μια φρενήρη αναζήτηση της τρύπας απ' την οποία έλειπε η σφήνα. Πιτσιλιζόμασταν ψαχουλεύοντας με τα δάχτυλά μας σπιθαμή προς σπιθαμή το σκαρί, απ' την πλώρη ως την πρύμνη, αλλά εις μάτην. Η στάθμη του νερού ανέβηκε κι άλλο και ο Νικ συνέχιζε δραστικότερα το άδειασμα του νερού. Εμείς σηκώναμε όλες τις σανίδες του πατώματος του σκάφους και πιάναμε κάθε σημείο τους, παρά το νερό που στροβιλιζόταν παντού. Αποφασισμένος να μην αφήσει τίποτα ανεξερεύνητο, ο Τζων βούτηξε απ' τη μια πλευρά του σκάφους στη θάλασσα, με την ύστατη ελπίδα να εντοπίσει την τρύπα ευκολότερα από κει.

Το νερό ανέβαινε ασταμάτητα και όταν, τελικά, έφτασε σχεδόν στα γόνατά μας, συνειδητοποιήσαμε ότι δεν υπήρχε άλλη επιλογή από το να γυρίσουμε πίσω. Με κάποια περίεργη διάθεση χιούμορ, δεν αισθάνθηκα απογοητευμένος τη στιγμή εκείνη, αλλά διασκέδαζα με την εικόνα που παρουσιάζαμε και οι τρεις μας, με τα χέρια βουτηγμένα βαθιά στο νερό ψάχνοντας μανιωδώς με τα δάχτυλά μας την τρύπα. Μου φαινόταν βασανιστικά αστείο.

Εν τω μεταξύ, το σκηνικό πίσω στην παραλία είχε αλλάξει. Οι άνθρωποι έτρεχαν πέρα δώθε και οι ενθουσιώδης κραυγές τους έφταναν ξεκάθαρα στα αυτιά μας. Μια παρέα νεαρών είχε αρχίσει να σπρώχνει από ένα παραθαλάσσιο υπόστεγο προς τη θάλασσα, ένα μεγάλο ιστιοφόρο και δεν ήθελε και πολύ να μαντέψουμε ότι ετοιμάζονταν να έρθουν ξωπίσω μας. Θεωρήσαμε ότι θα μπορούσαμε να διατηρήσουμε μία απόσταση ασφαλείας μέχρι να σκοτεινιάσει, ώστε να είχαμε την ευκαιρία να τους ξεφύγουμε για τα καλά.

Όταν όλοι είδαν ότι είχαμε αρχίσει να επιστρέφουμε προς την παραλία, άρχισαν να αποδυναμώνουν τις προσπάθειες τους και παρατηρήσαμε ότι το ιστιοπλοϊκό σκάφος που είχε ξεκινήσει δεν είχε πέσει στη θάλασσα. Ένα μικρό πλήθος άρχισε να συγκεντρώνεται στο σημείο της κλοπής έχοντας ανάμεσα τους έναν άνθρωπο που έδειχνε να ενδιαφέρεται πιο πολύ από τους άλλους. Ήταν ένας μικροκαμωμένος σκουρόχρωμος τύπος που διασκέλιζε πάνω κάτω την παραλία μπροστά στο πλήθος, και στεκόταν με αποφασιστικότητα, αλλά και θαυμασμό, κουνώντας τις γροθιές του στον αέρα, τραβώντας τα μαλλιά του, χτυπώντας τα πέλματα του στην άμμο και γενικά εκτελώντας μια πολεμική χορογραφία. Θεωρήσαμε ότι, δίχως αμφιβολία, αυτός ο άνθρωπος θα ήταν ο εξοργισμένος ιδιοκτήτης του ιστιοπλοϊκού σκάφους που προσπαθήσαμε να κλέψουμε.

«Και τώρα τι κάνουμε, κύριε;» με ρώτησε ο Τζων, αντικρίζοντας την υποδοχή που μας επιφυλασσόταν καθώς πλησιάζαμε. «Να αμυνθούμε έναντι του μικροκαμωμένου ανθρώπου ή να απολογηθούμε;»

Δύο-τρεις νεαροί του χωριού, μπήκαν στη θάλασσα για να μας συναντήσουν και να κατευθύνουν το πλοίο στην παραλία. Βαρύ από το νερό που είχε εντός του κι έχοντας αποκτήσει περίπου μισό μέτρο παραπάνω βύθισμα από το κανονικό, η ρηχή του καρίνα προσάραξε είκοσι περίπου μέτρα απ' την ακτή. Πηδήξαμε έξω και τσαλαβουτήσαμε στα ρηχά για το υπόλοιπο της διαδρομής.

Ο μικρός άνθρωπος όρμησε προς το μέρος μας, φτάνοντας τη γροθιά του μέχρι τη μύτη μας και κουνώντας τα χέρια του προς τον ουρανό με οργή, ενώ ταυτόχρονα μας επέσυρε κάθε γνωστή βρισιά που μπορούσε να σκεφτεί εκείνη τη στιγμή. Ήταν προφανώς αριστοτέχνης στο

υβρεολόγιο και ακόμη και το πλήθος των ψαράδων, οι
οποίοι έχουν μια αξιοσημείωτη τάση προς τη βωμολοχία,
φαίνονταν εντυπωσιασμένοι απ' την προσπάθεια που
κατέβαλλε να εφεύρει κι άλλες. Ήμασταν αποσβολωμένοι
από τη ζωντάνια του. Συνέχισε έτσι για πάνω από είκοσι
λεπτά, χωρίς να έχουμε την ευκαιρία να αρθρώσουμε λέξη.
Ωστόσο, κάποια στιγμή τελείωσε. Σταμάτησε για να
ανακτήσει την αναπνοή του και μας αγριοκοίταξε έχοντας
μία δειλή έκπληξη κι αγανάκτηση στο βλέμμα του, επειδή
συνεχίζαμε να στεκόμαστε ατάραχοι μπροστά του. Κάνοντας
χρήση μίας απ' τις πιο αγαπημένες μου ελληνικές
χειρονομίες, ανεβοκατέβασα τους ώμους μου και άνοιξα τις
παλάμες μου προς τα πάνω.
«Τι να κάνουμε;» του είπα, χαμογελώντας. «Είμαστε
Άγγλοι δραπέτες και είναι αυτονόητο πως πρέπει να πάμε
πίσω στο στρατό μας με οποιονδήποτε τρόπο, για να
πολεμήσουμε τον κοινό εχθρό μας», προσπάθησα να πω.
Ο μικροκαμωμένος άνθρωπος ξεκίνησε για άλλον ένα
γύρο, αλλά αντιλήφθηκε, έκπληκτος, ότι ο κόσμος είχε ήδη
αρχίσει να μας βλέπει με συμπάθεια -πράγματι, ένας άνδρας
είχε έρθει μπροστά στον Τζων και του έδωσε το χέρι του για
καλωσόρισμα. Ο ιδιοκτήτης σταμάτησε σαστισμένος για μια
στιγμή, και στη συνέχεια σπρώχνοντας στην άκρη όσους
πήγαν να κινηθούν προς το μέρος μας, γύρισε προς το
πλήθος κι άρχισε να ρητορεύει. Μιλούσε πολύ γρήγορα με
μία δύσκολη προφορά που μου ήταν αδύνατο να
παρακολουθήσω όσα έλεγε, αλλά η ουσία ήταν ότι, σε κάθε
περίπτωση, το σκάφος που προσπαθήσαμε να κλέψουμε
ήταν δικό του και ως εκ τούτου, από 'κείνον εξαρτιόταν αν
θα ήμασταν ευπρόσδεκτοι τελικά στο χωριό. Ήταν μία
χαρακτηριστική σκηνή της ελληνικής ιδιοσυγκρασίας κι
εμείς χαμογελάσαμε κρυφά μεταξύ μας, όταν
συνειδητοποιήσαμε ότι τα πράγματα είχαν αντιστραφεί προς
το καλύτερο.
Υπήρχε ένα μικρό ποσοστό αντιπολίτευσης απέναντι
στην στάση του καραβοκύρη, αλλά ήμουν σίγουρος ότι
κανένας Έλληνας δεν θεωρούσε ανάρμοστο να μας δεχτούν

φιλικά. Ήθελαν απλώς την ευκαιρία να μας καλωσορίσουν ανοιχτόκαρδα. Ο μικροκαμωμένος άνθρωπος, βέβαια, δεν επρόκειτο να παραιτηθεί εύκολα. Στο τέλος, όμως, άφησε το πλήθος και ήρθε χαμογελώντας προς το μέρος μας. Άρπαξε και κουνούσε τα χέρια μας και στη συνέχεια, έπιασε από τον ώμο τον πιο κοντό από τους τρεις μας, τον Νικ και μας οδήγησε στα ενδότερα του χωριού. Ακόμα κι εγώ, που δεν ήξερα καλά τα ελληνικά, καταλάβαινα ότι συνέχισε να μιλά με ευφράδεια όση ώρα μας συνόδευε.

Κάπου τρεις ώρες αργότερα βρισκόμασταν καθισμένοι στο σπίτι αυτού του παράξενου κοντού ανθρώπου, του ίδιου ανθρώπου του οποίου τη βάρκα είχαμε προσπαθήσει να κλέψουμε, πίνοντας το κρασί του και συζητώντας όλες τις περιπτώσεις και *τις δυνατότητες κλοπής ενός σκάφους που ανήκε σε έναν γνωστό του!* Οι Έλληνες είναι πραγματικά αινιγματικοί.

Οι δύο μεγαλύτερες κόρες του οικοδεσπότη, δείχνοντας πολύ μεγάλο ενδιαφέρον για το θέμα και όντας προφανώς ενθουσιασμένες με την περιπετειώδη φιλοξενία Άγγλων φυγάδων, μας ξαναγέμιζαν τα ποτήρια και μας γοήτευαν με τα χαμόγελα τους. Ήταν και οι δύο τους ελκυστικές φυσιογνωμίες, όχι όμορφες, αλλά ακτινοβολούσαν υγεία και ζωντάνια. Η Φοίβη, η μεγαλύτερη εκ των δύο, κάθισε δίπλα μου, και κάθε φορά που κοίταζα, έβρισκα τα καστανά της μάτια να με καρφώνουν βαθιά. Ήταν μία ευχάριστη ανάδευση και ξεχασιά μετά απ' τόσους μήνες καταφυγής στα μοναστήρια. Το δεύτερο κορίτσι, ονομαζόταν Ανθή, και δεν κρατούσε μυστικό το θαυμασμό της για τον Τζων.

«Περίπου κάνα μισάωρο από 'δω», είπε ο οικοδεσπότης μας, μιλώντας λίγο πιο πυκνά τώρα υπό την επήρεια του κρασιού, «υπάρχει ένας μικρός κόλπος που περιβάλλεται από πυκνά δέντρα. Είναι πολύ μοναχικός αυτήν την εποχή, καθώς οι ιδιοκτήτες του σπιτιού που βρίσκεται εκεί, ζουν στη Θεσσαλονίκη. Το μόνο κτήριο πάνω στην παραλία, είναι το υπόστεγο ενός σκάφους. Μιλάμε όμως για ένα μεγάλο, και πάρα πολύ γερά χτισμένο, υπόστεγο. Θα είναι αρκετά δύσκολο να μπείτε μέσα».

Σταμάτησε και κοίταξε τον καθένα μας ξεχωριστά, ελαφρώς ζαλισμένος, απολαμβάνοντας την αμέριστη προσοχή μας. «Αλλά μέσα σε 'κείνο το υπόστεγο κρύβεται ένα απ' τα καλύτερα σκάφη που υπάρχουν σε ολόκληρη την βόρεια Ελλάδα. Είναι στην πραγματικότητα μία μηχανοκίνητη λάντζα, χωρίς να υπάρχει, εννοείται, διαθέσιμο καύσιμο αυτές τις μέρες για να την κινήσει. Αυτός είναι ο λόγος που βρίσκεται παροπλισμένο εκεί».

«Κουπιά έχει, θα μπορούσαμε να το κωπηλατήσουμε;» ρώτησε επίμονα ο Νικ.

«Έχει κουπιά, απ' ότι ξέρω, γιατί έχω βγει συχνά έξω με αυτό, αλλά δεν θα μπορούσατε να το πάτε πολύ μακριά, γιατί είναι πολύ μεγάλο». Γέλασε με την κατάπληξη μας. «Αλλά γιατί να μην χρησιμοποιούσατε τα πανιά του; Δεν είναι καλύτερα απ' τα κουπιά; Όλα αυτά βέβαια, ΑΝ καταφέρετε και το πάρετε, γιατί εγώ δεν σας προτρέπω σε τίποτα. Πώς θα μπορούσα άλλωστε; Το σκάφος ανήκει στον κουνιάδο μου -από τον πρώτο μου γάμο. Όχι ότι δεν θα του άξιζε να το χάσει βέβαια- γιατί υπερηφανευόταν πάντα υπερβολικά».

«Είμαι σίγουρη ότι δε θα πείραζε τον καλό θείο Χάρη, αν ο Τζων, ο Τόμας και ο Νικ δανείζονταν το σκάφος του για λίγο «πετάχτηκε η Ανθή, δείχνοντας πολλή γενναιοδωρία, αλλά καθόλου πρακτικότητα. «Έτσι κι αλλιώς, σαπίζει και δεν χρησιμεύει σε τίποτα εκεί που είναι».

Ακουγόταν πολύ καλό για να είναι αληθινό. Το πώς θα μπορούσε κανείς να έχει αφήσει ένα υπόστεγο αφύλακτο, έστω και για μια μέρα, σε μία περιοχή γεμάτη κλέφτες, ήταν κάτι που μας ξεπερνούσε και αισθανόμασταν βέβαιοι εκείνη τη στιγμή, ότι ένα κτήριο θα έπρεπε να είναι πραγματικά πολύ ισχυρό για να αντισταθεί στις δυνάμεις μας -με την προϋπόθεση ότι θα είχαμε αρκετό χρόνο στη διάθεση μας. Η βραδινή ατμόσφαιρα είχε γεμίσει από μία ζωντανή προσδοκία και τα κορίτσια είχαν βοηθήσει στο έπακρο. Είχαμε βρει αξιόπιστους συμμάχους.

Το επόμενο ξημέρωμα, μας βρήκε ήδη στημένους πάνω από τον κολπίσκο να εξετάζουμε το μοναχικό, και φαινομενικά εγκαταλελειμμένο υπόστεγο, υπό την κάλυψη των δέντρων. Ήταν σίγουρα, από κάθε άποψη, μία πολύ γερή κατασκευή, αλλά δεν είχαμε καμία αμφιβολία ότι θα βρίσκαμε τελικά κάποιο τρόπο να τη διαρρήξουμε. Το μόνο που μας ανησυχούσε ήταν μήπως δεν ήμασταν αρκετοί. Αντιλαμβανόμασταν το πόσο τραγικό θα ήταν να καταφέρουμε να κλέψουμε ένα τέτοιο σκάφος, που είχε όλες τις προϋποθέσεις να αντιμετωπίσει τους δύσκολους καιρούς, και να διαπιστώναμε στην πορεία ότι δεν μπορούσαμε να το κουμαντάρουμε. Όσο κι αν ήμασταν ανυπόμονοι να φύγουμε, το σχέδιο αυτό έπρεπε να καταστρωθεί με προσοχή και μεθοδικότητα. Κάποιος θα έπρεπε να πάει πίσω στο Άγιο Όρος, να ξεγλιστρήσει απ' τις γερμανικές περιπολίες και να έρθει σε επαφή με τον Φίλιππα, τον Αστυνόμο της Μεγίστης Λαύρας, με τον Δημήτριο και όποιον άλλο θα ήταν μαζί τους.

Το πόδι μου δεν ήταν σε κατάσταση για μια τέτοια μακρά πορεία, και μόνο ο Νικ θα μπορούσε να φέρει εις πέρας αυτήν την αποστολή, επειδή είχε, μακράν, την καλύτερη φυσική κατάσταση από τους τρεις μας. Ήταν ο Τζων, όμως, που έσπευσε να δηλώσει κατηγορηματικά ότι θα αναλάμβανε το εγχείρημα. Ξεκινήσαμε για το χωριό όλοι μαζί, ώστε να μαζέψουμε τρόφιμα για το ταξίδι.

Ακριβώς όπως είχαμε αρχίσει να ανεβαίνουμε, εντούτοις, ακούσαμε κάποιον να τρέχει ελαφρά μέσα απ' τα δέντρα και, προς έκπληξή μας, παρατηρήσαμε τη Φοίβη να σκοντάφτει και να πέφτει κάτω καθώς προσπαθούσε να μας προλάβει λαχανιασμένη. Μας έφτασε αγκομαχώντας χωρίς να μπορεί να αρθρώσει λέξη. Κρεμάστηκε από το λαιμό μου με κομμένη την ανάσα, ενώ το λυγερό της σώμα έτρεμε από ανησυχία.

«Κρυφτείτε ... Γερμανοί ... έντεκα απ' αυτούς, το πρωί», έλεγε διακεκομμένα σφίγγοντας τα χέρια της γύρω μου. «Ψάχνουν για σας -κάποιος πρέπει να σας μαρτύρησε». Έθαψε το κεφάλι της στο λαιμό μου και άρχισε να κλαίει.

«Πήραν τον πατέρα μακριά. Δεν τους λέει τίποτα, όμως» πρόσθεσε με λυγμούς. «Τους είπε ότι μετά το κλέψιμο της βάρκας του, τον αναγκάσατε να σας δώσει τρόφιμα και καταφύγιο τη νύχτα, και ότι φύγατε για Θεσσαλονίκη. Ήρθα όσο πιο σύντομα μπορούσα, ενώ η Ανθή έμεινε να παρακολουθεί το σπίτι. Πρέπει να φύγετε, πρέπει να φύγετε όσο πιο μακριά μπορείτε από εδώ, με οποιοδήποτε τρόπο!»

Είδα τον Τζων και τον Νικ πάνω από το μαύρα κυματιστά μαλλιά της να αναρωτιούνται τι θα έπρεπε να κάνουμε. Σύντομα έγινε σαφές ότι δεν θα έπρεπε σε καμία περίπτωση να αφήσουμε τη θαυμάσια ευκαιρία που αντιπροσώπευε το σκάφος στο υπόστεγο, ούτε για εκατό Γερμανούς. Η είδηση της σύλληψης του οικοδεσπότη μας μου δημιούργησε μεγάλη στενοχώρια και βαθιά ανησυχία για τον ίδιο, και για την ταραχή που είχε επιφέρει η απουσία του στα κορίτσια. Υπέθετα, και ήλπιζα, ότι θα έβρισκε τον τρόπο, με την πειθώ του να γλυτώσει από αυτήν την κατάσταση, και ότι ακόμα, ήταν ικανός να απολάμβανε και τη διαδικασία. Αν τη γλύτωνε, θα γινόταν ο ήρωας του χωριού.

«Πώς σου φαίνονται τα πράγματα αφεντικό;» είπε ο Τζων, ατάραχος ως συνήθως. «Να προκαλέσουμε την τύχη μας τώρα, να κρατήσουμε χαμηλό προφίλ για μερικές βδομάδες, ή να ακολουθήσουμε το αρχικό μας σχέδιο;»

«Τίποτα δεν θα με χωρίσει από αυτό το σκάφος, Τζων», γύρισα και του απάντησα. «Θα συνεχίσουμε όπως πριν, απλά ο Νικ κι εγώ θα πρέπει να περάσουμε μερικές άβολες νύχτες μέχρι να επιστρέψεις. Θα μείνουμε στο δάσος, πάνω από αυτό τον κόλπο, ανεξάρτητα απ' τις καιρικές συνθήκες. Προτείνω να ξεκινήσεις αμέσως και να έρθεις πίσω το συντομότερο δυνατόν. Πόσες μέρες πιστεύεις ότι θα σου πάρει;»

«Τέσσερις. Δύο να πάω και δύο να γυρίσω, έχοντας κι ένα ασφαλές περιθώριο για ξεκούραση. Λογικά θα είμαι και πάλι πίσω την επόμενη Παρασκευή το βράδυ. Πού θα σας βρω εσάς τους δυο ... μέσα στο σκάφος ίσως;»

«Όχι, Τζων, θα ήταν ανόητο να προσεγγίζαμε το υπόστεγο χωρίς να είμαστε όλοι προετοιμασμένοι για την πραγματική κλοπή. Θα συλλέξουμε τρόφιμα και νερό και θα σε περιμένουμε. Βλέπεις εκείνα τα ψηλά έλατα που προεξέχουν απ' τις φτελιές; Εκεί κοντά τρέχει το μονοπάτι. Όταν γυρίσεις, να τοποθετήσεις τρεις πέτρες σε ένα μικρό τρίγωνο, στη βάση του μεγάλου δέντρου, και στη συνέχεια περίμενε εκεί κοντά. Όταν είναι ασφαλές, ο Νικ κι εγώ θα σε αναζητήσουμε».

Δεν υπήρχε τίποτα νωχελικό με τον Τζων. Αν υπήρχε κάτι που έπρεπε να γίνει, του άρεσε να πέφτει με τα μούτρα για να το φέρει εις πέρας καθώς με την κατάρτιση που είχε, ως τακτικός στρατιώτης, δεν έμενε ποτέ ευχαριστημένος αν δεν τελείωνε κάτι με το σωστό τρόπο. Έκανε αναστροφή στις μπότες του και, με μισό χαμόγελο σαν αποχαιρετιστήριο δώρο, χώθηκε μέσα στο δάσος.

Ο Νικ κι εγώ προσπαθήσαμε ν' αναπτερώσουμε το ηθικό της Φοίβης όσο περισσότερο μπορούσαμε, πριν φύγει για να επιστρέψει στην Ανθή. Της έδειξα τη μικρή κοιλότητα που είχαμε επιλέξει για κρυψώνα, και υποσχέθηκε να περάσει λαθραία έξω κουβέρτες, τρόφιμα και νερό για μας. Της ζητήσαμε επίσης να εξετάσει το ενδεχόμενο μήπως μας έφερνε τίποτε εργαλεία κατάλληλα για διάρρηξη, χωρίς να έχουμε συγκεκριμένες ιδέες για το τι θα χρειαζόμασταν, αλλά της ζήτησα να ψάξει για ένα λοστό, ένα τσεκούρι κι ένα πριόνι.

Ήμασταν πολύ ευγνώμονες προς τη Φοίβη εκείνες τις λίγες ημέρες που ακολούθησαν μετά την αναχώρηση του Τζων. Διακινδυνεύοντας την παραδειγματική της τιμωρία απ' τη γερμανική περίπολο που βρισκόταν στο χωριό, ξεγλιστρούσε κάθε βράδυ κάτω απ' τη μύτη των περιπλανώμενων φρουρών. Παράκαμπτε και απόφευγε οτιδήποτε θα μπορούσε να προδώσει την κατεύθυνση της κι έβρισκε πάντα τον τρόπο να έρθει στην κρυψώνα μας στα δέντρα. Σε κάθε επίσκεψη της, θα έφερνε κάτι για να φάμε αλλά και κάτι για το ταξίδι. Ένα βράδυ, παρόλες τις διαμαρτυρίες μας, έκανε και δεύτερη διαδρομή, για να σύρει έναν σιδερένιο λοστό ίσα με το μπόι της. Εκείνο το βράδυ που έμεινε μαζί μας κάτω απ' τα δέντρα, κοιμήθηκε δίπλα μου σαν μικρό παιδί.

Το βράδυ της Παρασκευής έφτασε, αλλά ο Τζων και η ομάδα του όχι. Προσπάθησα να πείσω τον εαυτό μου ότι θα είχε καθυστερήσει στον Δημήτριο επειδή μπορεί να ήταν πιο μακριά από ό,τι είχαμε προβλέψει. Αλλά η μέχρι τότε γνώση μου για τον Τζων και η εμφατική του δήλωση ότι θα είναι και πάλι πίσω την Παρασκευή, άρχισαν να μου προκαλούν ανησυχητικές σκέψεις για τις αεικίνητες γερμανικές περιπόλους που είχαν αλώνιζαν πλέον εντός τού Αγίου Όρους.

Η Φοίβη έφτασε και πάλι, φέρνοντας και την αδελφή της Ανθή που, χωρίς αμφιβολία, ανυπομονούσε να ξαναδεί τον Τζων. Ήταν γεμάτες ειδήσεις. Κατ 'αρχάς, ο πατέρας τους είχε ελευθερωθεί, αν και πίστευαν ότι ήταν ακόμα υπό παρακολούθηση. Μας περιέγραψαν, μεταξύ άλλων ότι έπρεπε να δίνει το παρόν κάθε βράδυ στο σπίτι του δημάρχου, όπου διέμενε η περίπολος, και δεν του επιτρεπόταν να εγκαταλείψει το χωριό. Στη συνέχεια μας ανάφεραν, παρεμπιπτόντως, λες και δεν θα μας αφορούσε καθόλου, ότι οι Ναζί επρόκειτο να οργανώσουν το επόμενο πρωί στην περιοχή επιχείρηση σκούπα, στην οποία θα λάμβαναν μέρος κι όλοι οι άνδρες του χωριού. Οι Γερμανοί ήταν σίγουροι ότι θα έβρισκαν τους Εγγλέζους, αλλά τα κορίτσια γελούσαν χαρούμενα με τη σκέψη ότι βρισκόμασταν τόσο μακριά.

Δεν ήμουν και τόσο σίγουρος. Οι Γερμανοί ήταν ικανοί να γίνουν πολύ διεξοδικοί, όταν τους άρεσε, κι αυτός ο μοναχικός κολπίσκος, μπορεί να τους φαινόταν ιδανικό μέρος για έρευνα. Περπάτησα μέχρι τα έλατα και πάλι, αισθανόμενος κάθε άλλο παρά ευτυχής.

Δεν υπήρχαν πέτρες στη βάση του μεγάλου έλατου, αλλά καθώς γύρισα να πάω πίσω στα κορίτσια, άκουσα μία κίνηση στα κοντινά δέντρα. Ένα χαμόκλαδο έσπασε κι ένα κλαδί έσκισε τον αέρα, σαν να είχε λυγίσει προς τα πίσω και να είχε αφεθεί ελεύθερο. Έπεσα στο έδαφος, με την ψυχή στο στόμα, περιμένοντας ήσυχα τα επόμενα λίγα και απόκοσμα λεπτά. Τότε, ξαφνικά, πετάχτηκε κάτι προς το μέρος μου σφυρίζοντας. Έσκυψα με φόβο μήπως ήταν χειροβομβίδα, αλλά με αμηχανία είδα ένα κουκουνάρι να χοροπηδά στο έδαφος περνώντας σύριζα από το κεφάλι μου, ενώ μέσα από το σκοτάδι άκουσα τον Τζων να γελάει χαμηλόφωνα.

Έτρεξα προς το μέρος του και τον αγκάλιασα σφιχτά απ' τη χαρά μου που τον είχαμε πίσω με ασφάλεια. Μαζί του, ήταν ο Δημήτρης και άλλοι δύο Κύπριοι στρατιώτες. Ο Τζων μας τους σύστησε γρήγορα: ο Κάρολος, ένα κοντό λιπαρόδερμο παλληκάρι, του οποίου τα δόντια έλαμπαν ακόμα και στο σκοτάδι, κι ένας ψηλόλιγνος, μεγαλύτερος άντρας, ο Πέτρος. Χωρίς καμία άλλη καθυστέρηση, εξήγησα τον επείγοντα χαρακτήρα της όλης κατάστασης και σπεύσαμε κάτω να συναντήσουμε τον Νικ και τα κορίτσια. Εντός ολίγων λεπτών, είχαμε κάνει ένα σύντομο αλλά αξέχαστο αποχαιρετισμό με αυτές τις γενναιόκαρδες ηρωίδες και πήραμε τον δρόμο προς την παραλία. Καθώς ήταν νεόφερτοι στο πρόβλημα, τοποθέτησα τον Δημήτριο και τους δύο Κυπρίους σε επιφυλακή, τον καθένα σε κάποια απόσταση από το υπόστεγο και σε διαφορετικές κατευθύνσεις, ώστε να στρωθούμε οι υπόλοιποι στη δουλειά.

Όταν ρίξαμε μια πιο προσεκτική ματιά, δεν αναρωτιόμασταν πια γιατί εκείνο το υπόστεγο είχε αφεθεί αφύλακτο. Ήταν ένα πραγματικό φρούριο. Οι τοίχοι ήταν καλά χτισμένοι από πέτρα κι από κάμποσο σοβά, και τα παράθυρα ήταν βαριά ασφαλισμένα από σιδερένιες μπάρες. Δεν υπήρχε τρόπος να βρούμε έναν αδύναμο κρίκο από κάτω του, καθώς ολόκληρο το κτήριο ήταν ενσωματωμένο γύρω από φυσικά βράχια. Υπήρχαν όμως δύο εναλλακτικές λύσεις που ήταν, είτε οι κύριες διπλές πόρτες, είτε η μικρή πόρτα εισόδου.

Καταπιαστήκαμε με την μικρή πόρτα με τη σιγουριά ότι το παλιό κόλπο με τον πολιορκητικό κριό θα ολοκλήρωνε επιτυχώς το σχέδιο. Βρήκαμε ένα μεγάλο εξάμετρο κορμό και κάλεσα όλους τους φρουρούς να έρθουν κοντά για να μπορέσουμε όλοι μαζί να σηκώσουμε τον κριό. Η πόρτα, όμως, απορροφούσε το μεγαλύτερο βάρος του με απάθεια και μετά από δύο συνεχείς ώρες αγώνα και χτυπημάτων, στεκόταν ακόμα αγέρωχη δείχνοντας ότι το μόνο που είχαν καταφέρει όλοι αυτοί οι κόποι μας, ήταν μια λεπτή ρωγμή από πάνω προς τα κάτω και μερικά θραύσματα. Δεν υπήρχε αμφιβολία ότι αυτή η πόρτα διέφερε από όλες τις άλλες που είχαμε δοκιμάσει να διαρρήξουμε, όχι μόνο λόγω της βαριάς κατασκευής της, αλλά διότι άνοιγε και προς τα έξω. Έτσι, οποιαδήποτε δύναμη και να εξασκείτο από το εξωτερικό, το μόνο που κατάφερνε ήταν, να την ενσωματωμένη περισσότερο μέσα στην κάσα της. Αποφασίσαμε να την αφήσουμε για λίγο.

Οι δύο κύριες πόρτες είχαν ύψος περίπου έξι μέτρα, προφανώς για να επιτρέπουν την είσοδο ιστιοφόρων σκαφών. Είχαν κατασκευαστεί από μεγάλες σανίδες, πάχους τέσσερα με πέντε εκατοστά, που έδιναν μία πολύ στιβαρή αίσθηση. Ασκώντας πάνω τους βάρος με το σώμα μας, διαπιστώσαμε ότι υπήρχε ένα είδος τοιχίου, περίπου ενάμιση μέτρο ύψος εσωτερικά, που τις εμπόδιζε να ανοίγουν προς τα μέσα. Αντιληφθήκαμε επίσης, ότι υπήρχε και μία μεγάλη οριζόντια μπάρα, που διέτρεχε τις πόρτες σε απ' άκρη σ' άκρη, και πιθανώς να ήταν και βαθιά χωμένη μέσα στους πέτρινους πλαϊνούς τοίχους. Ήταν δε αυτονόητο πως η μπάρα θα διαπερνούσε και δύο σιδερένιες θήκες, ή κρίκους, στο μέσο των θυρών.

Στο σημείο που οι δύο πόρτες έκλειναν, η δεξιά, είχε μία επιπλέον ξύλινη φάσα, η οποία κάλυπτε και την αριστερή για να προστατεύει το μικρό περιθώριο που άφηναν αναμεταξύ τους τα δύο φύλλα όταν έκλειναν. Καταφέραμε και την αφαιρέσαμε με το λοστό, χωρίς να κάνουμε κάποια σημαντική πρόοδο. Ο Τζων, κατάφερε ωστόσο, να γλιστρήσει το μαχαίρι του στη σχισμή των δύο θυρών και να αποκτήσει μια ιδέα για το πάχος της οριζόντιας μπάρας που τις κρατούσε κλειστές. Πρέπει να είχε τουλάχιστον δεκαπέντε εκατοστά πλάτος και δέκα πάχος. Ώσπου να τ' ανακαλύψουμε όλα αυτά, είχαν φτάσει τα μεσάνυχτα και τα πράγματα φαίνονταν λίγο απελπιστικά.

Είχε έρθει, όμως, η ώρα του Νικ. Είχε τη λαμπρή

έμπνευση να προτείνει πως έπρεπε να διευρύνουμε τη σχισμή στις πόρτες με το τσεκούρι και μετά να γλιστρήσουμε ανάμεσα τους το πριόνι, για να κόψουμε σιγά-σιγά την οριζόντια ξύλινη μπάρα στα δύο. Ακούστηκε πολύ απλό κι αυτονόητο. Βάλαμε το σχέδιο σε εφαρμογή με ενθουσιασμό αν και δεν το βρίσκαμε διόλου εύκολο. Οι πόρτες ήταν από καλά αποξηραμένο και σκληρό ξύλο και το μικρό τσεκούρι αναπηδούσε πίσω στο χέρι μας χωρίς να κάνει μεγάλη ζημιά. Με συνεχείς προσπάθειες, διασπάσαμε τα ροκανίδια και δημιουργήσαμε ένα κενό περίπου δύο εκατοστών πάνω απ' τη μπάρα· είχε έρθει η ώρα του πριονιού.

Στην ουσία, το πολύτιμο οδοντωτό εργαλείο που είχαμε στη διάθεση μας, ήταν κατάλληλο για κλάδεμα μικρών κλαδιών και σίγουρα όχι για πριόνισμα μεγάλων συμπαγών σανίδων ώριμου ξύλου. Επίσης, η φορά των δοντιών του ήταν αντίθετη με 'κείνα του αγγλικού τύπου -κάτι που δεν με εξέπλησσε καθόλου- και δεν πριόνιζε όταν το έσπρωχνες, αλλά όταν το τραβούσες. Δουλέψαμε σταθερά στο σημείο εκείνο, ώρα με την ώρα. Ο καθένας πριόνιζε με τη σειρά του μανιωδώς, για όσο χρονικό διάστημα μπορούσε και μετά έπαιρνε τη θέση του ο επόμενος. Δεν υπήρχε αισθητή πρόοδος, μετά από κάθε ατομική προσπάθεια, αλλά υπολογίσαμε ότι θα κόβαμε δυόμισι εκατοστά την ώρα.

Η βραδιά συνεχιζόταν έτσι, αφού παραμέναμε ανενόχλητοι, αν και δεν είχαμε αμφιβολία ότι στο χωριό πίσω από το λόφο, οι Γερμανοί πίστευαν ότι η ώρα που θα μας ξετρύπωναν ήτανε πολύ κοντά. Το χλωμό μισοφέγγαρο βυθίστηκε στη θάλασσα κάτω απ' τα σύννεφα του ορίζοντα, και μας άφησε μόνους με το φως των αστεριών.

Το καλό ήταν πως σημειώναμε μεγαλύτερη πρόοδο από ό,τι είχαμε αρχικά προβλέψει, διότι όσο περνούσε η ώρα παίρναμε όλοι το «κολάι» και κάναμε τα φθαρμένα δόντια του πριονιού να κόβουν όλο και καλύτερα το σκληρό ξερό ξύλο, κι έτσι, περίπου στις τέσσερις το πρωί, ο Τζων αποτέλειωσε τη δουλειά. Συγκεντρωθήκαμε όλοι γύρω απ' τις πόρτες με προσμονή. Ακόμα και τότε, όμως, υπήρχαν κάποια εμπόδια. Το κάτω μέρος πόρτας που έκλεινε πάνω στην άλλη, στερεωνόταν με κάποιο τρόπο στο πέτρινο δάπεδο, και η άλλη δεν ήταν σε θέση να ανοίξει ακόμα. Αρχίσαμε να δουλεύουμε με το τσεκούρι και πάλι, και σε λίγα λεπτά είχαμε λαξεύσει τη γωνία του κάτω μέρους της πόρτας για να εισάγουμε το μεγάλο λοστό, σαν μοχλό. Ασκήσαμε όλοι μαζί το βάρος μας στην άλλη άκρη του, ακούστηκε πρώτα ένα σχίσιμο, μετά ένα σπάσιμο και ξαφνικά, η πόρτα άνοιξε στα δύο.

Στο εσωτερικό, καταλαμβάνοντας σχεδόν όλο τον χώρο του μεγάλου υπόστεγου, κειτόταν το πιο υπέροχο σκάφος που είχα αντικρύσει ποτέ από κοντά. Δωδεκάμετρο, με μία πλήρη καμπίνα, ένα σχετικά μικρό κεντρικό κατάρτι, άλλο ένα πιο μικρό στην πρύμνη, και δύο πανιά τακτοποιημένα και μαζεμένα στις μπούμες τους. Οι διπλές προπέλες μαρτυρούσαν ότι ο κύριος τρόπος πρόωσης του, ήταν ο μηχανοκίνητος και τα πανιά ο εναλλακτικός.

Είχαμε μια ανησυχία για το πώς θα καταφέρναμε να το ρίξουμε στη θάλασσα, έξω από το υπόστεγο, αλλά ήμασταν τυχεροί γιατί το σκάφος ήταν τοποθετημένο με επιμέλεια πάνω σε μία τροχοφόρο βάση. Πράγματι, δύο σχοινιά που έδεναν την πλώρη του σε δύο μεταλλικούς κρίκους στους πλαϊνούς τοίχους, ήταν τα μόνα που το συγκρατούσαν από το να ξεχυθεί μόνο του στη θάλασσα. Έχοντας καεί, την προηγούμενη φορά, απ' την ασχετοσύνη μας, ψάξαμε όλοι καλά τη γάστρα για να σιγουρευτούμε ότι το πώμα αποστράγγισης ήταν αυτή τη φορά στη θέση του. Χαλαρώσαμε τα σχοινιά και το σπρώξαμε απαλά να κυλήσει πάνω στην τσιμεντένια γλύστρα που οδηγούσε μέσα στο νερό.

Τέσσερα μεγάλα κουπιά, το καθένα από αυτά διπλάσια σε μήκος και τριπλάσια σε βάρος απ' όλα τα κουπιά που είχα πιάσει ποτέ στα χέρια μου, μεταβλήθηκαν σε μοχλούς για να απομακρυνθούμε κάνοντας ελιγμούς απ' την ακτή προς την ανοικτή θάλασσα, σπρώχνοντας το σκάφος και από το βυθό, μαζί με τους ορθοστάτες της κουπαστής. Επικρατούσε ακόμα μαύρο σκοτάδι, αλλά πήραμε κατεύθυνση απ' την ακτογραμμή και απομακρυνθήκαμε από τον κόλπο με πολύ κόπο.

Όταν αποδεσμευτήκαμε από το νοτιοδυτικό ακρωτήρι του Άθω και ξανοιχτήκαμε στη θάλασσα του Αιγαίου, το πρώτο φως της αυγής έδωσε το παρόν του στον πεντακάθαρο ουρανό από πάνω μας. Είχε ξεκινήσει ένα μικρό, αλλά σταθερό βοριαδάκι, οπότε, ξεδιπλώσαμε και τα δύο πανιά, τραβήξαμε και τα κουπιά επάνω και το αξιοποιήσαμε. Μέχρι να ανατείλει ο Ήλιος, είχαμε απομακρυνθεί αρκετά μίλια μακριά απ' την αθωνική χερσόνησο και κατευθυνόμασταν ξεκούραστα νότια, έχοντας μια σταθερή ταχύτητα τριών-τεσσάρων κόμβων.

Είχαμε κάθε λόγο να ήμασταν χαρούμενοι, αλλά εγώ ανησυχούσα για τις έρευνες που θα ξεκινούσαν στο ηρωικό χωριό που αφήσαμε πίσω μας. Ήμουν σίγουρος ότι τα κορίτσια θα ήταν εντάξει, γιατί ήταν δύο πολύ ικανές νεαρές κυρίες και μπορούσαν να φροντίσουν τον εαυτό τους, αλλά δεν έπαυε να καιροφυλακτεί ο πραγματικός κίνδυνος των Γερμανών, ιδιαίτερα αν ανακάλυπταν, τελικά, το άδειο υπόστεγο. Καταριόμουν τον εαυτό μου που από έλλειψη προνοητικότητας άφησα τις πόρτες ανοιχτές και θα φαινόντουσαν από οποιοδήποτε σκάφος θα περνούσε έξω από τον κολπίσκο. Κάλεσα τους άλλους να κάτσουν κοντά μου στο τιμόνι και κάναμε ένα ακόμη πολεμικό συμβούλιο.

Συμφωνούσαμε όλοι πως δεν θα ήταν ρεαλιστικό να περιμένουμε ότι η κλοπή του σκάφους δεν θα γινόταν αντιληπτή αυθημερόν, και ήμασταν σίγουροι ότι οι Γερμανοί θα ενημέρωναν ευθύς αμέσως το αρχηγείο τους για να δώσει άμεση εντολή για καταδίωξη. Κατόπιν τούτου, πρότεινα να μην συνεχίσουμε ανατολικά προς την Ίμβρο, όπως είχαμε προγραμματίσει, αλλά να πάμε νότια εκμεταλλευόμενοι πλήρως τον άνεμο που έπνεε από βορειοανατολικά στο σημείο εκείνο· έτσι θα αποφεύγαμε και την πιο ύποπτη πορεία, μεταξύ Λήμνου και Σαμοθράκης, και θα γινόμασταν άφαντοι. Όταν θα αφήναμε για τα καλά τη Λήμνο στ' αριστερά μας, θα κατευθυνόμασταν τελείως ανατολικά προς τα κοντινότερα παράλια της Μικράς Ασίας.

Υπήρχε απόλυτη ομοφωνία για το σχέδιο.

Η απόφαση μας, όμως, να πλεύσουμε με τον βορειοανατολικό άνεμο νότια, για τουλάχιστον δύο μέρες, σήμαινε και προσεκτική κατανάλωση προμηθειών και νερού, γιατί είχαμε υπολογίσει αρχικά πως το ταξίδι θα διαρκούσε συνολικά λιγότερο από τρεις ημέρες. Η οικειοθελής αποδοχή από όλους μας των, αναγκαστικά, μικρών μεριδίων που μας αναλογούσαν, ήταν εντυπωσιακή. Την κατανομή και τη μοιρασιά των προμηθειών ανέλαβαν ο Τζων και ο Δημήτρης. Ένα εύρημα στην καμπίνα του σκάφους που μας χαροποίησε, ήταν ένα μεγάλο φλασκί σχεδόν γεμάτο με μπαγιάτικο νερό, που αναλογούσε σε ένα περίπου παραπάνω λίτρο για τον καθένα μας ανά ημέρα, σε περίπτωση που χρειαζόταν.

Επί τρεις μέρες είχαμε έναν τέλειο καιρό που μας επέτρεπε να διασχίζουμε το Αιγαίο νότια, με μία μικρή ανατολική απόκλιση. Όλη μέρα κι όλη νύχτα, τα πανιά φούσκωναν απαλά και μας παρείχαν μία σταθερή ταχύτητα πλεύσης, αν και θεωρούσα βέβαιο ότι ο οποιοσδήποτε σωστός ναυτικός, θα ήταν ικανός να ταξιδέψει με τουλάχιστον δυο-τρεις κόμβους παραπάνω υπό τις ίδιες καιρικές συνθήκες. Για να είμαστε σε επιφυλακή, για παν ενδεχόμενο, είτε επρόκειτο για ξαφνική καταιγίδα, είτε για εμφάνιση εχθρικού σκάφος, είτε αεροπλάνου, οργανωθήκαμε σε τρεις βάρδιες που η κάθε μια αποτελείτο από έναν αγγλόφωνο κι έναν ελληνόφωνο. Το βράδυ της τρίτης μέρας, θεωρήσαμε ότι ήμασταν ογδόντα ή ενενήντα μίλια νότια απ' την επικίνδυνη Λήμνο και επειδή δεν είχαμε δει κανένα σημάδι από γερμανικά σκάφη ή αεροσκάφη, αποφασίσαμε ότι θα ήταν πλέον ασφαλές να στραφούμε ανατολικά. Στην πραγματικότητα, είχαμε δει ένα εχθρικό πλοίο, ένα μεγάλο φορτηγό, το οποίο διάσχιζε για κάμποσες ώρες τον ορίζοντα, αλλά επειδή απομακρυνόταν από εμάς δεν ανησυχήσαμε ιδιαίτερα.

Την ώρα που αποφασίσαμε να στρίψουμε ανατολικά το ταλαντευόμενο σκάφος, που είχε βαφτιστεί από τον Τζων *Γλυκιά Πατρίδα*, μας έπιασε όλους ένα αίσθημα ανυπομονησίας και ενθουσιασμού. Ο καιρός, που στο παρελθόν είχε ανατρέψει όλες μας τις προσπάθειές, τώρα φαινόταν να ζητά τη συγχώρεση και τη συμπάθεια μας και γι' αυτό, την ίδια ακριβώς στιγμή που στρέφαμε την πλώρη μας αριστερά, άλλαξε κι αυτός πορεία και μας έστειλε ένα απαλό αλλά άφθονο αεράκι, που ερχόταν σχεδόν εξ ολοκλήρου από δυτικά. Παρόλο που δεν μπορούσαμε να πλεύσουμε πιο γρήγορα απ' όσο ένα γρήγορο περπάτημα, η σταθερή πρόοδος που κάναμε ήταν φανερή και μας ήταν υπεραρκετή, μετά απ' τόσους μήνες καιρού αδράνειας κι αναμονής. Παρά τη γκρίνια των στομαχιών, τραγουδούσαμε και γελάγαμε όλοι ανεξαιρέτως συζητώντας για τα γεύματα που θα είχαμε και τις ανέσεις που θα επιδιώκαμε όταν φτάναμε στον προορισμό μας.

Όλη την επόμενη μέρα, βλέπαμε τους λόφους της Μικρασιατικής γης να ξεπηδούν απ' τη θάλασσα, να εναλλάσσονται από ένα βαθύ μπλε σε ένα μουντό γκρι και στη συνέχεια, σιγά-σιγά, στο φυσικό τους πράσινο. Μετά το μεσημέρι, ξεχώριζαν τα περιγράμματα κι αργότερα, ακόμη και τα μικροσκοπικά σχήματα που έδειχναν την παρουσία σπιτιών κι αγροκτημάτων. Το σκηνικό πάνω στη Γλυκιά Πατρίδα, εκείνο το απόγευμα έμοιαζε περισσότερο με μια χαρούμενη Μεσογειακή κρουαζιέρα παρά με μία απόδραση μιας ερασιτεχνικής μπάντας φυγάδων, απ' την Ευρώπη τού Χίτλερ. Όλοι είχαμε πάρει θέση στο ηλιόλουστο κατάστρωμα και ρουφούσαμε την ομορφιά των καταπράσινων λόφων που σήμαιναν, με διαφορετικούς τρόπους, τόσα πολλά για τον καθένα μας.

Προς τα νότια τώρα, και δεξιά μας, η σκλαβωμένη στεριά της Μυτιλήνης ήταν πολύ πιο κοντά μας, αλλά πλέαμε έτσι ώστε να διατηρούμε ένα ασφαλές περιθώριο. Εκείνο το σούρουπο, θεωρήσαμε ότι επειδή μπορεί να βρισκόμασταν σε κοινή θέα γερμανικών σκοπιών του νησιού, έπρεπε να παριστάνουμε τους ψαράδες χρησιμοποιώντας, με μεγάλη εργατικότητα, ένα μεγάλο αλιευτικό δίχτυ που το πετάγαμε στη θάλασσα, το μαζεύαμε και μετά το απλώναμε πάνω στο σκάφος, δήθεν για να το επιδιορθώσουμε.

Εκείνη η φάση της διαδρομής, μας επιφύλαξε μερικές ιδιαίτερα ανησυχητικές στιγμές όταν ένα άσχημο φαρδύφτερο υδροπλάνο σηκώθηκε από ένα κόλπο του νησιού και πέταξε χαμηλά προς το μέρος μας.

Μας πλησίασε αργά και τόσο χαμηλά, που μπορούσαμε να δούμε ξεκάθαρα τους δύο χειριστές του αεροπλάνου με τα επίφοβα ναζιστικά σύμβολα που δέσποζαν στα φτερά και την άτρακτο, αλλά δε νομίζω ότι κάποιος από τους δύο πιλότους έκανε καν τον κόπο να στρέψει το κεφάλι του προς το μέρος μας για να μας παρατηρήσει καλύτερα. Καθώς η εικόνα του ξεθώριαζε σαν κουκίδα στο βόρειο ορίζοντα, δεν είχαν πάρει καν χαμπάρι ότι με την ταπεινή *Γλυκιά Πατρίδα*, ακριβώς κάτω απ' τη μύτη τους και μπροστά στα μάτια των οχυρών τους, δραπέτευε μία ομάδα μισητών και καταζητούμενων εχθρών τους, που σκόπευαν να τους ξαναπολεμίσουν.

Κανείς δεν ήταν σε θέση να κοιμηθεί εκείνο το βράδυ. Ήμασταν όλοι συγκεντρωμένοι στο γεγονός ότι πλησίαζε η στιγμή της ελευθερίας μας, και ήμασταν σχεδόν βέβαιοι ότι, με τον έναν ή τον άλλο τρόπο, θα καταφέρναμε να επιστρέφουμε πίσω, μέσω Τουρκίας. Ήταν ο Νικ που εκτίναξε τον ενθουσιασμό μας στα ύψη, βγάζοντας μια δυνατή κραυγή χαράς.

«Στεριά, να εκεί μπροστά μας, στεριά», φώναξε, δείχνοντας μέσα στο σκοτάδι. «Ξυπνήστε για να κατευθύνουμε το σκάφος στην παραλία που βρίσκεται σχεδόν μπροστά μας».

Σπεύσαμε όλοι στην πλώρη κοντά του κι αμέσως διακρίναμε ότι βρισκόμασταν κάτω απ' την υπήνεμη πλευρά ενός λόφου. Λιγότερο από μισό μίλι μετά, ακούγαμε και τα κύματα που έσκαγαν σε μια παραλία. Τι γλυκιά μουσική ήταν εκείνη; Τι γλυκός ήταν ο ήχος των κυμάτων που έσκαγαν και αποτραβιόντουσαν στις αμμώδεις ακτές; Τρελαθήκαμε απ' τη χαρά μας, αγκάλιαζε ο ένας τον άλλο και χορεύαμε τρελά γύρω από το κατάστρωμα. Δεν υπήρχε καμία αμφιβολία τώρα. Τα είχαμε καταφέρει.

Είχαμε μεγάλο πειρασμό να προσαράξουμε το σκάφος κατευθείαν σ' εκείνη την παραλία και μετά να δοκιμάσουμε την τύχη μας στη στεριά. Μετά από σύσκεψη, όμως, με τον Τζων και τον Νικ, αποφάσισα ότι, αν ήταν εφικτό, θα ήταν πολύ καλύτερα για μας να κοστάρουμε όσο πιο νότια γινόταν προς τη Σμύρνη, ή ακόμα και στην ίδια τη Σμύρνη. Είχα μέσα μου μια κρυφή επιθυμία, να φτάσουμε ακόμα μακρύτερα, κι αν μπορούσαμε να πάρουμε προμήθειες, να πλεύσουμε και μέχρι την Κύπρο, αλλά σε κάθε περίπτωση, όπως επεσήμανα και στους άλλους, ήταν ευρέως γνωστό ότι η Τουρκία διχαζόταν διπλωματικά από μία ακαθόριστη ουδετερότητα. Οι βόρειες επαρχίες ωφελούνταν τα μέγιστα βοηθώντας με κάθε τρόπο τους Γερμανούς, ενώ οι νότιες ήταν περισσότερο φίλα προσκείμενες στους Συμμάχους. Ήταν μια αντιλαϊκή πρόταση, οπότε μέσα σε λίγα λεπτά όλα τα χέρια γύρισαν με απροθυμία να βοηθήσουν στην επαναφορά των πανιών ώστε να μας επιτρέψουν να πλεύσουμε αργά κοντά στις ακτές.

Όλο το επόμενο πρωί διαπλέαμε τα μικρασιατικά παράλια, διατηρώντας το σκάφος με σιγουριά μέσα στα τότε διεθνή αναγνωρισμένα όρια των τριών μιλίων, και χαζεύαμε την αδράνεια της ζωής των αγροτικών κοινοτήτων στους λόφους που περιπλέαμε. Ήμασταν πεινασμένοι και διψασμένοι, αλλά είχαμε μία ικανοποίηση για την επιτυχία μας την οποία αναμειγνύαμε με ευχάριστες προβλέψεις που επισκίαζαν όλες τις ταλαιπωρίες που είχαμε υποστεί μέχρι τότε. Ακόμη και εκείνοι της παρέας που ήθελαν να είχαμε βγει έξω στην πρώτη παραλία που συναντήσαμε, τώρα αστειευόντουσαν και γελούσαν σαν ξέγνοιαστοι μαθητές.

Όλα κυλούσαν ήρεμα και ευχάριστα μέχρι το απόγευμα, και κανείς δεν μπορούσε να είναι πιο σίγουρος ότι είχαμε, πράγματι, καταφέρει να διαφύγουμε. Ο Δημήτρης, που είχε μείνει ήσυχος και ξάγρυπνος όλη την ώρα, στάθηκε ξαφνικά στα πόδια του και ορκιζόταν ότι διέκρινε έναν κυματισμό να έρχεται απ' τα δυτικά μας.

«Κοιτάξτε! Κοιτάξτε!» φώναξε με τα μάτια του να προεξέχουν από το πρόσωπο. «Κάτι έρχεται ... είναι γερμανικό περιπολικό σκάφος!»

Η ανακοίνωσή του έσκασε σα βόμβα ανάμεσα μας,

εξαφανίζοντας από μέσα μας κάθε ευτυχία, σαν κρύο ντους. Είχαμε όλοι τεταμένες τις αισθήσεις μας προς την ολοένα αναπτυσσόμενη κηλίδα, έχοντας αρρωστήσει από ανησυχία. Τη στιγμή εκείνη ήταν σε μια απόσταση πέντε γεμάτων μιλίων από μας, αλλά δεν είχαμε καμία αμφιβολία για την κατεύθυνση και την ταχύτητα του. Ερχόταν προς το μέρος μας.

«Δεν μπορούν να μας αγγίξουν εδώ!» αναφώνησε ο Νικ, χωρίς πολύ αυτοπεποίθηση. «Είμαστε εντός των τριών μιλίων των τουρκικών χωρικών υδάτων!»

«Ναι, αλλά το πιθανότερο είναι, να μας αρπάξουν πρώτα και μετά ν' ασχοληθούν με το θέμα», μούγκρισε ο Πέτρος, αγριοκοιτάζοντας απειλητικά προς το μέρος μου. «Αν δεν είχαμε ακούσει κάτι ανοησίες χθες βράδυ, θα ήμασταν με ασφάλεια στην ξηρά, τώρα!»

Δεν μπορούσα να καταλάβω το πώς μας εντόπισαν - ίσως να είχαν στήσει οι Γερμανοί στη Μυτιλήνη τηλεσκόπιο μεγάλης εμβέλειας- πάντως είχαμε βρεθεί ξαφνικά σε μεγάλο κίνδυνο. Γύρισα με δύναμη το πηδάλιο. Η *Γλυκιά Πατρίδα* έστριψε την πλώρη της αργά προς το μέρος μιας λασπωμένης παραλίας, περίπου εκατόν πενήντα μέτρα μακριά. Ο Τζων, ο Νικ κι ο Δημήτρης έσπευσαν να προσαρμόσουν τις μπούμες και αρχίσαμε να παρεισφρέουμε προς την παραλία αγανακτώντας, για πρώτη φορά, με την σαλιγκαρίσια σβελτάδα του σκάφους μας. Πίσω μας, τα λευκά απόνερα των καταδιωκτών αυξάνονταν πολύ γρήγορα και φανέρωσαν σύντομα τις αλάνθαστες γραμμές ενός γερμανικού περιπολικού, τύπου «Ε», που εξακολουθούσε να μας πλησιάζει ολοταχώς.

Καταστρώσαμε ένα γρήγορο σχέδιο εγκατάλειψης του σκάφους μόλις προσάραζε, σε δύο ομάδες: οι Άγγλοι να σπεύσουν νότια της παραλίας και ο Δημήτρης με τους Κυπραίους, βόρεια. Ενώ είχαμε αρχίσει να οργώνουμε τα τελευταία τριάντα μέτρα μέσα σε φύκια που ξεβράζονταν στον αιγιαλό, αρκετά ατάραχη από όλη την αναστάτωση, η *Γλυκιά Πατρίδα*, συνέχιζε να πλέει ήρεμα, χωρίς να αυξάνει την ταχύτητά της. Με ένα σχεδόν ανεπαίσθητο σύρσιμο, χώθηκε μέσα στ' αβαθή σταματώντας αθόρυβα, έγειρε στο πλάι και τίναξε τα πανιά της για αποχαιρετισμό. Είχε ολοκληρώσει το έργο της σαν κυρία, γιατί η πλώρη της δεν απείχε ούτε ένα μέτρο απ' την αμμώδη παραλία, παραδίδοντάς μας έτσι, με στεγνά πόδια στην ελευθερία κι έτοιμους για τα πάντα. Χωριστήκαμε αμέσως στα δύο, ανταλλάσοντας ένα γρήγορο αποχαιρετισμό, και σπεύσαμε προς την ενδοχώρα από διαφορετικές κατευθύνσεις, όσο πιο γρήγορα μπορούσαμε. Ένα τεράστιο αίσθημα κατεπείγοντος με ωθούσε προς τα μπρος. Μάλλον ήταν ότι περίμενα από στιγμή σε στιγμή να ακούσω το κροτάλισμα κάποιου πολυβόλου, γιατί είχε ήδη αρχίσει να ακούγεται καθαρά ο βρυχηθμός των γερμανικών θαλάσσιων μηχανών.

Δεν είχαμε απομακρυνθεί περισσότερο από πεντακόσια μέτρα όταν ο Τζων, που είχε μείνει στα μετόπισθεν, έβγαλε μια δυνατή κραυγή νίκης και μετά άρχισε να γελάει σαρκαστικά, χωρίς σταματημό. Γυρνώντας με αμηχανία, κοιτάξαμε προς την κατεύθυνση που μας έδειχνε το χέρι του για να δούμε το γερμανικό «Ε» να λικνίζεται βόρεια και να βγαίνει έξω απ' το όριο των τριών μιλίων και πάλι. Συνειδητοποιήσαμε ότι κατά πάσα πιθανότητα, το σκάφος αυτό βρισκόταν σε περιπολία ρουτίνας και μάλλον σκέφτηκε να βγει λίγο απ' την πορεία του για να μας τρίξει τα δόντια. Σίγουρα, ο πλοίαρχος του θα το διασκέδαζε όσο παρακολουθούσε τον τρόπο με τον οποίο αντέδρασε το πλήρωμα ενός, φαινομενικά, αθώου τουρκικού αλιευτικού σκάφους.

Προχωρήσαμε μπροστά έχοντας κατά νου να φτάσουμε σε ένα μικρό χωριό που φαινόταν να είναι λιγότερο από δέκα χιλιόμετρα βαθύτερα στην ενδοχώρα.[45] Σύντομα, μας ξεπέρασε κι η ομάδα του Δημητρίου, η οποία, όπως αναμενόταν, προτίμησε να μείνει μαζί μας τώρα που ο κίνδυνος είχε περάσει.

---

[45] Βρισκόντουσαν στην ευρύτερη περιοχή του Δικελί.

Ο ήλιος έδυε σαν μια μεγάλη κόκκινη μπάλα, πίσω από τους μακρινούς λόφους της Μυτιλήνης, καθώς μπαίναμε στο γραφείο του τοπικού Αστυνόμου. Του εξηγήσαμε με αρκετή δυσκολία το πώς είχαμε φτάσει στην περιοχή του. Ήταν ένας χοντρός και πομπώδης μικροκαμωμένος άνθρωπος, προφανώς με φουσκωμένα μυαλά λόγω της θέσης του, και κοίταζε με το φρύδι ανασηκωμένο, τα κουρελιασμένα ρούχα που φορούσαμε κάτω από τα αξύριστα κι απεριποίητα κεφάλια μας. Εξέφρασε μερικά πράγματα για όλους τους Άγγλους και έφτυσε όταν αναφέρθηκε στη λέξη Έλληνες. Δεν αισθανθήκαμε ιδιαίτερα ευπρόσδεκτοι, ειδικά όταν μας οδήγησαν στη φυλακή του χωριού για να διανυκτερεύσουμε. Εκεί προπηλακιστήκαμε περαιτέρω από ένα ρεύμα περίεργων και ελαφρώς εχθρικών χωρικών, που έφταναν σε πομπή για να δουν από κοντά, σαν αξιοθέατο, τα άτομα που είχε ξεβράσει η θάλασσα.

Ωστόσο, ο χοντρός Αστυνόμος πείστηκε μετά από μεγάλη προσπάθεια και, ειδικά, μετά την προσφορά όλων των δικαιωμάτων επί της *Γλυκιάς Πατρίδας*, να στείλει ένα τηλεγράφημα στα γαλλικά στο Βρετανικό Προξενείο της Σμύρνης. Έγραψα ένα μήνυμα περίπου εκατό λέξεων, περιγράφοντας την κατάσταση μας κι ο Ταχυδρόμος το αποδέχθηκε αδιαμαρτύρητα.

Παρά την εχθρότητα των κατοίκων γύρω μας και την αρχική απογοήτευση για την ψυχρή υποδοχή μας, περάσαμε μια ευτυχισμένη νύχτα με οικογενειακή οικειότητα μέσα στο τουρκικό κελί, τρώγοντας χαρούμενοι το φτωχό γεύμα που μας έδωσαν και τραγουδώντας όλη νύχτα. Τουλάχιστον, είχαμε απομακρυνθεί αρκετά απ' τη ναζιστική Ευρώπη, κι αν για κάποιο λόγο η κατάσταση χειροτέρευε εκεί που ήμασταν, μπορούσαμε να αποδράσουμε εύκολα από αυτούς τους, μάλλον άθλιους, ανθρώπους. Αν και το κελί ήταν βρώμικο και υπήρχαν εμφανή σημάδια παρασίτων, η προσοχή μας ήταν στραμμένη σ' όλα εκείνα που αναμέναμε να συμβούν στο άμεσο μέλλον.

Οι υψηλές προσδοκίες μας επιβεβαιώθηκαν το επόμενο πρωί. Λίγο μετά τις δέκα, υπήρχε μεγάλη αναταραχή στο χωριό διότι ακούγαμε φωνές και ζητωκραυγές. Σπεύσαμε να δούμε απ' τα σιδερένια παράθυρα του κελιού μας τί συμβαίνει. Είδαμε δύο υπέροχες Rolls-Royce να κινούνται μέσα στα στενά λασπωμένα δρομάκια και να σταματούν μέσα σ' ένα σύννεφο σκόνης, έξω ακριβώς από το Αστυνομικό Τμήμα.

Ήταν θέμα λίγων λεπτών πια, να οδηγηθούμε εκτός φυλακής από τον πολύ διαχυτικός, τώρα, Αστυνόμο ο οποίος μας παρουσίασε σε έναν χαμογελαστό κύριο με ένα καθαρό γκρι πουκάμισο και ένα φρέσκο σακάκι του Βασιλικού Ναυτικού Ομίλου. Ο Πρόξενος τής Αυτού Μεγαλειότητας στη Σμύρνη μάς υποδέχθηκε με ενθουσιασμό σφίγγοντας μας τα χέρια με τη σειρά, ενώ δεν μπορούσαμε να κρύψουμε κι από μέρους μας το πόσο συγκλονισμένοι κι ευγνώμονες ήμασταν. Αισθανόμουν ένα κόμπο στο λαιμό μου απ' τη συγκίνηση και δεν μπορούσα να σκεφτώ κάτι να του πω εκείνη τη στιγμή. Εν τω μεταξύ, το πλήθος των χωρικών είχε αυξηθεί και ερχόταν όλο και πιο κοντά, με τα παιδιά να κολλάνε τα προσωπάκια τους με δέος στα λαμπερά παράθυρα των αυτοκινήτων.

Ο Πρόξενος τής Αυτού Μεγαλειότητας, υπέγραψε με ανυπομονησία κάποια έγγραφα για τον δουλοπρεπή Αστυνόμο και, στη συνέχεια μας έχωσε στα δύο αυτοκίνητα. Αφήνοντας τους χωματόδρομους του χωριού πίσω μας, μπήκαμε σε έναν μεγαλύτερο και καλύτερο δρόμο και κατευθυνθήκαμε νότια με μεγάλη ταχύτητα.

Ο Τζων, ο Νικ κι εγώ, όπως καθόμασταν αναπαυτικά στο πίσω μέρος του πανάκριβου αυτοκινήτου κοιταζόμασταν βουρκωμένοι και χαμογελούσαμε επιβεβαιωτικά για το επιτυχές τέλος της μεγάλης περιπέτειας μας. Αυτή ήταν μια μεγαλειώδης ανταμοιβή για τις αμέτρητες νύχτες άγχους και στέρησης· αυτό σήμαινε και το τέλος της περιπέτειάς μας στην Ελλάδα.

Μπροστά μας, δίπλα στον ασπρονωμένο οδηγό, καθόταν ο Πρόξενος που είχε σπεύσει να μας παραλάβει προσωπικά από ογδόντα χιλιόμετρα μακριά. Εμείς, απλωθήκαμε ακόμα περισσότερο ανάμεσα στα μαλακά μαξιλάρια. Καθώς το πράσινο τοπίο ξεγλιστρούσε πλάι μας, αφήσαμε τη σκέψη μας να παρασυρθεί τρυφερά προς τις πατρίδες μας. Βρισκόμασταν σε καλά χέρια.

ΠΕΡΠΑΤΩΝΤΑΣ ΣΤΟΝ ΑΕΡΑ

«Μα τις καμπάνες του Big Ben!» εξερράγη ο Συνταγματάρχης Μπλαντ, πιάνοντας το κεφάλι του. «Δεν είναι δυνατόν να τα ξοδέψατε όλα! Αυτά τα λεφτά ήταν υπεραρκετά για να περάσετε ακόμα δέκα μέρες. Εσύ και οι κολλητοί σου θα με καταστρέψετε.» Ο συνταγματάρχης Μπλαντ είχε αποδειχθεί ένας πραγματικός φίλος. Βετεράνος του προηγούμενου μεγάλου πολέμου, γεννημένος στην Αυστραλία, υπηρετούσε τώρα ως Στρατιωτικός Ακόλουθος στο Βρετανικό Προξενείο της Σμύρνης. Οφείλω, όμως, να ομολογήσω ότι τον φτάσαμε στα όρια του.

Όταν αφιχθήκαμε στη Σμύρνη, μας πήγε κατ' ευθείαν σε ένα κέντρο υγείας. Αφού πλυθήκαμε, μας έντυσαν με ένα περίεργο είδος μπουρνουζιού κι ένας συμπαθής ηλικιωμένος γιατρός μάς υπέβαλλε στη ρεζιλευτική διαδικασία του ξεφειρίσματος. Ο Δρ. Καβατσίκ, έβγαζε επιφωνήματα απαξίωσης καθώς καθάριζε τις νεκρές σάρκες απ' την πληγή μου, αλλά όταν την ξαναέδενε επιδέξια μού είπε πως υπήρχε στο Λονδίνο ένας εξαιρετικός Νεοζηλανδός πλαστικός χειρουργός. «Ο ΜακΙντάου, θα είναι σε θέση να ενώσει τις σκληρές πτυχές της βαθειάς πληγής σου, αλλά ... νεαρέ μου, δεν νομίζω ότι θα είσαι σε θέση να ξαναυπηρετήσεις στο στρατό». Δεν του έφερα αντίρρηση εκείνη τη στιγμή, αλλά ήξερα μέσα μου ότι θα έκανα τα αδύνατα δυνατά να τον βγάλω ψεύτη.

Μετά την ολοκλήρωση των εξετάσεων μας, ο Συνταγματάρχης Μπλαντ, μας πήγε σε ένα κατάστημα ψηλής ραπτικής και αγόρασε σε όλους μας καινούργια πολιτικά ρούχα. Από εκεί, μας οδήγησε σε έναν γραφικό ηλικιωμένο ιδιοκτήτη μιας μικρής πανσιόν μπροστά στη θάλασσα, που είχε θέα το παλιό λιμάνι. Αχ, αυτή η ξεχασμένη πολυτέλεια ενός ράθυμου ζεστού μπάνιου, μερικών καθαρών ρούχων και ενός πραγματικού κρεβατιού με καθαρά σεντόνια!

Ο Μπλαντ μας είχε δώσει κάμποσα χρήματα για να καλύψουμε τα γεύματα μας και είχε ενοχληθεί τόσο, επειδή τα σκορπίσαμε όλα σχεδόν μονομιάς, στα μπαρ και στα εστιατόρια, απολαμβάνοντας όσο πιο πολλά πλούσια γεύματα και ποτά μπορούσαμε, χωρίς να γνωρίζουμε ότι ήμασταν υπό παρακολούθηση. Σε κάποια βόλτα μας κατά μήκος του πανέμορφου παραθαλάσσιου πεζόδρομου πέσαμε πάνω σε μια σειρά από επιβλητικά διώροφα κτήρια, ένα από εκ των οποίων είχε μία μεγάλη κοκκινόμαυρη σβάστικα κρεμασμένη από την πάνω βεράντα του μέχρι κάτω στο δρόμο.

Θεωρήσαμε ότι δεν έπρεπε με τίποτα να αφήσουμε μια τέτοια ευκαιρία να πάει χαμένη κι ο Νικ φώναξε έναν φωτογράφο, που είχε στηθεί λίγο πιο πίσω, για να μας πάρει φωτογραφία μπροστά από το Γερμανικό Προξενείο. Ικανοποιημένοι με την απόκτηση του θαυμάσιου αναμνηστικού μας, μόλις απομακρυνθήκαμε απ' τη γερμανική γωνιά, μας πλησίασε ένα αυτοκίνητο κι ο Συνταγματάρχης Μπλαντ πήδηξε αγριεμένος έξω.

«Φέρτε μου εδώ αυτές τις καταραμένες φωτογραφίες!» απαίτησε, τείνοντας το χέρι του προς το μέρος μας. «Δεν έχετε συνειδητοποιήσει πόσο σημαντικό είναι να κρατάτε χαμηλό προφίλ όσοι είστε εδώ! Οι Τούρκοι έχουν γίνει παρανοϊκοί με την ουδετερότητά που πρέπει να κρατούν στον πόλεμο και το τελευταίο πράγμα που θα 'θελαν, είναι να διαδοθεί ότι Άγγλοι στρατιώτες κυκλοφορούν ελεύθερα γύρω-γύρω στις μεγάλες πόλεις.» Απομακρύνθηκε λίγο σιωπηλός βάζοντας τα χέρια στη μέση, και ξαναγύρισε: «Κοιτάξτε παλληκάρια, τα πράγματα δεν πάνε και πολύ καλά για τις δυνάμεις μας κάτω στη Δυτική έρημο. Αν το Τομπρούκ[46] πέσει, οι Γερμανοί μπορεί να σαρώσουν ακόμα και το Κάιρο. Οι Τούρκοι είναι τρομοκρατημένοι ότι ο Χίτλερ θα μπει στον πειρασμό να περάσει μέσα απ' την

---

[46] Πόλη της Λιβύης κοντά στα σύνορα με την Αίγυπτο, σημαδιακή για τον Β' Π.Π.

Τουρκία και να ενωθεί με τα ναζιστικά στρατεύματα της Βόρειας Αφρικής στο Σουέζ, περικυκλώνοντας έτσι την ανατολική Μεσόγειο.» Αφού σταμάτησε για λίγο και κατάλαβε ότι είχε επικρατήσει η αυθόρμητη φιλικότητα του, ολοκλήρωσε στα κοφτά, «γι' αυτό, κοιτάξτε να είστε προσεκτικοί γιατί θα αναγκαστώ να σας περιορίσω στα δωμάτιά σας!» Έτσι λοιπόν, μετά από μερικές ημέρες ξεκούρασης, ιατρικής περίθαλψης και απόλαυσης της ελευθερίας μας, επιβιβαστήκαμε τελικά σε ένα τρένο με κατεύθυνση, αρχικά βόρεια προς την Κωνσταντινούπολη, και στη συνέχεια νοτιοανατολικά προς τα τουρκο-συριακά σύνορα· εκεί όπου βρίσκονταν στρατόπεδα των κοντινότερων συμμαχικών δυνάμεων.

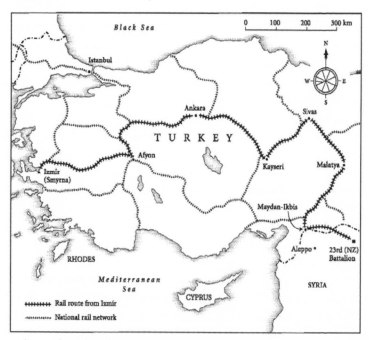

Η πορεία του τρένου προς τα Τουρκο-Συριακά σύνορα

Ο συνταγματάρχης Μπλαντ, ήρθε στο σταθμό για να μας αποχαιρετίσει και κάνοντας μία πολύ γενναιόδωρη κίνηση μάς έβαλε στα χέρια μερικά επιπλέον

χαρτονομίσματα, τα οποία απ' ότι κατάλαβα δεν
προέρχονταν από κονδύλια του Προξενείου, αλλά απ' τη
δική του τσέπη. Δεν ήταν, όμως, σε θέση να μοιραστεί τον
ενθουσιασμό μας γιατί τον έβλεπα ασυνήθιστα σκεπτικό.
Λίγο πριν σφυρίξει το τρένο για να προαναγγείλει την
αναχώρησή του, μας ξεφούρνισε: «Κοιτάξτε εδώ, έχω να σας
πω κάτι ακόμα. Νομίζω ότι όλα θα πάνε καλά, αλλά τα
παιδιά της Υπηρεσίας Πληροφοριών μού είπαν ότι ο
Γερμανός Πρέσβης άσκησε μεγάλη πίεση στον Τούρκο
Πρόεδρο εχθές. Οι Ναζί, είναι έξαλλοι με το γεγονός ότι
τόσοι πολλοί Άγγλοι, και ειδικά Έλληνες στρατιώτες,
περνούν ελεύθερα απ' την Τουρκία. Γι' αυτό, να τα 'χετε
τετρακόσια όταν θα περνάτε τα σύνορα... εγώ το μόνο που
μπορώ να κάνω από 'δω και πέρα είναι να προσεύχομαι για
σας».
      Στην έξαψη που ήμασταν, δε νομίζω ότι μας επηρέασε
και πολύ η ξαφνική απαισιοδοξία του. Σκαρφαλώσαμε σε ένα
πενταβρώμικο βαγόνι και κρεμαστήκαμε από τα παράθυρα
για να αποχαιρετήσουμε τον Μπλαντ με χαρά καθώς το
τρένο σφύριζε για αναχώρηση.
      Κατά τη διάρκεια εκείνου του ταξιδιού, που κράτησε
συνολικά πάνω από τρία ατέλειωτα μερόνυχτα, κάναμε
αμέτρητες στάσεις σε μικρούς σταθμούς. Όποτε
επιβραδύναμε για να κάνουμε στάση, εμφανιζόταν κοντά μας
ένας φιλικός, αλλά πάντα σιωπηλός, ένοπλος φρουρός που
στεκόταν δίπλα μας μέχρι το τρένο να αναχωρήσει από κάθε
σταθμό. Η παρουσία του, πάντως, δεν ήταν αρκετή να
μειώσει την ολοένα αυξανόμενη αισιοδοξία μας. Ακόμα και
οι τροχοί του τρένου, έτσι όπως στρίγγλιζαν πάνω στις
ράγες, έμοιαζαν να τραγουδούν στ' αυτιά μας ρυθμικά, «Θα
τα κα-τα-φέ-ρου-με! Θα τα κα-τα-φέ-ρου-με! Θα τα κα-τα-
φέ-ρου-με!» Μόνο οι μισο-Σκωτσέζικη επιφυλακτικότητα
μου με συγκρατούσε για να μη φωνάζω κι εγώ, «Τα κα-τα-
φέ-ρα-με! Τα κα-τα-φέ-ρα-με! Τα κα-τα-φέ-ρα-με!» Ήταν
ακριβώς τότε που η προειδοποίηση του Συνταγματάρχη
Μπλαντ άρχισε να αναζητεί έντονα μία ανεπιθύμητη θέση
μες στο μυαλό μου. Υπόβοσκε ακόμα μπροστά μας ένας

μεγάλος κίνδυνος, που δεν ήταν άλλος από την ασφαλή διέλευση των συνόρων προς τη Συρία, παρόλο που η τελευταία ελεγχόταν από τους Συμμάχους.

Η εικόνα της υπαίθρου μεταβαλλόταν συνεχώς. Καχεκτικές άγονες πλαγιές, έδιναν τη θέση τους σε πεδιάδες με τακτοποιημένες αγροικίες. Σταθμοί με λιτοντυμένους αγρότες που φόρτωναν στο τρένο φουντωτά πρόβατα, σε ευημερούσες κωμοπόλεις με καλοντυμένους κατοίκους. Αλλάξαμε τρένο στην Άγκυρα υπό τη συνοδεία του σιωπηλού μας φρουρού κατευθυνθήκαμε επιτέλους νότια προς τη Συρία -και την ελευθερία.

Ακολούθησε μια ιδιαίτερα μεγάλη και σκοτεινή νύχτα, κατά την οποία οι υπερβολικοί φόβοι για πιθανούς ή απρόσμενους κινδύνους μού στέρησαν τον ύπνο. Γιατί... «να τα 'χουμε τετρακόσια» στο πέρασμα των συνόρων; Για ποιον ακριβώς λόγο, ο Στρατιωτικός Ακόλουθος μάς είπε με νόημα ότι θα προσεύχεται για μας; Ποιοι κίνδυνοι και ποιες απειλές κρύβονταν μπροστά μας;

Το χάραμα αποκάλυπτε αργά την διανυόμενη ύπαιθρο και τις ενδιάμεσες πινακίδες:

Χαλέπι 280 χιλιόμετρα ...
Maydan lkbis[47] 50 χιλιόμετρα ...
Maydan lkbis 30 χιλιόμετρα ...
Maydan lkbis 20 χιλιόμετρα ...
Maydan lkbis 10 χιλιόμετρα ... Τελωνείο ...

Στη συνέχεια, σήμανε συναγερμός! Το τρένο επιβράδυνε απότομα και παρέμεινε καρφωμένο στις ράγες. Δεν υπήρχε κανένας σταθμός εκεί γύρω παρά μόνο ανοιχτές πεδιάδες.

Απ' την ενδιάμεση πόρτα των βαγονιών, εμφανίστηκε ο σιωπηλός φρουρός μαζί με έναν καλοντυμένο στρατιώτη που φορούσε μια στολή που έμοιαζε με τη γερμανική. Έφερε εμβλήματα δεκανέα της Τουρκικής Υπηρεσίας Πληροφοριών. Σταμάτησε τον βηματισμό του μπροστά μας,

---

[47] ...ή Αλέππο. Η γνωστή Πόλη της Βόρειας Συρίας κοντά στα σύνορα με την Τουρκία.

χτύπησε τα τακούνια του και μας χαιρέτισε. Εγώ μισοσηκώθηκα από τη θέση μου ανήσυχος. «Υπολοχαγέ», είπε στ' αγγλικά, «εσείς όλοι πρέπει να κατεβείτε από το τρένο εδώ». «Πού ... εδώ;», ψέλλισα, «και πού θα πάμε εδώ ...;» «Ηρεμίστε Υπολοχαγέ», με διέκοψε ο δεκανέας. «Πάρτε απλά τα πράγματα σας κι ακολουθήστε με». Κατέβηκε από το τρένο και ξεκίνησε να περπατά κατά μήκος των βαγονιών. Τη στιγμή που σπεύδαμε να τον ακολουθήσουμε, το πρόσωπο του σιωπηλού φρουρού διανθίστηκε με ένα πλατύ χαμόγελο. Άρπαξε τα χέρια μας με τη σειρά, και με μία εκπληκτική αγγλική προφορά, μας ευχήθηκε έντονα, «Καλή τύχη! Καλή τύχη! Θα προσεύχομαι ο Θεός σήμερα να σας χαρίσει την ελευθερία που κυνηγάτε τόσο καιρό».

Καθώς κατεβαίναμε από το τρένο και περπατούσαμε δίπλα στις σιδηροδρομικές γραμμές πίσω από τον δεκανέα, διάφορα περίεργα πρόσωπα έβγαιναν από όλα, σχεδόν, τα βαγόνια και όταν το τρένο ξεκίνησε αργά, μερικοί επιβάτες μάς χαιρετούσαν. Ο δεκανέας μάς οδήγησε μέσα από ανοιχτές πεδιάδες σε έναν δρόμο που διαπερνούσε κάτι ταπεινά σπιτάκια κι έβγαζε πάνω στην πλαγιά ενός λόφου.

Πόσο υπέροχο ήταν εκείνο το πρωινό! Ο αέρας ήταν καθαρός και μύριζε ελευθερία. Από πάνω μας, υπήρχε ένας γαλάζιος ουρανός φιλοτεχνημένος με τις πιο όμορφες συννεφιασμένες πινελιές. Η ύπαιθρος μάς φαινόταν τόσο φιλόξενη, που δεν υπήρχε τίποτε ικανό να μειώσει εκείνο το ανυπέρβλητο αίσθημα ευφορίας και προσμονής που μας είχε κατακλύσει.

Φτάσαμε πάνω στην κορυφή του μικρού λόφου και κοιτάξαμε κάτω σε έναν κάμπο στον οποίο είχε στηθεί ένα διαφορετικό σκηνικό. Το τοπίο ήταν καλυμμένο από μικρές σκηνές στρατιωτών, όλοι τους ασχολούμενοι με το σκάψιμο και την προετοιμασία περιφραγμάτων. Υπήρχε, επίσης, ένα μεγάλο συρματόπλεγμα κατά μήκος της πλευράς που συνόρευε μ' ένα ρέμα.

Ο Τούρκος δεκανέας κοντοστάθηκε και μας έδειξε τις

φιγούρες που βρίσκονταν στην άλλη πλευρά του κάμπου. «Αυτοί εκεί, είναι Βρετανοί στρατιώτες», είπε. «Αυτοί εκεί, είναι φίλοι σας. Χτίζουν χαρακώματα σε περίπτωση που οι Γερμανοί προσπαθήσουν να περάσουν μέσω της χώρας μας προς τη Μέση Ανατολή. Αν κατηφορίσετε απ' την πλευρά του λόφου και φτάσετε σ' εκείνο το ρέμα, φωνάξτε τους και... πιστεύω πως τότε θα τελειώσει και το ταξίδι σας.»

Λέγοντας το αυτό, μας χαιρέτησε στρατιωτικά, γύρισε επιδέξια προς τα πίσω και πήρε το δρόμο της επιστροφής. Αρχίσαμε κι οι τρεις να κατηφορίζουμε αμέσως. Αρχικά, δεν μας αντιλήφθηκε κανείς από τους στρατιώτες που ήταν κοντά στο ρέμα. Στη συνέχεια, όμως, πέταξαν τα εργαλεία τους κάτω, άρπαξαν τα τουφέκια τους και άρχισαν να μας παρακολουθούν στενά.

Όταν φτάσαμε σε απόσταση ακοής, τους φώναξα, «Έι ... εσείς εκεί. Μην πυροβολείτε! Είμαστε Άγγλοι δραπέτες. Οι Τούρκοι μάς επέτρεψαν να έρθουμε να σας βρούμε».

«Σηκώστε τα καταραμένα χέρια σας ψηλά!» ακούστηκε μια δυνατή και θυμωμένη φωνή απ' την ομάδα που είχε αρχίσει να συγκεντρώνεται στο συρματόπλεγμα προς το μέρος μας.

«Μην κάνετε καμία απότομη κίνηση ... ελάτε αργά προς τα 'δω για εξακρίβωση στοιχείων», συνέχισε εκείνη η φωνή που είχε, παρεμπιπτόντως, μία πολύ γνώριμη προφορά.

Κατά τη διάρκεια των επόμενων δευτερολέπτων, λεπτών και ωρών, συνέβησαν απερίγραπτες και υπέροχες καταστάσεις. Η αναγνώριση έλαβε τέλος πολύ γρήγορα και το σύρμα, όσο σχολαστικά τοποθετημένο κι αν ήταν, κόπηκε αμέσως για να περάσουμε από μέσα και να διασχίσουμε ένα πλήθος ενθουσιασμένων, ευγενικών και πληθωρικών φυσιογνωμιών. Όλοι συνωστίζονταν για να μας αγκαλιάσουν, να μας χτυπήσουν στην πλάτη και με όποιο τρόπο μπορούσαν, να μας δείξουν ότι ήταν εξίσου το ίδιο ενθουσιασμένοι με εμάς.

Είχα τόσο δίκιο για την οικεία προφορά ... ήταν όλοι

τους Νεοζηλανδοί ... και μάλιστα οι πιο απίθανοι που θα μπορούσαν να είναι· ήταν το παλιό κι αγαπημένο μου 23° Τάγμα. Είχε σταλεί στη Συρία με το σύνολο των τμημάτων του, εν μέρει για να ξεκουραστούν μετά απ' τις σκληρές μάχες που είχαν δώσει στη Δυτική Έρημο της Λιβύης και εν μέρει για να προετοιμαστούν για την φημολογούμενη γερμανική επίθεση μέσω Τουρκίας. Σε λίγα λεπτά, περπατούσαμε στον αέρα. Μας μετέφεραν και τους τρεις ψηλά στους ώμους μέχρι την άλλη πλευρά του λόφου φωνάζοντας σ' όλους τους υπόλοιπους να έρθουν και να μας δουν. «Είναι ο Σάντυ! Ο Σάντυ Τόμας απ' την 15η Διμοιρία!» φώναξε μια φωνή.

«Μην είσαι ανόητος», φώναξε κάποιος. «Ο Σάντυ αιχμαλωτίστηκε απ' τα καθάρματα πίσω στην Κρήτη κι αγνοείται η τύχη του!»

«Αυτός είναι σου λέω ... διότι αν δεν είναι ο Σάντυ, τότε είναι το φάντασμα του που ήρθε να μας καταραστεί!»

Στη συνέχεια, παρενέβη μια πιο έγκυρη φωνή, «Ναι, αυτός είναι! Είναι ο Σάντυ! Αλλά, πώς στο καλό ... Σάντυ, εδώ, φύγετε όλοι απ' τη μέση! Αφήστε με να του σφίξω το χέρι».

«Κύριε Τόμας, κύριε Τόμας, εγώ είμαι, ο Λοχίας Άιρβιν, κύριε, θυμάστε; 14η Διμοιρία. Σας είχαμε για πεθαμένο, κύριε! Καλώς ήρθατε πάλι πίσω, κύριε, Καλώς ήρθατε και πάλι!» Τότε, καθώς ήμουν στριμωγμένος ανάμεσα σε δεκάδες φίλους, ήταν που ήρθε και το κερασάκι στην τούρτα. Μου φώναξε κάποιος, «Σάντυ, Σάντυ! Είναι εδώ κι ο αδελφός σου, ο Γκόντφρυ.

Ο Γκόντφρυ Τόμας

Είναι ακριβώς πάνω στο λόφο, μαζί με την παλιά σου Διμοιρία!» Ο Γκόντφρυ; Είναι δυνατόν να βρισκόταν εκεί; Θα έδινα όρκο πως θα βρισκόταν στη Νέα Ζηλανδία προσπαθώντας ακόμα να αποθαρρύνει τους αγρότες από την εθελοντική κατάταξη. Ο Λοχίας Άιρβιν διέταξε, να με πάνε ψηλά να δω τον Γκόντφρυ.

«Ελάτε παλληκάρια, σηκώστε τον πάλι ψηλά μαζί με τους άλλους δύο. Πάμε!

Όση ώρα ήμασταν στον αέρα, ο Τζων με τον Νικ είχαν ένα χαμόγελο που έπιανε το μισό τους πρόσωπο. Έβλεπα όλο και περισσότερους στρατιώτες να εγκαταλείπουν τις εργασίες τους και να σπεύδουν προς το μέρος μας.

«Βρείτε τον Γκόντφρυ. Βρείτε τον Γκόντφρυ. Πείτε του ότι έχουμε τον Σάντυ εδώ!»

(Περιέργως, και παρόλη τη μοναδική συγκίνηση της στιγμής εκείνης, μια φωνή στο πίσω μέρος του μυαλού μου, διαμαρτυρόταν που με αποκάλεσαν με το μικρό μου όνομα).

Ο πιεστικός όχλος γύρω μου χώρισε στα δύο. Τα παλληκάρια που με είχαν στους ώμους τους με άφησαν προσεκτικά κάτω. Οι φωνές, τα παλαμάκια, τα ενθουσιώδη επιφωνήματα κατέληξαν σε μια αναμενόμενη σιγή.

Ο Γκόντφρυ, μαυρισμένος από τον ήλιο, σπρώχτηκε προς το μέρος μου. Κοιταχτήκαμε για μισό δευτερόλεπτο, και στη συνέχεια κάναμε κάτι που δεν είχαμε ξανακάνει ποτέ. Πέσαμε ο ένας στην αγκαλιά του άλλου και μείναμε αγκαλιασμένοι.

«Μπλέχτηκα κι εγώ σ' αυτό τον πόλεμο για να βρω τι απέγινες, και τελικά με βρήκες εσύ», μού είπε συγκινημένος.

Ξεχνώντας για λίγο τις επευφημίες, τις φωνές και τα χαρούμενα πρόσωπα γύρω μου, κοίταξα τα λευκά σύννεφα που ταξίδευαν στον λυτρωτικό γαλάζιο ουρανό. Κι ευχαρίστησα τον Θεό με όλη μου την ψυχή.[48]

---

[48] Στην Επίσημη Ιστορία της Νέας Ζηλανδίας κατά το Δεύτερο Παγκόσμιο Πόλεμο, 1939-1945, 23° Τάγμα, στις 11 Μαΐου του 1942 βρίσκεται καταχωρημένη η εξής σημείωση: «σήμερα είχαμε μία ευτυχή περίσταση: ο Υπολοχαγός Τόμας, ενώ είχε ξεμείνει βαριά τραυματίας στις μάχες της Κρήτης, εμφανίστηκε στα Τουρκοσυριακά σύνορα, στο σημείο που είχε στρατοπεδεύσει ο Λοχαγός Ντικ Κόνολι».

Ο Σάντυ κι ο Γκόντφρυ Τόμας στο Χαλέπι

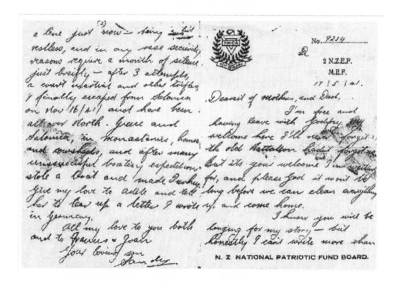

17/5/42

Πολυαγαπημένη μου μητέρα, και πατέρα,

Είμαι ελεύθερος και βρίσκομαι σε άδεια μαζί με τον Γκόντφρυ. Το καλωσόρισμα μου εδώ, δεν θα το ξεχάσω ποτέ: το παλιό μου Τάγμα δεν με είχε ξεγράψει. Αλλά είναι το δικό σας καλωσόρισμα για το οποίο αδημονώ περισσότερο, και παρακαλώ τον Θεό, να μην περάσει ακόμα πολύς χρόνος που θα τα μαζέψουμε από 'δω και θα έρθουμε σπίτι.

Ξέρω ότι θα λαχταράτε να μάθετε τι μου συνέβη -αλλά ειλικρινά δεν μπορώ να γράψω πάνω από δυο γραμμές αυτή τη στιγμή διότι είμαι σε αναβρασμό, και σε κάθε περίπτωση, λόγοι ασφαλείας απαιτούν ένα μήνα σιωπητήριο. Εν συντομία πάντως: μετά από 3 προσπάθειες, ένα στρατοδικείο και άλλες περιπέτειες, δραπέτευσα τελικά απ' τη

Θεσσαλονίκη στις 16 Νοε/41 και αφού περιπλανήθηκα στη Βόρεια Ελλάδα, σε μοναστήρια, σπίτια και στάβλους, μετά από πολλές αποτυχημένες ναυτικές προσπάθειες, έκλεψα μια βάρκα και έφτασα στην Τουρκία.

Δώστε την αγάπη μου στην Αντέλ και πείτε της να σκίσει το γράμμα που της έγραψα όταν ήμουν αιχμάλωτος.

Με όλη μου την αγάπη στους δυο σας, την αδερφή μου Φράνσις και την ξαδέρφη μου Τζόαν.

Ο στοργικός σας γιος, Σάντυ

Η Φράνσις, οι γονείς του Σάντυ Τόμας και η Αντέλ

Λίγα συμπληρωματικά στοιχεία

Η Αντέλ κι ο Σάντυ ήταν ερωτευμένοι κι αχώριστοι καθόλη τη διάρκεια των σχολικών τους χρόνων, των σπουδών και της εργασίας τους, κι αρραβωνιάστηκαν λίγο πριν αναχωρήσει ο Σάντυ για τον πόλεμο. Κατά τα πρώτα στάδια του πολέμου κατάφεραν και είχαν σταθερή αλληλογραφία.

Όταν ο Σάντυ τραυματίστηκε και παρέμεινε επί έξι μήνες απελπισμένος, αβοήθητος και βαριά πληγωμένος στο Νοσοκομείο Αιχμαλώτων Πολέμου στην Κοκκινιά, έγραψε ένα αποφασιστικό γράμμα στην αγαπημένη του και την παρότρυνε να μη χαραμίσει τη ζωή της περιμένοντας τον, γιατί το μέλλον του θα ήταν αβέβαιο και δυσοίωνο. Όταν η Αντέλ έλαβε το γράμμα, συγκλονίστηκε με το περιεχόμενο του και σε συνδυασμό με την έλλειψη αλληλογραφίας που ακολούθησε, θεώρησε, όπως και όλοι οι άλλοι γύρω της, ότι ο αρραβωνιαστικός της δεν θα είχε καταφέρει να επιζήσει.

Τον επόμενο χρόνο, όταν ο Σάντυ δραπέτευσε και έφτασε στις συμμαχικές γραμμές της Συρίας, έμαθε από την απάντηση των γονιών του, στο προηγούμενο γράμμα, ότι η Αντέλ είχε μόλις παντρευτεί έναν συμπαθητικό πάστορα.

Ο Σάντυ απόκτησε, αργότερα στη ζωή του, τρεις κόρες με την γυναίκα του, Άιρντεϊλ. Σε μεγάλη ηλικία, όταν και οι δύο σύζυγοι τους είχαν φύγει από τη ζωή, ο Σάντυ και η Αντέλ, επανασυνδέθηκαν.

Η στρατιωτική καριέρα του Σάντυ Τόμας, παρόλο τον σοβαρό τραυματισμό που υπέστη σε νεαρή ηλικία, ήταν αξιοθαύμαστη και περιγράφεται εκτενώς στη βιογραφία του, *Pathways to Adventure, An Extraordinary Life, Dryden Press, 2005.*

Σε μία απ' τις μετέπειτα επισκέψεις στους φίλους του μοναχούς της Μονής Αγίου Διονυσίου, το 1959, όπου τον υποδέχτηκαν μ' ένα αντίγραφο του βιβλίου του.

Οι επιζώντες του 23ου Τάγματος, όλοι πάνω από 80 χρονών, αντάμωναν συχνά. Από τους 4.287 Νεοζηλανδούς που πολέμησαν με το $23^ο$ Τάγμα, τουλάχιστον 2.200 απ' αυτούς σκοτώθηκαν, τραυματίστηκαν ή αιχμαλωτίστηκαν στη Μάχη της Κρήτης.

Η γενική άποψη της πορείας που ακολούθησε ο Σάντυ Τόμας.

Μία επίσκεψη στο Άγιον Όρος

Νοέμβριος 1944

Είναι αξιοθαύμαστο ότι η Χερσόνησος του Άθω, κατά τη διάρκεια της ύπαρξης της μέσα στην ιστορία, υπήρξε πάντα τόπος καταφυγής, όχι μόνο για πνευματική ακεραιότητα και καλλιέργεια αρετών, αλλά και για την προστασία της σωματικής ακεραιότητας των αδυνάτων, έναντι στους διάφορους πολυποίκιλους κατακτητές, που πάντα εποφθαλμιούσαν να ελέγξουν με τη βία, την ευλογημένη αυτή χώρα που λέγεται Ελλάδα.

Απ' την προ Χριστού περίοδο ήδη, έχει υπάρξει, μεταξύ άλλων, τόπος απομόνωσης και καταφυγής πολεμιστών όπως οι επιφανείς Αμαζόνες, οι οποίες τον τηρούσαν αυστηρά άβατο για τους άνδρες, και τιμωρούσαν με μεγάλη αυστηρότητα τους επίδοξους καταπατητές, ακόμα και με θάνατο.

Την τύχη αυτή, βέβαια, δεν είχε κι ο Μέγας Αλέξανδρος, ο οποίος αφού επιβλήθηκε στην ιερή χερσόνησο, αρνήθηκε στον πιεστικό αρχιτέκτονά του, Δεινοκράτη,[49] να λαξεύσει τον Άθωνα στη μορφή τού Στρατηλάτη, αλλά διεμήνυσε, προφητικά, «...αυτός ο τόπος πρέπει να αφεθεί στην ησυχία του...»

Στη μετά Χριστόν εποχή, ο Άθως εξελίχθηκε στην κυριότερη πνευματική κοιτίδα που περιέθαλψε, διέσωσε και συγκέρασε τον Ελληνισμό με τη Χριστιανική Πίστη, λειτουργώντας έκτοτε ως κιβωτός του Ελληνο-Βυζαντινού Πολιτισμού.

---

[49] Πλούταρχος στό «Περὶ τῆς Ἀλεξάνδρου τύχης ἢ ἀρετῆς».

Ο μορφή του Μεγαλέξανδρου λαξευμένη στον Άθω,
Συλλογή Αγιορείτικης Χαρτοθήκης

Όταν, μάλιστα, άρχισε να μετατρέπεται σε τόπο *άβατο* για τις γυναίκες, ο λόγος για τον οποίο συνέβη αυτό δεν ήταν κάποιος ρατσισμός απέναντι στο γυναικείο φύλο. Άλλωστε, εδώ και τουλάχιστον 18 αιώνες, οι κάτοικοι του από το πρωί έως το... επόμενο πρωί, λατρεύουν μία γυναίκα, την Παναγία -και για αυτό το Άγιον όρος κατέστη εξίσου γνωστό, ως «το περιβόλι της Παναγίας».

Είκοσι Μονές, είκοσι ξεχωριστές Μοναστικές Κοινότητες, απαρτίζουν μία Ιερά Κοινότητα που αυτοδιοικεί την -υπαγόμενη στους νόμους και την προστασία του Ελληνικού Κράτους- Χερσόνησο του Άθω, με έναν τρόπο αξιοζήλευτο και πρότυπο για οποιαδήποτε άλλη διεθνή κοινότητα, όπως π.χ. η Ευρωπαϊκή...

Ένα, μάλιστα, απ' τα λιγότερο γνωστά χαρακτηριστικά της Αθωνικής Πολιτείας, το οποίο δεν έχει συνειδητοποιηθεί καταλλήλως, αλλά ούτε και αξιοποιηθεί(!), είναι ότι αποτελεί την μακροβιότερη συνεχόμενη Δημοκρατία στον Κόσμο, και αυτό συμβαίνει από τον 10° αιώνα μ.Χ. όταν απέκτησε την de jure υπόσταση που έχει έως σήμερα...

***

Εβδομήντα χρόνια πριν, όταν έληγε ο Β' Παγκόσμιος Πόλεμος, είχαν ήδη διασωθεί από τους Αγιορείτες εκατοντάδες στρατιώτες, οι οποίοι, μπροστά στη Ναζιστική επέλαση, εγκαταλείφθηκαν πίσω κατά τη διάρκεια της άτακτης αποχώρησης των Συμμαχικών Δυνάμεων.

Αμέσως μετά τη λήξη του πολέμου, άρχισαν να αποστέλλονται σε διάφορα σημεία ανά την Ελλάδα, αντιπρόσωποι συμμαχικών κυβερνήσεων με σκοπό να επιδώσουν με κάθε επισημότητα, ευχαριστήριες επιστολές, παράσημα, τίτλους και χρήματα. Στους Αγιορείτες Πατέρες, έφτασαν αυτοπροσώπως, πρώτοι εκείνοι που ερχόντουσαν από πιο μακριά -τη Νέα Ζηλανδία.

Μία απ' τις λίγες αδημοσίευτες επισκέψεις και περιγραφές ξένων αντιπροσώπων στον Άθω, είναι κι αυτή του Πήτερ Μάκινταϊρ, για τον οποίο παραθέτουμε τα απαραίτητα βιογραφικά στοιχεία που καταδεικνύουν ότι η μαρτυρία του έχει μία ξεχωριστή βαρύτητα, καθώς επρόκειτο για έναν άνθρωπο περιπετειώδη, καλλιεργημένο σύμφωνα με το πνεύμα της εποχής του, πετυχημένο στρατιώτη αλλά και κοσμογυρισμένο καλλιτέχνη.

Είμαι ιδιαίτερα ευτυχής που ο άοκνος φίλος μου φιλαθωνίτης, Πήτερ Χόουγουερθ, συγγενής τού εν ζωή Νεοζηλανδού ήρωα, Σάντυ Τόμας, έφερε στο φως εκείνο το ιστορικής σημασίας ταξίδι και μου εμπιστεύτηκε τη φροντίδα και τη δημοσίευση του.

Η αφορμή και τα αποτελέσματα εκείνης της επίσημης νεοζηλανδικής επίσκεψης, έχουν τη δική τους πολυδιάστατη και ιστορική βαρύτητα και πλέον βρίσκονται στη διάθεση του αναγνωστικού κοινού.

Γ. Γ. Σ.

Βιογραφικά Στοιχεία

του

Peter McIntyre

Στρατιωτικός, ζωγράφος και συγγραφέας, γεννήθηκε στις 4 Ιουλίου του 1910, στο Ντουνέντιν της Νέας Ζηλανδίας.

Αποφοίτησε απ' τη Σχολή Καλών Τεχνών του Σλέιντ, στο Λονδίνο, με άριστα. Εργάστηκε σαν ελεύθερος καλλιτέχνης στη Μεγ. Βρετανία και παντρεύτηκε με την Λίλιαν Γουέλμπερν. Το 1939, κατατάχτηκε στο 2ο Εκστρατευτικό Σώμα της Ν. Ζηλανδίας (2NZEF), στην Αγγλία, εκπαιδεύτηκε με την Νεοζηλανδική Πυροβολαρχία στο Άλντερσοτ και υπηρέτησε ως αντιαρματικός σκοπευτής με την 2NZEF στην Αίγυπτο, από τον Απρίλιο του 1940. Τον Ιανουάριο του 1941, διορίστηκε από τον Υποστράτηγο Μπέρναρντ Φρέυμπεργκ, Επίσημος Καλλιτεχνικός Ανταποκριτής της Ν. Ζηλανδίας, καταγράφοντας τις μάχες της 2NZEF στην Κρήτη, στην Β. Αφρική και στην Ιταλία.

Γύρισε στο Ντουνέντιν το 1946 όπου ξαναπαντρεύτηκε με την Πατρίσια Μάιλς και μετοίκησε στο Ουέλινγκτον της Ν. Ζηλανδίας. Εξελίχθηκε σε επαγγελματία ζωγράφο προσωπογραφιών και τοπίων, και σε κριτικό μοντέρνας τέχνης. Είχε διαπρέψει σε διεθνείς καλλιτεχνικούς διαγωνισμούς και ήταν ένας από τους πιο διακεκριμένους και διάσημους ζωγράφους στην Αυστραλία, τις ΗΠΑ και τη Ν. Ζηλανδία.

Μεταξύ πολλών βιβλίων, το 1968, εξέδωσε το *The Painted Years* στο οποίο εξιστορεί τις εμπειρίες του. Το *Peter McIntyre's New Zealand* (1964) ξεπούλησε στις έξι πρώτες μέρες και παρέμεινε σε κυκλοφορία για είκοσι χρόνια.

Το 1970 χρήστηκε Αξιωματικός του Τάγματος της Βρετανικής Αυτοκρατορίας. Πέθανε στο Ουέλινγκτον το 1995.

Ο Υποστράτηγος Sir Bernard Freyberg του Peter McIntyre, 28.3.1943
(Αρχείο ΝΖ, ΑΑΑC 898 NCWA 15)

Τον Νοέμβριο του 1944, τρεις Νεοζηλανδοί εκπρόσωποι του Στρατού και της Κυβέρνησης, επισκέφτηκαν το Άγιο Όρος για να αποτίσουν φόρο τιμής και να επιδώσουν εύφημες μνείες στα Μοναστήρια, τα οποία, παρόλο που εκτέθηκαν σε σοβαρούς κινδύνους από τους Ναζί, ενορχήστρωναν τη διαφύλαξη και τη προστασία πολλών Νεοζηλανδών στρατιωτών κατά τη διάρκεια του Β΄ Παγκοσμίου Πολέμου.

Δύο χρόνια πριν, καθώς ερευνούσα την προέλευση των ευχαριστηρίων επιστολών που είχαν υπογραφεί από τον τότε Πρωθυπουργό της Νέας Ζηλανδίας Πήτερ Φρέιζερ και τον Υποστράτηγο Μπέρναρντ Φρέυμπεργκ, Διοικητή της 2NZEF, ανακάλυψα «κατά τύχη», στ' αρχεία του Εθνικού Ραδιοφώνου της Νέας Ζηλανδίας, μία ξεχασμένη ραδιοφωνική εκπομπή του Πήτερ Μάκινταϊρ, ενός εκ των τριών επισκεπτών στο Άγιο Όρος τον Νοέμβριο 1944, που είχε ηχογραφηθεί την Πρωτοχρονιά του 1945.

Επίσης, συμπτωματικά, ανακαλύφθηκε πρόσφατα στην Εθνική Βιβλιοθήκη της Νέας Ζηλανδίας, μία συλλογή απ' τις 83 φωτογραφίες που είχαν αποθανατίσει την επίσκεψη εκείνη.

Η απομαγνητοφωνημένη εκπομπή του 1945 και η φωτογραφίες της επίσκεψης τον Νοέμβριο του 1944, αμέσως μετά το τέλος της ναζιστικής Κατοχής στην Ελλάδα, παρέχουν μία εξαιρετική αντίληψη για το μεταπολεμικό Άγιο Όρος και αποδεικνύουν την αγιότητα και την γενναιοδωρία των κατοίκων του.

Πήτερ Χόουγουερθ, 2014

"Χωρίς Γυναίκες"

Ταγματάρχης Πήτερ Μάκινταϊρ,

Επίσημος Πολεμικός Καλλιτέχνης, 2NZEF

Μια εκπομπή που μαγνητοφωνήθηκε

την 1/1/1945 στη Φλωρεντία,

απ' την Κινητή Μονάδα Αναμετάδοσης της Νέας Ζηλανδίας.

(ID 1704 Nga Taonga Sound and Vision - Radio Collection)

Αυτοπροσωπογραφία του Μάκινταϊρ

Έχω βρεθεί σε πολλά παράξενα μέρη κατά τη διάρκεια της ζωής μου. Σε δημοκρατίες τσέπης όπως το Σαν Μαρίνο της Ιταλίας, την Ανδόρα της Ισπανίας και σε μέρη όπως το Μονακό, αλλά τον προηγούμενο μήνα στην Βόρεια Ελλάδα, ανακάλυψα το πιο ασυνήθιστο απ' όλα.

Μία χερσόνησο κυριολεκτικά αποκομμένη από τον έξω κόσμο, κυριολεκτικά αυτοδιοικούμενη, ασυνήθιστη, μυστηριώδη και πανέμορφη. Ένας τόπος περίπου 8.000 κατοίκων, στον οποίο δεν υπάρχουν γυναίκες, δρόμοι[50] και, παρεμπιπτόντως, καθόλου διαφημίσεις.

Αν το καλοσκεφτεί κανείς, κι απαλλάξει τον εαυτό του από αυτά τα δύο πράγματα -τις γυναίκες και τ' αυτοκίνητα- οι περισσότερες επιπλοκές και οι ανησυχίες της ζωής θα εξαφανιστούν αμέσως.

---

[50] Ο Μάκινταϊρ αναφέρεται στην έλλειψη των κύριων υποδομών μετακίνησης στο Άγιο Όρος το 1944. Σήμερα υπάρχει ένα μη-ασφαλτοστρωμένο οδικό δίκτυο.

Αν βγεις απ' τη Θεσσαλονίκη προς τ' ανατολικά ...

Λιμάνι Θεσσαλονίκης

... και ξεπεράσεις όλες τις οροσειρές που θα συναντήσεις, θα δεις τη χερσόνησο του Άθω, να πετάγεται μέσα απ' τη θάλασσα του Αιγαίου. Πρόκειται για ένα απομακρυσμένο, μοναχικό και πραγματικά πανέμορφο μέρος.

Από το 300 μ.Χ. περίπου, η Αθωνική χερσόνησος κατοικείται αποκλειστικά από αναχωρητές. Διάσπαρτα κατά μήκος της, σε απόκρημνα κατσάβραχα κάτω από απότομες πλαγιές, υπάρχουν μεγάλα και παλαιά μοναστήρια. Χτισμένα για να αντιμετωπίζουν τις πειρατικές επιδρομές, είναι οχυρωμένα με μεγάλα πέτρινα τείχη και πολεμίστρες.

Οι Μονές Σίμωνος Πέτρας και Αγίου Γρηγορίου

Ήμασταν τρεις που το επισκεφτήκαμε, όλοι από το Ντουνέντιν της Νέας Ζηλανδίας -ο Μόντυ Μακλάιμοντ, ο Μακμίλλερ και η αφεντιά μου.

Διασχίσαμε το μεγαλύτερο μέρος της Χαλκιδικής με ένα τετρακίνητο στρατιωτικό όχημα, μέσα από χωριά όπου μας πρόσφεραν ψητό χοιρινό κι ένα φλογερό ποτό που το έλεγαν ούζο ή ρακή. Φτάσαμε στ' απομεινάρια της διώρυγας του Ξέρξη[51] που είχε προσπαθήσει να κόψει δρόμο απ' τη χερσόνησο, 400 χρόνια προ Χριστού, περίπου.

---

[51] Το 480π.Χ. ο Πέρσης Βασιλιάς Χέρξης, κατά την πρώτη του προσπάθεια να εισβάλλει στην Ελλάδα, έχασε τον στόλο των 300 πλοίων και των 20,000 ανδρών σε μία θαλασσοταραχή ΝΑ του Άθω. Τον επόμενο χρόνο, πέρασε με τα πλοία του στην άλλη πλευρά ανοίγοντας ένα κανάλι, αποφεύγοντας έτσι να περάσει τη χερσόνησο και πάλι δια θαλάσσης.

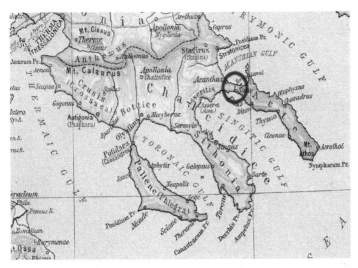

Χαλκιδική, Γουίλιαμ Ρόμπερτ Σέπερντ, 1923

Όταν το τζιπ τα βρήκε σκούρα, ναυλώσαμε ένα ψαροκάικο, και πλεύσαμε κατά μήκος της νότιας ακτής. Ήταν υπέροχα. Το νερό ήταν σα γυαλί που σου επέτρεπε να βλέπεις στο βυθό του ακόμα και τους αστερίες, ενώ ο Άθωνας ξεπρόβαλλε ψηλά στο βάθος, μέσα απ' την καταχνιά.

Λιαζόμενοι πάνω στο ξύλινο κατάστρωμα, περάσαμε το τελευταίο χωριό στα παράλια[52] και οι ψαράδες μας υπέδειξαν τον συνοριακό φρουρό.

---

[52] Ουρανούπολη, η πόλη του ουρανού

Εισερχόμενοι στο Άγιο Όρος με καΐκι

Ο Πύργος της Ουρανούπολης

Δια νόμου, στις γυναίκες δεν επιτρέπεται η πρόσβαση στην υπόλοιπη χερσόνησο πέραν του Συνόρου αυτού. Στην ουσία, καμία γυναίκα δεν έχει πατήσει το πόδι της στο Άγιο Όρος από το 1026 -παρόλο που πιστεύω ότι πολλές θα το προσπάθησαν.

Σου δημιουργούσε ένα αίσθημα ηρεμίας. «Χωρίς γυναίκες, ε;» είπε ο Μόντυ, «Χωρίς γυναίκες; Να ένα παράξενο μέρος για σένα Μάκινταϊρ». «Αντιθέτως, Μακλάιμοντ», είπα, «σκέφτομαι σοβαρά να γίνω μοναχός. Αμφιβάλλω αν θα φύγω ποτέ απ' αυτό το μέρος».

Καταπλεύσαμε το ίδιο απόγευμα σε ένα μικρό λιμανάκι κάτω από το μεγάλο μοναστήρι του Αγίου Παύλου, και καθώς ανηφορίζαμε το μονοπάτι, οι μοναχοί κατέβηκαν να μας συναντήσουν.

Ψηλά καλυμμαύχια και ράσα, μακριά μαλλιά και γενειάδες. Ασυνήθιστοι τύποι.

Το πρώτο μου σοκ, ήταν ότι δεν τους βρήκα σκυθρωπούς και αυστηρούς, αλλά φωτεινούς, εγκάρδιους και οικείους. «Καλώς τους – καλώς τους!» επαναλάμβαναν συνέχεια. Ήταν ξεκάθαρα βασιλικοί και με το μέρος των συμμάχων! «Η Ελλάδα καλύτερα να μείνει υπό την προστασία της Βρετανίας, έτσι όπως παν τα πράγματα!»[53] ήταν μία απ' τις πρώτες δηλώσεις των συγκεκριμένων μοναχών.

---

[53] Πρέπει ν' αναλογιστούμε ότι ο εμφύλιος πόλεμος ήταν έτοιμος να ξεσπάσει και οι δύο πλευρές που συγκέντρωναν τις δυνάμεις τους, ήταν οι Κομμουνιστές και οι φιλο-Βρετανοί. Οι μοναχοί, μεταξύ των δύο πλευρών, για ευνόητους λόγους, θεωρούσαν ασφαλέστερους τους Βρετανούς, γι' αυτό και θεωρούσαν «τον εχθρό του εχθρού τους, φίλο τους».

Στην πύλη της Μονής Αγίου Παύλου

Η Μονή Αγίου Παύλου στους πρόποδες του Άθω

Στην Αγίου Παύλου με τους μοναχούς

Τελικά αντελήφθησαν απ' τα διακριτικά στους ώμους μας ότι ήμασταν Νεοζηλανδοί, και αμέσως επικράτησε χάος. Ήθελαν να μάθουν όλοι ταυτόχρονα, το πώς ήταν ο Τόμας.

Ο 'Τόμας', ήταν ο Συνταγματάρχης Σάντυ Τόμας της 2NZEF, ο οποίος αφού δραπέτευσε από μία γερμανική φυλακή της Θεσσαλονίκης, προστατεύτηκε και περιθάλφθηκε από πολλούς μοναχούς, όπως της Μονής του Αγίου Παύλου. Κρατώντας την ίδια στάση όπως και με εκατοντάδες άλλους συμμαχικούς δραπέτες, οι Αγιορείτες μοναχοί, κατάφεραν τελικά να βοηθήσουν τον Συντ/ρχη Τόμας να διαφύγει δια θαλάσσης προς τα παράλια της Μικράς Ασίας και την ελευθερία. Δεχόντουσαν συχνά τις εφόδους των Γερμανών, αλλά πάντα κατάφερναν να κρύβουν τους στρατιώτες στα δάση γύρω απ' τα μοναστήρια. Ο νεαρός κηπουρός-μοναχός τους[54] που βοήθησε πολύ τον Τόμας, εν τέλει φυλακίστηκε από τους Ναζί.

Το δείπνο αποτελείτο από ένα τεράστιο μενού, με έξι πιάτα και άφθονο κρασί. Ήταν ένα λαμπερό δείπνο με αρκετό γέλιο και πολύ παρότρυνση για περισσότερο φαγητό και κρασί. Στις 11 η ώρα, καταφέραμε να δραπετεύσουμε προς τα πεντακάθαρα κάτασπρα κρεβάτια μας, με τα μεγάλα προσκέφαλα. Στη μία τα ξημερώματα, όλες οι καμπάνες του μοναστηριού άρχισαν να χτυπούν μαζί.

Ο γερο-Γεώργιος Αγιοπαυλίτης

Γύρισα πλευρό βγάζοντας ένα βαθύ και αναπαυτικό αναστεναγμό. Οι μοναχοί εδώ, πηγαίνουν στην εκκλησία για προσευχή, απ' τη μία τα μεσάνυχτα ως την αυγή.

---

[54] Πρόκειται για τον Γερο-Γεώργιο Αγιοπαυλίτη, που αναφέραμε στο κυρίως βιβλίο.

Το κωδωνοστάσιο της Μεγίστης Λαύρας

Ένας μοναχός χτυπά ρυθμικά το ξύλινο «τάλαντο» στο Ρώσικο Μοναστήρι.

Περίπου στις τρεις, ξύπνησα από ένα σήμαντρο, ένα ξύλινο σήμαντρο, που το χτυπούσαν με ένα διακεκομμένου ρυθμό, μέχρι που πήρε σειρά μία καμπάνα και γέμισε ολόκληρο το μοναστήρι με ένα μουσικό παλμό. Ήταν σα να βρίσκομαι στο Θιβέτ.

Επιβίβαση από τον αρσανά της Αγίου Παύλου

Την επόμενη μέρα, ξεκινήσαμε με καΐκι για τη βόρεια πλευρά, πλέοντας κάτω απ' τις καλύβες των ερημιτών.

Καλύβες ερημιτών που κρέμονται από τους γκρεμούς

Τούτοι οι ερημίτες, ζουν ο καθένας τους σε μια μικρή καλύβα που στέκεται εκπληκτικά στο χείλος του γκρεμού, ακριβώς πάνω απ' τη θάλασσα. Η τροφή τους αποτελείται από ξερό ψωμί και νερό, το οποίο τους το πηγαίνουν βαρκάρηδες και το τραβούν πάνω με σκοινί. Έχει ιδιαίτερο ενδιαφέρον να τονίσω το γεγονός ότι, παρόλο που αυτά τα γεροντικά παλληκάρια τρέφονται με αυτή τη δίαιτα, καταφέρνουν και ζουν τουλάχιστον για ενενήντα χρόνια. Ακόμα και στις τελευταίες μέρες της ζωής τους, μπορούν και σκαρφαλώνουν πάνω-κάτω σαν αίλουροι.

Μία καταιγίδα μας ανάγκασε να πιάσουμε στεριά κάπου στο ακρωτήριο και να σκαρφαλώσουμε με τα πόδια σε ένα ρουμάνικο μοναστήρι. Εκεί, μας τάισαν παστό ψάρι, αγριόμελο και μαύρο ψωμί, μέσα σ' ένα δωμάτιο γεμάτο με περίεργες λιθογραφίες από σκηνές μαχών.

Ανάμεσα σε όλα αυτά τα αταίριαστα κάδρα, υπήρχε νομίζω και μία σκηνή της Κοίμησης της Θεοτόκου.

Από εκεί συνεχίσαμε με γαϊδουράκια, περνώντας μέσα από άγρια ορεινά σκηνικά ...

... βασανιστικά μονοπάτια, απότομα και δύσβατα ανοίγματα, βραχώδεις γκρεμούς, βαθιά δάση, υπομένοντας και δύο άσχημες πτώσεις απ' τα μεταφορικά μας μέσα.

Καθώς πλησιάσαμε σ' ένα σιωπηλό και αποτρεπτικό μοναστήρι, με απότομα πέτρινα τείχη και μία στενή πύλη, ο Μακ και ο Μόντυ, έτσι όπως κάθονταν στα γαϊδουράκια τους και κοιτούσαν τις πολεμίστρες από πάνω τους, έμοιαζαν, ακριβώς, σαν τον Δον Κιχώτη και τον Σάντσο Πάντζα.

Στην πύλη της Μεγίστης Λαύρας

Στη Λαύρα, το πλουσιότερο και παλαιότερο μοναστήρι, επισκεφτήκαμε μία μεγάλη βιβλιοθήκη γεμάτη από πανάρχαια χειρόγραφα. Αντικείμενα ανεκτίμητης αξίας, που χρονολογούνταν πίσω μέχρι και τον 4º αιώνα. Φυλαγμένη εκεί μέσα, βρίσκεται όλη η ιστορία της Βυζαντινής Αυτοκρατορίας. Υπήρχαν άμφια και μίτρες παλαιών Πατριαρχών κι Αυτοκρατόρων του Βυζαντίου, υπήρχαν φαρέτρες από βέλη που είχαν χρησιμοποιηθεί για την προστασία της Μονής από πειρατές, οκτακόσια χρόνια πριν.

Η αυλή της Λαύρας

Στην εσωτερική αυλή, μία πανέμορφη γαλήνια αυλή, βρισκόταν ένα τεράστιο κυπαρίσσι το οποίο σύμφωνα με τα αρχεία της Μονής, θα κλείσει χίλια έτη, σε δεκατρία χρόνια.

Το υπερχιλιετές, σήμερα, κυπαρίσσι της Λαύρας

Παρόλο που έχει ξαναχτιστεί αρκετές φορές, το μοναστήρι αυτό θεμελιώθηκε περίπου το 300 μ.Χ. Η τελευταία προσπάθεια καταστροφής του, είχε επιχειρηθεί τον προηγούμενο χρόνο από τους στρατιώτες του ΕΛΑΣ, οι οποίοι, επειδή γνώριζαν ότι οι μοναχοί είχαν βασιλική και φιλο-συμμαχική στάση, προσπάθησαν να το κάψουν βάζοντας φωτιά στα γύρω δάση.

Μετά από μία ακόμη μακρά διαδρομή με γαϊδουράκια φτάσαμε στην πρωτεύουσα, τις Καρυές. Σίγουρα μία απ' τις πιο ασυνήθιστες πάνω στη Γη.

Με δρόμους, μαγαζάκια, ξενώνες, σπιτάκια κι εκκλησίες, αλλά χωρίς γυναίκες, χωρίς αυτοκίνητα, χωρίς διαφημιστικές πινακίδες και ταμπέλες οδών. Δια νόμου, κανείς μαγαζάτορας δεν μπορεί να αναρτήσει την επωνυμία του ή κάποιο άλλο εμπορικό σήμα. Δεν επιτρέπεται να περνάς καβάλα στο γαϊδουράκι σου μέσα απ' την πρωτεύουσα -πρέπει να ξεπεζεύεις και να πηγαίνεις με τα πόδια.

Οι μοναχοί αυτοί, δεν έχουν καμία αίσθηση του χρόνου! Το μέτρημα της ημέρας ξεκινάει την αυγή[55] κι όταν νομίζεις ότι είναι επτά το πρωί, κατ' αυτούς, είναι μόλις δύο η ώρα. Το ημερολόγιο τους πάει δεκατρείς μέρες πίσω από το δικό μας. Στον Άθω, όταν νομίζεις ότι είναι 8 το πρωί και 4 η Ιουλίου κάνεις λάθος· κατά την άποψη τους, είναι 3 το πρωί και 21η Ιουνίου.

Το όλο θέμα σε κάνει να βρίσκεσαι συνέχεια σε μία κατάσταση σύγχυσης κι επιφυλακτικότητας.

Η Κοινότητα, ή αλλιώς η Βουλή, συνέρχεται περιστασιακά στην πρωτεύουσα -ένας Αντιπρόσωπος για κάθε μοναστήρι.

Μας ξύπνησαν στις 6:30 το πρωί (με τη δική μας ώρα), για να συναντήσουμε τους Αντιπροσώπους. Σκεφτείτε

---

[55] Κατά τον Βυζαντινό τρόπο μέτρησης του χρόνου, κατά τη δύση του ηλίου η ώρα είναι Δώδεκα.

το: συνεδρίαση Βουλής στις 7 το πρωί!

Δεν είχαμε πάρει καν πρωινό (οι μοναχοί τρώνε δύο φορές την ημέρα). Μας υποδέχτηκαν με έντονη εθιμοτυπία και σύντομα, κατέφθασαν δίσκοι με ρακή -στις 7 το πρωί κατά τη συνεδρίαση της Κοινότητας! Μας ήταν κάτι το εντελώς πρωτόγνωρο!

Μετά από πολλούς διανθισμένους λόγους, αποχαιρετιστήκαμε και καβάλα στα γαϊδουράκια μας, βγήκαμε απ' την πιο αξιοπερίεργη πρωτεύουσα του κόσμου. Κατευθυνθήκαμε κάτω προς την παραλία και το καΐκι που μας περίμενε.

Είχαμε ένα αίσθημα ότι βγαίνουμε έξω σε έναν τελείως διαφορετικό κόσμο.

Κι έτσι, αποχαιρετίσαμε το Άγιο Όρος, τον τόπο χωρίς γυναίκες.

Αφήνοντας τον Άθω...

που αποτυπώθηκε στο βλέμμα του Νεοζηλανδού.

Ι. Μ. Αγ. Παντελεήμονος (Ρωσικό)

Οδηγήσαμε την επόμενη μέρα μέχρι τη Θεσσαλονίκη, και ακριβώς έξω από ένα κτήριο στεκόταν μία γυναίκα, για την ακρίβεια μια μικρή Αυστραλέζα του Ερυθρού Σταυρού, την οποία είχαμε γνωρίσει στην πόλη την προηγούμενη φορά. Την έλεγαν Πέννυ.

«Πέννυ», της είπα, «δεν έχεις ιδέα πόσο χαίρομαι που σε ξαναβλέπω!»

Πήτερ Μάκινταϊρ,
Για το Ράδιο Νέας Ζηλανδίας, 1945

Σκίτσο του Μάκινταϊρ, 1944

("The Painted Years" AH and AW Reed, New Zealand, 1962)

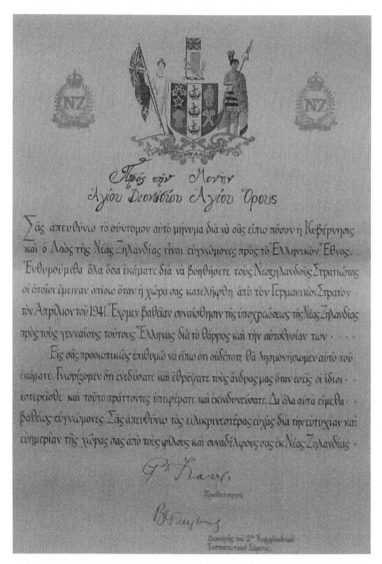

Ευχαριστήρια επιστολή της Κυβέρνησης της Νέας Ζηλανδίας προς την Ι. Μ. Διονυσίου. Παρόμοιες αποδόθηκαν και σε άλλες Μονές του Αγίου Όρους, στην Κοινότητα Ιερισσού, και σε Μονές της υπόλοιπης Ελλάδας όπως της Λογγοβάρδας στην Πάρο, λόγω της δράσης του αειμνήστου Γέροντός της, π. Φιλόθεου Ζερβάκου.

Άγιο Όρος, Νοέμβριος 1944   (Αρχείο Εθν. Βιβλ. Ν. Ζηλανδίας)

Ο Σάντυ Τόμας, το 2011, κατά τη διάρκεια εκδηλώσεων για την Μάχη της Κρήτης στον Πλατανιά Χανίων.

«...η έκδοση στα ελληνικά της ιστορίας μου, μπορεί να άργησε επτά δεκαετίες, αλλά αποτελεί για μένα την ιδανικότερη ολοκλήρωση της ζωής και της επιφανούς στρατιωτικής καριέρας μου, τις οποίες οφείλω στους Έλληνες...»

Σάντυ Τόμας

384

O Γιώργος Γ. Σπανός γεννήθηκε το 1972 στην Αθήνα και κατάγεται απ' την Ικαρία.

Είναι πατέρας τριών κοριτσιών και πατριός τριών αγοριών.

Τα τελευταία είκοσι χρόνια δραστηριοποιείται ενεργά στο χώρο της ναυτιλίας και των Logistics. Επίσης, δρα ως Εξειδικευμένος Σύμβουλος σε καινοτόμες επιχειρήσεις και ως Μέντορας, στο Athens Center of Entrepreneurship & Innovation (ACEin), του Οικονομικού Πανεπιστημίου της Αθήνας.

Έχει διακριθεί για τις υπηρεσίες του στη Διπλωματία, την Πολιτική, και για τη συμμετοχή του σε πολιτιστικές και κοινωνικές δράσεις ανά την Ελλάδα.

Οι βασικές του σπουδές ήταν Mechanical Engineering και Shipping, Transport & Logistics στο Λονδίνο. Από προσωπικό ενδιαφέρον, τα τελευταία χρόνια, εξειδικεύτηκε σε θέματα Ευρωπαϊκής Διακυβέρνησης (HEC Παρίσι), στην Αντιτρομοκρατία (Leiden, Χάγη), στην Κλασσική Ελληνική Λογοτεχνία και Πρωτοχριστιανική Γραμματεία, (Harvard και MIT), κι από τον πρωτοπόρο του είδους, Paul Ekman, στην αναγνώριση της απάτης και του ψεύδους, μέσω της ψυχογραφικής ανάλυσης, των μικροεκφράσεων του προσώπου, της γλώσσας του σώματος και της συναισθηματικής νοημοσύνης.

Στον ελεύθερο χρόνο του, ερευνά και φέρνει στο φως αληθινές ιστορίες, ενώ αρθρογραφεί και συγγράφει λαμβάνοντας αφορμές, όχι μόνο από τις πολυσχιδείς προσωπικές κι επαγγελματικές του εμπειρίες, αλλά κι από εκείνες που μπορεί να παραμένουν άγνωστες στο ευρύ κοινό, ή ανέκδοτες, κι αξίζουν να διασωθούν και να εμπνεύσουν πραγματικά τον σημερινό αναγνώστη.

Άλλα έργα του:
Fathers & Daughters, A Fatherhood Legacy, Athos Press, NY (2014, 2015)
A Visit to Mount Athos, November 1944, Athos Press, NY (2015)
Με Τόλμη για την Ελευθερία, Εκδόσεις Εν Πλω (2016)

(Υπό έκδοση 2017-2019)
Τα Γράμματα του Πειρασμού, C.S. Lewis, Athos Press, Canada
Βονιφάτιος, Ο Δούλος. Ο Εραστής. Ο Μάρτυς. Athos Press, NY
Η Εκπεσούσα Γυνή, Athos Press, NY
Μαγδαληνή, Athos Press, NY

www.about.me/george.g.spanos

Το παρόν βιβλίο κυκλοφορείται και στην Ελλάδα,
σε μικρότερη έκδοση από τις Εκδόσεις Εν Πλω (2016)

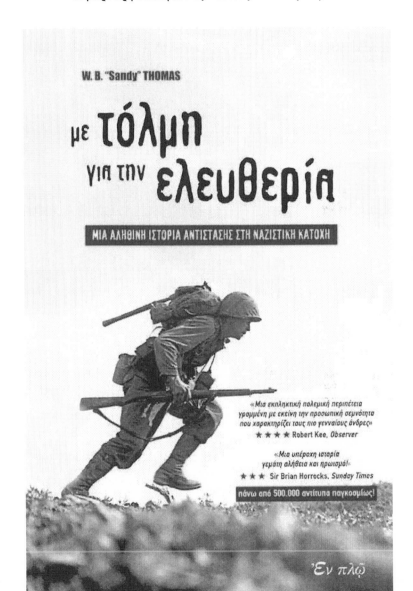

W. B. "Sandy" THOMAS

με τόλμη
για την ελευθερία

ΜΙΑ ΑΛΗΘΙΝΗ ΙΣΤΟΡΙΑ ΑΝΤΙΣΤΑΣΗΣ ΣΤΗ ΝΑΖΙΣΤΙΚΗ ΚΑΤΟΧΗ

«Μια εκπληκτική πολεμική περιπέτεια
γραμμένη με εκείνη την προσωπική σεμνότητα
που χαρακτηρίζει τους πιο γενναίους άνδρες»
★ ★ ★ ★ Robert Kee, Observer

«Μια υπέροχη ιστορία
γεμάτη αλήθεια και ηρωισμό!»
★ ★ ★ Sir Brian Horrocks, Sunday Times

πάνω από 500.000 αντίτυπα παγκοσμίως!

Έν πλῷ

Made in the USA
Columbia, SC
13 August 2020